DOUGLAS ~~KENNED~~

Douglas Kennedy est né à New York en 1955, et vit entre Londres, Paris et Berlin. Auteur de trois récits de voyages remarqués, *Au pays de Dieu* (2004), *Au-delà des pyramides* (2010) et *Combien ?* (2012), il s'est imposé avec, entre autres, *L'homme qui voulait vivre sa vie* (1998, rééd. 2010) – adapté au cinéma par Éric Lartigau en 2010, avec Romain Duris, Marina Foïs, Niels Arestrup et Catherine Deneuve –, *La Poursuite du bonheur* (2001), *Les Charmes discrets de la vie conjugale* (2005), *La Femme du Ve* (2007), *Piège nuptial* (1997, rééd. 2008), *Quitter le monde* (2009), *Cet instant-là* (2011) et *Cinq jours* (2013). Tous ces ouvrages sont publiés chez Belfond et repris chez Pocket.

Retrouvez toute l'actualité de l'auteur sur :
www.douglas-kennedy.com

CET INSTANT-LÀ

DOUGLAS KENNEDY

CET INSTANT-LÀ

*Traduit de l'américain
par Bernard Cohen*

belfond

Titre original :
THE MOMENT
publié par Hutchinson, Londres

Ce livre est une œuvre de fiction. Les noms et les personnages sont le fruit de l'imagination de l'auteur, et toute ressemblance avec des personnes réelles, vivantes ou mortes, serait pure coïncidence.

MIXTE
Issu de sources
responsables
FSC® C003309
www.fsc.org

Pocket, une marque d'Univers Poche,
est un éditeur qui s'engage pour
la préservation de son environnement
et qui utilise du papier fabriqué à partir
de bois provenant de forêts gérées
de manière responsable.

© Douglas Kennedy 2011. Tous droits réservés.

Et pour la traduction française

© Belfond, un département de place des éditeurs, 2011.

ISBN : 978-2-266-22738-4

À cinq grands amis :
Noeleen Dowling de Grangegorman, Dublin,
Anne Ireland de Falmouth, Maine,
Howard Rosenstein de Montréal, Québec,
Judy Rymer de Sydney, Nouvelle-Galles-du-Sud,
Roger Williams de l'autre côté de ma rue
à Wiscasset, Maine,

et à la mémoire d'un autre ami cher,
Joseph STRICK (1924-2010)

« Ah, je me suis fait une tribu
de mes véritables affections,
et ma tribu est maintenant dispersée !
Comment ramener le cœur
À son festin d'afflictions ? »

Stanley KUNITZ, *The Layers*

Première partie

1

J'ai reçu les papiers du divorce ce matin. J'ai connu de meilleures façons de commencer la journée. Même si je m'y attendais, les tenir entre mes mains a été incontestablement un choc : leur arrivée annonçait le début de la fin.

J'habite une petite maison sur une route retirée près d'Edgecomb, dans le Maine. C'est un cottage tout simple, deux chambres, un bureau, un living avec cuisine ouverte, du parquet ciré. Je l'ai acheté il y a un an, quand j'ai eu une rentrée d'argent. Mon père venait de mourir et, bien que désargenté au moment où son cœur a lâché, il avait toujours une assurance vie contractée à l'époque où il était cadre supérieur. Le capital s'élevait à trois cent mille dollars. En tant qu'enfant unique et seul survivant, ma mère ayant quitté ce monde des années auparavant, j'étais le légataire universel.

Nous n'étions pas très proches, lui et moi. On se parlait au téléphone une fois par semaine, j'allais chaque année le voir trois jours dans sa villa de retraité en Arizona et je ne manquais jamais de lui envoyer mes récits de voyages chaque fois que j'en publiais un. Hormis cela, nos rapports étaient limités, un malaise installé depuis longtemps entre nous empêchant toute complicité.

Lorsque je me suis rendu à Phoenix pour organiser les obsèques et fermer sa maison, j'ai été contacté par un avocat local. Il m'a annoncé qu'il avait rédigé le testament de papa et m'a demandé si je savais que j'allais recevoir une somme coquette de la Mutuelle d'Omaha. La nouvelle m'a pris de court.

— Mais il avait du mal à joindre les deux bouts depuis des années ! Pourquoi n'a-t-il pas touché l'assurance vie lui-même, sous forme de rente ?

— Bonne question, a répliqué l'avocat. D'autant que c'est exactement ce que je lui avais conseillé de faire. Mais le vieux bonhomme était très obstiné, et très orgueilleux.

— Ne m'en parlez pas ! Un jour, j'ai essayé de lui envoyer un peu d'argent, oh, pas grand-chose. Il m'a retourné le chèque.

— Les quelques fois où j'ai vu votre père, il s'est vanté d'avoir un auteur célèbre pour fils.

— Je ne suis pas vraiment célèbre.

— Mais vous êtes publié. Et il était extrêmement fier de ce que vous avez accompli.

— Ah ? Première nouvelle, ai-je murmuré en me rappelant qu'il n'avait pratiquement jamais mentionné mes livres devant moi.

— Les hommes de cette génération, ils ont souvent du mal à exprimer leurs sentiments, c'est sûr. En tout cas, il voulait vous transmettre quelque chose, et donc… attendez-vous à un règlement de trois cent mille dollars sous quinze jours.

J'ai repris l'avion pour la côte est le lendemain, mais, au lieu de rentrer chez moi retrouver ma femme à Cambridge, j'ai obéi à une impulsion inattendue : sitôt arrivé à l'aéroport de Boston, en début de soirée, j'ai loué une voiture et j'ai mis cap au nord. J'ai pris la 95 et j'ai roulé. Trois heures plus tard, je remontais la Route 1 dans le Maine, dépassant la ville de Wiscasset et franchissant la rivière Sheepscot avant de m'arrêter dans un motel. On était mi-janvier, il gelait sec, une récente chute de neige avait tout recouvert de blanc et j'étais le seul client.

— Qu'est-ce qui vous amène ici à cette période de l'année ? m'a demandé le réceptionniste.

— Aucune idée, ai-je répondu.

Cette nuit-là, je n'ai pas pu fermer l'œil et j'ai bu presque toute la bouteille de bourbon que j'avais dans mon sac de voyage. Dès les premières lueurs, j'ai repris le volant de ma voiture de location. J'allais à l'est, sur une deux-voies étroite qui serpentait à flanc de colline. À la sortie d'un long tournant, j'ai été récompensé par une vue spectaculaire : devant moi s'étendait une immensité glacée couleur aigue-marine, une grande baie bordée de forêts gelées sur laquelle flottait une bande de brouillard. J'ai ralenti et je me suis arrêté. Un vent boréal m'a fouetté le visage et brûlé les yeux, mais je me suis forcé à descendre jusqu'au bord de l'eau. Un soleil timide essayait d'apporter un peu de lumière au monde, si faible que la baie restait plongée dans la brume, une atmosphère à la fois éthérée et hantée. Malgré le froid perçant, je n'ai pu détacher mon regard de ce paysage spectral, jusqu'à ce qu'une nouvelle rafale de vent particulièrement cinglante m'oblige à détourner la tête. C'est alors que j'ai aperçu la maison.

Elle se dressait sur un petit promontoire surplombant le rivage. Une structure modeste d'un étage, couverte de bardeaux blancs délavés par les intempéries. La courte allée conduisant au garage était vide, et aucune lumière ne venait de l'intérieur. Mes yeux se sont posés sur l'écriteau « À VENDRE » fixé près de l'entrée. Sortant mon calepin, j'ai noté le nom et le numéro de téléphone de l'agence de Wiscasset qui s'en occupait. J'ai pensé m'approcher un peu du cottage mais le froid m'a finalement convaincu de regagner la voiture.

Je suis reparti à la recherche d'un snack-bar qui serait ouvert pour le petit déjeuner. J'en ai trouvé un à l'entrée de la ville, puis je me suis rendu à l'agence située dans la rue principale. Moins de trente minutes plus tard, j'étais de retour à la maison de la baie, accompagné de l'agent immobilier.

— Je vous préviens, c'est un peu rudimentaire, mais il y a beaucoup de potentiel et c'est juste en face de la mer, évidemment, m'a-t-il déclaré. Autre bon point, il s'agit d'une succession et la propriété est sur le marché depuis seize mois, de sorte que la famille sera disposée à entendre toute offre raisonnable.

Il avait raison : l'intérieur était rustique, pour ne pas dire plus. Mais le cottage avait été bien isolé, et grâce à mon père les deux cent vingt mille dollars demandés étaient désormais dans mes cordes. Sans réfléchir, j'ai proposé cent quatre-vingt-cinq mille. La matinée n'était pas terminée que mon offre était acceptée. Dès le lendemain matin, j'ai rencontré, par l'intermédiaire de l'agent immobilier, un entrepreneur du coin qui a accepté de se charger de la rénovation totale du cottage pour la somme de soixante mille dollars, le maximum que je m'étais fixé. Le soir, j'ai enfin téléphoné chez moi et j'ai dû répondre aux nombreuses questions de Jan, ma femme, que j'avais laissée sans nouvelles depuis plus de trois jours.

— La raison, c'est qu'en revenant de l'enterrement de mon père j'ai acheté une maison.

Le silence qui a suivi cette annonce s'est éternisé. Et je réalise maintenant que c'est à cet instant-là qu'elle a perdu patience à mon égard.

— Je t'en prie, dis-moi que c'est une plaisanterie, a-t-elle chuchoté.

Non, ce n'en était pas une. C'était une déclaration, même si je ne savais pas exactement de quoi, et avec une bonne dose de sous-entendus derrière. Jan l'a aussitôt perçu, et de mon côté il m'est apparu que le fait de l'avoir informée de mon achat impulsif venait de changer irrémédiablement la donne entre nous. Il n'empêche que j'ai continué sur ma lancée et que j'ai fait l'acquisition du cottage, ce qui semble prouver que je désirais au fond de moi que les choses tournent de cette manière.

Toutefois, la véritable cassure ne s'est produite que huit mois plus tard. Une relation conjugale, surtout quand elle perdure depuis vingt ans, se termine rarement en explosion soudaine et définitive. Cela ressemble plus aux différents stades par lesquels on passe lorsqu'on est atteint d'une maladie incurable :

révolte, déni de la réalité, supplication et encore davantage de révolte et de déni. Dans notre cas, cependant, nous n'avons apparemment jamais pu parvenir à la phase « résignation » du processus. En effet, le week-end d'août où nous sommes allés ensemble voir la maison tout juste retapée, Jan m'a informé qu'en ce qui la concernait notre mariage était terminé. Et elle est repartie par le premier bus en direction du sud.

Pas de grand drame, non, seulement une… tristesse en demi-teinte.

J'ai passé le reste de l'été au cottage. Je ne suis retourné chez nous à Cambridge qu'une fois, pendant un week-end où Jan était absente, le temps de récupérer mes affaires – livres, notes et maigre garde-robe – et de reprendre le chemin du Maine.

Le temps a passé. J'ai interrompu mes voyages pendant un moment. Candace, ma fille, me rendait visite un week-end par mois. Chaque deuxième mardi du mois, ainsi qu'elle en avait décidé, j'effectuais la demi-heure de route qui me séparait de son campus à Brunswick pour l'emmener dîner au restaurant. Lors de nos retrouvailles, nous parlions de ses études, de ses amis de l'université et de mon livre en cours. Nous n'évoquions que rarement sa mère, à l'exception d'un soir, peu après Noël, où elle m'a brusquement demandé :

— Tu vas bien, papa ?

— Pas trop mal, ai-je répondu, conscient de la réticence qui transparaissait dans cette réponse.

— Tu devrais rencontrer quelqu'un…

— Plus facile à dire qu'à faire, au fin fond du Maine… D'ailleurs, j'ai un bouquin à terminer, n'oublie pas.

— Oui… Maman disait toujours que, pour toi, les livres passent en premier.

— Et tu es d'accord ?

— Oui et non. Tu as été pas mal absent, mais quand tu étais là tu étais cool.

— Et je suis encore « cool » ?

— Carrément cool ! a-t-elle affirmé avec un sourire et en pressant rapidement mon bras. Mais je préférerais que tu ne sois pas aussi seul…

— C'est la malédiction de l'écrivain, que veux-tu. Tu as besoin de solitude, d'être concentré à un point qui vire à l'obsession, et tes proches ont souvent du mal à supporter ça. Personne ne peut les en blâmer.

— Une fois, maman m'a dit que tu ne l'avais jamais aimée pour de bon, que ton cœur était ailleurs.

Je l'ai dévisagée avec attention.

— Il y a eu certaines choses « avant » ta mère. N'empêche que je l'ai aimée.

— Mais pas tout le temps.

— C'était un mariage, avec tout ce que ça implique. Et il a duré vingt ans.

— Même si ton cœur était ailleurs ?

— Tu poses un tas de questions.

— Juste parce que tu es très évasif, papa.

— Le passé est le passé, que veux-tu que je te dise…

— Et tu n'as aucune envie de répondre à cette question, pas vrai ?

J'ai souri à ma fille si perspicace – bien trop perspicace, en fait – et j'ai proposé que nous commandions deux autres verres de vin.

— J'ai une question d'allemand, a repris Candace.

— Vas-y.

— L'autre jour, en cours, on a traduit Luther.

— Ton prof est sadique ?

— Non, seulement allemand. Mais bon, pendant qu'on travaillait sur un recueil d'aphorismes de Luther, je suis tombée sur quelque chose de très pertinent…

— Pertinent pour qui ?

— Personne en particulier. Enfin, je ne suis pas sûre d'avoir traduit exactement comme il faut.

— Et tu crois que je peux t'aider ?

— Tu parles allemand couramment, papa. *Du sprichst die Sprache.*

— Uniquement après quelques verres de vin.

— Ah, la modestie est ennuyeuse, papa !

— OK, donne-moi cette citation de Luther, alors.

— « *Wie bald "nicht jetzt" "nie" wird ?* »

Sans sourciller, j'ai traduit :

— « À quel instant "pas maintenant" se transforme en "jamais" ? »

— C'est une phrase super, a dit Candace.

— Et qui contient une certaine vérité, comme tous les bons aphorismes. Qu'est-ce qui t'a fait t'arrêter dessus ?

— Eh bien, malheureusement, j'ai l'impression que je suis du genre « pas maintenant ».

— Pourquoi dis-tu ça ?

— Je n'arrive pas à vivre le moment présent, à me contenter de ce que je vis…

— Tu n'es pas un peu trop sévère avec toi-même ?

— Mais non ! En plus, tu es pareil.

Wie bald « nicht jetzt » « nie » wird…

— « L'instant », ai-je repris comme si je prononçais ce mot pour la première fois. C'est une notion très surestimée, vois-tu…

— Mais c'est tout ce qu'on a, non ? Ce soir, cette discussion, cet instant… Qu'est-ce qu'il y a d'autre ?

— Le passé.

— Je savais que tu allais dire ça ! Parce que c'est « ça », ta grande obsession. On la retrouve dans tous tes livres. Pourquoi sans cesse le « passé », papa ?

— Parce qu'il nourrit toujours le présent.

Et qu'on ne peut jamais échapper pour de bon à son emprise, pas plus qu'on ne peut se résigner à ce qui doit se terminer dans une vie. Un exemple : ma relation avec Jan avait sans doute commencé à se désagréger dix ans plus tôt, et le premier signe de la fin a probablement été ce jour de janvier dernier où j'ai acheté la maison du Maine. Pourtant, ce n'est que le lendemain matin de ce dîner avec Candace que j'ai réellement accepté le fait qu'elle était achevée, quand on a frappé à ma porte à sept heures et demie.

Mes rares voisins de ce coin isolé du Maine savent que je ne suis pas quelqu'un de matinal, ce qui fait de moi un oiseau rare dans une contrée où tout le monde est levé avant l'aube et où neuf heures du matin est considéré plus ou moins comme le milieu de journée. Quant à moi, je n'émerge jamais avant midi. Je suis de la nuit. En général, je commence à écrire après dix heures du soir et continue jusqu'à trois heures du matin ; ensuite, je sirote un ou deux whiskys en regardant un vieux film ou en lisant, ce qui m'amène au lit vers cinq heures. C'est mon rythme depuis que je couche des mots sur le papier pour gagner ma vie, soit vingt-sept ans, et si ma femme avait trouvé charmantes ces petites habitudes au début de notre mariage, elles sont devenues par la suite une source d'irritation et de dépit. « Entre tes voyages et tes orgies de travail nocturne, où est ma vie "avec toi" ? » se plaignait-elle souvent – un reproche auquel je ne pouvais que répondre : « Je plaide coupable, Votre Honneur. » Maintenant que j'ai dépassé le cap de la cinquantaine, je poursuis en solitaire ce style de vie digne d'un vampire, et s'il m'arrive parfois de contempler l'aube naissante, c'est parce que je me suis laissé emporter par le flot de l'écriture.

En ce matin de janvier, donc, des coups impérieux ébranlant ma porte m'ont réveillé en sursaut alors que les timides rayons d'un soleil hivernal arrivaient à peine à percer l'obscurité. Pendant un instant, la panique m'a projeté dans un cauchemar kafkaïen où les forces de sécurité de quelque État funeste venaient m'arrêter pour des crimes de pensée non identifiés. J'ai repris toutefois mes esprits et j'ai jeté un coup d'œil à mon radio-réveil. Sept heures et demie. Le vacarme a redoublé d'intensité. Ce n'était pas un rêve, il y avait vraiment quelqu'un dehors.

Je me suis levé, j'ai attrapé un peignoir et je suis allé ouvrir la porte. Devant moi se tenait un type trapu en parka et bonnet de laine, une main derrière le dos, l'air aussi frigorifié que courroucé.

— Ah, vous êtes là, tout de même ! s'est-il exclamé en exhalant un panache de buée glacée.

— Pardon ?

— Thomas Nesbitt ?

— Oui.

Il a brandi sous mon nez une grande enveloppe jaune. Un peu comme un maître d'école de l'époque victorienne assenant un coup de règle à un élève indiscipliné, il l'a abattue dans ma paume droite.

— Vous avez été avisé, monsieur Nesbitt, m'a-t-il annoncé avant de tourner les talons et de remonter dans sa voiture.

Je suis resté quelques minutes sur le pas de la porte, indifférent au froid, le regard aimanté par cette enveloppe à l'allure officielle, essayant d'assimiler ce qui venait de se passer. C'est seulement lorsque j'ai senti mes doigts s'engourdir que je suis rentré. Assis à la table de la cuisine, j'ai ouvert l'enveloppe. Elle contenait une requête en divorce présentée devant l'État du Massachusetts. Mon nom, Thomas Alden Nesbitt, était imprimé à côté de celui de ma femme, Jan Rogers Stafford, qui apparaissait à la rubrique « demandeur » tandis que le mien figurait sous l'intitulé « défendeur ». Je n'ai pas pu aller plus loin. La gorge nouée, j'ai repoussé le document sur la table. Je m'y attendais, bien sûr, mais il y a une énorme différence entre une hypothèse théorique et la preuve écrite qu'elle s'est bel et bien réalisée. Si prévisible qu'il puisse être, un divorce est d'abord un terrible aveu d'échec. Le sentiment de perte, surtout après vingt ans de vie commune, est incommensurable. Et maintenant il y avait… ce formulaire. Une preuve irréfutable.

Comment pouvons-nous renoncer à quelque chose que nous avons tenu pour essentiel ? Ce matin de janvier, je n'avais aucune réponse à pareille interrogation. Le seul élément tangible était un bout de papier annonçant que mon mariage était fini, et aussi une autre question incontournable : aurions-nous pu, aurais-je pu trouver une issue à ce sombre chenal ?

« Une fois, maman m'a dit que tu ne l'avais jamais aimée pour de bon, que ton cœur était ailleurs. » Ce n'était pas si simple que cela, mais il est incontestable que notre passé continue à définir notre existence. Certaines données sont immuables et continuent à peser sur nous quoi qu'il arrive – il est horriblement difficile de s'en libérer.

Mais pourquoi chercher des réponses alors qu'aucune d'elles ne pourra rien réparer ? me suis-je demandé en parcourant de nouveau l'acte officiel. Fais comme toujours quand la vie s'acharne sur toi : file !

Et donc, en attendant que le café passe, j'ai téléphoné à mon avocate à Boston, qui m'a demandé de signer la requête et de la lui renvoyer, avant de me donner un conseil rapide : « Pas de panique. » Ensuite, j'ai donné un second coup de fil à un petit hôtel à cinq heures de route au nord pour savoir s'ils avaient une chambre libre pour les sept jours à venir et, leur réponse étant positive, je leur ai dit que j'arriverais autour de six heures le soir même. Une heure plus tard, j'étais douché, rasé, et j'avais préparé un sac, ajoutant mon ordinateur portable et une paire de skis de fond dans le coffre de ma Jeep. J'ai laissé un message à ma fille : j'allais être absent une semaine mais je la verrais le mardi en quinze, pour dîner. Après avoir tout fermé, j'ai consulté ma montre. Neuf heures. Quand je me suis assis au volant, la neige avait commencé à tomber et il a fallu peu de temps pour qu'un vrai blizzard s'abatte sur la région. J'ai roulé prudemment jusqu'à l'intersection avec la Route 1. Dans le rétroviseur, mon cottage avait déjà disparu. Un simple changement climatique et tout ce qui nous est cher peut s'évanouir en un instant.

La neige tombait toujours dru lorsque j'ai pris la direction du sud pour m'arrêter au bureau de poste de Wiscasset. Les documents dûment envoyés, je suis reparti, cette fois vers l'ouest. La visibilité était pratiquement nulle. Il aurait été plus raisonnable d'abandonner le navire, de trouver un motel et de m'y calfeutrer jusqu'à la fin de la tempête, mais j'étais désormais prisonnier du même acharnement qui m'habitait chaque fois que je me sentais incapable d'écrire : Tu vas surmonter ça, quoi qu'il en coûte…

Il m'a fallu près de six heures pour atteindre ma destination et quand je me suis enfin garé sur le parking de mon hôtel à Québec, je n'ai pu m'empêcher de me demander ce que je fabriquais là. J'étais si fatigué que je me suis écroulé à dix heures et j'ai réussi à dormir jusqu'au lever du jour. À mon réveil, j'ai été submergé par le même sentiment d'égarement, suivi d'une montée d'angoisse : encore un jour, encore un combat pour maintenir la souffrance dans des proportions tolérables. Après le petit déjeuner, j'ai changé de tenue avant de reprendre la voiture et de longer le Saint-Laurent pour rejoindre une station de ski de fond que j'avais découverte avec Jan, des siècles plus tôt me semblait-il. Le thermomètre de la voiture affichait une température extérieure de moins dix et j'ai en effet été transpercé par un froid terrible dès que j'ai mis un pied dehors. J'ai sorti mon matériel du coffre, gagné la piste et chaussé mes skis. Les fixations se sont refermées sur mes chaussures avec un claquement sec. Poussant sur mes bâtons, je me suis élancé à travers la forêt dense qui m'environnait. Malgré le froid maintenant si intense que mes doigts arrivaient difficilement à serrer les bâtons, j'ai pris de la vitesse. Dans ce sport, et notamment à de telles températures, tout se résume à endurer la peine, à atteindre un niveau d'énergie capable de réchauffer le corps et de lui permettre de supporter l'insupportable. Le processus a pris environ une demi-heure, le temps que chacun de mes doigts dégèle progressivement sous l'afflux du sang. Au quatrième kilomètre, je me sentais réellement bien, et tellement concentré sur la répétition du pousser-glisser-pousser-glisser que j'en ai presque oublié le monde alentour.

Jusqu'à ce que la piste parte en une brusque épingle à cheveux et me fasse plonger dans une pente vertigineuse. Ça m'apprendra à choisir une piste noire ! Mais de vieux réflexes me sont aussitôt revenus, et j'ai relevé mon ski gauche pour le positionner sur la neige, la pointe tournée vers le droit. En principe, cette manœuvre réduit la vitesse et permet de négocier les trous et les bosses, mais dans mon cas la piste était trop gelée et tellement aplanie par les patins des skieurs qui m'avaient précédé qu'il m'a été impossible de ralentir. J'ai essayé de planter mes bâtons dans le sol, sans succès. Alors j'ai replacé mes skis parallèles et je me suis laissé entraîner dans une descente effrénée. La vitesse, rien que la vitesse, plus de logique ni aucune notion de ce qu'il y a devant soi. Pendant un bref instant, juste moi, et l'exaltation de la glisse, l'oubli de toute prudence, le basculement entier dans cette course au néant, et puis…

Un arbre. Pile en face de moi, son tronc massif paraissant m'aimanter. La gravité me dirigeait en plein dessus. Le néant, oui, après une collision effroyable, et l'espace d'un millième de seconde j'ai répondu à son appel avant que le visage de ma fille surgisse brusquement devant mes yeux et qu'une idée, une seule, prenne possession de moi : Elle devra vivre avec ça pour le restant de sa vie. Une sorte d'instinct rationnel, si j'ose dire, a repris les commandes et j'ai poussé sur mes jambes pour éviter l'impact imminent. Après avoir percuté le sol, j'ai dégringolé sur plusieurs mètres. La neige n'était pas un matelas mais une plaque gelée. Mon côté gauche a heurté cette surface aussi dure que le béton, puis ma tête a cogné et tout s'est brouillé.

J'ai vaguement eu conscience d'une présence accroupie près de moi, d'une main tâtant mon cœur et prenant mon pouls, d'une voix s'exprimant dans un français rapide au téléphone. À part cela, le monde restait confus, flottant, et je comprenais seulement que j'avais mal partout. Je me suis de nouveau évanoui, me réveillant tandis qu'on me hissait et qu'on m'attachait sur une civière, elle-même installée sur une luge. Ensuite, j'ai senti les ondulations du terrain, pendant un temps qui m'a paru infini. J'ai eu assez de force pour dresser la tête et constater que j'étais remorqué par un scooter des neiges, puis mon cerveau s'est embrumé et…

J'étais dans un lit. Dans une chambre. Des draps blancs amidonnés, des murs beiges, un plafond en carreaux antifeu. En tournant la tête, j'ai vu que mon corps était relié à divers tubes et câbles. J'ai été pris de hoquets. Une infirmière a aussitôt accouru à mon chevet, maintenant une bassine sous mon menton pendant que je crachais de la bile. Lorsqu'il n'y a plus rien eu à expulser, j'ai été secoué de sanglots incontrôlables. Elle a passé un bras autour de mes épaules en disant : « Soyez content, vous êtes en vie… »

Environ dix minutes plus tard, un médecin a fait son apparition. Il m'a annoncé que j'avais eu de la chance : une épaule disloquée qu'ils avaient réussi à « replacer » pendant que j'étais inconscient, quelques contusions spectaculaires sur la cuisse et le flanc gauches. Quant à mon crâne, l'IRM n'avait rien révélé d'anormal.

— Vous avez subi un vrai K.-O. Une commotion cérébrale, pour employer les mots exacts. Mais il faut croire que vous avez la tête dure, il n'y a pas de séquelle importante.

J'aurais aimé avoir le cœur aussi résistant.

Il m'a informé que je me trouvais dans un hôpital de Québec, que j'allais y rester deux jours pour un traitement de kinésithérapie destiné à mon épaule et que j'étais placé en observation « dans le cas de complications neurologiques imprévues ».

La kinésithérapeute, une Ghanéenne qui semblait prendre la vie avec une bonne dose d'ironie, m'a conseillé de remercier ma bonne étoile pour m'en être tiré aussi bien.

— Il est clair que vous auriez dû vous retrouver beaucoup plus mal en point que ça. Vous vous en êtes sorti presque indemne, donc quelqu'un doit veiller sur vous.

— Et qui serait ce « quelqu'un » ?

— Peut-être Dieu, peut-être une force occulte, ou peut-être… vous-même. Il y avait un skieur derrière vous, celui qui a prévenu les secours. Il a raconté que vous vous étiez lancé dans cette pente comme si vous vous moquiez de ce qui pourrait vous arriver. Et que vous avez esquivé un arbre à la toute dernière seconde. Vous vous êtes sauvé vous-même. Ce qui signifie que vous vouliez continuer à vivre. Alors, félicitations, vous êtes à nouveau parmi nous.

Pourtant, je ne ressentais aucun soulagement ni aucun plaisir à avoir survécu. Assis dans ce lit d'hôpital étroit, les yeux rivés sur les plaques perforées du plafond, je me repassais le film du moment où je m'étais jeté dans la neige. Une seconde plus tôt, j'étais subjugué par la descente, comme si une partie de moi aspirait à ce soulagement, antidote immédiat à tous mes tourments. Et cependant…

Je m'étais sauvé moi-même, oui, et je n'avais récolté que quelques bleus, une épaule démise et un rude coup à la tête. Quarante-huit heures après mon admission, j'ai pu monter dans un taxi, retourner à la station de ski pour récupérer ma Jeep abandonnée. À part les élancements autour de l'omoplate chaque fois que je devais tourner le volant un peu fort, le trajet de retour dans le Maine s'est passé sans encombre.

« Vous allez peut-être vous sentir déprimé, maintenant, m'avait prévenu la kinésithérapeute lors de notre dernière séance ; ça arrive souvent, après ce genre de choc. Et qui vous le reprocherait ? Vous avez choisi de vivre. »

Je suis arrivé à Wiscasset juste avant la nuit, à temps pour passer prendre mon courrier au bureau de poste. Un avis de couleur jaune dans ma boîte m'indiquait qu'un paquet m'attendait au guichet. Jim, le responsable du bureau, a remarqué ma grimace quand je l'ai soulevé.

— Vous vous êtes fait mal ?

— On peut le dire, en effet.

— Un accident ?

— À peu près ça, oui.

C'était un envoi de mon éditeur de New York. J'ai été assez bête pour glisser le paquet sous mon bras gauche et j'ai encore tressailli quand mon épaule endolorie m'a fait comprendre que ce n'était pas une bonne idée. Pendant que je signais le reçu, Jim m'a dit :

— Si vous ne vous sentez pas bien demain, pas assez bien pour aller au supermarché, téléphonez-moi, donnez-moi une liste et je me chargerai des courses pour vous.

La vie dans le Maine a du bon, le meilleur étant sans doute que les gens, sans jamais empiéter sur votre vie privée, sont toujours là quand vous avez besoin d'eux.

— Je crois que j'arriverai à pousser un chariot jusqu'au rayon des légumes, mais merci quand même, Jim.

— C'est votre dernier livre, dans ce colis ?

— Si c'est le cas, c'est que quelqu'un l'a terminé à ma place.

— Ah, compris !

En rentrant chez moi, je me suis laissé envahir par la morosité de cette sombre journée de janvier. La kiné avait raison : échapper à la mort vous pousse à l'introspection et vous renvoie à une sorte de mélancolie existentielle. Et l'échec d'un mariage est aussi une forme de deuil, la mort d'une personne qui reste pourtant vivante même si vous n'êtes plus avec elle, qui continue à ressentir, à avancer, à croiser d'autres trajectoires, à exister sans vous.

« Tu as toujours eu une attitude mitigée envers moi, envers "nous" », avait plusieurs fois fait remarquer Jan dans les derniers temps. Comment aurais-je pu lui expliquer qu'à l'exception notable de notre merveilleuse fille, je demeurais « mitigé » envers absolument tout ? Si l'on n'est pas en paix avec soi-même, est-il possible de l'être avec les autres ?

Le cottage était sombre et froid à mon arrivée. J'ai posé le paquet sur la table de la cuisine, j'ai remonté le thermostat, puis j'ai fait du feu dans le poêle ventru qui occupait un coin du salon et je me suis servi un verre de scotch. Tout en attendant que ces trois méthodes de chauffage fassent leur effet, j'ai parcouru les lettres et les revues que j'avais récupérées à la poste. Enfin, je suis revenu au paquet et, attaquant le ruban adhésif aux ciseaux, je l'ai entrouvert pour jeter un coup d'œil à l'intérieur. Il y avait une lettre de Zoe, l'assistante de mon éditeur, posée sur une volumineuse enveloppe rembourrée. En prenant la lettre, j'ai aperçu l'écriture sur l'enveloppe, ainsi que les timbres et le cachet, tous deux allemands. En haut à gauche figurait l'identité de l'expéditeur : Dussmann. Mon cœur s'est arrêté. Son nom de famille... Et plus bas, l'adresse : Jablonskistrasse 48, Prenzlauer Berg, Berlin. Était-ce là qu'elle vivait depuis que... ?

Elle.

Petra Dussmann.

Petra.

J'ai repris le mot de Zoe.

« *Cette enveloppe pour vous est arrivée il y a quelques jours. Je n'ai pas voulu l'ouvrir, au cas où ce serait personnel. S'il s'agit de quelque chose de déplacé ou de bizarre, dites-le-moi et nous nous en occuperons. J'espère que le livre avance bien. Nous l'attendons tous avec impatience. À bientôt. Zoe.* »

« Quelque chose de déplacé ou de bizarre »… Non. Le passé, simplement. Un passé que j'avais essayé d'inhumer il y a longtemps mais qui revenait maintenant, dérangeant un présent déjà troublé.

« *Wie bald "nicht jetzt" "nie" wird ?* »

« À quel instant "pas maintenant" se transforme en "jamais" ? »

Quand un paquet arrive par la poste. Et que tout ce que l'on a passé des années à essayer d'esquiver revient vous submerger.

À quel moment le passé cesse-t-il d'être un théâtre d'ombres et de spectres ? Quand nous sommes capables de vivre avec lui.

2

J'ai toujours voulu m'échapper. Cette pulsion m'habite depuis mes huit ans, depuis ma première découverte des délices de l'évasion.

C'était un samedi de novembre et mes parents se disputaient à nouveau. Rien d'exceptionnel à ça : ils se chamaillaient sans arrêt. À l'époque, nous habitions un quatre-pièces au coin de la 19e Rue et de la Deuxième Avenue. J'étais un gosse de Manhattan pure souche. Mon père était cadre dans une agence de publicité, un « administratif » qui avait toujours rêvé d'être un « créatif » mais n'avait pas le « don des mots » pour concevoir des slogans publicitaires. Maman était femme au foyer, après une brève carrière d'actrice qui avait précédé ma venue au monde. L'appartement était exigu – deux chambres tout en longueur, un petit salon et une cuisine-salle-à-manger encore plus étriquée ; bref, un espace incapable de contenir les frustrations que mes parents se jetaient réciproquement à la figure jour après jour.

C'est seulement des années plus tard que j'ai commencé à comprendre l'étrange dynamique qui s'était instaurée entre eux, ce besoin irrépressible de s'emporter à propos de tout et de n'importe quoi, de vivre dans un éternel hiver d'insatisfaction. En ce temps-là, je savais uniquement que ma maman et mon papa ne se supportaient pas. Le samedi de novembre en question, une de leurs disputes s'était envenimée. Mon père avait dit quelque chose de blessant, ma mère l'avait traité de salaud avant d'aller s'enfermer dans leur chambre, claquant la porte derrière elle. J'ai levé les yeux de mon livre. Papa agrippait d'une main la poignée de la porte d'entrée, visiblement prêt à l'ouvrir et à s'en aller loin de tout ce gâchis. Il a fouillé la poche de sa chemise pour en sortir une cigarette, qu'il a coincée entre ses lèvres et allumée. Quelques longues bouffées lui ont permis de reprendre le contrôle sur sa fureur. C'est alors que j'ai posé la question qui me démangeait depuis des jours :

— Je peux aller à la bibliothèque ?

— Pas possible, Tommy. Je file au bureau, j'ai un travail à terminer.

— Je peux y aller tout seul ?

C'était la première fois que je demandais la permission de sortir sans être accompagné. Mon père a réfléchi un instant.

— Tu crois vraiment que tu es capable d'y aller seul ?

— C'est seulement à quatre rues.

— Ta mère ne va pas aimer ça.

— Je reviens vite.

— Elle n'aimera quand même pas.

— S'il te plaît, papa…

34

Il a une nouvelle fois tiré sur sa cigarette. Malgré ses airs de dur – il avait été dans les marines pendant la guerre –, il était complètement sous l'emprise de ma mère, un petit brin de femme acariâtre qui n'avait jamais pu accepter le fait qu'elle n'était plus la princesse que son éducation l'avait destinée à devenir.

— Tu seras rentré dans une heure ?

— Promis.

— Et tu n'oublieras pas de regarder des deux côtés en traversant ?

— Promis.

— Si tu tardes, ça va faire des histoires.

— Je ne tarderai pas.

Il a plongé la main dans sa poche et m'a tendu un dollar.

— Attrape.

— Mais je n'ai pas besoin d'argent, papa. C'est une bibliothèque.

— Tu pourras t'arrêter au drugstore en revenant, pour te prendre un *egg cream*.

Un *egg cream* ! Ce mélange de lait, de sirop de chocolat et d'eau gazeuse était ma boisson préférée.

— Ça coûte seulement dix cents, papa.

Déjà à cet âge, j'avais une idée précise du prix des choses.

— Eh bien, achète-toi une bande dessinée, ou mets ce qui restera dans ta tirelire.

— Alors, je peux y aller ?

J'étais en train de mettre mon manteau quand ma mère est sortie de la chambre.

— Qu'est-ce que tu fabriques, toi ?

Je lui ai expliqué et elle a aussitôt attaqué mon père :

— Comment oses-tu lui donner la permission de sortir seul sans me consulter d'abord ?

— Il est assez grand pour traverser la rue sans qu'on lui tienne la main.

— Oui ? Eh bien, je ne suis pas d'accord, moi.

— Vas-y vite, Tommy, m'a dit mon père.

— Tu restes ici, Thomas, m'a-t-elle ordonné.

— File, Tommy.

Tandis que ma mère commençait à hurler, j'ai gagné la porte en deux bonds et je suis parti.

Une fois dans la rue, j'ai eu un moment de panique. Pour la toute première fois, j'étais livré à moi-même dans la grande ville. Pas de surveillance parentale, pas de main d'adulte pour me retenir ou me guider. Je suis allé au carrefour de la Deuxième Avenue, j'ai attendu que le feu passe au vert, j'ai regardé plusieurs fois à droite et à gauche, et j'ai traversé. Arrivé sur le trottoir d'en face, je ne me suis senti ni fier ni grisé par ma liberté : mes pensées étaient fixées sur la promesse faite à mon père, celle d'être revenu dans une heure, et donc je me suis mis en marche vers le nord, en ne m'engageant dans les passages piétons qu'avec la plus grande prudence. Parvenu à la 23e Rue, j'ai tourné à gauche. La bibliothèque se trouvait à la moitié du pâté de maisons, le département des livres pour enfants au rez-de-chaussée. Après avoir rapidement examiné les rayonnages, je suis tombé sur deux nouveaux titres de la série policière « Hardy Boys » que je n'avais pas encore lus. Je suis passé au service des prêts et j'ai refait la moitié du chemin en sens inverse, m'arrêtant au drugstore de la 21e Rue. Au comptoir, j'ai pris un tabouret, j'ai ouvert l'un des deux livres et j'ai commandé un *egg cream*. Le vendeur m'a rendu quatre-vingt-dix cents sur mon dollar. J'ai regardé l'horloge murale. Encore vingt-huit minutes… J'ai siroté mon soda, lu un peu. Je trouvais tout ça très chouette.

Je suis rentré avec cinq minutes d'avance sur le délai imparti. Entre-temps, mon père avait quitté les lieux et ma mère s'était installée à la table de la cuisine avec sa grosse Remington devant elle. Une cigarette Salem à la bouche, elle tapait à toute allure sur les touches de la machine à écrire. Ses yeux étaient rouges d'avoir pleuré mais elle paraissait calme et déterminée.

— Comment c'était, la bibliothèque ? m'a-t-elle demandé.

— Très bien. Je peux y retourner lundi ?

— On verra.

— Qu'est-ce que tu écris ?

— Un roman.

— Tu écris des « romans », maman ?

J'étais très impressionné.

— J'essaie, a-t-elle répliqué en se remettant à taper.

Je me suis installé sur le canapé et j'ai repris la lecture de mon « Hardy Boys ». Une demi-heure plus tard, maman a arrêté d'écrire et m'a annoncé qu'elle allait prendre un bain. Je l'ai entendue retirer une feuille de la machine. Quand elle a disparu dans la salle de bains et qu'elle a fait couler l'eau, je me suis approché de la table. Elle avait laissé deux feuilles dactylogra-phiées près de la Remington, retournées. Je les ai prises. Sur la première, il n'y avait que son nom et un titre :

Alice Nesbitt
La Mort d'un mariage
roman

La seconde page débutait par la phrase suivante :
« *Le jour où j'ai découvert que mon mari ne m'aimait plus a été celui où mon fils de huit ans a fugué de la maison.* »

Soudain, un cri m'a fait sursauter.

— Oh ! Qui t'a permis ?

Ma mère a couru vers moi, blanche de rage. Elle m'a arraché les feuillets de la main et m'a giflé.

— Tu ne dois jamais lire ce que j'écris, jamais !

Fondant en larmes, je me suis précipité dans ma chambre. J'ai attrapé un oreiller sur mon lit et j'ai fait ce qu'il m'arrivait souvent de faire quand les choses allaient de travers à la maison : je me suis enfermé dans mon placard, puis j'ai plaqué l'oreiller sur mon visage et j'ai laissé libre cours aux sanglots. L'idée d'être si seul dans un monde tellement hostile était dévastatrice. Dix minutes ont passé, peut-être quinze. On a frappé à la porte du placard.

— Je t'ai préparé du lait au chocolat, Thomas.

Je me suis tu.

— Je suis désolée de t'avoir donné une claque.

Silence de ma part.

— S'il te plaît, Thomas. Je… j'ai eu tort.

Silence, encore.

— Tu ne peux pas rester là-dedans toute la journée, tu sais !

Elle a essayé d'ouvrir.

— Ce n'est pas drôle, Thomas !

38

Je suis resté muet.

— Ton père va être très fâché quand il…

Et là, j'ai enfin parlé :

— Papa comprendra ! Il te déteste, lui aussi !

Elle a laissé échapper un cri de douleur déchirant. Je l'ai entendue sortir de ma chambre, et elle sanglotait à son tour, si fort que je percevais tout de mon refuge capitonné. Je me suis levé, j'ai tourné le verrou et j'ai ouvert la porte. La vive lumière de l'après-midi qui entrait à flots par la fenêtre m'a ébloui. À pas hésitants, j'ai suivi le son des gémissements de ma mère. Elle était allongée sur son lit, le visage enfoui dans l'édredon.

— Je ne te déteste pas, ai-je déclaré.

Elle a continué à pleurer.

— Je voulais seulement lire ton livre.

Elle pleurait toujours.

— Je retourne à la bibliothèque tout de suite.

Ses pleurs ont immédiatement cessé. Elle s'est redressée, m'a regardé.

— Tu as l'intention de t'enfuir ?

— Comme le garçon dans ton livre ?

— Thomas, c'était une histoire, une invention !

— Je ne veux pas m'enfuir, ai-je menti. Seulement retourner à la bibliothèque.

— Tu jures que tu vas revenir ?

J'ai hoché la tête.

— Fais attention dans la rue.

Alors que je tournais les talons, elle a ajouté :

— Tu sais, les écrivains sont très discrets sur ce qu'ils font. C'est pour ça que je me suis emportée et que…

Elle a laissé sa phrase en suspens. Et moi, je suis allé à la porte d'entrée.

Je me rappelle avoir raconté cette scène à Jan des années après, à notre troisième rendez-vous.

— Est-ce que ta mère a terminé ce livre ?

— Je ne l'ai jamais revue devant une machine à écrire. Qui sait si elle n'y travaillait pas quand j'étais à l'école ?

— Il y a peut-être un manuscrit caché dans une caisse, quelque part.

— Je n'ai rien trouvé de tel quand mon père, à la mort de maman, m'a demandé de trier ses affaires.

— Cancer du poumon, tu m'as dit ?

— À quarante-six ans. Mes parents n'ont jamais cessé de se battre, ni de fumer. De la cause à l'effet…

— Mais ton père est toujours en vie ?

— Ouais. Il en est à sa cinquième copine depuis la mort de maman et il fume ses vingt clopes par jour.

— Et pendant ce temps, toi, tu n'as jamais arrêté de t'enfuir…

— La cause et l'effet, encore.

— Ou peut-être que tu n'as simplement pas trouvé une raison suffisante de rester, a-t-elle suggéré en effleurant mon bras d'une caresse rapide.

Je me suis contenté de hausser les épaules.

— Tu m'intrigues pour de bon, maintenant… a-t-elle ajouté.

— Tout le monde traîne une vieille blessure, non ?

— C'est vrai, mais certaines n'empêchent pas de continuer à vivre tandis que d'autres ne cicatrisent jamais. La tienne est de quel genre ?

J'ai souri.

— Disons que je continue à vivre malgré des tas de choses.

— Là, tu en rajoutes dans le stoïcisme, j'ai l'impression !

— Rien de mal à ça, ai-je déclaré avant de changer de sujet.

Si Jan n'a jamais pu en apprendre plus sur cette blessure, c'est parce que j'ai toujours évité d'en parler. Néanmoins, elle en est venue à croire que celle-ci continuait à avoir un impact sur le présent et sur nombre d'aspects de notre relation. Elle est aussi parvenue à la conclusion que toute une partie de moi était obstinément rétive à une véritable proximité avec les autres, même si cette conviction est arrivée plus tard dans notre histoire.

À notre rencontre suivante, qui a été également le soir où nous avons couché ensemble pour la première fois, j'ai bien vu qu'elle avait décidé que j'étais, disons… différent. Avocate dans l'un des plus prestigieux cabinets de Boston, elle gagnait sa vie en représentant de grosses compagnies mais tenait à s'occuper chaque année d'une affaire pour le bien public, sans rétribution, « pour me laver la conscience », expliquait-elle. Contrairement à moi, elle avait déjà eu une relation durable, avec un autre avocat qui avait profité d'une opportunité professionnelle sur la côte ouest pour couper les ponts avec elle.

— On croit que tout est solide et puis, brusquement, on se rend compte que ce n'est pas le cas, m'a confié Jan. Et alors on se demande comment notre radar n'a pas été capable de capter à quel point tout clochait.

— Peut-être qu'il te disait une chose et qu'il en pensait une autre. C'est souvent comme ça que ça se passe, dans de telles situations. Chacun de nous a une facette qu'il préfère ne pas révéler. C'est pour ça que nous ne pouvons jamais connaître complètement une personne, même quelqu'un de très proche. L'altérité irréductible et ce genre de grands mots, tu sais bien…

— Oui, « et la contrée la plus étrangère, c'est soi-même ». Je cite mot pour mot ton livre sur le désert australien, je te signale.

— Eh bien, je serais un menteur si je ne disais pas que ça me flatte.

— C'est un livre super.

— Vraiment ?

— Quoi, tu ne le sais pas ?

— Je suis comme presque tous les auteurs : très sceptique envers la moindre page que j'écris.

— Pourquoi un tel manque de confiance ?

— Ça fait partie du job, j'imagine.

— Dans ma profession, l'incertitude est interdite. En fait, un avocat qui doute n'est jamais pris au sérieux.

— Mais il t'arrive quand même de te poser des questions, non ?

— Pas quand je défends un client ou quand je présente mes conclusions. Là, il faut être catégorique. Dans ma vie personnelle, par contre, je doute d'à peu près tout…

— Content d'entendre ça, ai-je fait en posant ma main sur la sienne.

Cet échange a été le véritable point de départ de notre histoire, l'instant où chacun a résolu de baisser sa garde et de se donner à l'autre. L'amour n'est-il pas souvent déterminé par le « bon moment » ? Combien de fois ai-je entendu des amis déclarer qu'ils s'étaient mariés parce qu'ils se sentaient *prêts* ? C'est exactement ce qui s'était passé pour mon père, ainsi qu'il me l'avait raconté juste après le décès de ma mère.

On était en 1957. Il avait quitté les marines quatre ans auparavant, s'inscrivant à l'université Columbia dans le cadre du programme national d'éducation pour les anciens soldats. Il venait de décrocher un poste administratif à l'agence Young and Rubicon. Sa sœur s'apprêtait à épouser un ex-correspondant de guerre devenu attaché de presse, une union qui avait mal tourné sitôt après l'inévitable voyage de noces à Palm Beach mais n'en avait pas moins péniblement tenu quinze ans – le temps que son mari s'enfonce dans l'alcool et la rage jusqu'à la crise cardiaque fatale. En cet heureux jour de 1957, cependant, mon père avait remarqué une jeune fille toute menue à l'autre bout d'une salle de réception bondée de l'Hôtel Roosevelt. Elle s'appelait Alice Goldfarb et elle était, au dire de papa, l'antithèse des filles irlandaises « corned-beef-chou-patates » qu'il avait connues dans sa jeunesse à Brooklyn. Elle avait pour père un bijoutier du Diamond District, pour mère une « yenta » typique, la vraie commère, mais elle avait fréquenté les meilleures écoles et elle était capable de parler de musique classique, de ballet, d'Arthur Miller et d'Elia Kazan. Mon père, un fils de prolo irlandais issu de Prospect Heights, intelligent mais souffrant du complexe d'infériorité intellectuelle propre à son milieu, avait été charmé, et plus qu'un peu flatté qu'une jolie fille de Central Park Ouest s'intéresse à lui.

Lui, l'enfant de chœur devenu ancien combattant de la guerre de Corée, puis jeune cadre d'une agence de publicité réputée, le tout à vingt-six ans à peine. Sans responsabilité envers quiconque sinon lui-même. Le monde était à lui et…

— Et qu'est-ce que j'ai fait ? m'a-t-il dit alors que nous étions tous les deux dans la limousine qui suivait le cercueil de ma mère, en route vers le cimetière. J'ai voulu avoir la Princesse, même si je savais depuis le début que je ne la rendrais jamais heureuse, car son avenir aurait dû être avec un ophtalmologue de Park Avenue qui aurait une belle villa à Long Island, tout près d'un country-club juif… Mais non, il a fallu que je me jette à sa poursuite, et le résultat…

S'interrompant, il s'est renfoncé dans les coussins moelleux de la voiture et il a cherché son paquet de cigarettes en refoulant un sanglot angoissé.

« Et le résultat… »

Quoi ? Déception ? Désillusion ? Tristesse ? Colère ? Indignation ? Appréhension ? Désespoir ? Résignation ? Choisissez votre réponse dans la liste. Ainsi que n'importe quel dictionnaire des synonymes vous le prouvera, les mots abondent pour exprimer ce que nous reprochons à la vie.

« Et le résultat… »

Un mariage pathétique qui a traîné pendant vingt-quatre ans, qui a vu les deux acteurs de ce mélodrame se livrer avec entêtement à des jeux autodestructeurs et ma mère se suicider à petit feu grâce aux cigarettes. Supposons que maman, qui avait rompu avec un jeune comptable certifié du nom de Lester Hamburger une semaine auparavant seulement, ait décidé de ne pas se

44

rendre à cette réception. Ou qu'elle y soit venue en compagnie dudit Lester. Est-ce que cet échange de regards à travers la salle se serait-il produit ? Mon père n'aurait-il pas rencontré quelqu'un de plus attentionné, de plus aimant, de plus conciliant ? Ma mère n'aurait-elle pas fini avec le riche bohème qu'elle présentait toujours comme le mari idéal, même si Lester Hamburger et mon pro-Nixon de père n'avaient rien d'un Rimbaud et d'un Verlaine new-yorkais ? Une seule certitude : si Alice Goldfarb et Dan Nesbitt ne s'étaient pas croisés, leur malheur commun n'aurait jamais existé et leurs trajectoires respectives auraient pu se révéler complètement différentes.

Ou peut-être que non…

De même, si je n'avais pas pris la main de Jan Stafford lors de notre quatrième rendez-vous, eh bien… je ne serais probablement pas dans cette maison isolée, fixant d'un regard angoissé mon exemplaire de la requête de divorce qui n'avait pas quitté la table de la cuisine depuis mon départ précipité plusieurs jours plus tôt. C'est ce qui caractérise toute réalité tangible, et une demande de divorce en est certainement une : vous pouvez la mettre de côté ou lui tourner le dos et vous en aller, elle restera là, elle ne bougera pas. Vous avez été désigné en tant que « défendeur ». Vous êtes désormais dépendant d'un processus juridique. Impossible de vous dérober. Des questions vont être posées, des réponses exigées. Et il faudra en payer le prix.

Mon avocate m'avait envoyé quelques emails, depuis que j'avais reçu la requête et renvoyé une copie signée. « Elle demande la maison de Cambridge et elle exige que ce soit vous qui payiez l'école préparatoire de

Candace, au cas où votre fille choisirait cette voie, signalait-elle dans l'un d'eux ; compte tenu du fait que les revenus de votre épouse sont cinq fois supérieurs aux vôtres, et que ces derniers dépendent entièrement de votre écriture, nous pourrions objecter qu'elle se trouve dans une situation financière bien plus favorable pour… »

Qu'elle garde la maison ! Et je trouverais le moyen de payer les études de Candace. Je ne voulais pas de batailles d'avocats ruineuses et de nouvelles rancœurs ! Juste une séparation sans histoires. J'ai repoussé le document. Je n'étais pas encore prêt à me pencher dessus sérieusement. Je me suis levé et j'ai emprunté l'étroit escalier qui conduisait à l'étage. En haut, j'ai ouvert la porte de mon bureau, une pièce plus longue que large et pratiquement tapissée de livres, avec ma table de travail face à un mur. Attrapant la bouteille de single malt dans le porte-dossiers à gauche de la table, je m'en suis versé deux doigts, je me suis assis et, en attendant que l'écran de mon ordinateur s'anime, j'ai laissé la chaleur du whisky tourbé anesthésier ma gorge. La mémoire, quel fouillis d'émotions ! Un colis inattendu arrive et voilà que le passé rejaillit… Quoique cet afflux de réminiscences et d'associations d'idées puisse sembler chaotique à première vue, l'une des grandes vérités concernant la mémoire est qu'elle ne fonctionne jamais de façon complètement arbitraire. Il existe toujours une connexion ou une autre entre les souvenirs, parce que toute chose obéit à une logique narrative. Et le récit sur lequel chacun de nous s'escrime, c'est ce que nous disons être notre vie.

Voilà pourquoi, tandis que l'alcool s'écoulait lentement dans ma gorge et que l'écran baignait d'une lueur électrique le bureau plongé dans l'obscurité, je me suis retrouvé à nouveau au comptoir du drugstore de la 21e Rue Est, avec mon livre appuyé contre mon verre d'egg cream. Le moment où, pour la première fois sans doute, j'ai compris à quel point la solitude était nécessaire. En combien d'autres occasions, depuis lors, ai-je été seul dans un endroit familier ou inconnu, avec quelque chose à lire, soutenu par une bouteille en face de moi, ou avec un carnet de notes ouvert qui attendait mon quota quotidien de mots. Et dans une telle situation, quel que soit l'éloignement ou la difficulté du contexte, je ne me suis jamais senti isolé ou esseulé. J'ai toujours pensé, comme ce soir-là dans la pénombre de mon bureau, que, malgré tous les dommages collatéraux que l'inaptitude au bonheur de mes parents a pu m'infliger, je leur étais immensément reconnaissant de m'avoir laissé sortir un samedi de novembre, une quarantaine d'années plus tôt, et de m'avoir permis de découvrir que s'asseoir quelque part en compagnie de soi-même, soudain retranché de la confusion du monde, est aussi facile qu'essentiel.

Mais la vie ne vous laisse jamais entièrement en paix. Vous pouvez vous cloîtrer dans une maison au bord d'une route perdue du Maine, un huissier trouvera quand même le moyen de frapper à votre porte. Ou bien un paquet franchira l'océan et, que vous le vouliez ou non, vous serez transporté un quart de siècle en arrière, dans un café d'un coin de Berlin appelé Kreuzberg. Vous avez devant vous un cahier à spirale et, dans la main droite, le stylo à plume Parker rouge de collection que votre père vous a offert en cadeau de « bon voyage » et qui court maintenant sur la page. Et là, vous entendez une voix de femme : « *So viele Wörter.* »

Tant de mots…

Vous relevez la tête et elle est là. Petra Dussmann. Et à cette minute, tout change, mais seulement parce que vous avez répondu : « *Ja, so viele Wörter. Aber vielleicht sind die ganzen Wörter abfall.* »

Oui, tant de mots. Mais peut-être que tous les mots sont de la foutaise.

Si vous n'aviez pas tenté ce petit exercice d'autodérision, aurait-elle passé son chemin ? Et dans ce cas ?

Comment expliquer la trajectoire de ce qui nous arrive ? Je n'en ai pas la moindre idée. Tout ce que je sais… c'est qu'il est six heures et quart un soir de la fin janvier, et que j'ai des mots à mettre noir sur blanc. Après toutes ces heures de route sous la neige, et alors que je sors tout juste de l'hôpital, les excuses ne manqueraient pas pour me dispenser de travailler au moins jusqu'à demain. Sauf que la pièce rectangulaire dans laquelle je me trouve est le seul endroit où je peux exercer un certain contrôle sur la vie ; quand j'écris, le monde tourne comme je le voudrais, je suis en mesure d'ajouter ou de soustraire ce que je veux à la narration. Il n'y a pas à faire face à des actions en justice, pas de sentiment d'échec personnel ni de tristesse déchirante qui viennent distordre la vision. Et pas de colis postal attendant en bas, son contenu demeurant mystérieux.

Quand j'écris, un ordre s'instaure et j'en ai le contrôle. Oui, mais ce ne sont encore que des mots. Car tout en tapant la première phrase de la soirée, et en avalant le fond de mon verre, j'essaie surtout d'échapper à l'anxiété que le paquet de la cuisine a éveillée en moi. En vain.

Pourquoi dissimulons-nous certaines choses aux autres ? Serait-ce parce que, fondamentalement, nous sommes tous habités par la crainte permanente d'être enfin démasqués ?

En deux secondes, j'avais quitté ma chaise et je grimpais au grenier, où je déverrouillais l'un des classeurs à tiroirs dans lesquels je conserve mes vieux manuscrits. Depuis mon arrivée dans le Maine, je n'avais pas touché ces meubles, déménagés de mon ancien domicile de Cambridge, et néanmoins je savais exactement où trouver ce que je cherchais. Après avoir sorti l'épais dossier que j'avais assigné à résidence ici, j'ai dû souffler la poussière qui s'était accumulée dessus. Dix ans s'étaient écoulés depuis que j'avais mis le point final à ce texte, que je n'avais jamais eu la force de relire et qui était resté emprisonné sous clé. Jusqu'à cette heure.

Je suis redescendu à mon bureau. Le manuscrit posé sur la table, je me suis versé mon deuxième whisky de la soirée, j'ai repris mon siège et j'ai tiré le dossier vers moi.

Quand une histoire n'est-elle pas vraiment « une histoire » ?

Quand tu l'as vécue.

Mais même dans ce cas, ce n'est que ta version des faits.

En effet. C'est mon récit. Ma version. Et c'est aussi la raison pour laquelle, après toutes ces années, je me trouve là où je suis maintenant.

J'ai sorti de la chemise la liasse de feuillets et j'ai regardé la page de titre, que dix ans auparavant j'avais laissée vierge.

Alors tourne-la et commence !

J'ai vidé mon verre, j'ai pris ma respiration, longuement, et je suis passé à la première page.

Deuxième partie

1

Berlin, année 1984. Je venais d'avoir vingt-six ans et, tout comme la majorité de ceux qui se situent dans cette phase encore juvénile de l'âge adulte, j'étais persuadé de connaître parfaitement la vie et ses multiples complexités.

Avec le recul, je me rends compte à quel point j'étais au contraire naïf et inexpérimenté dans presque tous les domaines, et notamment en ce qui concerne les mystères du cœur.

En ce temps-là, je me refusais à tomber amoureux. En ce temps-là, je semblais m'ingénier à contourner tout engagement sentimental, toute déclaration solennelle. Chacun de nous revit son enfance à des âges différents, et pour ma part je voyais un piège potentiel dans la moindre inclination amoureuse, une chimère risquant de m'emprisonner dans le genre de mariage destructeur qui avait conduit ma mère à se tuer avec le tabac et mon père à considérer que son existence avait été limitée, voire mutilée par ce choix. « N'aie jamais d'enfants, m'avait-il dit un jour, parce qu'ils ne feront que t'enfermer dans une cage que tu n'auras pas voulue. »

53

Certes, il en était à son quatrième martini quand il m'avait exposé ce point de vue, mais le simple fait qu'il puisse admettre ouvertement devant son fils qu'il avait la sensation d'avoir été piégé m'a paradoxalement rapproché de lui. C'était une confidence, chose tellement rare chez lui qu'elle en prenait une énorme importance. Depuis toujours, il avait été un père qui passait la majeure partie de son temps au travail pour éviter d'être chez lui, et quand il était à la maison il s'enveloppait d'un nuage de colère silencieuse et de fumée de cigarette. Dès la prime enfance, je l'avais vu comme quelqu'un en lutte perpétuelle contre lui-même. Il tentait de jouer les papas mais il n'était pas convaincant, dans ce rôle. Pas plus que je ne l'étais dans celui du jeune Américain typique s'agissant de sport, de scoutisme, de prix d'éducation civique ou de rêver de s'engager dans les marines. Pour toutes ces références incontournables de la culture mâle américaine, je restais sur la touche. À l'école, j'étais toujours le dernier choisi lorsqu'on formait des équipes. J'étais sans cesse plongé dans un livre. Pendant mon adolescence, je quittais la maison tous les week-ends pour errer dans la ville, me cacher dans un cinéma, un musée, une salle de concert. Grandir à Manhattan, c'était avoir toute la culture à portée de la main. J'étais le genre d'ado qui allait au festival Fritz-Lang du ciné de Bleecker Street, qui s'achetait une place au tarif étudiant pour entendre Pierre Boulez diriger Stravinsky ou Schoenberg à la tête de l'Orchestre philharmonique de New York, qui écumait les librairies et les théâtres d'avant-garde dont les régisseurs semblaient toujours être des Roumains excentriques. Les études n'étaient jamais un problème car j'avais déjà développé une discipline de travail très stricte, peut-être parce que je sentais dès cette époque que la concentration intellectuelle était la seule source d'équilibre à ma disposition, que j'arrivais à échapper aux aspects les plus sombres de mon existence en m'absorbant dans des tâches précises que je réalisais dans des délais précis. S'il approuvait cette attitude, papa exprimait des réserves :

— Je n'aurais jamais pensé dire un jour à mon unique fils que j'apprécie qu'il soit toujours en train d'étudier ou de lire, mais franchement c'est impressionnant, surtout quand je me rappelle tous les C que je récoltais à ton âge… Ce qui m'inquiète, c'est que, bon, tous ces films que tu vois, tous ces concerts où tu vas, tu le fais toujours seul. Pas de petites amies, pas de copains avec qui sortir.

— Il y a Stan, ai-je répondu.

C'était un génie en maths de ma classe, lui aussi mordu de cinéma, capable d'enchaîner quatre films à la suite un samedi. Il était extrêmement gros, et maladroit. Lui et moi étions des solitaires, aucunement convaincus par la priorité que l'on aurait dû accorder à l'« esprit d'équipe » professé dans notre école préparatoire. À cet âge, on recherche souvent des amis qui peuvent nous prouver qu'on n'est pas le seul à se sentir mal à l'aise dans un groupe, ou à douter de soi.

— Stan, c'est ce gros plein de soupe, c'est ça ? a demandé mon père, qui l'avait rencontré une fois chez nous, après les cours.

— C'est vrai. Stan n'est pas mince.

— « Pas mince » ? Si c'était mon fils, je te l'expédierais dans un camp d'entraînement pour faire fondre toute cette graisse, moi.

— Stan est un type bien, ai-je répliqué.

— Stan sera mort avant d'avoir quarante ans, s'il continue comme ça.

Mon père a vu juste, à ce sujet. Stan et moi sommes restés amis pendant les vingt-cinq années suivantes. Après avoir brillamment enseigné à l'université de Chicago, il s'était retrouvé en Californie, à Berkeley, toujours aussi passionné par l'idée de faire partager les délices des hautes mathématiques à ses étudiants. Nous nous sommes vus chaque fois que l'un de nous passait par la côte ouest ou la côte est. Après mon retour aux États-Unis au cours de l'été 1985, on se téléphonait à peu près tous les quinze jours. Il ne s'était jamais marié mais il avait eu une série de copines qui ne semblaient pas repoussées par sa corpulence toujours plus alarmante. Il est le seul à qui j'ai confié ce qui s'était passé à Berlin en 1984, et je n'ai jamais oublié son commentaire : « Tu ne te remettras jamais de ça. »

Jan n'était pas particulièrement contente de voir Stan, parce qu'elle sentait qu'il la jugeait trop froide et distante avec moi.

« C'est un mariage vraiment intéressant que le vôtre », avait-il constaté à la suite de son dernier week-end avec nous à Cambridge. Il était venu participer à une conférence au MIT et nous avions dîné tous les trois après son exposé sur la théorie des nombres binaires, un exercice d'hermétisme scientifique que j'avais apprécié parce qu'il était mon ami et que je trouvais un certain charme à ses petits travers pédants, mais que Jan avait trouvé d'une prétention insupportable. Au restaurant afghan choisi par Stan, elle avait laissé entendre à plusieurs reprises qu'elle n'avait pas été impressionnée par cette exhibition d'érudition, et quand il m'avait félicité pour la publication de mon tout dernier livre, le récit d'une expédition dans l'Arctique canadien, elle avait tenté une pique sarcastique : « Oui, c'est sans doute la première analyse de la corrélation entre les traîneaux tirés par des chiens et le solipsisme viscéral de l'écrivain. »

Stan n'avait pas réagi mais, plus tard, alors que Jan s'était excusée en invoquant une audience matinale au tribunal, je l'avais raccompagné à pied jusqu'à son hôtel près de Kendall Square, et c'est là qu'il m'avait dit : « Tu es quelqu'un qui s'enfuit sans arrêt tout en aspirant plus que tout à la proximité émotionnelle avec une femme. Mais, comme presque nous tous, tu es allé exactement à l'opposé de ton intuition : tu as épousé une personne qui, comme tu me l'as fait comprendre pendant toutes ces années, ne t'a jamais vraiment laissé t'approcher d'elle. Ce qui, en retour, t'a poussé à voyager encore plus et à instaurer la distance nécessaire à te protéger de sa froideur. C'est drôle, non ? Elle se plaint sans arrêt que tu sois parti si souvent et pourtant elle a toujours pris soin de te tenir éloigné. Et maintenant, vous êtes l'un et l'autre enfermés dans un type de comportement, une logique que seul le divorce pourra briser. » Il s'était tu un moment, me laissant le temps de digérer ses paroles, avant d'ajouter avec une légère pointe d'ironie : « Mais qu'est-ce que je connais à ces choses-là, moi ? »

Lorsque ses artères sclérosées ont fini par lâcher quelques semaines plus tard, et que je n'ai pu retenir mes larmes en apprenant sa mort, l'écho de cette ultime conversation dans les rues de Cambridge est revenu me hanter. Même quand d'autres mettent le doigt sur une vérité indiscutable à propos de nous, nous la reformulons souvent dans le but de la rendre plus acceptable. Par exemple en disant : « Jan a beau être distante et très critique, elle est la seule capable d'accepter mes absences et ce besoin que j'ai de vivre dans mon monde intérieur. » J'ai cependant fini par saisir ce que mon grand ami avait voulu me faire comprendre ce soir-là : je méritais quelqu'un qui m'aime pour ce que j'étais, et si cela finissait par m'arriver je serais sans doute bien avisé d'arrêter mes errances.

Sauf que cette tendance à la fuite s'était installée depuis longtemps. Dès mes premières liaisons amoureuses, je n'ai jamais pu m'investir totalement. Qu'une certaine proximité paraisse sur le point de s'instaurer, que l'intérêt, ou l'amour, semble trop pressant et je trouvais une excuse pour m'en aller. Je suis passé maître dans l'art de me dégager de tout lien et cela a été encore plus net quand, mes études terminées, je suis revenu à New York déterminé à devenir écrivain. C'est Edna Saint Vincent Millay, je crois, qui a écrit que l'enfance est le royaume où personne ne meurt. Appartenant à une génération qui n'a pas connu les privations ou la guerre, j'avais alors une existence totalement détachée des réalités. Même la mort de ma mère ne m'avait guère fait réfléchir à ce que la vie a d'éphémère, ou à la nécessité de la considérer sous un angle moins réduit. Je vivais au jour le jour. Sitôt mon diplôme en poche, j'avais sauté dans le premier bus pour New York, où j'avais décroché un poste d'assistant éditorial dans une maison d'édition, avec un salaire de seize mille dollars annuels – on était en 1980. Ce n'était pas une profession qui m'attirait particulièrement, je ne m'étais jamais imaginé devenir éditeur, mais ce travail me permettait de louer un petit studio sur la 6e Rue, au niveau de l'Avenue C, et de mener une vie de marginal éclairé. Je me rendais au bureau, où j'attaquais d'énormes piles de manuscrits arrivés par la poste, puis je me faisais au moins cinq films par semaine et je me servais de ma carte d'étudiant encore valide pour entrer à moindres frais dans les concerts du Philharmonique ou les spectacles de danse du City Ballet. Je veillais tous les soirs, m'escrimant jusqu'à très tard sur des projets de nouvelles et quittant parfois mon petit studio pour attraper la dernière session dans quelque club de jazz. Et puis, à ma grande surprise, je me suis retrouvé entre les bras d'une violoncelliste.

Ann Wentworth était une grande fille svelte aux cheveux blonds flottants et à la peau diaphane – comment peut-on avoir une peau aussi parfaite ? Je revois encore notre rencontre lors d'un brunch improvisé chez un ami, dont l'appartement près du campus de Columbia était presque aussi exigu que ma tanière, mais pourvu de quatre baies vitrées qui donnaient une luminosité incroyable à son studio. Là, dans la lumière dorée d'une fin de matinée d'été, la jupe en tulle que portait Ann mettait en valeur ses longues jambes. Je me rappelle avoir tout de suite pensé qu'elle était la bohémienne new-yorkaise de mes rêves. Et musicienne, en plus ! Une violoncelliste de talent, élève à la Juilliard

59

School et déjà considérée par ses pairs comme une future soliste d'envergure douée et intelligente.

Mais c'est son rare mélange d'aisance et d'innocence qui m'a d'emblée séduit. Elle avait une solide culture livresque et musicale. C'était quelque chose que j'adorais chez elle, tout comme son sourire, à la fois spontané et toujours un peu mélancolique, un signe que malgré son optimisme affiché – elle m'avait dit préférer voir le verre à moitié plein plutôt qu'à moitié vide, et la vie comme une source intarissable de possibilités – il y avait en elle un côté songeur, pensif. Elle pleurait facilement devant de mauvais films et sur certains morceaux de musique, notamment les mouvements lents des sonates de Brahms. Il lui arrivait de pleurer après avoir fait l'amour, une occupation dont nous ne nous lassions jamais. Et elle a pleuré à chaudes larmes lorsque j'ai brusquement mis fin à notre relation au bout de quatre mois.

Non que les choses aient commencé à mal tourner entre nous, ou que je me sois convaincu que nous étions séparés par des approches différentes de l'existence : la seule erreur qu'Ann ait commise, c'est de m'avoir déclaré qu'elle m'aimait vraiment. Elle m'avait emmené pour un week-end prolongé dans le chalet que sa famille possédait dans les Adirondacks. Un 30 décembre, une neige fraîche tombée pendant la nuit, un bon feu dans l'âtre, l'odeur de pin des murs en rondins… Nous venions de terminer un délicieux dîner arrosé d'une bouteille de vin et nous étions enlacés sur le canapé, les yeux dans les yeux. C'est alors qu'elle m'a dit :

— Tu sais, mes parents sont ensemble depuis leurs vingt ans, ce qui fait plus d'un quart de siècle. Un jour, ma mère m'a raconté qu'au moment où elle a vu mon père pour la première fois elle a compris que c'était « ça ». Son destin. Et j'ai ressenti la même chose la première fois que je t'ai vu.

J'ai eu un sourire figé qui pouvait dissimuler ma gêne, mais je sentais que je ne réagissais pas bien à sa remarque, si tendre et aimante qu'elle ait été. Ann l'a perçu et, resserrant son étreinte, elle m'a expliqué qu'elle ne voulait surtout pas m'emprisonner, qu'elle était prête à attendre si je décidais d'aller écrire pendant un an à Paris ou si je pensais qu'il était préférable de ne pas se marier avant que nous ayons tous deux atteint vingt-cinq ans.

— Je détesterais que tu aies l'impression que je te mets la pression, m'a-t-elle dit. Je veux juste que tu saches que tu es l'homme de ma vie.

Nous n'avons plus abordé le sujet mais après notre retour à New York j'ai passé une nuit entière à rédiger un projet de livre de voyage en Égypte et au Soudan, une remontée du Nil du Caire à Khartoum. La semaine suivante, j'ai écrit un essai de chapitre sur la base d'un séjour de quinze jours en Égypte que j'avais effectué l'été suivant la fin de mes études. Grâce à mon travail dans l'édition, je connaissais plusieurs agents et mon projet en a intéressé une, qui a sondé une série d'éditeurs. L'un d'eux lui a expliqué qu'il n'aimait pas prendre de risques avec de très jeunes et très obscurs auteurs mais qu'il était disposé à me verser une avance des plus modiques, trois mille dollars. J'ai accepté sur-le-champ. J'ai demandé un congé sans solde de quatre mois et, devant le refus de mon employeur, j'ai donné ma démission. Ensuite, j'ai annoncé la nouvelle à Ann, et je crois qu'elle a été davantage heurtée par le fait que j'avais préparé ma fuite pendant deux mois sans l'en informer que par l'idée que j'allais m'éclipser un bon moment au fin fond de l'Afrique.

— Pourquoi tu ne m'as rien dit ? a-t-elle demandé sans élever la voix, un voile de tristesse dans les yeux.

Je me suis contenté de hausser les épaules et de détourner le regard. Elle m'a pris la main.

— Enfin, d'un côté je suis très heureuse pour toi, Thomas. Ton premier livre commandé par un grand éditeur, c'est fantastique… Mais je ne comprends pas les raisons de tout ce secret.

Une fois encore, je me suis tu, tout en me reprochant ma lâcheté.

— S'il te plaît, Thomas, parle-moi ! Je t'aime, c'est tellement fort entre nous…

J'ai dégagé ma main.

— Je ne peux plus continuer, ai-je dit dans ce qui était à peine plus qu'un murmure.

— Continuer quoi ?

— Ça. « Nous. » De toute façon, tu serais beaucoup mieux avec un type plus gentil qui voudra la même petite vie que…

Dès que les mots « petite vie » sont sortis de ma bouche, je les ai regrettés. L'effet qu'ils avaient eu sur Ann était patent : un coup terrible. Elle m'a regardé comme si je venais de la gifler.

— Une « petite vie » ? C'est ce que tu crois que je souhaite pour nous ?

Évidemment, Ann n'avait rien d'une réplique de ma mère, et elle ne m'entraînerait jamais dans le genre d'enfer domestique qui avait mis mon père dans cet état de fureur sourde, même s'il avait été le deuxième architecte de cette prison conjugale. Mais malgré toutes les garanties qu'elle pourrait me donner, Ann avait prononcé des formules fatidiques. Elle avait avoué qu'elle m'aimait, que j'étais celui avec qui elle voulait passer sa vie, et il m'était impossible d'assumer une pareille responsabilité.

— Je ne suis pas prêt à m'engager comme tu le voudrais ou comme tu en aurais besoin.

Elle a encore cherché ma main. Cette fois, je me suis dérobé, et à nouveau la stupéfaction et la douleur sont apparues dans ses yeux.

— Ne me repousse pas de cette façon, Thomas. Je t'en prie. Pars trois mois en Égypte, quatre, je t'attendrai. Ça ne changera rien entre nous. Et à ton retour, nous pourrons…

— Je ne reviendrai pas.

Ses yeux se sont emplis de larmes.

— Je ne comprends pas, a-t-elle dit tout bas. Nous étions, nous sommes…

Elle a marqué une pause avant d'employer le mot que je devinais et redoutais depuis le début.

— … heureux.

Un long silence a suivi. Ann attendait ma réaction. Il n'y en a eu aucune.

Quelques mois plus tard, je me suis réveillé dans une chambre d'une petite pension cairote, étreint par une terrible sensation de solitude et de désarroi. Ma conversation finale avec Ann repassant en boucle dans ma tête, je me suis demandé pourquoi je l'avais repoussée si brutalement. Mais je connaissais la réponse, bien entendu. J'ai tenté de me persuader que c'était mieux ainsi, que j'avais choisi une voie moins conformiste, plus courageuse. J'étais un homme sans attaches.

Je pouvais me laisser dériver au hasard de la vie, vivre des aventures, prendre du bon temps et même fuir à l'autre bout de la terre si l'envie m'en prenait. J'étais dans la fleur de l'âge, j'avais toute la vie devant moi, et il aurait été criminel de se laisser ligoter par qui que ce soit.

La question obsédante qui m'avait privé de sommeil cette nuit-là au Caire était simple : Aimes-tu réellement Ann Wentworth ? Et la réponse : Si je l'avais autorisé, l'amour serait venu. Mais comme j'avais une peur abjecte de ce que signifiait aimer et être aimé, j'avais préféré dynamiter la relation et couper court à un possible avenir commun.

Donc, après cette douloureuse *nuit blanche**, j'ai décidé de ne plus me laisser troubler et mon expédition égyptienne m'a absorbé avec un enthousiasme qui m'a moi-même étonné. Chaque jour, je partais en quête de nouveauté, d'inattendu et d'extrême, ce qui maintient le doute à distance. Mais six mois plus tard, après une série de vols depuis Le Caire qui m'a finalement déposé à New York, la sensation de vide m'a frappé de plein fouet.

De retour dans mon studio, que j'avais sous-loué pendant six mois à un ami acteur, j'ai dû constater que celui-ci avait un sens de l'hygiène de ragondin, de sorte

---

* En français dans le texte. *(Toutes les notes sont du traducteur.)*

que j'ai passé la première semaine à désinfecter l'appartement et à combattre une sérieuse invasion de cafards. J'ai consacré également quinze jours à poncer le parquet, repeindre les murs et changer tous les carreaux de la salle de bains. Je me rendais compte que cette rénovation enfiévrée avait surtout pour but de retarder le moment de me mettre sérieusement à la rédaction de mon livre, et aussi de m'empêcher de téléphoner à Ann Wentworth afin d'évaluer les chances qu'elle veuille encore de moi.

En vérité, j'ignorais ce que je voulais moi-même. Elle me manquait, assurément, mais j'étais aussi convaincu qu'un seul coup de fil reviendrait à manifester l'intention de répondre à ses attentes. La tentation était forte, pour nombre de raisons évidentes : une femme ravissante, talentueuse et surtout pleine de générosité, qui m'aimait de tout son cœur et ne souhaitait que le meilleur pour moi, pour nous. Pas étonnant que j'aie passé des heures à contempler mon téléphone en me répétant qu'il fallait l'appeler. Pourtant, je me suis convaincu que ce serait une forme de capitulation.

Aujourd'hui seulement je vois le jeune homme que j'étais se persuader que tout un tas d'aventures l'attendaient de par le vaste monde, que la stabilité et le bonheur étaient synonymes d'enfermement.

En fin de compte, je n'ai pas téléphoné et Ann n'a reçu aucun appel de moi. De toute façon, j'avais un livre à écrire. Je me suis donc mis au travail dans mon petit coin de Manhattan fraîchement retapé. Il me restait à peu près trois mille cinq cents dollars à la banque, j'ai calculé qu'il me faudrait six mois pour réunir mes carnets de notes et en tirer un fil narratif plus ou moins cohérent – mais en 1982 il était encore possible de vivre au cœur de New York sans être très, très riche. Mon loyer mensuel était de trois cent dix dollars et c'était une époque où la place de cinéma en valait cinq, un fauteuil abordable au Carnegie Hall huit et un petit déjeuner complet au café ukrainien en bas de chez moi deux cinquante. Mes économies ne m'assurant que quatre mois de cette existence, j'ai trouvé du travail à la librairie de la 8e Rue, aujourd'hui disparue : trente heures par semaine à quatre dollars de l'heure, de quoi payer les courses, les factures et même deux ou trois sorties hebdomadaires.

Les huit mois qui m'ont été finalement nécessaires pour pondre *Insolation, un voyage en Égypte* m'apparaissent a posteriori comme une période de grande simplicité, sans engagements, sans dettes, sans relations contraignantes. Quand j'ai tapé la dernière phrase de mon premier livre durant une nuit de janvier où une tempête de neige s'abattait sur la ville, j'ai fêté l'événement avec un verre de vin et une cigarette avant de m'effondrer sur mon lit et de dormir quatorze heures d'affilée. Ont suivi quelques semaines de corrections, de chasse aux répétitions, aux métaphores banales et aux autres fautes de style qui s'étaient glissées – et se glissent encore – dans mes premiers jets. J'ai remis en personne le manuscrit à mon éditrice, puis je suis parti quinze jours chez un ancien camarade de fac à Key West, une portion des tropiques américains encore accessible aux fauchés comme moi. Là, j'ai pris le soleil, fait la tournée des bars, évité tous les romans d'Ernest Hemingway et tenté de surmonter mes appréhensions à propos du livre, une nervosité dont je suis victime chaque fois que je remets un manuscrit, fondée sur une crainte tout à fait basique : « Mon éditeur va détester ce bouquin ! »

En fait, mon éditrice de l'époque, Judith Kaplan, a jugé que mon travail était « très élaboré pour un débutant » et « se lisait très bien ». La sortie du livre huit mois plus tard a suscité six critiques au niveau de la presse nationale, en tout et pour tout, parmi lesquelles une mention positive, et donc cruciale, dans la rubrique « En bref » du *New York Times*. Cela m'a valu des coups de téléphone intéressés de la part de plusieurs publications de bon niveau. *Insolation* s'est vendu à quatre mille exemplaires et le reste a été rapidement retiré des rayons ; n'empêche, j'étais désormais un « auteur publié » et Judith, estimant que je méritais d'être encouragé – notamment après la brève du *Times* –, m'a invité à déjeuner dans un italien très chic une semaine après mon retour d'Addis-Abeba pour un reportage commandité par la revue *Traveller*.

— Vous savez ce que Tolstoï disait du journalisme ? m'a-t-elle demandé après avoir appris que j'étais très sollicité par plusieurs magazines et que j'avais abandonné depuis belle lurette mon emploi de libraire. Que c'est un bordel, et que comme tous les bordels, quand on y va une fois on a de fortes chances de devenir un client régulier.

— Travailler pour des revues, à mes yeux, ce n'est qu'un moyen de voyager tous frais payés, et de toucher un dollar le mot.

— Donc, au cas où je vous demanderais si vous avez envisagé de faire un autre livre pour nous...

— Je vous répondrais que j'ai déjà une idée.

— Excellent ! Et ce serait quoi, cette « idée » ?

— Elle tient en un mot : Berlin.

En une demi-heure, je lui ai expliqué mon intention de passer un an dans cette ville et d'écrire un livre qui serait une « fiction réelle, douze mois dans cette île d'occidentalité dérivant aux marges du bloc de l'Est, l'endroit où les deux grands -ismes du XXᵉ siècle se sont frottés comme des plaques tectoniques, une cité fière de ses anarchistes, et de son parfum insistant de décadence "république de Weimar" ; mais aussi un centre de gravité idéal pour un observateur prêt à explorer les secrets d'une métropole à la fois résolument moderne et confite dans un hideux passé, et côtoyant quotidiennement la morosité monochrome du système communiste ».

— Ne me dites pas que tout ça vient juste de vous passer par la tête, m'a-t-elle lancé quand j'ai terminé mon exposé. Enfin, quoi qu'il en soit, le projet paraît excellent, surtout si vous arrivez à refaire ce que vous avez fait avec le livre sur l'Égypte, c'est-à-dire nous rendre attachants les gens que vous rencontrez. C'est votre grande force, Thomas : votre fascination pour l'univers intérieur de chacun, la façon dont vous arrivez à faire passer le message que chaque vie est un roman en soi… – Elle s'est interrompue pour prendre une gorgée de vin. – Maintenant, vous allez rentrer chez vous et me pondre une présentation brillantissime, de quoi me permettre de rabattre le caquet de nos ronds-de-cuir du marketing et du commercial. Ah ! et dites à votre agente de me passer un coup de fil.

Une semaine plus tard, j'avais écrit et soumis le projet, lequel a été approuvé par l'éditeur en quinze jours : oh, ces temps bénis et révolus où les maisons d'édition prenaient des risques pour des idées et pour leurs auteurs sans regimber… Mon agente a bien négocié l'offre, m'obtenant une avance de neuf mille dollars, soit le triple de la première. J'étais d'autant plus ravi qu'il m'a été possible de brandir ce contrat devant le nez de plusieurs rédacteurs en chef et de décrocher des commandes au *Traveller*, au *National Geographic* et à l'*Atlantic Monthly* – ajoutant cinq mille dollars à ma cagnotte.

En commençant à étudier les détails pratiques du voyage, j'ai vu que j'arriverais sans doute à sous-louer une chambre dans un appartement en colocation d'un quartier modeste comme Wedding pour quelque cent cinquante deutschemarks mensuels, soit environ cent dollars de l'époque. J'ai également pensé que côtoyer même indirectement les réalités de la guerre froide pourrait donner un angle intéressant à mon enquête. J'ai donc envoyé mon CV et mon travail sur l'Égypte au siège de Radio Liberty à Washington, la station financée par l'État américain pour transmettre la bonne parole aux pays situés derrière le rideau de fer. J'ai joint une lettre expliquant que je m'apprêtais à passer un an à Berlin et que je serais volontiers preneur d'un travail à temps partiel dans leurs bureaux berlinois.

À vrai dire, je ne m'attendais guère à recevoir de réponse de leur part, ils ne devaient probablement embaucher que des anticommunistes acharnés parlant couramment allemand. Pourtant, une enveloppe m'est parvenue de Washington un après-midi : un certain Huntley Cranley, le directeur des programmes, m'informait qu'il avait trouvé mon livre et mon curriculum vitae des plus intéressants et qu'il avait transmis le tout au chef du bureau de la radio à Berlin, Jerome Wellmann. Il me proposait de contacter ce dernier une fois que je serais là-bas, et c'est lui qui prendrait la décision de me recevoir ou non.

Quelques jours plus tard, j'ai glissé cette lettre dans le dictionnaire anglais-allemand qui a trouvé sa place dans mon sac à bandoulière. J'avais à nouveau sous-loué mon appartement, préparé une unique valise et acheté une épaisse vareuse à un surplus de l'armée. Après avoir fermé ma porte à double tour, je suis monté dans le bus pour l'aéroport Kennedy par une morose soirée de janvier recouverte de neige fondue. Ma carte d'embarquement en poche, je suis passé par le dédale habituel de détecteurs à métal et à rayons X, je me suis installé dans le siège étroit qui m'avait été assigné, j'ai regardé les lumières de Manhattan disparaître dans la brume et j'ai avalé plusieurs whiskys afin de sombrer dans le sommeil tandis que l'avion atteignait son altitude de croisière et filait vers l'est.

Après plusieurs heures de sommeil, je me suis réveillé, la tête encore alourdie par l'alcool. Un coup d'œil par le hublot : rien que des nuages gris et denses. Et puis les nuages ont cédé la place au brouillard, qui s'est déchiré peu à peu, et en dessous il y a eu…

La terre. Des champs. Des immeubles. Les contours d'une ville sur l'horizon incurvé, tout cela dans la vision brouillée que laisse une nuit de somnolence en avion. Comme il restait une dizaine de minutes avant l'atterrissage, j'ai sorti de ma veste le paquet de tabac et le papier à rouler qui ne me quittaient plus depuis ma dernière année à l'université, et m'avaient soutenu durant les longues heures de travail à ma table les mois précédents. En rédigeant mon premier livre, j'étais devenu un vrai fumeur et il me fallait désormais une bonne quinzaine de cigarettes par jour. Là, avec le signal « NO SMOKING » déjà allumé, je me suis hâté d'en rouler une que je pourrais fumer dès que je poserais le pied dans le terminal.

La terre. Des champs. Des immeubles, et plus précisément les gratte-ciel de Francfort, la plus commerçante et la moins pittoresque des grandes villes allemandes.

J'avais étudié l'allemand à la faculté et d'emblée une relation complexe s'était créée entre cette langue et moi, l'amour de sa densité formelle et de sa rigueur syntaxique se mêlant à la frustration de ma lutte constante avec le datif et de la difficulté à s'enfoncer dans la tête des tournures idiomatiques que je n'utilisais pas dans la vie quotidienne. Bien que j'aie envisagé de passer toute une année d'immersion en Allemagne, j'avais finalement préféré devenir le rédacteur en chef du journal du campus. Pourquoi avais-je renoncé à jouer les étudiants éclairés à Tübingen ou Heidelberg – et à en profiter pour connaître diverses capitales européennes – et avais-je préféré m'occuper d'un canard étudiant ? Cela a été la dernière décision ouvertement carriériste de ma vie et elle m'a appris une bonne leçon : entre se soumettre au sens pratique et partir voir du pays, c'est toujours la deuxième option qu'il faut choisir.

Comme pour confirmer cette thèse une fois encore, je venais à nouveau de refermer la porte sur mon existence et de sauter dans un avion en direction de l'est ; après l'atterrissage et le contrôle des frontières à

Francfort, j'ai pris un autre vol, toujours plus vers l'Orient. Au bout d'une heure, je me suis penché au hublot et il était là.

Le Mur.

Quand l'appareil a basculé sur le côté pour opérer son virage, cette construction longue et sinueuse comme un serpent est devenue plus visible. Même à cette altitude, elle paraissait imposante, austère et définitive. Avant que les nuages se dispersent pour révéler le Mur, nous avions passé trente minutes dans l'espace aérien de la République démocratique allemande et traversé des turbulences qui s'expliquaient, comme le pilote (américain) nous l'avait indiqué, par le fait que nous devions voler à dix mille mètres à peine au-dessus de ce pays appartenant à un autre univers. La passagère assise près de moi a hoché la tête.

— Ils ne veulent pas que les vols commerciaux passent plus haut, par crainte qu'ils fassent de la surveillance « au profit de l'ennemi ». L'ennemi étant tout ce qui n'est pas le pacte de Varsovie et la « fraternité » des camps de prisonniers tels que Cuba, l'Albanie, la Corée du Nord…

J'ai regardé ma voisine. Elle avait une cinquantaine d'années, était vêtue d'un tailleur strict. Le visage un peu empâté, elle tirait sur une cigarette HB dont le paquet était posé sur l'accoudoir entre nous. Ses yeux exprimaient une intelligence blasée, celle de quelqu'un qui a vu beaucoup trop de choses dans sa vie.

— Vous avez peut-être eu l'expérience de l'une de ces prisons ? me suis-je enquis.

— Qu'est-ce qui vous fait penser ça ? a-t-elle rétorqué en avalant une longue bouffée.

— Une intuition.

Elle a écrasé sa cigarette dans le cendrier et en a repris aussitôt une autre.

— Il sera interdit de fumer dans deux minutes, mais c'est plus fort que moi, chaque fois que je survole cet endroit il faut que je fume. C'est presque un réflexe pavlovien.

— Et donc, quand êtes-vous sortie ?

— Le 13 août 1961. Quelques heures avant qu'ils ferment toutes les frontières et se mettent à édifier ce « dispositif de détection antifasciste » que vous voyez en bas.

— Comment avez-vous su que vous deviez partir ?

— Vous posez des tas de questions, dites-moi… Et votre allemand n'est pas mauvais du tout. Vous êtes journaliste ?

— Non. Juste quelqu'un qui pose beaucoup de questions.

Elle m'a dévisagé un instant, se demandant sans doute si elle pouvait me faire confiance, même si, à l'évidence, elle avait envie de partager son histoire avec moi.

— Vous voulez une vraie cigarette ? a-t-elle demandé, remarquant que j'étais en train de m'en rouler une sur le boîtier de ma machine à écrire.

— Avec plaisir.

— Jolie machine à écrire.

— Un cadeau d'adieu.

— De qui ?

— De mon père.

Le soir précédant mon départ, j'avais retrouvé papa à son « jap » préféré, ainsi qu'il appelait le restaurant

73

japonais proche de Lexington Avenue où il se rendait souvent. Tout en enchaînant trois sakétinis (un martini préparé avec du saké), il avait demandé au serveur de lui rapporter un paquet qu'il avait laissé au vestiaire et il m'avait offert, en plus du stylo Parker, une superbe machine Olivetti rouge, tout dernier modèle. J'avais été impressionné par sa générosité et aussi par la sûreté de son goût, mais quand je le lui avais dit il avait lâché avec un petit rire :

— Ah, c'est Doris qui l'a choisie, pas moi. La nana que je me tape en ce moment. Elle a déclaré qu'un écrivain comme toi avait besoin d'une chouette machine. Et tu sais ce que je lui ai dit ? « Ouais, un de ces quatre, il faudra que je lise le bouquin du fiston… »

Il avait soudain tressailli, se rendant compte qu'il venait de révéler quelque chose qu'il aurait voulu garder pour lui.

— Ce doit être quelqu'un d'attentionné, votre père, a fait remarquer la passagère en admirant encore le boîtier rouge aux lignes épurées. – Comme je me contentais d'un sourire poli, elle a poursuivi : – Non, il ne l'est pas ?

— C'est quelqu'un de… complexe.

— Mais il doit beaucoup vous aimer, même s'il ne sait sans doute pas comment l'exprimer. Ce cadeau le prouve. Alors si vous n'êtes pas journaliste, vous devez être une sorte d'écrivain, non ?

— Et donc, qui vous a permis de quitter la RDA à temps ? l'ai-je interrogée, pressé de faire dévier la conversation.

— Personne. J'ai entendu… des bruits. – Elle a parlé plus bas. – Mon père était un des dirigeants du

Parti à Leipzig. Il était membre d'un groupe trié sur le volet qui avait été convoqué en secret à Berlin et briefé sur ce qui allait se passer. J'avais trente ans, à l'époque. Mariée, sans enfant et désireuse de quitter mon mari, fonctionnaire au ministère du Logement. Grâce à mon père, j'avais un travail assez attrayant, comparé à la grisaille ambiante de la RDA : réceptionniste dans l'un des grands hôtels internationaux de la ville. Chaque samedi, je déjeunais avec mes parents. Nous étions restés proches, d'autant que j'étais enfant unique, et mon père me gâtait beaucoup mais, vu ses fonctions, je ne pouvais pas exprimer ce que je pensais, à savoir que l'emprise du Parti sur la société devenait de plus en plus insupportable, que j'aurais voulu voyager mais qu'on ne pouvait aller que dans d'autres pays socialistes aussi déprimants que le nôtre. Je ne confiais rien de tout ça à mes parents, qui étaient des purs et durs. Et puis, ce fameux samedi, j'ai entendu mon père dire à ma mère qu'elle ne devait pas sortir le lendemain, ni répondre au téléphone, parce qu'un « grand changement » allait se produire dans la nuit.

» J'ai eu l'impression que le sol s'ouvrait sous moi. Cela faisait des semaines et des mois que des rumeurs circulaient : on prétendait que le gouvernement avait l'intention de bloquer complètement la frontière, trop perméable à Berlin. J'ai tout de suite compris que j'avais peu de temps devant moi si je voulais passer à l'acte.

» Il était environ trois heures de l'après-midi. Je me suis ressaisie et je suis retournée boire le café avec mes parents, puis j'ai prétexté un rendez-vous aux bains publics avec une amie. Je les ai embrassés en résistant au désir de les serrer fort dans mes bras, surtout mon père. Je sentais que je ne les reverrais pas de sitôt.

» Je suis rentrée chez moi en vélo. Par chance, cet après-midi-là, Stefan, mon mari, jouait au foot avec des collègues de bureau. J'ai jeté quelques vêtements dans un sac, j'ai pris la petite liasse de deutschemarks ouest-allemands que j'avais, mon passeport et tout l'argent est-allemand que j'ai pu trouver. Ensuite, je suis allée à la Hauptbahnhof avec ma bicyclette et j'ai pris l'express de 15 h 48 pour Berlin. Deux heures après, j'étais arrivée. J'avais un ami en ville, Florian. Maintenant, je peux avouer que nous avions une relation sentimentale. Pas vraiment de l'amour, plutôt du réconfort de temps en temps, quand il venait à Leipzig ou les rares fois où j'allais à Berlin. Il était journaliste au quotidien du Parti, *Neues Deutschland*, mais comme moi il s'était mis à avoir de sérieux doutes sur le régime et l'avenir du pays. Quinze jours plus tôt, à Leipzig, il m'avait confié qu'un de ses amis connaissait un endroit où on pouvait passer la frontière ni vu ni connu, de Friedrichs-hain à Kreuzberg. Mais, bien sûr, c'était avant que toutes les issues soient bouclées…

» Par chance, il était chez lui quand je lui ai télé-phoné. Il venait de rentrer après avoir passé l'après-midi avec sa fille de cinq ans, Jutta, et déposé celle-ci chez sa mère, dont il avait divorcé depuis peu. Je suis allée à pied d'Alexanderplatz à Mitte, le quartier où il habitait. Je lui ai demandé de m'accompagner dehors, parce que j'avais peur que son appartement soit sur écoute, et je lui ai raconté ce que j'avais appris.

» À aucun moment, Florian n'a douté de mes révéla-tions, il m'a immédiatement crue et s'est mis à réfléchir tout haut : « Tu sais que mon ex-femme est un cadre important du Parti, donc si je retourne chercher Jutta maintenant elle risque de trouver ça louche. Mais demain, ils vont fermer la frontière… Que vaut-il mieux, d'ailleurs ? Que ma fille me suive à l'Ouest ou qu'elle reste avec sa mère ? » Il a continué à monologuer ainsi un moment. La nuit était tombée, il était presque huit heures : le temps pressait. J'ai consulté ma montre et j'ai dit qu'il fallait y aller. Il m'a priée de l'attendre dans la rue. C'était une nuit d'août, il faisait bon. J'ai fumé deux cigarettes en regardant les immeubles mal entretenus, peints en gris communiste. Je me suis demandé si mon départ ne nuirait pas à la carrière de mon père. J'ai pensé à Florian, en espérant qu'il pourrait inventer une excuse et emmener Jutta avec lui. Quand il est revenu, son visage était décomposé. Il m'a dit qu'il avait appelé chez son ex-femme, qu'elles étaient sorties et qu'elle refuserait certainement de lui laisser leur fille aussi tard, lorsqu'elles rentreraient.

» Il a étouffé un sanglot, il a essuyé ses larmes et il a dit : « J'ai deux vélos ici. On part à Friedrichshain. » En vingt minutes, on est arrivés à un endroit près d'une rue coupée par la frontière, avec deux policiers et un simple portillon qui séparait l'Est de l'Ouest. De loin, on a vu qu'ils vérifiaient soigneusement les papiers des gens et qu'ils ne laissaient passer personne, même s'il était encore plus ou moins autorisé de se rendre de l'autre côté. Alors nous nous sommes glissés dans une ruelle adjacente, dans la cour d'un immeuble qui donnait sur une rue parallèle à la frontière. Un ami de Florian avait un appartement dans ce bloc et il lui avait dit qu'il laissait toujours une clé sur le tableau électrique du couloir. J'ai retenu mon souffle pendant que Florian tentait de mettre la main dessus puis nous sommes entrés dans une pièce avec quelques matelas par terre, des W.-C. sales, des vitres cassées… Il y avait une échelle de corde attachée à la poignée de la fenêtre. Florian a regardé au-dehors, tout était OK. Il a fait tomber la corde dehors et m'a ordonné d'y aller.

» J'étais morte de peur. J'ai le vertige et on était au troisième étage. L'échelle paraissait peu solide et dès que j'ai posé le pied dessus, j'ai su qu'elle ne tiendrait pas. Pourtant, je ne pesais que cinquante kilos, en ce temps-là ! J'ai dit à Florian que je n'y arriverais pas mais il m'a pratiquement poussée par la fenêtre. La descente a duré à peine trente secondes, parce qu'à une dizaine de mètres du sol la corde a cédé. Dix mètres, c'est haut, croyez-moi. Je suis tombée, et ma cheville s'est brisée sous le choc. Une douleur impossible à décrire. De la fenêtre, Florian a dit tout bas : « Cours, vas-y ! » Sur le même ton, je lui ai dit : « Il faut que tu viennes avec moi ! » Il m'a expliqué qu'il allait chercher une autre corde et qu'il me retrouverait quelques heures plus tard à l'église Kaiser Wilhelm, sur le Kurfürstendamm, vous savez, cette grande avenue berlinoise que l'on surnomme le Ku'damm. J'ai insisté : « Je ne peux pas ! Ma cheville ! » mais lui m'a ordonné : « Vas-y, maintenant ! »

» Et il a disparu. Ma jambe me faisait atrocement souffrir mais j'ai réussi à me traîner sur la trentaine de mètres de large de ce no man's land. Il n'y avait pas encore de mur, de barbelés, de sentinelles armées, ni de soldats occidentaux guettant de l'autre côté. J'ai avancé autant que j'ai pu, et je me suis effondrée. C'est un Turc qui m'a trouvée dans une rue déserte de Kreuzberg, en larmes. Il m'a donné une cigarette et m'a dit qu'il allait chercher de l'aide. Une bonne heure s'est écoulée avant que j'entende une ambulance, et là, je me suis évanouie. À mon réveil, j'étais dans un lit d'hôpital et le médecin m'a appris que je m'étais non seulement fracturé la cheville mais aussi déchiré le tendon d'Achille, et que je venais de dormir huit heures sous anesthésie. À côté de lui, un policier m'a souhaité la bienvenue en Bundesrepublik, en ajoutant que j'avais beaucoup de chance, parce que la RDA avait complètement bloqué sa frontière avec l'Occident juste après minuit.

» « Est-ce que vous avez eu connaissance d'un transfuge du nom de Florian Fallada ? », ai-je demandé au policier. Selon lui, ils ne savaient pas qui avait pu passer la veille, mais désormais il était absolument impossible de le faire. J'entends encore ses mots : « L'Allemagne orientale s'est complètement coupée du monde. »

Brusquement, l'avion a piqué du nez. L'atterrissage était proche, ai-je constaté par le hublot. Je n'avais pas vu passer les dix dernières minutes de la descente, tant le récit de ma voisine m'avait captivé.

— Et qu'est-il arrivé à Florian ?

— Je n'en ai rien su pendant dix ans. Entre-temps, j'ai trouvé du travail à Francfort dans l'industrie hôtelière, je me suis remariée et j'ai redivorcé… Devenue directrice des ventes de la chaîne Intercontinental en Allemagne, je suis retournée à Leipzig pour la foire commerciale de 1972. À mon hôtel, le seul journal disponible était la feuille de chou du Parti communiste,

Neues Deutschland, et devinez qui en était le nouveau rédacteur en chef, avec son nom en première place dans l'ours ? Florian Fallada !

L'avion s'était immobilisé. Dehors, il neigeait. Une passerelle a été apportée à la porte de devant.

— Et vous n'avez pas essayé de le contacter ? Pour savoir ce qui lui était arrivé après votre passage de l'autre côté de la frontière ?

Elle m'a contemplé comme si j'étais le plus grand naïf de la terre.

— Mais, voyons, j'aurais brisé sa carrière si je l'avais appelé ! Et comme je l'aimais bien…

— Pourtant, vous vouliez sans doute savoir pourquoi il n'était pas passé à l'Ouest ?

Son incrédulité s'est teintée d'une sorte d'amusement.

— Il n'est pas passé parce que l'échelle s'est cassée, voilà pourquoi. Peut-être n'a-t-il pas eu le temps d'en trouver une autre, peut-être n'a-t-il pas pu supporter l'idée de laisser sa fille derrière lui, finalement. Ou peut-être a-t-il décidé que son devoir était de rester dans ce qu'il appelait son pays, malgré tout… Qui sait ? Ce qui est sûr, c'est que son grand secret, à quelques minutes de se transformer en transfuge, n'appartient qu'à lui… et à moi. Vous allez vous dire : « Et à moi aussi, maintenant ! » et vous demander pourquoi une inconnue qui parle et fume beaucoup trop a fait le choix de confier au jeune-Américain-à-la-machine-à-écrire-rouge une histoire aussi personnelle ? Eh bien, parce que j'ai lu dans le *Frankfurter Allgemeine Zeitung* de ce matin que Florian Fallada, le directeur de la *Neues Deutschland*, a été terrassé il y a deux jours par une crise

80

cardiaque dans son bureau de Berlin-Est. Sur ce, je vous dis au revoir.

— Puis-je connaître votre nom ?

— Mon nom, c'est mon affaire. Mais je vous ai donné une plutôt bonne histoire, non ? Vous allez voir qu'elles ne manquent pas, ici. À vous d'être assez malin pour distinguer celles qui sont authentiques de celles qui ne sont que du vent.

Le signal de l'ouverture des portes ayant retenti, tout le monde s'est levé, prêt à rejoindre le monde terrestre. J'ai remis ma vareuse, empoigné mon Olivetti.

— Laissez-moi deviner, a repris ma voisine. Votre père fait comme s'il vous désapprouvait mais dès que vous avez le dos tourné il se vante de son fils, le « grand écrivain en puissance ».

— C'est sa vie, ai-je répliqué assez sèchement.

— Et il fera toujours comme si la vôtre le dérangeait. Alors, ne vous inquiétez pas. Vous êtes jeune, tout est encore devant vous. Perdez-vous dans les histoires des autres et mettez votre existence en perspective de tout le reste.

Sur ces mots, elle m'a salué de la tête et elle est partie de son côté. Nous nous sommes toutefois revus devant le tapis de livraison des bagages et là, croisant mon regard, elle a dit posément : « *Wilkommen in Berlin.* »

2

Kreuzberg. Partie de Friedrichshain à Berlin-Est, la femme de l'avion avait titubé sur une trentaine de mètres avant de s'effondrer, clouée au sol par la souffrance physique, et d'être secourue par un citoyen d'origine turque. Quelques heures plus tard, l'endroit qu'elle avait traversé allait devenir la zone frontalière la plus surveillée et décriée de la planète.

De Friedrichshain à Kreuzberg. Quelques pas seulement, jusqu'à ce qu'un mur s'y élève et que cette courte distance soit impossible à franchir.

Ma troisième matinée à Berlin, j'ai pris le U-Bahn et, descendu à la station Moritzplatz, je me suis retrouvé devant le nouveau poste frontalier de Heinrich Heine Strasse. Heine, je l'avais étudié à l'université. L'un des géants du romantisme allemand prêtait maintenant son nom au principal point de passage entre l'Est et l'Occident… Nul doute que les autorités de la RDA se félicitaient de ses poèmes antibourgeois, y voyant la preuve de son essence intrinsèquement « internationaliste prolétarienne », et nul doute que plus d'un habitant de Berlin-Ouest voyait en lui l'un de ces excentriques littéraires du XIXᵉ siècle qui avait vécu entièrement coupé des réalités et devait donc être dénoncé comme un parangon du narcissisme bourgeois. Quelle qu'ait été l'interprétation pertinente il m'est apparu, devant ce Heinrich Heine Checkpoint, que cent vingt-huit ans après sa mort il demeurait tel que de son vivant : un écrivain reflétant toutes les contradictions de la conscience germanique et qui, de ce fait, méritait d'appartenir aux deux pans de cette terre désormais divisée.

Il est aussi vrai que, depuis mon arrivée à Berlin, j'avais évolué loin de Heinrich Heine Strasse puisque j'avais élu temporairement domicile dans une pension proche du Ku'damm, en plein milieu d'une place fort élégante, Savignyplatz. J'avais repéré l'établissement dans le guide *Berlin pas cher* que j'avais déniché à New York, mais ce petit « bed and breakfast » des plus confortables me revenait à quarante deutschemarks la nuit, soit environ douze dollars de l'époque, ce qui était acceptable pour une grosse semaine mais ne constituait en aucun cas une solution à long terme pour un budget très serré. Environnée par les arbres de Savignyplatz, la pension Weisse était certainement une prise de contact tout en douceur avec Berlin.

Ma chambre – lit simple bien ferme, mobilier scandinave discret, salle de bains privée superbement astiquée, grande table de travail pour accueillir ma machine à écrire, fenêtres à double vitrage, chauffage parfait… – était un véritable délice. En me voyant débarquer chancelant de fatigue après treize heures de voyage depuis New York via Francfort, l'imposante dame de la réception, qui n'était autre que Frau Weisse en personne, avait été aussitôt attendrie et m'avait volontiers laissé entrer dans mes pénates bien avant l'heure d'arrivée habituelle. « Je vous ai donné une chambre avec une excellente vue, m'avait-elle annoncé, et nous y avons remis le chauffage très tôt ce matin, sachant que vous arriviez aujourd'hui. Voilà plusieurs jours qu'un froid polaire s'est abattu sur Berlin. Surtout, ne mettez pas le nez dehors tant que cela durera. Vous attraperiez des engelures en un rien de temps et je n'ai pas envie de vous conduire aux urgences dès le lendemain de votre arrivée… »

Bien entendu, je n'ai pas suivi sa recommandation, mais j'ai tout de même attendu trois heures et quelques, le temps que le vent et la tempête de neige se calment. Au kiosque de l'entrée de la station de métro sur Savignyplatz, j'ai acheté l'*International Herald Tribune*, un paquet de tabac à rouler Drum, du papier à cigarettes et une demi-bouteille d'eau-de-vie Asbach-Urbrand, l'idée d'acheter de l'alcool dans un kiosque à journaux m'ayant toujours attiré. Réfugié dans un petit restaurant de pâtes, j'ai déjeuné d'une assiette de spaghettis carbonara arrosés d'un verre de vin rouge, lu le *Herald* en fumant et en savourant deux espressos, et étudié les autres clients, qui se classaient en deux catégories : les hommes et femmes d'affaires venus des nombreux bureaux s'alignant le long du Ku'damm, ainsi que des représentants des classes créatives bien nanties, identifiables aux attributs de la bohème artistique chic tels que le blouson de cuir, le col roulé noir, les lunettes à la Bertolt Brecht et le paquet de Gitanes. J'étais certain qu'ils parlaient avec aisance la *lingua franca* que partagent les élites culturelles de toutes les métropoles du monde. J'ai retrouvé cette même ambiance dans le quartier lorsque, bravant le froid durant une vingtaine de minutes, je me suis promené entre les immeubles élégants ayant résisté à la guerre, les épiceries fines, les boutiques de mode distinguées, de très bonnes librairies et des magasins de disques magnifiquement achalandés. Décidément, j'avais atterri dans l'une des zones les plus cossues et les plus agréables de Berlin-Ouest, et si on ajoutait à cela le confort douillet de la pension Weisse…

… Eh bien, il était clair qu'il fallait que je me tire de là au plus vite. Mon intention était d'écrire un livre sur la pulsation extrême d'une ville en permanence sous tension, mais comment m'imprégner de ces rythmes particuliers si je rentrais ensuite dans un quartier modelé par la vie facile ? Il me fallait m'immerger dans une zone difficile de Berlin. Et si ce problème de résidence devenait déjà tellement central alors que je n'avais pas encore commencé à assimiler la géographie basique de la ville, c'était peut-être en partie lié au livre que j'étais en train de lire. J'ai passé les jours suivants cloîtré dans ma chambre à cause du froid et des bourrasques de neige, à écouter du jazz sur une radio locale et à me plonger dans *Christa T.*, le roman de Christa Wolf. Ce qui m'intriguait particulièrement, c'était que, pour une romancière célébrée par les autorités est-allemandes comme « auteur national », elle était loin d'écrire de la littérature dite « officielle ». Au contraire, son portrait d'une femme ordinaire menant une existence banale en RDA laissait sourdre un désespoir muet. Son livre, tout en gardant bien des choses non exprimées, faisait apparaître peu à peu une thématique sous-jacente, celle de l'uniformité oppressante d'une société qui exigeait l'obéissance absolue de ses membres, celle de la soumission de l'individu. Que ce thème soit à la fois très perceptible et jamais explicite me fascinait et m'irritait à la fois, parce qu'il m'amenait à me poser une question difficile : Arriverais-je un jour à vraiment cerner cet endroit ? Avais-je atterri dans un paysage tout en trompe l'œil où les divisions, l'isolement, la schizophrénie géopolitique s'accumulaient en tellement de couches superposées que je ne parviendrais jamais à le discerner réellement, à percer les faux-semblants derrière lesquels il se dissimulait ?

Alors, laissant les conseils de prudence de Frau Weisse derrière moi, me rendant bien compte que je n'avais accumulé presque aucun matériau intéressant depuis mon arrivée, je me suis aventuré dehors le quatrième soir, parcourant les quatre kilomètres qui séparaient ma pension du bâtiment de l'orchestre philharmonique berlinois. La neige avait enfin cessé de tomber, bien que le froid soit resté polaire, et après avoir quitté les vives lumières et l'agitation commerciale du Kurfürstendamm j'ai commencé à regretter d'avoir voulu braver pareilles températures, d'autant que je me dirigeais vers la Philharmonie de Berlin sans un ticket en poche. Comme l'omnisciente Frau Weisse me l'avait appris, le concert de ce soir-là affichait complet et elle n'avait pu me trouver une place malgré les contacts qu'elle semblait avoir un peu partout en ville. « C'est toujours pareil quand Karajan dirige, m'avait-elle dit, mais si vous arrivez tôt, vous aurez peut-être la chance de trouver quelqu'un qui veut revendre son billet. »

Le trajet m'a demandé près d'une heure. Avant de me rendre directement au concert, je suis tout de même allé sur la place afin d'avoir ma première vision directe du Mur. En comparaison de l'aperçu que j'en avais eu de l'avion, la réalité était déconcertante. Potsdamer Platz était un assemblage d'immeubles modernes très laids, moins vertigineux que leurs équivalents new-yorkais mais tout aussi écrasants et inspirés par la recherche du profit. L'empire éditorial d'Axel Springer occupait l'une des tours. Mes yeux se sont posés sur ce qui semblait être une salle de rédaction située à un étage élevé. Le paradoxe m'a aussitôt frappé : de l'autre côté de la ligne divisant la ville, les gens pouvaient regarder des journalistes travailler dans un pays étranger où ils n'avaient pas le droit de se rendre, tandis que lesdits journalistes, de leur perchoir, voyaient distinctement le no man's land séparant le Mur des rues de Berlin-Est… Leur arrivait-il de contempler les barbelés, les chiens policiers, les sentinelles ayant pour consigne de tirer à vue sur leurs concitoyens, ceux qui tenteraient de s'enfuir par là et ne se rendraient pas, ou bien avaient-ils fini par ne plus prêter attention à ce formidable dispositif ? La contradiction inhérente à cette choquante création résidait-elle dans le fait que seul un nouveau venu comme moi puisse être impressionné par sa présence incontournable ? Américain né en pleine guerre froide, je ne pouvais m'empêcher de me répéter : « Je suis vraiment devant le mur de Berlin ! », mais pour ceux qui l'avaient sous les yeux jour après jour, n'était-il pas devenu un simple élément de leur décor quotidien ?

Le froid m'a obligé à me remettre en route. La tête baissée pour échapper au vent, j'ai négocié les dix minutes de marche jusqu'à la Philharmonie. Le concert allait bientôt commencer et la chance m'a tout de suite souri : une femme attendait devant l'entrée en tenant à bout de bras un billet dont elle n'avait pas l'usage. Une très bonne place, à cent trente deutschemarks, ce qui dépassait de loin mon budget, mais en certaines occasions il est bon de commettre des folies, par exemple lorsqu'on a la possibilité d'entendre Herbert von Karajan et son orchestre philharmonique interpréter la *9e Symphonie* de Gustav Mahler... Alors j'ai mis de côté mes scrupules, j'ai acheté le billet et je me suis rué à l'intérieur.

Les lumières se sont éteintes au moment où j'atteignais mon fauteuil, tandis que les projecteurs baignaient la scène d'une lueur dorée et que tous, orchestre et spectateurs, attendaient en silence. En plein milieu, un pupitre en acier de forme courbe se dressait comme une sculpture. Une silhouette est sortie d'un accès latéral. Karajan. Il avait soixante-seize ans, à l'époque, et bien que tout voûté, avec un visage d'une rigidité de granit et une chevelure blanche et drue comme une rafale de neige gelée, son maintien communiquait d'emblée le refus farouche de capituler devant les ravages de la vieillesse : même si sa colonne vertébrale le trahissait, il tenait à se comporter comme quelqu'un qui a passé sa vie à faire face au monde avec une dignité presque martiale, une raideur aristocratique à laquelle il ne renoncerait pas jusqu'à son dernier jour. Sa démarche était lente mais encore majestueuse. Après avoir reçu les applaudissements nourris de la salle comble, il a serré brièvement la main du premier violon, adressé un signe de tête entendu aux musiciens puis, le dos maintenant très droit, les épaules levées, le vieil homme qui avait peiné à traverser la scène a soudain atteint une contenance impériale. Il était prêt, le public et l'orchestre le savaient. Il a pourtant laissé planer un long silence, une demi-minute peut-être, nous obligeant à ignorer le moindre bruit périphérique et à écouter le calme immense tombé sur la salle. La baguette s'est levée, a exécuté un mouvement infime qui indiquait un temps fort. L'une des contrebasses a effectué un pizzicato discret, souligné par le trémolo d'un cor et c'est ainsi que le thème a émergé, un thème d'une *tristesse** tellement infinie qu'il suggérait d'emblée la mélancolie de la recherche d'un temps perdu. Cette symphonie, que Mahler a achevée juste avant sa mort très prématurée à cinquante et un ans, n'est-elle pas marquée par la prémonition du voyage final qui se profile ? En près d'une heure et demie, le compositeur se livre à une sorte d'addition existentialiste de tout ce qui constitue une vie humaine, aspirations et déceptions, passions et revers de fortune, caprices du cœur, amour épanouissant ou déchirant... Et, surtout, cette conscience de la fuite rapide du temps, de notre impuissance devant elle et de l'imminence de ce fondu au noir qui vient conclure toute histoire personnelle : la mort.

Pendant les quatre-vingt-dix minutes qu'a duré la symphonie, je n'ai pu détacher mes yeux de Karajan. Une fois la baguette en main, il était tout simplement fascinant. Après les ultimes accords de la section des cordes, il a laissé le silence revenir pendant une minute, les bras suspendus en l'air, la tête inclinée, et tout le

---

* En français dans le texte.

présent a été envahi par ce dénouement irrémédiable, l'instant où le cœur s'arrête de battre à jamais.

Lorsqu'il a baissé les bras avec une lenteur délibérée, l'audience est restée silencieuse, comme tétanisée par la musique qui venait de l'emporter. Et puis, tout d'un coup, la salle a éclaté en applaudissements frénétiques.

Après des ovations répétées, Karajan a quitté la scène, suivi par l'orchestre. Les spectateurs ont pris le chemin du monde extérieur presque en silence, comme intimidés de rejoindre leurs existences respectives alors que, ensemble, nous venions d'atteindre une telle intensité. Ou bien est-ce la manière dont je choisis de me rappeler ce moment aujourd'hui ? On ne saisit l'importance d'un événement, son influence durable sur notre personnalité que bien après qu'il a rejoint la sphère de la mémoire.

En marchant vers la station de métro d'Anhalter Bahnhof, j'ai senti que j'étais encore trop sous le coup de la complexité mahlérienne pour regagner le calme cossu de la pension Weisse et de ma chambre. Par conséquent, je suis parti au sud jusqu'à Moritzplatz avec l'intention d'essayer de retrouver le lieu où la femme de l'avion était parvenue de ce côté de la planète.

En sortant à l'air libre, pour la première fois depuis que j'étais à Kreuzberg, je n'ai vu que de la neige, de gros flocons qui cinglaient l'obscurité. Une nouvelle tempête avait commencé pendant que je me trouvais sous terre et la visibilité était pratiquement nulle. J'ai consulté ma montre : vingt-deux heures. J'ai été tenté de tourner les talons, de regagner la chaleur relative des couloirs du U-Bahn et de filer à Savignyplatz, mais j'ai avisé l'enseigne lumineuse d'un bar, *Die Schwarze Ecke* (Le Coin noir). Il y avait des métros jusqu'à trois heures du matin ; il serait trop bête qu'un petit blizzard me prive de connaître un établissement au nom aussi interlope.

L'intérieur était à la hauteur de ce sombre intitulé. Les murs étaient peints en noir, avec un comptoir en inox sur toute la longueur de la salle. Pour seule lumière, des néons bleus qui éclairaient des peintures murales se voulant érotiques, toutes présentant un couple de motards, un barbu et une blonde, dans diverses positions sexuelles. « Mauvais goût » aurait été un euphémisme, mais à en juger par les tatouages sur les bras du balèze derrière le bar, dont l'un montrait une femme refermant ses lèvres pulpeuses sur un pénis en érection, le thème des fresques était chaudement approuvé par le personnel. J'ai commandé une Hefe-weizen avec un petit verre de vodka à côté, j'ai attrapé un tabouret et j'ai commencé à rouler une cigarette. Comme il fallait s'y attendre, la musique d'ambiance était du heavy metal, le mélange habituel de guitares et de batterie suggérant un bombardement aérien, mais à un niveau sonore suffisamment modéré pour autoriser les conversations. Non que l'endroit abonde en candidats au bavardage impromptu, avec le temps qu'il faisait cette nuit. Au bar, il y avait seulement un jeune punk et une fille pas plus âgée dont la narine gauche était percée d'une épingle de nourrice noire. Le type, qui avait des cheveux sombres hérissés en pointes, une barbe clairsemée et une moue dégoûtée en permanence, fumait des Lucky Strike tout en gribouillant dans un carnet de croquis. En m'entendant passer ma commande, il a levé les yeux, m'a dévisagé avec dédain et a lâché :

— Américain ?

— Exact.

— Qu'est-ce que tu branles ici ? a-t-il continué en anglais.

— Je prends un verre.

— Et tu m'obliges à te parler dans ta foutue langue.

— Je ne vous oblige à rien du tout.

— Putain d'impérialiste !

Aussitôt, je suis passé à l'allemand :

— Je ne suis pas impérialiste, et je déteste qu'on me colle des étiquettes uniquement en raison de ma nationalité. Mais bon, puisque tu sembles aimer les préjugés nationalistes, je pourrais peut-être t'appeler tueur de juifs…

J'ai sorti ça sans penser aux conséquences mais, en découvrant la mine que venaient de prendre l'artiste revêche et le barman, je me suis demandé si j'allais ressortir du *Schwarze Ecke* avec toutes mes dents et tous mes doigts. Heureusement, la punkette a pris la parole :

— Quel connard tu fais, Helmut, a-t-elle balancé au jeune assis près d'elle. Comme d'hab, tu essaies de la ramener et ça révèle simplement à quel point t'es limité.

L'artiste lui a jeté un sale regard mais cette fois c'est le barman qui est intervenu.

— Sabine a raison. T'es qu'un clown. Et maintenant, tu présentes tes excuses à l'Américain.

Le type s'est remis à dessiner dans son carnet sans rien dire, et j'ai jugé bon de revenir à mon verre de vodka, que j'ai vidé d'un trait, et à ma cigarette. Le temps que je colle le papier et que je la porte à mes lèvres, l'artiste était près de moi. Il a attiré un tabouret et s'est assis.

— On a tendance à être un brin agressifs, à Berlin. Oublie ça.

Il m'a tendu la main, que j'ai serrée.

— Mais oui, on oublie.

Il a apporté un autre verre de vodka, qu'il a posé devant moi. Je l'ai saisi, je l'ai avalé après avoir dit « Prost ! ». Si nous avions été dans un film, le gars se serait présenté et nous serions devenus amis en un clin d'œil. Il m'aurait servi de guide dans le dédale berlinois, m'aurait présenté à une foule de peintres et d'écrivains branchés, puis nous serions partis faire une virée en moto à la Wim Wenders, lui, sa petite amie, moi, la sœur de sa petite amie, et la sœur – appelons-la Herta – aurait été une pianiste de jazz bourrée de talent, et nous serions tombés follement amoureux l'un de l'autre. Un après-midi, à Munich, je lui aurais proposé d'aller à Dachau et là, au milieu du camp désert, devant l'image insoutenable des fours crématoires, dans la cour recouverte de neige, nous aurions été saisis par la même émotion en pensant aux horreurs que le monde…

Mais la vie n'est pas un film. Après m'avoir offert un verre et ses excuses, le type est allé reprendre son carnet et, non sans faire un doigt au barman, il a gagné la porte et a disparu dans le froid. Le gars du comptoir a eu un petit rire et, se tournant vers Sabine :

— Il va revenir demain. Comme toujours.

— Il est tellement nul…

— Tu dis ça parce que tu l'as sauté dans le temps et…

— J'ai baisé avec toi aussi et ça m'empêche pas de venir boire ici. Mais c'est peut-être ce qui m'a rendue moins débile et la preuve, c'est qu'avec toi c'est arrivé qu'une fois.

Le type a souri, bon joueur. Brusquement, Sabine m'a crié :

— Hé, tu me paies à boire et je baise avec toi !

— C'est la première fois qu'on me propose un marché pareil, ai-je répondu.

— C'est pas un marché, l'Amerloque. Tu es là, moi, j'ai que trois marks en poche et je veux m'acheter des cigarettes avec, donc j'ai besoin que tu me paies un verre. Et j'ai aussi besoin que tu me sautes cette nuit, parce que je veux pas dormir seule. T'as un problème avec ça ?

J'ai fait de mon mieux pour dissimuler ma stupéfaction.

— Non… Aucun problème.

— Alors viens par ici et paie-moi un verre. En fait, tu peux même m'en payer plusieurs.

Elle buvait du rhum-Coca – une triple rasade de Bacardi assombrie par le Coca-Cola.

— Je sais, ça fait pas mal ado retardée de marcher au cuba libre, a-t-elle reconnu, mais moi, j'aime l'effet de l'alcool, pas le goût.

J'ai vite appris qu'elle était de Hanovre, qu'elle faisait des sculptures en papier mâché pour gagner sa vie, que son père était un pasteur luthérien à qui elle n'adressait plus la parole depuis longtemps et que sa mère, insupportablement « petite bourge », s'était enfuie avec un représentant en matériel agricole. Elle a posé quelques questions sur mon compte, se contentant de me demander d'où je venais (« Ouais, j'ai entendu parler de Manhattan, merci ») et ce que je faisais (« Tous les Américains à Berlin sont écrivains ! »), mais son air peu intéressé prouvait qu'il s'agissait surtout de se montrer aimable. Ce qui me convenait très bien car elle semblait par ailleurs toute disposée à parler d'elle, avec un détachement ironique qui frisait parfois la haine de soi. Elle s'est enfilé deux rhums-Coca et a fumé six cigarettes pendant les trois quarts d'heure où nous avons joué les piliers de comptoir. Lorsque le barman a fait comprendre qu'il avait l'intention de fermer, j'ai dit à Sabine :

— Tu sais, si tu préfères ne pas m'inviter chez toi, ça me va…

— C'est ta façon de dire que tu veux pas passer la nuit avec moi ?

— Pas du tout. Je voulais simplement dire que tu ne dois pas te sentir obligée de…

— Est-ce que tous les Américains sont aussi débiles, question sexe ?

— Absolument, ai-je répliqué avec un sourire. Tu habites près d'ici ?

— À deux minutes.

J'ai jeté quelques billets sur le comptoir et nous sommes sortis. Nous avons marché agrippés l'un à l'autre pour nous soutenir mutuellement face aux bourrasques de neige et aux effets de l'alcool. Elle habitait au cinquième étage d'un immeuble vétuste et couvert de graffitis : une très grande pièce avec un matelas par terre, une chaîne stéréo, des livres et des disques empilés un peu partout sur le sol, un coin-cuisine constitué d'une plaque chauffante et d'un réfrigérateur, et des fringues dans tous les coins. L'ordre n'était visiblement pas l'un de ses points forts, mais j'ai été moins intéressé par sa garde-robe éparpillée et ses cendriers qui débordaient de mégots que par ses sculptures en papier mâché accrochées aux murs, représentant toutes des animaux plus ou moins mutilés. Si je n'avais pas été aussi soûl, je les aurais sans doute trouvées inquiétantes, mais dans mon état je les ai contemplées d'un regard perplexe avant de remarquer avec un sourire hilare :

— On est en plein dans la ferme de George Orwell, là !

Elle a ri et, pour toute réponse, a sorti une petite pipe et un bout de hasch. Tandis que les Scorpions passaient à fond sur la stéréo, nous avons fumé plusieurs pipes, puis nous nous sommes déshabillés mutuellement et nous avons fait l'amour sur le matelas, dans une brume éthylique et hallucinogène. Je ne me rappelle pas grand-chose de ces ébats sinon que, grâce au haschich, ils ont duré très longtemps et ont atteint une intensité qui aurait pu faire penser qu'il y avait là plus que deux individus étrangers l'un à l'autre et s'abandonnant au plaisir de la découverte d'un corps nouveau dans une cité d'Europe de l'Est ensevelie sous la neige et la nuit. Après, nous avons tous deux sombré dans un sommeil de plomb pour ne nous réveiller que vers midi au milieu du bruit de la circulation, concurrencée par une dispute conjugale en turc dans l'appartement voisin. Sabine s'est redressée sur un coude, m'a regardé avec curiosité et :

— Comment tu t'appelles, déjà ?

Je lui ai rafraîchi la mémoire. Elle a lancé un coup d'œil à sa montre.

— Merde ! Il y a dix minutes que j'aurais dû être au boulot !

Il nous en a fallu cinq à peine pour nous rhabiller et descendre sur le trottoir. C'était une journée froide et lumineuse. La neige avait été repoussée de chaque côté de la chaussée et empilée en énormes bancs.

— Je file, a-t-elle annoncé en me donnant un petit baiser sur les lèvres.

— Je peux te revoir ?

Elle m'a regardé et elle a répondu avec un sourire :

— Non.

Le temps d'un battement de cils, elle avait disparu au coin de la rue adjacente.

S'il n'avait pas fait aussi froid et si je n'avais pas eu aussi faim, je serais certainement resté pétrifié sur place par la rapidité avec laquelle elle m'avait envoyé sur les roses, mais la nécessité de prendre un petit déjeuner tardif, bien au chaud, a simplifié la chose. En tournant la tête pour inspecter la rue à la recherche d'un café, pourtant, j'ai découvert que celle-ci se terminait contre… le Mur. Cela a eu l'effet d'une claque visuelle. Lentement, mes yeux s'en sont détachés, revenant sur les immeubles délabrés, les poubelles trop pleines, les Turques qui se hâtaient vers quelques étals en plein air, un garçon en pantalon de cuir déchiré avec un fourbi de chaînes cliquetant sur sa jambe droite, une vieille Allemande éblouie par la réverbération du soleil et qui avançait prudemment sur le trottoir verglacé avec sa canne, deux blousons noirs au crâne rasé qui avaient l'air de se rendre à leur prochain cambriolage, bref, toute la vie brueghelienne de ce coin de Kreuzberg.

J'ai à nouveau tourné la tête pour contempler encore la banalité solennelle du Mur et une idée m'a alors traversé la tête, s'y attardant : Oui, c'est ici que le livre sera écrit. C'est ici que je dois être.

Après un rapide pèlerinage au point de contrôle Heinrich Heine, je suis reparti vers l'ouest à travers Kreuzberg, résolu à trouver un endroit où m'installer dans ce quartier avant la fin de la journée.

3

Il ne faut jamais sous-estimer l'influence du hasard sur l'existence de tout être. Se trouver à un certain endroit, à une certaine date et à une certaine heure peut bouleverser la trajectoire personnelle d'un individu. N'oublions jamais que nous sommes tous otages des rythmes capricieux de la vie.

Un exemple : je quitte la salle de concert de la Philharmonie de Berlin en pensant retourner à mon hôtel ; au lieu de cela, je décide d'aller à Kreuzberg et je suis sur le point de rebrousser chemin à cause de la neige quand mon regard tombe sur une enseigne de bar ; un échange déplaisant avec un vague dessinateur m'amène à engager la conversation avec une fille qui a une épingle de nourrice dans le nez ; nous passons la nuit ensemble et le lendemain matin elle me jette ; je me retrouve dans une rue, je vais voir le check-point le plus proche, puis j'entre dans le premier café venu et je découvre une affichette sur l'un des murs, en anglais :

PARTAGE APPT. Artiste peintre cherche locataire
pour chambre d'amis dans son atelier.
Loyer raisonnable, contexte aussi.
Originaux ne pas s'abstenir.

Il y avait un nom, Alastair Fitzsimons-Ross, et un numéro de téléphone. J'ai noté les renseignements dans mon calepin en me disant : « Fitzsimons-Ross, c'est forcément un British. Et un prétentieux, en plus, à en juger par sa dernière phrase. » Après avoir avalé plusieurs verres de café turc sirupeux et un baklava, j'ai demandé si je pouvais utiliser le téléphone. Le tenancier du café – yeux de chien battu, moustache tombante, une cigarette entre ses dents tachées de nicotine – a exigé vingt pfennigs pour ce privilège. J'ai regardé ma montre. Douze heures quarante-neuf. J'ai composé le numéro. Au bout d'une quinzaine de sonneries, j'allais raccrocher quand on a répondu. Au ton complètement hébété de mon correspondant, j'ai tout de suite compris qu'il avait eu une nuit aussi agitée que la mienne.

— Vous appelez toujours les gens à des heures aussi indues, bordel ?

Une voix éraillée par le tabac et très stylée, malgré la verdeur du langage, du genre commentateur de la BBC hors antenne.

— Il est presque une heure de l'après-midi, ai-je objecté. Alastair Fitzsimons-Ross ?

— Qui est le jean-foutre qui demande ça ?

— Je m'appelle Thomas Nesbitt et…

— … et vous êtes un enfoiré d'Américain.

— Très perspicace.

— Et comme la vaste majorité des foutus Américains, vous êtes debout avec vos foutues vaches tous les matins à cinq plombes, et donc vous n'avez aucun scrupule à téléphoner à une heure pareille.

— Je suis originaire de Manhattan, de sorte que je ne connais rien aux vaches. Et il se trouve que je me suis moi-même levé il y a très peu de temps, et…

— Il y a une putain de raison à cet appel ?

— C'était à propos de la chambre, mais comme les choses semblent être assez mal parties entre nous…

— Minute, minute !

Une monstrueuse quinte de toux a suivi, de celles auxquelles on n'échappe pas après une nuit d'abus de cigarette.

— Saloperie…, a-t-il fini par murmurer.

— Vous ne vous sentez pas bien ?

— Une greffe de poumon suffirait à arranger ça. Vous disiez que vous êtes intéressé par la chambre ?

— En effet.

— Vous avez un nom ?

— Je viens de vous le dire.

— Certes, certes, mais il est si foutrement tôt que…

— Je ferais peut-être mieux de rappeler une autre fois.

— 5, Mariannenstrasse. Il y a mon nom sur la sonnette. Au troisième. Laissez-moi une heure.

Et il a raccroché. J'ai tué le temps en flânant dans Kreuzberg et ce que j'ai vu m'a plu. Des immeubles résidentiels du XIXe plus ou moins décatis mais que leur solidité bourgeoise rendait encore imposants. Des graffitis partout, dont beaucoup concernaient les violations des droits de l'homme en Turquie – j'ai recopié certains de ces slogans dans mon carnet et je les ai fait traduire ensuite – ou repranaient les thèses anarchistes allemandes, toujours violemment anticapitalistes, auxquelles j'allais bientôt m'initier. Des petits cafés qui étaient comme la version germanique des anciens repaires beatniks du Greenwich Village de ma jeunesse, des bars qui reflétaient souvent le style heavy metal de celui où je m'étais aventuré la veille, avec de temps en temps une Bierstube traditionnelle ou des enclaves turques – celles-ci peuplées d'hommes fumant comme des cheminées et buvant des rasades de raki sous des néons blafards, chuchotant avec des airs de conspirateurs ou regardant fixement devant eux en silence, avec ces yeux vides de l'exilé, de l'expatrié, de l'errant. On en croisait sans cesse dans les rues, ainsi que des groupes de femmes turques à la tête couverte d'une étoffe, très rarement en tchador complet, qui promenaient leurs enfants en poussette et bavardaient entre elles avec animation. Il y avait aussi un grand nombre de skinheads et de punks dans le genre de Sabine, tête rasée ou coiffés à l'iroquoise, tatouages jusque sur les joues. Et d'autres, dont le visage émacié et l'expression absente révélaient la condition de junkies. On ne pouvait compter les stands à falafels, les pizzerias bon marché et les boutiques qui vendaient des tenues militaires ou l'attirail du motard de base.

Ici, pas de chic, pas de bon goût, pas d'élégance soigneusement « décalée ». Kreuzberg, c'était la marge, l'hétéroclite, la véritable bohème – pas celle affectée par les jeunes des classes aisées. Après ce premier tour d'inspection au hasard des rues, j'ai été convaincu que les laissés-pour-compte venus de tous les horizons trouvaient ici une sorte de refuge dans un monde souvent hostile, un quartier qui offrait aussi bien des logements abordables qu'un état d'esprit spontanément tolérant envers les nouveaux arrivants. On pouvait atterrir ici et vivre de très peu, laisser l'ambition derrière soi et se contenter de son existence, une page blanche urbaine sur laquelle chacun pouvait inscrire ses propres règles de survie, son propre mode d'emploi, sa propre manière de passer le temps.

Le numéro 5 de Mariannenstrasse était un bâtiment surprenant ; deux fois plus grand que les autres immeubles de la rue, il semblait avoir été condamné par le conseil d'arrondissement : toutes les fenêtres du rez-de-chaussée étaient bouchées par des planches – la porte d'entrée, elle, avait visiblement été forcée à coups de pied. Ici, les tags s'enchevêtraient et s'accumulaient au point qu'aucun slogan n'était plus lisible. La petite épicerie d'à côté n'avait pas dû recevoir une visite de l'inspection de l'hygiène depuis des lustres puisque les fruits et légumes dans sa devanture étaient couverts de moisissure. Derrière le comptoir, un homme minuscule, visiblement turc, préparait un sandwich à un client tout en fumant une cigarette. Plus loin, au bout de la rue, planait la présence du Mur. À cette distance, je pouvais distinguer par-dessus la muraille le haut de HLM de style soviétique édifiées à seulement quelques centaines de mètres de l'autre côté de cette barrière internationale. C'était en effet un autre aspect saisissant du quartier de Kreuzberg, la manière dont le Mur ceignait toutes ses limites orientales, vous sautait à la figure presque à chaque carrefour.

J'ai appuyé sur le bouton de sonnette en face du nom Fitzsimons-Ross. Pas de réponse. À la troisième tentative, le verrou s'est ouvert dans un faible grésillement électrique. Le hall d'entrée était sombre et froid. La porte s'était refermée derrière moi et je pouvais encore voir de la buée sortir de ma bouche. Les murs bruts s'effritaient – le sol était couvert de débris de maçonnerie – et paraissaient d'une fragilité inquiétante. Une rangée de boîtes aux lettres cabossées flanquait l'accès à l'escalier, éclairé par un néon antique.

Je suis monté. Au premier, il n'y avait qu'une porte ornée d'un symbole de dollar barré d'un X rouge, le tout peint n'importe comment, et les mots « *Kapitalismus ist Scheiße !* » au-dessous. Bon… Au deuxième, une autre porte était couverte de fils de fer barbelés laissant juste un petit carré qui permettait d'atteindre le loquet et la serrure. Était-ce un misanthrope extrémiste qui se barricadait là contre le reste du monde, ou un sadomasochiste séduit par l'idée de risquer de se déchirer les chairs chaque fois qu'il rentrait chez lui ? Dans un cas comme dans l'autre, je me suis félicité en silence que ce ne soit pas l'entrée de la demeure de Fitzsimons-Ross.

Au troisième, la porte, ancienne comme les deux autres, avait été joliment refaite à la peinture à l'éponge en blanc que les encadrements bruns rehaussaient. De la musique baroque à plein volume la traversait, peut-être un *Concerto brandebourgeois*. J'ai frappé vigoureusement et elle s'est ouverte toute seule. Dès que j'ai passé la tête à l'intérieur, l'odeur pharmaceutique de la peinture fraîche m'a saisi : les murs de la grande pièce dans laquelle je me suis retrouvé avaient récemment été chaulés, à coups de brosse très visibles, et de gros projecteurs industriels les éclairaient aux quatre coins. Deux toiles immenses, des études de couleurs géométriques dont les bleus-verts se fondaient dans des teintes azur, cobalt et marine, étaient suspendues. Au pied du mur du fond, une table d'au moins dix mètres de long était envahie de pots de peinture, de chiffons sales et de cadres à divers stades de développement. Si j'ai été tout de suite frappé par la maîtrise et le talent que les deux toiles révélaient, j'ai aussi remarqué d'emblée l'ordre qui régnait dans cet atelier d'artiste. Certes, le plancher n'était pas traité, le coin cuisine était réduit aux strictes nécessités de la chose, le mobilier limité à une table de café parisien, deux chaises en bois et un canapé fatigué sur lequel un simple drap blanc avait été jeté ; certes, il faisait plutôt frisquet, car chauffer convenablement un pareil volume aurait sans doute coûté une petite fortune, mais malgré son austérité générale l'endroit m'a immédiatement séduit. Il prouvait que l'hôte de ces lieux prenait son travail de peintre au sérieux et ne se laissait pas aller à une caricature de *La Bohème*.

— Alors, vous êtes entré ici comme ça ?

La voix aux intonations de la BBC, assez forte pour s'imposer sur la musique de Bach à plein régime, venait d'un escalier dans un coin de la salle. Pivotant sur mes talons, j'ai fait face à un homme d'environ trente-cinq ans, un échalas au teint jaunâtre et aux joues hâves, avec de très vilaines dents et des yeux d'un bleu électrique qui rappelait les nuances les moins sombres de ses tableaux. Il portait un jean délavé et un gros pull noir à col roulé qui n'arrivait pas à remplumer sa silhouette squelettique, ainsi que des bottes à lacets en cuir d'excellente qualité, mouchetées de taches de peinture.

En repensant à cette rencontre, ce sont surtout ses yeux qui sont restés gravés dans ma mémoire : d'une froideur sibérienne au milieu de cernes profonds, ils irradiaient un mélange de défi et de vulnérabilité. D'ailleurs, j'avais tout de suite senti que ses manières cassantes et son ton hautain n'étaient qu'un vernis protecteur. Derrière l'arrogance, n'y a-t-il pas presque toujours le doute ?

— La porte était ouverte, ai-je objecté.

— Et donc, vous faites comme chez vous…

— Je ne suis tout de même pas en train de me préparer un café dans votre cuisine, il me semble.

— Est-ce un message indirect ? Une façon de me dire que vous aimeriez une tasse de quelque chose ?

— Ce ne serait pas de refus. Et si vous pouviez baisser la musique, aussi…

— Vous n'appréciez pas Bach ?

— Au contraire. Mais il est difficile de discuter sur un *Concerto brandebourgeois* à un tel volume…

— Ah, un Américain cultivé ! a-t-il fait avec une moue dédaigneuse. Quelle surprise…

— Pas autant qu'un Britannique insolent.

Il a médité un instant sur cette réponse faite du tac au tac, puis il est allé au tourne-disque installé sur la table et a soulevé le bras de lecture.

— Je ne suis pas britannique. Je suis irlandais.

— On ne le croirait pas, à l'accent.

— Nous sommes encore quelques-uns ainsi, dans le pays.

— Vous parlez des « West Brits » ?

— Je vois que vous connaissez un peu l'argot irlandais.

— Il y a des Américains qui lisent et qui voyagent.

— Et vous faites quoi ? Vous vous retrouvez chaque année dans une auberge pour échanger vos impressions ?

— Dans un restaurant, en fait. Et ce café ?

— Je suis confus, mais je ne bois que du thé. Du thé, de la vodka et du vin rouge.

— Un thé m'ira très bien.

— Mais vous buvez, quand même ?

— Absolument.

Une fois dans le coin cuisine, il a attrapé une bouilloire qui avait connu des jours meilleurs.

— Tant mieux. L'autre jour, j'ai eu quelques-uns de vos compatriotes qui ont sonné à ma porte. Très étranges, assurément. Des zombies souriants en costume-cravate affreux, avec leur nom sur un badge.

— Des mormons ?

— Bien vu ! Je leur ai proposé une tasse de thé et ils m'ont regardé comme si j'avais exprimé l'intention de coucher avec leur sœur.

— Ils ont un truc contre tout ce qui contient de la caféine ou de la théine. Même le Coca. Clopes et alcool strictement interdits, bien entendu.

— Ah, je comprends pourquoi ils sont devenus livides quand j'en ai allumé une. Vous n'êtes pas opposé au tabac, monsieur l'Américain ?

— Si vous laissiez tomber ces piques puériles sur mon pays ?

Je l'avais dit sans acrimonie, avec un sourire que j'espérais ironique.

— Quelle franchise, monsieur le New-Yorkais ! Je dois avouer que j'ai oublié votre nom. – Je le lui ai redit.

– Attendez que je devine. Vous vous prenez plutôt au sérieux, donc vous préférez Thomas à Tom ou, Dieu m'en préserve, à Tommy…

— Thomas, ça ira.

— Dans ce cas, je vous appellerai Tommy, ou même « Tommy Boy », juste pour vous embêter. Alors, vous fumez, Tommy Boy ?

— Je ne suis pas mormon. Oui, je fume. Je roule mes cigarettes.

— Oh, très John Wayne, ça !

— Vous dites beaucoup de bêtises, pour quelqu'un d'apparemment aussi doué.

Cette fois encore, il a eu un moment d'arrêt et m'a dévisagé quelques secondes avant de saisir la bouilloire et d'ébouillanter une grosse théière en porcelaine marron. Ouvrant une boîte en fer verte, il a mis trois cuillerées de feuilles de thé dans la théière, puis :

— Qu'est-ce qui vous fait penser que j'ai le moindre talent ?

— Ces deux tableaux au mur.

— Désirez-vous en acheter un ?

— Je suis là pour votre annonce. Et je ne pense pas que ce soit dans mes moyens.

— Comment savez-vous que je suis cher ?

— Une intuition.

Il a versé l'eau bouillante, refermé la théière et consulté sa montre.

— Quatre minutes, c'est le temps d'infusion adéquat… à moins que vous ne soyez de ces malheureux qui aiment que leur thé ait la couleur de la pisse.

— La pisse foncée m'ira très bien.

Il m'a lancé un paquet de Gauloises tout froissé.

— Tenez, une cigarette digne de ce nom.

J'en ai sorti une, je l'ai allumée et j'ai pris une bouffée au goût métallique, évocateur de gaz d'échappement, qui caractérise cette marque.

— D'après vous, elles coûtent combien, ces toiles ?

— J'ignore tout du marché de l'art. Particulièrement en Europe.

— Eh bien, si l'une de ces croûtes se trouvait à la Kirkland Gallery de Belgravia, où j'expose habituellement, vous paieriez dans les trois mille livres pour avoir le privilège d'accrocher un Fitzsimons-Ross chez vous.

— Une somme respectable.

— « Relativement » respectable, disons. Je ne suis pas au niveau d'un Francis Bacon ou d'un Lucian Freud. Quoique David Sylvester m'ait un jour comparé à Rothko. Vous connaissez Sylvester ?

— Je crains que non.

— Peut-être le critique d'art le plus influent du Royaume-Uni depuis la guerre.

— Bravo. Au niveau des couleurs, ces deux toiles ont effectivement quelque chose de « Rothko en visite dans une île grecque ».

— Remarque tout à fait superficielle.

— Quoi, vous n'aimez pas être comparé à Rothko ?

— Étant donné que je suis opposé à toute sa conception…

— Qui est ?

— Morosité géométrique. Putains de portiques dans tous les coins de ses putains de tableaux funèbres. Teintes sanguinolentes dégradées en spleen perpétuel et foutrement complaisant.

— Je parlais de votre utilisation des couleurs et des formes rectangulaires.

— Et ça m'apparente à Mark-Rothko-le-pleurni-cheur-macabre ?

— Vous êtes le premier peintre que je connaisse qui ne l'admire pas.

— L'innocent ! Eh bien, vous venez de perdre votre virginité à propos de Rothko. Félicitations ! Je vous ai défloré.

— Je suis censé ricaner doucement, ou au contraire me fâcher tout rouge ? Je répète : Autant ces toiles révèlent un réel talent, autant je trouve votre sens de l'humour lamentable.

Sans cesser de tirer sur sa cigarette, Fitzsimons-Ross a rempli deux tasses. Ensuite, il a ouvert le petit frigo, laissant apparaître plusieurs bouteilles de vin et de bière, un compartiment freezer d'où dépassait ce qui m'a semblé être un flacon de vodka russe à cause des caractères cyrilliques sur le goulot, et une bouteille de lait solitaire. D'autorité, il a versé un long trait de liquide blanc dans mon thé, qui a pris la couleur brunâtre d'une flaque sur un trottoir.

— Ne prenez pas cet air horrifié, m'a-t-il déclaré. C'est ainsi qu'on doit prendre le thé. Du sucre ?

J'ai accepté une cuillerée. Il m'a montré l'une des deux chaises et je me suis assis. Il a allumé une nouvelle cigarette avec son mégot.

— Mon petit doigt me dit que vous écrivez, vous. Et je parie que vous êtes venu ici pour écrire le fameux « Grand Roman Américain », ou autre baliverne.

— J'écris, oui. Mais pas des romans.

— Dieu du ciel, ne me dites pas que vous êtes un de ces foutus poètes ! J'ai eu plus que mon soûl de cette engeance pendant l'unique année que j'ai passée au Trinity College, à Dublin. Poètes ! Ils sentaient tous mauvais, avaient tous des dents impossibles et passaient leur vie dans des pubs comme le *McGlade's* à se plaindre de la terre entière, à se couvrir mutuellement de lauriers, à vouer aux feux de l'enfer le rédacteur en chef de quelque obscure revue parce qu'il avait suggéré deux ou trois coupes dans leurs épanchements « expérimentaux », bref à dégoûter n'importe qui autour d'eux de lire le moindre vers jusqu'à la fin de sa vie.

— Non que vous seriez jamais tenté de le faire.

— Merci d'avoir remarqué.

— De toute façon, je ne suis pas un de ces « foutus poètes ».

Je lui ai rapidement expliqué mes occupations, en mentionnant le livre que j'avais publié et celui que je préparais.

— Pourrais-je le voir, ce bouquin ? s'est-il enquis.

— Mais oui, vous pourrez. Alors, vous êtes de Dublin ?

— Presque. De Wicklow. Vous connaissez ?

— J'y suis allé une fois. Powerscourt, Glendalough, Roundwood…

— Roundwood, c'est ma paroisse.

— Très beau, ce coin.

— La résidence de ma famille était Roundwood House. Le manoir anglo-irlandais typique. Jusqu'à ce que mon père perde tout.

— Comment ?

— À la manière irlandaise : picole et dettes.

111

— Ça paraît intéressant. Racontez-moi.

— Et après, vous allez noter tout ça sur un papelard et vous en servir contre moi ?

— Je suis écrivain, donc c'est un risque, en effet. Mais quoi, ça vous inquiète ?

— Pas vraiment. D'ailleurs, qui vous lira jamais ?

— Merci. Mon livre s'est vendu à quatre mille exemplaires, donc vous n'avez pas tort de dire ça.

Il m'a observé attentivement.

— Impossible de vous mettre en colère.

— Et je ne doute pas que vous continuerez à essayer. Petite question avant même que je regarde la chambre, et elle se résume à un mot : calme ? J'ai beau partager vos goûts musicaux, les satisfaites-vous toujours à ce volume ?

— Assez souvent, oui.

— Dans ce cas, inutile d'aller plus loin. Je ne peux pas habiter un endroit où règne un tintamarre pareil.

— Ah, monsieur est du genre artiste ultra-sensible ?

— J'ai besoin de silence quand j'écris, c'est tout.

— Et moi, j'ai besoin de l'argent du loyer, de sorte que nous parviendrons peut-être à nous entendre. D'autant qu'en règle générale je peins dans le silence, moi aussi.

— Pourquoi venez-vous de dire le contraire, alors ?

— Parce que j'avais envie de faire l'emmerdeur, ce que je suis presque tout le temps.

— Donc, si je prends la chambre, vous me garantissez que, quand j'écris ou je dors, je peux compter sur…

— Le calme absolu.

Après ses provocations et ses sarcasmes, la sincérité avec laquelle il a fait cette promesse m'a surpris. Malgré toutes les simagrées à propos de sa prestigieuse galerie londonienne, il était sans l'ombre d'un doute financièrement aux abois. L'allusion à son panier percé de père ne venait que renforcer mon impression qu'il tenait à conserver un toit au-dessus de sa tête.

— Combien ce serait par mois ? ai-je demandé.

— Voyez d'abord la piaule, nous en parlerons après. Prêt pour la tournée d'inspection ? – Il a posé sa tasse. Nous nous sommes levés. – Bon, ici, en bas, c'est mon espace. L'atelier, la cuisine, le living. Je dors là… – Il a désigné du doigt une porte ouverte tout au fond de la pièce, par laquelle j'ai aperçu un grand lit impeccablement fait, aux draps très blancs.

— Vous avez vécu en Grèce, non ?

— C'est si évident ?

— Oui. Les murs à la chaux. Les bleus de vos toiles. Qu'est-ce que vous êtes venu faire dans un endroit pareil, ce froid, ce gris, avec le Mur à quelques pas ?

— La même chose que vous. Fuir. Survivre dans un coin du monde abordable et stimulant. D'accord, Santorin n'était pas cher du tout. J'y ai passé une année foutrement géniale. Mais c'était dénué d'intérêt. Comme tant de mecs que j'ai baisés ici et là : très beau et très vide.

L'information avait été donnée en passant, l'air de rien, même si je m'en étais déjà douté.

— Tous vos amants sont comme une île grecque ?

Il a émis un rire rauque, suivi d'une quinte de toux venue du fond des poumons.

— Dans mes rêves, oui. Mais vous en savez déjà trop. Venez là-haut, que je vous montre vos quartiers.

— Qu'est-ce qui vous fait penser que je vais vivre ici ?

— Parce que vous êtes séduit par la complexité de tout ça. Parce que vous n'êtes pas un accro au sordide et que ce que je vous propose, c'est une dissipation bien ordonnée.

— « Dissipation bien ordonnée »… Attention, je vais peut-être vous voler l'expression.

Derrière la cuisine, un escalier en colimaçon conduisait à une sorte de grande mezzanine – au moins vingt mètres carrés, ai-je calculé rapidement – organisée en appartement autonome, avec un espace pour préparer ses repas, un autre pour se laver, et une pièce meublée d'un lit double, d'un vieux canapé crème ainsi que d'une table qui ferait un excellent bureau. Tout cela avait été décapé et recouvert d'un vernis incolore, ce qui conférait au lieu une agréable simplicité, d'autant que tous les murs étaient peints en blanc. Un refuge parfaitement neutre et dépouillé comparé à mon exploration du désordre berlinois, et heureusement isolé du repaire de Fitzsimons-Ross en bas.

Car c'était là l'un des aspects les plus curieux de mon futur colocataire : alors qu'on l'aurait aisément pris pour un original qui pousserait le non-conformisme jusqu'à la négligence et ne craindrait pas de vivre dans un environnement aussi sale que son vocabulaire, le peu que j'avais vu de son univers prouvait au contraire à quel point il était soigneux, voire tatillon. Ce qui m'a amené à me demander s'il n'était pas taillé dans

114

le même bois que moi, quelqu'un qui avait compris l'équilibre essentiel que l'on pouvait trouver à la surface des choses, assumé le fait qu'un environnement très discipliné permettait de s'abandonner à l'excès en d'autres domaines. Là encore, c'est une réflexion que je n'ai pas dû me faire sur-le-champ ; à ce stade, j'ai sans doute seulement trouvé intéressante son allure de Christopher Isherwood anglo-irlandais, et apprécié son aptitude à arranger sa retraite berlinoise avec bon goût même s'il tirait le diable par la queue.

— Très bien, ai-je dit. J'espère que c'est compatible avec mon budget.

— Vous créchez où, pour l'instant ? – Je lui ai parlé de la pension Weisse, et de tous les points positifs que je lui trouvais. – Ah ? Eh bien, restez à Savignyplatz et écrivez votre bouquin sur vos voisins banquiers, ou directeurs de galerie qui se font cinq millions de deutschemarks à l'année. Ici, à Kreuzberg, vous verrez des junkies qui chient dans la rue ou des machos turcs donnant une raclée à leur femme. Et il y aura de fortes chances que vous me surpreniez en flagrant délit de stupre avec un garçon cherchant un peu de ronds ou quelque Finlandais dépressif que j'aurai ramassé au *Schwarze Ecke*.

— Je connais ce bar. J'y ai échoué hier soir par hasard.

— Et vous en êtes ressorti accompagné ?

— Comment vous avez deviné ?

— Facile. C'est le bouge de Kreuzberg où tout le monde va pour se trouver de l'herbe et emballer ceux ou celles qui sont assis au bar et n'ont pas l'air trop siphonnés. C'est le truc de ce bar : on sait tous que le coin est toxique mais on y retourne quand même. Si vous cherchez du shit, le seul gars fiable là-bas, c'est Orhan. Un nain turc. Un « gros » nain. On le croirait sorti d'une version trash de *Blanche-Neige*, mais son matos est de premier choix.

Il a allumé une nouvelle sèche.

— Alors, vous prenez ?

— Combien vous voulez ? Je ne suis pas très en fonds, vous savez…

— Vous voulez dire que vous n'avez pas grandi à Park Avenue où vos parents avaient une femme de chambre noire répondant au nom de Beulah ?

— J'ai grandi dans un minuscule deux-pièces de la Deuxième Avenue, et dans la partie la moins recherchée de la Deuxième Avenue.

— Ah, le jeunot qui devait se tailler une place dans la vie…

— Comme vous. Vous ne m'avez toujours pas raconté comment votre père a dilapidé la fortune familiale, à propos.

— Je ne le ferai peut-être jamais.

— Alors, ce loyer ?

— Mille deutschemarks par mois.

— Hein ? C'est beaucoup plus que pour mon appartement à New York.

— Mais c'est grand, et on y est presque indépendant, et…

— Et situé dans un des coins les plus mal famés de Berlin, où je pourrais trouver facilement un studio pour trois cents marks mensuels. Ce qui est la somme que je suis disposé à payer pour votre chambre. Chauffage inclus, bien sûr.

— Impossible.

— Dans ce cas, ravi d'avoir fait votre connaissance.

J'avais fait deux pas vers l'escalier quand il a lancé derrière moi :

— Cinq cents.

— Trois cent cinquante, dernière offre.

— Quatre cent vingt-cinq.

— C'était mon offre finale. Mais merci quand même pour le thé et l'amusante conversation.

— Vous êtes vraiment le connard de New-Yorkais typique, non ?

— C'est-à-dire ?

— Le grippe-sou.

« Est-ce une façon de dire "juif" ? » ai-je failli lui balancer à la figure, mais j'ai préféré couper court :

— Vous savez quoi, mon vieux ? Je n'apprécie vraiment pas le ton que vous prenez avec moi.

— Bon ! Trois cent cinquante, alors !

À nouveau, j'ai perçu l'insistance presque désespérée de la personne prise à la gorge. Je lui ai tendu la main, qu'il a serrée.

— Marché conclu ?

— J'imagine. Une chose encore : j'aimerais avoir un mois de caution, juste au cas où…

— Vous êtes propriétaire, ici ?

Il a toussé la fumée qu'il venait d'aspirer.

— Pardon ? Moi, propriétaire de quoi que ce soit ? Quelle idée ! Non, mon propriétaire est un Turc très déplaisant, un vrai caïd avec chaînes en or, escorte de petits malfrats et grosse Mercedes noire dans laquelle il écume le quartier. Il me méprise et c'est réciproque, mais je suis ici depuis trois ans et il m'a permis de retaper l'appartement en échange d'une baisse de loyer. Mais maintenant que c'est plus présentable, il vient de l'augmenter de quatre cents.

— D'où la nécessité d'un sous-locataire.

— Hélas, oui. Franchement, je déteste l'idée de vous avoir au-dessus de moi. Ce n'est pas que vous soyez imbuvable mais je n'ai jamais eu envie de compagnie.

Il avait évidemment besoin de jouer la carte du loup solitaire à chaque opportunité. J'avais compris d'emblée que ma cohabitation avec ce gentleman n'irait pas de soi mais j'étais presque sûr que son instabilité et son besoin de me mettre au défi en permanence – deux éléments qui caractérisaient le quartier lui-même – se révéleraient stimulants pour moi.

— Hé, vous voulez être seul, très bien ! ai-je répliqué. Faites votre foutue Greta Garbo et oubliez-moi.

Là, je me suis engagé dans l'escalier pour de bon.

— D'accord, d'accord ! a-t-il crié. Je fermerai ma putain de gueule !

— Bon. Je reviens dans quelques heures avec du cash.

— Vous pouvez payer le premier mois et la caution d'un coup ?

— Je suppose. Vous serez là vers six heures ?

— Si vous apportez l'argent, sans aucun doute.

J'étais de retour à six heures et quart, après avoir récupéré quelques traveller's cheques dans ma valise à la pension Weisse et les avoir encaissés dans une banque proche, transcrit ma rencontre avec Fitzsimons-Ross en prenant un café et repris le métro jusqu'à Kreuzberg. Je n'ai pas sonné, puisque le peintre m'avait donné le code de l'entrée. En parvenant à l'étage, j'ai entendu un titre du Miles Davis de la période « cool », *Someday my Prince Will Come*, à plein volume sur la stéréo. N'avait-il pas assuré que le bruit n'était pas à son goût ? J'ai tapé sur la porte, qui s'est encore ouverte toute seule.

— Hello ? ai-je hurlé.

Pas de réponse. L'atelier était désert. J'ai jeté un coup d'œil vers la chambre, et ce que j'ai découvert alors m'a presque coupé le souffle. Torse nu, Fitzsimons-Ross était assis sur son lit. Un gros garrot en caoutchouc enserrait son biceps gauche, et une aiguille était plantée dans sa veine gonflée. Sa voix paraissait venir de très loin mais était d'une clarté surprenante lorsqu'il s'est adressé à moi.

— Vous avez apporté l'argent ?

Pourquoi n'ai-je pas tourné les talons pour ne jamais revenir ici, à cet instant ? Parce que je savais que je devais voir comment tout cela allait tourner. Et parce que je me disais déjà : C'est du matériau pour ton livre.

— Oui, ai-je répondu calmement.

— Posez-le sur la table de la cuisine. Et si vous voulez bien faire chauffer de l'eau, une tasse de thé ne serait pas de refus.

— Pas de problème.

Il a fixé sur moi des yeux rendus vitreux par le narcotique mais qui étincelaient encore de leur bleu polaire.

— N'oubliez pas, il doit infuser quatre minutes au moins.

— Entendu.

Je lui ai tourné le dos et je suis allé dans le coin cuisine en me disant : Bienvenue dans ton nouveau chez-toi.

4

— Je suis un camé assez pointilleux, m'a annoncé Fitzsimons-Ross tout en sirotant la tasse de thé que je venais de lui verser.

Sans commentaire, je lui ai tendu la liasse de billets, sept cents deutschemarks. Il a sorti une clé de sa poche, l'a fait glisser sur la table dans ma direction.

— C'est pour vous. Vous vous installez quand vous voulez.

— Je pensais apporter mes affaires demain et emménager pour de bon vendredi.

— Comme vous voulez. Ne vous inquiétez pas. Tout est clair et net, ici. Les choses sont sous contrôle.

Je n'ai rien dit. Il faisait visiblement d'énormes efforts pour rester lucide en dépit de la sérieuse dose d'héroïne qu'il avait dû prendre. C'était un aperçu de la dualité infernale d'Alastair Fitzsimons-Ross que j'allais découvrir peu à peu. La rudesse de ses manières, l'agressivité de ses propos – et leurs relents antisémites qui allaient se faire plus explicites encore par la suite –, le fait que je l'aie surpris en train de se shooter ou, plus tard, de ramener dans sa chambre un petit voyou kurde qu'il avait ramassé dans les toilettes de la gare la plus proche, tout cela n'importait en aucune façon. L'essentiel, c'était de préserver les apparences. Il était résolu à se montrer sous son meilleur jour même si, comme j'allais m'en rendre compte, la façade du cynique au langage de charretier craquait quelquefois.

À ce stade initial, pourtant, gagné par l'étrange excitation que l'on ressent quand on se fourre dans une situation que l'on sait peu commune, voire potentiellement dangereuse, je ne voyais rien de tout cela. Je ne sais plus qui a dit que les écrivains sont sans cesse occupés à percer à jour quelqu'un mais, au bout de cinq minutes avec Alastair, j'avais compris que je venais de trouver un excellent filon. Je tenais mon chapitre d'ouverture et je pouvais espérer que la scène du fix d'héroïne serait le début d'une longue série d'intéressants méfaits de la part du pittoresque Fitzsimons-Ross.

Par conséquent, j'ai donné mon congé à la pension Weisse dès le lendemain matin et je suis allé au KaDeWe, le grand magasin du Kurfürstendamm, où j'ai acheté deux parures de lit et des serviettes blanches, une lampe de bureau, une bouilloire, une machine à café et un peu de vaisselle. Il m'a fallu prendre un taxi jusqu'à Mariannenstrasse, puis j'ai transbahuté tout ce fourbi au troisième étage avant de redescendre déjeuner dans un petit restaurant de la même rue, l'*Istanbul Café*. Son patron, un petit homme qui fumait comme un pompier et était affligé d'une toux chronique, m'a dit son prénom, Omar, au bout d'un mois. Je me servais alors de son établissement comme bureau annexe. C'était un bouge pauvrement équipé, avec des affiches d'agence de voyages jaunies représentant la Mosquée bleue, le Bosphore, le Topkapı et d'autres vues célèbres d'Istanbul. Près de la caisse, un magnétophone passait sans arrêt, mais à faible volume, des complaintes geignardes dans lesquelles, je me l'imaginais, une femme turque pleurait sur le Casanova basané qui l'avait abandonnée. La tranquillité du lieu, à peine troublée par ces faibles mélopées et par les chuchotements d'une tablée de quinquagénaires qui semblaient se réunir ici pour conspirer à la destruction de quelque ennemi, m'a tout de suite plu, et aussi le fait qu'Omar a fini par me considérer comme un habitué, même s'il semblait refuser d'admettre que j'aie un nom – je m'étais présenté, pourtant –, m'appelant invariablement *Schrifsteller*, l'Écrivain.

J'ai fini par passer beaucoup de temps à l'*Istanbul*, sans que le patron trouve à redire à ce que je reste deux heures d'affilée à noter dans mon carnet tout ce que j'avais absorbé durant la journée, essayant de retranscrire nombre de détails tant qu'ils étaient encore frais dans ma mémoire. Mon jeune âge me permettant d'ignorer des considérations aussi pusillanimes que la diététique ou les conséquences sur mon système cardiovasculaire des innombrables cigarettes que je fumais, accompagnement indispensable au travail d'écriture, j'appréciais la variété du menu de l'établissement, ainsi que ses prix plus que modérés. Le cuisinier n'ayant ni préjugé ni spécialité, on trouvait ici des spaghettis bolognaise ou carbonara, des kebabs d'agneau, des feuilles de vigne farcies, des escalopes viennoises, de la kefta ou encore des pizzas et même le plus grec de tous les plats, la moussaka. Cette tambouille avait deux qualités principales : elle était toujours mangeable, surtout arrosée de deux grandes bouteilles de bière et d'un café turc à la fin, et peu onéreuse, un repas ne coûtant jamais plus de six deutschemarks. Je détestais faire la cuisine à l'époque, et même aujourd'hui je ne suis pas du genre à mitonner des dîners à la maison, sans doute parce que je ne suis jamais tombé sous le charme de la prétendue « poésie des fourneaux ». Mon café était donc une véritable aubaine.

Ce premier après-midi, en m'installant devant une assiette de pâtes à ce qui allait devenir « ma » table dans un coin de l'estaminet, j'ai d'abord observé le patron expectorant derrière son comptoir, le vieil homme au visage impassible tourné vers la devanture, les yeux perdus dans le vide, le colosse suant à la bedaine impressionnante qui s'enfilait des verres de raki et, des larmes ruisselant sur ses grosses joues, racontait ses malheurs à l'imperturbable barman. Fumant trois cigarettes à la suite, j'ai couché sur le papier la scène de mon entrée chez un Fitzsimons-Ross en train de se piquer, puis, décrivant en quelques notes l'ambiance de l'*Istanbul Café*, je me suis fait la réflexion que Berlin était une ville peuplée de réfugiés, qu'ils aient fui un régime totalitaire ou la pauvreté de leur pays d'origine, qu'ils se soient échappés d'une existence qu'ils rejetaient, de circonstances dans lesquelles ils se sentaient enfermés, ou qu'ils aient cherché à se fuir eux-mêmes. Et se retrouver à Berlin n'était pas le sort le plus simple. Une fois ici, on vivait dans une espèce de boîte géographique : même les gens du secteur occidental, qui avaient le droit de voyager, devaient pour ce faire monter dans un train qui filait sans arrêt à travers la République démocratique allemande, ou bien prendre un avion qui s'en irait obligatoirement vers l'ouest. Tel était le paradoxe au cœur de la vie berlinoise : Berlin-Ouest était un îlot de liberté politique et individuelle au milieu d'un espace dictatorial, et la ville garantissait à ceux qu'elle accueillait une grande latitude personnelle, une réelle tolérance qui permettait à chacun de s'inventer une existence à l'intérieur de ses limites. Mais ce terme de « limites » avait ici une résonance particulière, car on était concrètement « limité » sur le plan géopolitique, confiné à un territoire contraignant et confronté à une barrière hermétique. En d'autres termes, vivre à Berlin revenait à la fois à être libre et enfermé.

Je me suis rendu dans un petit Spar près de la station Kottbusser Tor pour quelques courses basiques : des céréales, du lait, du jus d'orange, du café, du sucre, de la charcuterie, deux miches de pain de seigle, de la moutarde, deux bouteilles de vin et deux de vodka polonaise (la moins coûteuse), six bouteilles de bière blanche Hefeweizen… Oui, j'ai retrouvé la liste dans l'un de mes carnets, ce qui montre le besoin que j'éprouvais alors de mettre noir sur blanc chaque détail de ce séjour.

Plus tard, alors que je venais de m'assoupir pour ma première nuit à l'appartement, j'ai été réveillé en sursaut par de la musique. Une pièce orchestrale avec des accents tziganes qui passait en bas, faisant trembler les murs. Le morceau était si délibérément assourdissant que, surmontant aussitôt mon hébétude, je me suis dit que c'était une provocation de Fitzsimons-Ross à mon égard, une manière de montrer qui fixait les règles, ici. Je me suis assis en me frottant les yeux, essayant de décider de la marche à suivre ; soudain, j'ai attrapé mon peignoir, je l'ai enfilé par-dessus mon pantalon de pyjama et mon tee-shirt, j'ai pris une inspiration et je me suis engagé dans l'escalier.

Il était au milieu de l'atelier, ses vêtements et ses pieds nus éclaboussés de peinture, une cigarette pendue aux lèvres, en train d'appliquer une teinte bleue sur une toile encore vierge à coups de pinceau d'une rapidité sidérante. C'était comme voir surgir un ciel de Grèce lumineux. Je suis resté hypnotisé par l'aisance de sa technique, la dextérité du moindre de ses gestes, l'intensité de sa concentration. Évidemment, j'étais furieux d'avoir été agressé par cette explosion symphonique et j'aurais voulu jouer le pensionnaire acariâtre demandant des comptes à son logeur tout aussi chatouilleux, mais l'écrivain en moi comprenait d'instinct qu'interrompre le flot de l'inspiration artistique en bondissant sur le tourne-disque, troubler cet état second qu'est la création aurait eu quelque chose d'inutilement brutal, presque de monstrueux. Alors je suis retourné dans ma chambre, si discrètement qu'il n'a été à aucun moment conscient de ma présence, et une fois là-haut j'ai fait ce que je faisais toujours lorsque le sommeil m'échappait : je me suis mis au travail. Assis à mon bureau sur une simple chaise en bois, j'ai ouvert mon cahier de notes, débouché mon stylo à plume et commencé à écrire. Un coup d'œil à ma montre m'a appris qu'il était deux heures et quart. La musique – du Bartók ? – a été remplacée par Ella Fitzgerald chantant des thèmes de Cole Porter, puis par *A Love Supreme*, la longue et sombre quête spirituelle d'un John Coltrane au faîte de son art. Si horripilantes ses manies nocturnes fussent-elles, je devais reconnaître que Fitzsimons-Ross avait un goût musical très sûr.

À quatre heures, ce concert improvisé s'est terminé brusquement. Dans le silence qui a suivi, j'ai posé mon stylo, roulé une énième cigarette que j'ai coincée entre mes lèvres avant d'attraper la bouteille de vin à demi pleine et deux verres. Dans l'atelier, mon logeur n'était toutefois pas libre pour tailler le bout de gras : assis sur le canapé, un garrot en haut de son bras dénudé, il venait juste de commencer à presser sur la seringue quand je suis arrivé en bas de l'escalier.

— Qu'est-ce que vous voulez, bordel ? a-t-il lancé d'une voix rauque et absente. Voyez pas que je suis occupé ?

Battant en retraite dans mes quartiers, j'ai fumé ma cigarette, bu un verre de vin, et je me suis écroulé sur mon lit. Quand j'ai ouvert les yeux à onze heures, des grognements et gémissements me parvenaient d'en bas – il était impossible de se méprendre sur leur nature. Émergeant d'un sommeil profond, il m'a tout de même fallu quelques secondes interloquées avant de comprendre que ce que j'entendais était deux hommes en train de copuler. Comme réveil, c'était incontestablement une première, pour moi. Après quelques instants de cette bande sonore explicite, j'ai tendu la main vers ma radio et j'ai tourné le tuner jusqu'à tomber sur une station de rock. Avec The Clash à plein volume, je me suis levé, j'ai préparé du café et j'ai fumé deux clopes apéritives avant le petit déjeuner tout en me disant : Aujourd'hui, je contacte Radio Liberty, et demain je vais traîner à Berlin-Est.

Une fois sustenté et la vaisselle lavée et rangée, j'ai coupé le son et constaté avec soulagement que le silence était revenu en bas. Ramassant ma parka, mon écharpe, mon carnet, mon stylo et mon paquet de tabac, je me suis aventuré à l'étage inférieur. J'allais atteindre la porte d'entrée à pas de loup lorsqu'une voix m'a hélé :

— C'est ça, soyez un petit connard impoli et ne dites même pas bonjour !

Je me suis retourné. Installé devant le long comptoir de la cuisine, Fitzsimons-Ross buvait une tasse de thé et fumait une gauloise en compagnie d'un gars au teint olivâtre qui ne devait pas avoir atteint la trentaine. Mince, les cheveux en brosse, il avait un petit anneau à son oreille gauche, une alliance dorée à la main gauche, et portait un blouson en faux cuir brun clair doublé de mouton, du genre qui à mes yeux dénote le malfrat de basse catégorie. Naturellement, j'ai été intrigué par le personnage, quelqu'un qui venait de partager le lit d'un homme tout en portant au doigt le symbole de sa condition matrimoniale. D'emblée, il s'intégrait au récit toujours plus fourni de mon passage à Berlin.

— Bonjour, ai-je dit.

— Ah, la pétasse n'a pas perdu sa langue ! – Puis, passant à un allemand d'une fluidité impressionnante, Fitzsimons-Ross a expliqué à son « invité » : – C'est un Américain, il sous-loue là-haut mais il n'est pas si répugnant que ça.

Il a craché avec une telle exultation le mot allemand pour « répugnant », *abstossend*, que son ami a tressailli.

— Lui, c'est Mehmet, a poursuivi le peintre, toujours en allemand. Toi, dis bonjour à Thomas.

Après avoir marmonné un *Morgen*, le visiteur s'est levé.

— Je dois y aller.

— Vraiment ? a objecté Fitzsimons-Ross. Si tôt ?

— Tu sais bien que je commence mon travail à une heure.

— Alors, même heure jeudi ?

Mehmet s'est contenté d'un signe de tête et, toujours en fuyant mon regard, il est allé prendre son manteau avant de disparaître rapidement par la porte. Après son départ, mon logeur m'a demandé :

— Du thé ? Il doit en rester une tasse.

J'ai accepté son offre et pris place sur la chaise que Mehmet venait de quitter.

— J'ai eu l'impression que le pauvre garçon ne s'attendait pas à vous voir. Comme vous avez dû le remarquer, il…

— … il est marié.

— Quel sens de l'observation !

— Une alliance, c'est une alliance.

— Ces malheureux petits Turcs… Dès qu'ils viennent au monde, leur famille décide de tout pour eux. La femme de Mehmet est sa cousine germaine, et fort grassouillette en plus. Dès l'âge de quinze ans, il savait qu'il préférait les garçons, mais imaginez-le annoncer ça à son père… D'autant qu'il travaille à la laverie de son paternel, tout près de Heinrich Heine Strasse.

— Ai-je raison de présumer que ce n'est pas là-bas que vous avez fait sa connaissance ?

— Ah, Tommy Boy, ces capacités de déduction que vous avez ! Non, j'ai connu Mehmet dans un cadre beaucoup moins romantique. Les toilettes de la gare du zoo, un lieu de rencontre bien connu par nous autres, les adeptes de « l'amour qui n'ose pas dire son nom ».

— Je vois que vous appréciez Oscar Wilde…

— Je suis une pédale irlando-protestante, donc, évidemment que j'apprécie le foutu Oscar Wilde ! Bon, c'est Mehmet et moi qui vous avons réveillé, ce matin ?

— En fait, oui.

— Et vous avez été choqué, horrifié ?

— Vous oubliez que je suis de New York.

— Exact ! Un Américain à l'esprit ouvert, quoique ces deux termes ne cessent de me paraître en contradiction. En tout cas, vous feriez bien de vous habituer à la présence de Mehmet ici car nous nous retrouvons généralement trois fois par semaine, le lundi, le jeudi et le vendredi à onze heures précises. Mais il part toujours à midi et demi et il ne vient pas à d'autres moments, pour ne pas éveiller les soupçons de sa très suspicieuse et très islamo-fasciste famille. De toute façon, c'est un arrangement qui me convient parfaitement. Lui et moi, nous recevons exactement ce dont nous avons besoin l'un de l'autre, et ce dans des limites bien définies. Pas d'histoires, pas de scandales et pas de contraintes.

— À propos de scandale, il faut qu'on parle de votre musique.

— Hein ? Quelle musique ?

— Celle que vous faisiez beugler, cette nuit.

— Vous contestez ma sélection ?

— Ce que je conteste, c'est d'être tiré du lit à deux heures du matin.

— Malheureusement, c'est entre minuit et quatre heures du matin que je travaille le mieux. Et comme je ne peux pas peindre sans un environnement musical très puissant, vous comprenez ce que ça signifie.

— Lorsque nous en avons parlé, vous vous êtes engagé à ne pas mettre la musique trop fort si j'emménageais ici.

Il a sorti une cigarette, l'a considérée un instant.

— Eh bien, j'ai menti.

— C'est une évidence. Le problème, c'est que je ne peux pas dormir, dans ces conditions.

— Modifiez vos horaires, alors. Vivez au rythme des vampires, comme moi.

— Ce n'est pas une réponse satisfaisante.

— Vous croyez que ça me désole ?

— Je veux récupérer mes sept cents deutschemarks.

— Ils ont déjà été dépensés. J'avais des dettes. Et maintenant…

— Maintenant, vous devez respecter votre partie de l'accord.

— Je ne « dois » rien du tout, Tommy Boy.

— Mais si.

— Et quoi ? Vous allez me jouer l'Américain obsédé des tribunaux ? « Mon avocat va s'met' en contact avec vous », ce genre de conneries ?

Il a sorti cette phrase en affectant l'accent pseudo-américain que certains Britanniques se sentent obligés de prendre quand ils veulent remettre leurs anciens colonisés à leur place. Là, je me suis rendu compte que j'étais réellement en colère. Sauf qu'elle ne s'exprime jamais, chez moi : au contraire, je deviens très calme et je me mets à préparer ma riposte.

— Nous avions un accord, ai-je conclu d'une voix qui était à peine plus qu'un chuchotement. Pas de musique tonitruante pendant mon séjour. Je vous demande de vous y tenir.

Sur ce, je lui ai tourné le dos et je suis sorti d'une démarche posée. Une fois dehors, pourtant, j'ai eu du mal à ne pas envoyer mon poing à travers la première vitre venue. Fitzsimons-Ross avait raison : j'avais été plus que naïf de remettre une pareille somme à un camé, mais je crois qu'inconsciemment cela avait été une façon de chercher les ennuis, juste pour voir comment les choses évolueraient. À présent, je devais trouver le moyen d'obtenir ce que je voulais – un silence réparateur la nuit –, sans pour autant nuire aux élans créateurs du bonhomme. Cet après-midi-là, en me promenant dans les rues tranquilles de Charlottenburg, j'ai avisé un magasin de hi-fi dans lequel je suis entré faire l'emplette d'écouteurs corrects et d'un cordon de dix mètres. Le vendeur m'a jeté un regard soupçonneux quand j'ai demandé cette longueur, à quoi j'ai répondu sur un ton innocent : « C'est une très grande pièce. »

En début de soirée, je me suis arrêté à l'*Istanbul Café* pour demander à Omar si je pourrais me servir de son téléphone, et dire aux gens de laisser des messages à ce numéro, tant la perspective de contacts professionnels se retrouvant avec l'imprévisible Fitzsimons-Ross à l'autre bout du fil me paraissait inquiétante.

— Vous voulez payer un peu pour ça ? m'a-t-il questionné.

— Combien c'est, « un peu » ?

— Moi, je prends des messages pour des gens et c'est cinq marks par semaine. Bon service, garanti. En plus, vous avez cinq appels locaux par jour compris dans le prix.

— Ça me paraît très bien. Est-ce que je peux passer l'un de ces coups de fil tout de suite ?

Tout en me faisant signe de le rejoindre derrière le comptoir, il a exhumé d'une étagère basse un énorme téléphone en bakélite noire. Déjà, je cherchais dans mon calepin la page où j'avais noté le nom et le numéro de Jerome Wellmann, le chef du bureau de Radio Liberty à Berlin. La standardiste m'a vite passé sa secrétaire, une Allemande qui ne s'en laissait pas conter.

— M. Wellmann est-il au courant des raisons de votre appel ? m'a-t-elle demandé après de brèves salutations.

— C'est Huntley Cranley qui m'a suggéré de lui téléphoner.

Le fait que je mentionne le nom d'un gros bonnet de la station à Washington, et également que je lui réponde dans sa langue, l'a amenée à marquer une pause, avant de reprendre :

— N'importe qui peut se recommander de Herr Cranley. Nous recevons sans arrêt des demandes de travail et chaque fois c'est pareil, on nous dit que quelqu'un de haut placé à Washington est au courant, alors qu'en réalité…

— M. Cranley m'a précisé qu'il préviendrait personnellement M. Wellmann à mon sujet.

— Dans ce cas, je vais vérifier tous les télex que Herr Wellmann a reçus du siège central récemment. S'il se trouve que vous dites vrai…

— Vous sous-entendez que je pourrais mentir ?

— Pour des raisons qui vous paraîtront certainement évidentes si vous y réfléchissez un tant soit peu, nous sommes obligés d'être très scrupuleux quand il s'agit d'étudier des candidatures, ou même d'accorder une entrevue avec Herr Wellmann. Étant donné la nature de notre travail, une vigilance constante est nécessaire, surtout à Berlin.

— Bien compris, ai-je répondu avant de la prier de me laisser tout message éventuel au numéro qui apparaissait sur la plaque du téléphone devant moi, numéro que je lui ai lu.

— Et à quoi correspond ce numéro où vous laisser des messages… si message il y a, bien entendu ?

— C'est un café de Kreuzberg, lui ai-je expliqué en comprenant immédiatement que le nom et le lieu devaient évoquer quelque point de rendez-vous d'espions amateurs.

— Et pourquoi avez-vous choisi cet établissement pour être contacté ?

— C'est juste à côté de là où j'habite et… et je n'ai pas le téléphone.

— Si vous n'avez pas de nouvelles de nous dans les prochaines quarante-huit heures, c'est que Herr Wellmann aura jugé inutile de vous rencontrer. Excellente journée.

Vlan ! Le créneau Radio Liberty venait de se restreindre considérablement. S'il ne tenait qu'à ce cerbère féminin, je n'aurais aucune chance de décrocher un travail à la station, et donc d'avoir accès à tout un univers narratif très important pour mon livre. Bien sûr, d'autres perspectives se présenteraient à moi, mais travailler au sein de propagandistes occidentaux de la guerre froide m'avait semblé tellement attirant…

— Ç'a pas l'air d'aller, a dit Omar alors que je lui rendais le téléphone.

— Vous me direz s'ils rappellent, d'accord ? ai-je répondu en lui tendant les cinq marks de ma première semaine de service téléphonique.

— Tu paies, tu es servi.

« Oui, et un marché est un marché », ai-je été tenté de compléter. Telle était ma vision des choses, en tout cas, et c'était bien pour cette raison que l'attitude cavalière de Fitzsimons-Ross me hérissait autant le poil. Alors, en rentrant dans mes pénates un peu plus tard et en constatant qu'il n'était pas là, j'ai déposé les écouteurs et le cordon près de sa chaîne stéréo, accompagnés du mot suivant :

« Voilà ce que je vous ai acheté. Je pense que le fil est assez long pour que vous puissiez vous déplacer facilement dans l'atelier. Le vendeur m'a certifié que le son de ce casque était d'excellente qualité. Bonne écoute. Thomas. »

Une fois dans ma chambre, j'ai décidé de me coucher tôt : à onze heures, j'étais au lit. C'est peu après minuit que l'éruption de musique s'est produite. Cette fois, cependant, ce n'était pas Bartók, John Coltrane ou quoi que ce soit d'aussi raffiné mais du heavy metal d'une violence incroyable, l'équivalent sonore d'un carambolage de cinq voitures sur l'autoroute, choisi sans nul doute par mon logeur pour me faire très clairement comprendre qu'il refusait tout compromis. Attrapant mon peignoir, j'ai dégringolé en bas. Fitzsimons-Ross était tout à sa toile, le dos tourné à la table sur laquelle trônait sa stéréo, de sorte qu'il ne m'a pas vu fondre sur le tourne-disque et relever brusquement le bras. Interloqué par le silence, il s'est retourné à l'instant où j'arrachais l'appareil de ses câbles et je le portais à la fenêtre la plus proche. Quand je l'ai ouverte, il a crié :

— Qu'est-ce que vous fabriquez, bordel ?

— On avait un accord.

— Vous n'oseriez quand même pas…

— Vous allez le respecter, oui ou non ?

— Je ne marche pas au foutu chantage !

— Et moi, je ne négocie pas avec les menteurs. Ou vous vous en tenez à notre marché, ou vous me rendez mes sept cents marks, ou votre tourne-disque fait le grand saut.

— Vous croyez que vous allez me dicter ma conduite ?

— Comme vous voulez.

Et j'ai jeté la platine par la fenêtre.

Fitzsimons-Ross s'est littéralement décomposé. Il ne feignait pas son effarement. Il s'est lentement assis par terre devant sa toile à moitié achevée, les yeux dans le vide, muet. Il y avait quelque chose du « petit garçon perdu » dans son attitude et j'ai été surpris de me sentir coupable d'avoir été aussi loin, de l'avoir déstabilisé à ce point, tout en sachant qu'il n'aurait eu aucun scrupule à laisser sa musique à plein volume toute la nuit si je n'avais pas répondu à sa provocation.

Je suis remonté sans bruit dans ma chambre, où j'ai bu plusieurs verres de vin et fumé deux cigarettes roulées en faisant les cent pas devant la porte, l'oreille tendue, prêt à le surprendre gravissant les marches avec un marteau à la main. D'accord, c'était légèrement paranoïaque mais ce type était un camé, un être profondément instable, capable de tout… C'est alors que j'ai pris ma décision : je quitterais les lieux dès le lendemain.

J'ai fini par succomber au sommeil vers deux heures, pour ne me réveiller que neuf heures plus tard. Un soleil hivernal très inhabituel filtrait à travers les stores vénitiens. Après quelques minutes de flottement, j'ai commencé à établir un programme dans ma tête : descendre au café, appeler la pension Weisse, négocier un tarif à long terme, puis téléphoner à la harpie de Radio Liberty et lui donner le numéro de ma logeuse, revenir faire mes valises, laisser un mot conciliant à Fitzsimons-Ross en disant que j'espérais qu'il pourrait s'acheter le meilleur des tourne-disques avec mes sept cents marks – et me débarrasser de mes remords, du même coup –, puis revenir à la case départ.

J'ai pris mon petit déjeuner habituel (fromage, pain de seigle, deux espressos bien serrés et la première clope de la journée), j'ai attrapé ma vareuse et je suis descendu. En passant dans l'atelier, je l'ai aperçu devant son chevalet, son pinceau dansant sur la toile tandis qu'il créait un nouveau rectangle de bleu azuréen par couches successives. Et il avait sur la tête le casque que je lui avais acheté. Le câble serpentait par terre jusqu'à la chaîne stéréo, qui comprenait un nouveau tourne-disque. Il s'est tourné dans ma direction, surprenant mon air incrédule, puis il a abaissé les écouteurs autour de son cou et a proféré un seul mot :

— Pétasse.

Mais un soupçon de sourire frémissait sur ses lèvres. J'ai soutenu son regard.

— Déjeuner à l'*Istanbul* ? ai-je proposé. C'est moi qui invite.

Il a réfléchi un instant.

— Je suppose que je n'ai rien de mieux à faire.

Apparemment, mon déménagement était reporté.

5

L'un des nombreux traits attachants de la personnalité de Fitzsimons-Ross était l'aisance avec laquelle il s'immergeait entièrement dans l'instant présent. Je lui enviais ce don, ainsi que sa capacité à tourner la page au plus vite, à ne jamais s'attarder sur des récriminations passées. Certes, il pouvait pester contre une critique malintentionnée ou contre les nombreux « envieux dublinois » (une de ses expressions favorites) qui, affirmait-il, le haïssaient « à cause du modique succès que j'ai rencontré jusqu'ici », mais il se plaignait très rarement des innombrables injustices de l'existence ou de sa place dans le monde.

Au cours de notre déjeuner d'armistice, il n'a pas fait une seule allusion à la scène déplaisante de la nuit précédente, ni à son abattement après l'apogée de la crise, ni à la manière dont il s'était débrouillé pour dénicher un tourne-disque neuf avant midi. Au contraire, il s'est montré détendu, plein d'humour, pétillant. Était-ce le simple fait de se trouver dans un endroit public ? En tout cas, il s'est abstenu de ponctuer sa conversation des éructations ordurières auxquelles il se laissait aller dans son atelier. Alors que nous attaquions allègrement le litre de rouge « maison » qui nous avait été apporté d'office, je me suis risqué à poser la question qui me démangeait depuis des jours :

— Ça fait longtemps que vous vous droguez ?

Loin d'être irrité par ma curiosité, il a souri, allumé une gauloise et répondu posément :

— Quatre ans.

— Et ça ne nuit pas à votre travail ?

— Pas du tout. En fait, je dirais même que ma dépendance à l'héro a favorisé ma carrière.

— Sur le plan de la créativité, vous voulez dire ?

— Pas vraiment. Mais permettez-moi de vous demander, vous qui n'avez visiblement jamais touché à l'héroïne : avez-vous déjà essayé une drogue quelconque ?

— Le LSD, une fois, quand j'étais étudiant.

— Et ?

— Bon, à part le fait que je n'ai pas fermé l'œil pendant deux jours, c'était très délirant, tout en technicolor…

— Eh bien, l'héro ne fait pas du tout cet effet. Cette came vous projette dans un espace de calme complet, merveilleusement introverti, où vous ne sentez rien. Ce qui est plutôt positif, étant donné l'horreur qu'est la vie en général. Je ne veux pas donner l'impression d'en faire la pub mais, oui, c'est un trip absolument, profondément gratifiant.

— Si on oublie la dépendance tout aussi absolue et profonde…

— Ah ! Tommy Boy, il y a vraiment un sacré calviniste en vous !

— C'est peut-être pour cette raison que je ne suis pas un junkie.

— Et n'essayez surtout pas, si vous me permettez un conseil. Vous êtes bien trop psychorigide pour ça.

— Et vous, vous ne l'êtes pas ?

— En surface, si, complètement. Mais j'arrive aussi à céder à mon côté dissolu. Parce que j'ai trouvé le moyen d'être les deux à la fois. Ce qui fait sans doute de moi un camé pas ordinaire.

— Vous devriez peut-être donner des conférences là-dessus. Le modèle du junkie ultra-structuré…

— Et vous écririez le topo pour moi ? Mais vous, vous ne lâchez jamais les rênes, exact ? Je suis sûr que vous fumez de l'herbe de temps en temps, et qu'il vous arrive de lever le coude, mais une partie de vous ne supporte pas l'idée de perdre le contrôle. Vous auriez dû être juif, tenez. Vous avez la manie de la responsabilité des youpins.

— Parce que j'en suis un.

Il a eu la même expression qu'une personne ayant fait un pas dans une cage d'ascenseur vide.

— C'est une blague ?

— Dans le judaïsme, c'est la mère qui transmet la religion. Et puisque la mienne était juive, ça fait de moi un « youpin », comme vous dites.

J'avais prononcé ce mot de manière à bien montrer à quel point je le trouvais odieux, et j'ai observé avec un vif plaisir l'embarras crisper les traits de mon flegmatique logeur.

— Ah, c'est juste une façon de parler, a-t-il maugréé en prenant son paquet de cigarettes.

— Non, c'est un terme répugnant. Et qui me fait dire que vous êtes antisémite.

— Vous voulez des excuses, c'est ça ?

— Comment un « youpin » comme moi prétendrait-il en demander à un gentleman distingué comme vous ?

— D'accord, je supprime ce mot de mon vocabulaire à l'instant ! Mais j'ai quand même une question : est-ce que vous regrettez d'être circoncis ?

J'ai secoué la tête en essayant vainement de réprimer le sourire qui m'était venu aux lèvres. Même sous ses pires aspects, Fitzsimons-Ross arrivait à être amusant.

— Je ne crois pas que je vais répondre, ai-je fini par dire.

— Entendu, mais ma maladresse ne vous autorise pas à revenir sur votre invitation à ce déjeuner.

— Vous voulez dire qu'en tant que « youpin » je serais naturellement tenté de vous refiler l'addition ?

— Vous marquez un point.

Nos lasagnes sont arrivées. Elles étaient plus que mangeables et il a paru impressionné.

— C'est sacrément bon, dites donc ! Je ne comprends pas pourquoi je n'avais jamais repéré ce bouge, jusqu'ici.

— Peut-être parce que vous avez déjà assez de Turcs dans votre vie ?

— Ah, vous êtes une vraie langue de vipère, vous !

— Vous ne m'avez toujours pas expliqué comment vous arrivez à travailler sous l'effet de la dope.

— « Comment le démon de la drogue s'est-il emparé d'Alastair ? », c'est ça ? Vous devriez écrire des romans de gare, Tommy Boy. *Moi, peintre, pédé et shooté…*

— Je réserve ce titre immédiatement.

— J'ai essayé l'héro peu après mon arrivée à Berlin. En fumant d'abord, et puis Martin, le motard que je fréquentais à l'époque, m'a initié à la seringue. Quand j'ai trippé pour la première fois… bon, c'est pour ça qu'on a tant de mal à décrocher de cette saloperie. J'ai commencé à me piquer en 1980 et là je dois plier un genou devant mon papa qui, bien que notable déchu, a tout de même réussi à me rentrer dans la tête un grand principe : toujours garder les apparences. Vous pouvez dilapider la fortune familiale, détruire chaque chose aimée autour de vous, mais ne jamais, « jamais » vous montrer en public avec un pantalon froissé ou des chaussures mal cirées. Grâce à papa, j'ai été un junkie ultra-sourcilleux quant à l'hygiène. Pas une fois je n'ai partagé une seringue avec quiconque, ce qui au bout du compte m'a sauvé la vie et a coûté la sienne à ce pauvre Martin. Je parle de l'« épidémie », évidemment. La peste des Temps modernes. Elle m'a privé de deux douzaines de bons amis, facile. J'ai été aussi plutôt inflexible – si je puis dire – quand des partenaires ne voulaient pas mettre de capote. Donc, *Vielen Dank*, papa ! Tu as fait de moi ta réplique exacte, et du coup tu m'as sauvé la peau…

— Il est mort quand, votre père ?

— Il y a quatre ans. Cirrhose. Une cause de décès rarissime dans notre comté d'Irlande, vous vous en doutez…

— Vous étiez proche de lui ?

— Énormément, même si mes préférences sexuelles n'ont jamais reçu son approbation. Mais il faut lui reconnaître qu'il m'estimait beaucoup, en tant que peintre. La dernière année de sa vie, et il est parti à cinquante-huit ans, il a essayé de, comment dire, de se racheter pour tous les discours sans queue ni tête, les insultes, l'insatisfaction permanente et l'autodestruction qu'il avait infligés à ses proches. À ce stade, ma mère, qui était l'archétype de la Brit coincée et méchante comme la gale, l'avait plaqué depuis longtemps. Lui, avec le peu d'argent qui lui restait, il habitait la maison de gardien de la superbe résidence d'un de ses vieux copains, à Roundstone. Quand les toubibs lui ont annoncé qu'il lui restait trois mois à vivre, maximum, il m'a écrit ici en me demandant si je ne voudrais pas « revenir au pays » pour « l'aider à passer ». J'y suis allé, bien entendu. Heureusement, j'avais un ami peintre à Dublin avec un bon contact au nord de la ville et je n'ai pas manqué de dope une seule fois. Je n'ai rien dit à mon père de mes sales petites habitudes, évidemment, mais je crois que s'il l'avait appris il aurait été plus attristé que furieux. C'était un brave type, fondamentalement, qui ne voulait qu'aimer et être aimé, et cette seule chose, il n'a jamais pu l'avoir. Ce qui est le cas de plein d'entre nous, d'ailleurs.

Il a écrasé sa gauloise, en a allumé une autre.

— Vous n'avez jamais été amoureux ? l'ai-je interrogé.

— Seulement une dizaine de fois… Et vous ?

J'ai marqué un temps d'arrêt, essayant de réfléchir à cette question, et les pensées qui me sont venues étaient assez dérangeantes.

— Votre silence est éloquent, Tommy Boy.

— Il y a eu une fille qui était très amoureuse de moi.

— Et quoi ? Elle était beaucoup trop gentille pour vous, c'est ça ?

— Peut-être.

— Donc, vous aussi, vous avez eu une mère qui pensait que votre existence était la plus grande erreur de sa vie… mis à part le fait d'avoir épousé votre père. Et résultat, vous voilà à Berlin, continuant à fuir la femme qui a modelé votre existence de cette…

— La femme en question s'est tuée à la cigarette il y a sept ans.

— Et vous, vous fuyez toujours. Laissez-moi vous dire que vous n'arrêterez jamais, parce que c'est une chose qui ne s'en va jamais, que l'on combat sans cesse. Moi, je n'ai pas revu ma mère depuis quinze ans. Elle a planté mon père pour épouser une caricature de colonel à la retraite et s'installer dans l'un de ces villages hideusement coquets des Cotswolds, vous savez, le « cœur de l'Angleterre » comme on dit, tweed et chippendale jusqu'à l'écœurement… Le message étant que nous autres Paddies ne lui arrivions pas à la cheville. Cela dit, mon père était très dépendant d'elle. Visiblement, c'était le côté maternant qu'il recherchait en elle, parce que d'après ce que j'ai compris ma grand-mère paternelle avait été aussi froide et revêche que ma mère. Alors, attendez que je devine : cette fille qui vous aimait tant, elle…

J'ai coupé court en l'interrogeant à mon tour :

— Vous n'avez jamais envisagé d'améliorer votre situation financière en vous libérant de la drogue, par exemple ?

— Mouais. C'est très intéressant, votre détermination à changer de conversation dès que le sujet risque de devenir douloureux ou gênant. Mais pour vous répondre, non, je n'ai aucunement l'intention de « devenir clean », comme vous dites, vous autres Yankees. La came me permet de fonctionner, de bosser, et en plus elle rend la réalité relativement tolérable.

— Pourquoi ? Parce que vous refusez de vous abandonner à l'amour.

Un sourire sarcastique est apparu sur ses traits.

— Vous êtes doué pour l'esquive, cher monsieur. Possible que ce soit un élément essentiel de la vie d'un écrivain, cette capacité à esquiver… Sur ce, vous allez devoir m'excuser parce que j'ai un rendez-vous impromptu avec Mehmet dans moins d'une demi-heure chez moi. Ce qui signifie que si vous ne tenez pas à nous entendre en pleine action…

— J'irai faire un tour.

— Je savais que vous alliez répondre ça. Je ne connais que trop bien votre genre. Progressiste, artistique, tolérant, avec même quelques amis homos, mais en secret profondément dégoûté par tout ça…

— Vous lisez dans la tête des autres ? Est-ce un autre de vos multiples talents ?

— Absolument. Qu'aviez-vous prévu de faire, cet après-midi ?

En cherchant mon paquet de tabac et mon papier à rouler dans la poche de ma veste, mes doigts se sont arrêtés sur mon passeport américain. Un coup d'œil à ma montre. Il était à peine une heure.

— Visiter un pays étranger, peut-être.

— Vous voulez dire… aller « là-bas » ?

— C'est juste à cinq minutes d'ici.

— Oui, mais si vous y aviez déjà mis les pieds, vous...

— Il faut un début à tout.

— Alors allez-y, regardez bien, mais je vous parie que vous serez revenu avant six heures ce soir, convaincu que retourner là-bas ne servirait à rien.

— C'est si moche ?

— J'imagine que si on appartient à la section de Londres ou de Dublin du Parti travailliste, c'est le paradis, de l'autre côté du Mur... surtout si on a un passeport occidental qui permet de se barrer à tout moment. Mais pour les gens qui y sont enfermés... Enfin, vous verrez par vous-même. J'ai sans doute un problème avec tout ce qui est monochrome, et je dois être incapable de voir la beauté morale sous cette grisaille accablante. Possible que je n'aie pas votre immense curiosité intellectuelle.

— Je note l'ironie.

— En tout cas, si vous tombez sur un frère socialiste de Cuba ou d'Angola qui a de la dope bien dosée à vendre...

— Très drôle.

— Enfin, revenez entier. N'est-ce pas ? Et maintenant, je dois vraiment y aller.

En le regardant s'éloigner, je me suis demandé si j'avais choisi le meilleur jour pour ma première expédition « de l'autre côté ». Non seulement j'avais déjà perdu toute la matinée, mais après quelques heures de soleil le ciel s'était chargé de nuages qui annonçaient la neige. Bon, assez tergiversé. J'ai pris le métro jusqu'à Kochstrasse. Il aurait été bien plus rapide et facile de me

147

rendre à pied au point de passage de Heinrich Heine Strasse, mais dans la logique de la trame narrative qui allait sous-tendre mon livre il m'a semblé indispensable de commencer mon voyage par le symbole incontournable de la guerre froide, le point de passage obligé, Checkpoint Charlie.

Lorsque la rame a freiné en entrant dans la station, j'ai été assailli par une vague d'anxiété dont j'ai vite décelé l'origine : la peur du totalitarisme qui m'avait été inculquée depuis l'époque où les missiles russes avaient été pointés vers le sanctuaire à partir de Cuba, et ensuite au lycée, quand on nous avait fait étudier les romans de Soljenitsyne, ou encore, à l'université, avec les films d'Andrzej Wajda et leur vision du stalinisme de la société polonaise. Mais plus encore que tout cela, c'est la voix de mon père que j'ai soudain entendue, au plus fort des mobilisations contre la guerre du Vietnam : « Ces pacifistes, ils ne se doutent même pas comme ils l'ont facile, ici ! S'ils étaient à Moscou et osaient se rassembler dans la rue comme ça, ils finiraient tous en camp de travail, au fin fond de la Sibérie. Ils ne plaisantent pas, là-bas. Ils savent comment faire taire les gens. »

Si j'avais pris les affirmations paternelles comme d'affligeants lieux communs, à l'époque, elles s'étaient néanmoins gravées en moi. C'était un peu comme la fois où nous étions allés rendre visite à une tante de ma mère, près d'Ossining, quand j'avais huit ans. La maison semblait sortie tout droit d'un tableau de Grant Wood et, déjà rendu mal à l'aise par cette atmosphère de gothique américain et par le fait que tante Hester ressemblait à une momie ambulante, j'avais été encore

148

plus inquiet lorsque mon père m'avait déclaré que je risquais d'avoir une très vilaine surprise si jamais j'ouvrais la porte du grenier. Voulait-il ainsi m'empêcher d'aller fouiller dans les affaires de la vieille dame, ou tout simplement m'effaroucher ? En tout cas, je m'étais mis à imaginer tout un tas de choses horribles derrière cette fameuse porte, et depuis lors j'ai toujours été envahi par la crainte quand j'étais sur le point de pénétrer dans un endroit défendu.

À première vue, Checkpoint Charlie dégageait ce parfum d'interdit. Apercevant à la sortie du métro la pancarte si souvent photographiée, « YOU ARE LEAVING THE AMERICAN SECTOR », « Vous sortez du secteur américain », je n'ai pu m'empêcher d'y voir l'écho du fameux avertissement dantesque : « Abandonnez tout espoir, vous qui entrez ici. » Tout de suite à droite, il y avait un musée installé dans un petit immeuble, le Haus am Checkpoint Charlie, qui à en juger par les panneaux explicatifs de sa devanture servait de mémorial à tous ceux qui avaient été abattus ou arrêtés en essayant de passer du côté occidental. Je me suis dirigé vers le poste de garde américain, sortant déjà mon passeport vert. Un soldat en uniforme m'a regardé approcher de son guichet.

— Bon après-midi, sir. Que puis-je pour vous ?

— Est-ce que je dois m'enregistrer ici avant de traverser ?

— Pas besoin, sir. Si vous avez le moindre problème de l'autre côté, nous avons une ambassade là-bas. Vous y allez seulement pour la journée, n'est-ce pas ?

— Oui.

— Alors, à moins que vous n'ayez l'intention de rencontrer des dissidents ou de distribuer des bibles à un coin de rue…

— Pas vraiment mon truc, non.

— Vous ne devriez pas avoir d'ennuis, dans ce cas. En revanche, soyez de retour avant minuit, n'oubliez pas.

— Vous y êtes déjà allé, vous-même ?

— C'est interdit au personnel militaire, sir. Bon séjour à Berlin-Est.

Je suis parvenu à un immense portail festonné de barbelés qui barrait toute la largeur de la rue et se terminait contre le Mur sur chaque flanc. Deux membres de la Volkspolizei, la « police du peuple », m'ont fait signe de venir au portillon derrière lequel ils se tenaient.

— Passeport, m'a ordonné l'un des deux en allemand. – Je lui ai montré mon document américain et, passant à un anglais hésitant, il a poursuivi en me montrant une guérite plus loin : – Vous aller là.

— *Vielen Dank*, l'ai-je remercié, en reprenant ma marche.

Le portillon s'est refermé avec un bruit sourd derrière moi. Plusieurs gardes lourdement armés se tenaient devant le poste de contrôle, un préfabriqué. Le policier de service au guichet a lu le passeport que je lui tendais sous la vitre en plexiglas et m'a demandé si je parlais allemand. À ma réponse positive, il m'a annoncé qu'il allait me donner un visa valable une journée.

— Vous devrez avoir quitté la RDA avant minuit ce soir, et par ce point de passage exclusivement. Vous ne pouvez pas passer la frontière ailleurs. Et il faut que vous changiez trente marks occidentaux pour trente de nos marks.

Un taux de change ridiculement abusif, bien sûr, la monnaie est-allemande étant cotée à cinq contre un par rapport au deutschemark occidental, mais j'avais lu dans divers guides et articles que c'était le moyen employé par les autorités de RDA pour se constituer des réserves en devises fortes. Cette extorsion de fonds et la « permission de minuit » comptaient parmi les nombreuses limitations imposées au passage du Mur. Pour des séjours plus longs, il fallait s'inscrire dans un voyage organisé ayant reçu la bénédiction du pouvoir, ou faire partie d'une délégation de quelque association favorable aux thèses communistes ; un écrivain comme moi n'avait aucune chance d'obtenir un visa individuel, ainsi que m'en avait informé le fonctionnaire consulaire est-allemand avec lequel j'avais été en contact à Washington, quand j'envisageais encore de situer une partie de mon périple du côté oriental. La seule possibilité aurait été pour moi de venir à l'invitation de l'Union des écrivains est-allemands, m'avait-il précisé, mais compte tenu du genre du récit de voyage que j'avais publié – il avait mené sa petite enquête, donc – cette hypothèse n'était pas envisageable…

Et là, tandis que le « policier du peuple » me dépouillait de trente westmarks, car il veillait bien à ne pas appeler deutschemark la devise ennemie –, puis ouvrait un gros registre et consacrait plusieurs minutes à vérifier si mon nom n'apparaissait pas dans la liste des indésirables sous la lettre N, une idée angoissante m'a traversé la tête, celle que l'officier consulaire de la RDA à Washington ait informé les autorités de Berlin-Est qu'un auteur américain trop curieux allait tenter de s'infiltrer dans le bastion du socialisme. Il n'a finalement rien trouvé d'infamant contre moi puisque, refermant son registre, il a apposé le tampon d'entrée sur une page vierge de mon passeport, un coup sec et sonore qui a réveillé en moi la crainte instinctive de toute intervention étatique dans ma vie privée. Il m'a ensuite signifié d'un petit hochement de tête que nous en avions terminé.

Me tapotant l'épaule, un des gardes armés m'a désigné une simple barrière basculante devant moi, du genre de celles qui sont installées à l'entrée des parkings ; un autre groupe de « VoPos » faisait le pied de grue à côté, et au-delà s'étendait une rue d'apparence banale, Friedrichstrasse. En me dirigeant vers ce dernier filtre avant Berlin-Est, je me suis fait la réflexion que la légèreté de ce dispositif proclamait la conviction des dirigeants qu'un citoyen projetant le crime d'abandonner la mère-patrie ne serait jamais assez fou pour le tenter ici, au poste frontalier le plus connu de la ville. L'un des policiers a vérifié le visa de mon passeport et m'a encore rappelé que je devrais repasser par ici – « et seulement par ici » – avant minuit, puis il a levé la barrière et j'ai fait mes premiers pas en République démocratique allemande.

Quelle preuve de fidélité inébranlable un Volkspolizei devait-il donner pour être posté ici ? me suis-je demandé. Quel type de chantage psychologique était exercé sur les hommes chargés de surveiller un point aussi sensible ? Leur faisait-on savoir que leur famille serait sévèrement punie s'ils osaient jamais passer de l'autre côté ? Quel genre de complicité tacite pouvait unir ces éléments des forces de l'ordre triés sur le volet ? Et que pensaient-ils en secret, ces représentants d'un régime totalitaire, lorsqu'ils voyaient les Occidentaux aller et venir librement à travers la frontière idéologique la plus contraignante au monde ? N'étaient-ils pas encore plus captifs que leurs concitoyens, ces geôliers, parce que leur travail quotidien les exposait à un tout autre univers où les gens jouissaient d'une liberté assez incroyable, dont celle de se déplacer à leur guise ? Ou bien constituaient-ils la dernière phalange des purs et durs, tellement endoctrinés qu'ils ne voyaient dans l'Ouest qu'une impitoyable machine capitaliste emprisonnant les individus dans un cercle vicieux destructeur, celui du consumérisme et de l'appauvrissement permanent ?

Et puis, au milieu de ce bras de fer idéologique engagé par deux complexes militaro-industriels majeurs, et dans l'ombre de la menace permanente d'une destruction mutuelle, il restait ce que l'on appelle la vie de tous les jours. Par exemple, ce quinquagénaire dont la solide carrure était prise dans un anorak informe et qui venait de traverser la rue devant moi, un attaché-case en skaï brun dans une main, un sac en plastique transparent contenant deux bouteilles de bière dans l'autre. La tête couverte d'un bonnet en fausse fourrure, il se hâtait vers une barre d'immeubles en béton gris dans l'artère qui croisait Friedrichstrasse. À quoi occupait-il son temps ? Il devait travailler le matin, puisqu'il rentrait chez lui avec de la bière en début d'après-midi. Vivait-il seul dans un minuscule appartement ? Était-il tenu pour un citoyen au-dessus de tout soupçon, lui qui avait un logement si proche du Mur ?

Qu'allait-il faire, maintenant ? Regarder la télévision, lire, ou peut-être se rendre dans une salle de sport du quartier ? Avait-il un hobby ? S'il avait une femme dans sa vie, habitaient-ils ensemble ? Ou bien étaient-ils dans la même équipe à l'usine de mise en bouteille, de six heures à quatorze heures chaque jour, et elle, était-elle mariée à un policier et se retrouvaient-ils clandestinement chez lui deux fois par semaine ? Et cette femme voûtée en manteau gris qui marchait derrière lui ? Un foulard aux teintes tristes sur les cheveux, elle tenait une cigarette entre les doigts de sa main gauche, agrippant de l'autre un sac d'où émergeaient quelques jonquilles fatiguées. Était-ce elle, l'épouse du flic qui avançait discrètement à quelques pas de son amant afin de cacher leur complicité, en route vers une étreinte au temps compté ?

M'abandonnant à cette improvisation narrative sur la première scène de rue que j'aie saisie à Berlin-Est, je les ai suivis des yeux jusqu'à ce qu'ils disparaissent, puis mon regard est tombé sur un bâtiment de deux étages à ma droite et sur un panneau au-dessus de la porte d'entrée : « *BULGARISCHE HANDELSBANK* ». Banque commerciale de Bulgarie. L'immeuble, qui datait du XIXᵉ siècle, était plus que défraîchi, et la poussière brouillait les deux baies vitrées de sa façade, dans lesquelles on distinguait des photos jaunies de paysans joyeusement occupés à la récolte du blé dans des champs collectivisés. Au-dessus de ces images typiques du réalisme socialiste des années 50, il y avait des slogans tracés à la main que j'ai traduits approximativement : « Nous avons confiance dans le Plan quinquennal ! » ; « Ensemble, construisons l'avenir socialiste ! ».

Comme il s'était mis à neiger, je suis parti d'un bon pas pour me réchauffer un peu. J'ai remonté Friedrichstrasse, jadis l'une des artères les plus animées du vieux Berlin, aujourd'hui pratiquement déserte, accablée de morosité. De temps en temps, une Trabant solitaire passait sur la chaussée et quelques citoyens emmitouflés se hâtaient, la tête baissée pour échapper aux rafales. La devanture d'une boutique de vêtements m'a frappé par le peu d'articles exposés, la tristesse conventionnelle de tenues qui auraient eu davantage leur place dans le magasin poussiéreux de l'Armée du Salut devant lequel je passais parfois, dans le Lower East Side de Manhattan. Cet établissement-ci semblait le seul commerce encore en activité de toute la rue.

Toute ville est, pour commencer, une prise de position visuelle, un déploiement architectural destiné à communiquer de manière immédiate – et donc superficielle – un certain « esprit des lieux ». Ainsi, Paris exprime une élégante gravité alors que New York proclame son ambition de vouloir monter toujours plus haut dans le ciel. Ce ne sont que des observations immédiates, bien entendu, des informations de surface, de simples évocations urbaines, mais de même que tous les clichés se fondent sur une vérité basique, l'image initiale que l'on a d'une cité peut en apprendre beaucoup sur l'espace que l'on découvre. Et ce que Friedrichstrasse m'a fait comprendre, notamment quand je me suis engagé sur Unter den Linden à gauche, c'était que Berlin-Est obéissait à une esthétique égalitariste où tout devait être morne, passe-partout, sans couleur. Comme une photo en noir et blanc un peu floue.

Unter den Linden. Le solennel boulevard berlinois qui conduisait à la porte de Brandebourg, au Reichstag et aux étendues boisées du Tiergarten. Entrant dans cette large perspective, j'ai pris instinctivement à l'ouest. Comment ai-je su que j'allais dans cette direction ? En apercevant le Mur au loin, qui coupait brutalement le cours de l'avenue et bloquait la porte de Brandebourg dont le sommet apparaissait au-dessus. On entrevoyait aussi la coquille vide du Reichstag, abandonnée par la République fédérale quand elle était partie refonder ses institutions politiques dans le calme rationnel des environs de Bonn. Planté au centre du boulevard, j'ai contemplé longuement la réalité écrasante du Mur. De mes petites rues de Kreuzberg, on en arrivait facilement à le concevoir comme un simple signal de voie sans issue, une interférence désagréable, un gigantesque panneau « DÉFENSE D'ENTRER », mais c'était le point de vue occidental. Ici, à l'est, sur l'artère la plus grandiose du Berlin historique, il faisait figure d'obscénité, d'aberration délibérée. En bouchant Unter den Linden, les autorités est-allemandes déclaraient à leurs sujets et au reste du monde : « Nous nous barricadons ici et nous en sommes fiers. Nous sommes heureux de manifester ce que cette mesure a de définitif, d'incontournable, en vous rappelant que cette ville est fermée. »

Je m'étais toujours montré plus que sceptique devant l'anticommunisme primaire et la rhétorique des Reagan et consorts, tout comme devant le patriotisme revanchard professé par ladite « majorité morale », et les successeurs de l'effrayant sénateur McCarthy ne faisaient que m'horripiler. Pourtant, je dois dire que là, devant cette face orientale du Mur… non, cela n'a pas été mon chemin de Damas et je n'ai pas pris aussitôt la résolution de voter pour un nouveau mandat de Ronald Reagan aux élections de novembre. Le cœur du problème se trouvait peut-être dans ma phobie de toute restriction spatiale ou mentale, ma crainte permanente de me retrouver prisonnier d'une existence que je n'aurais pas voulue. Et, à mes yeux, le Mur représentait le symbole de la détention. Ce béton et ces barbelés me disaient : « Nous allons t'imposer des limites. Nous allons exiger ton allégeance à une doctrine, à des règles auxquelles tu seras obligé de te plier. Si tu oses jouer au dissident, si tu tentes de réaliser le rêve chimérique de ne pas restreindre ton univers aux strictes frontières que nous matérialisons, si tu as l'audace de rendre publiques (ou même d'exprimer) des pensées contraires à nos dogmes, nous serons impitoyables. »

Et si le Mur était simplement cela, un plan vertical et vierge qui vous renvoyait le reflet de vos peurs les plus intimes et de vos contradictions personnelles ? Certes, sa justification officielle – repousser les influences délétères de l'impérialisme capitaliste – avait ses adeptes, des êtres qui avaient besoin de croire en ces thèses pour arriver à tolérer le confinement qu'on leur imposait, ou qui se résignaient à admettre que le monde était ainsi fait, ou qui se passaient de la liberté de mouvement et d'expression, ou encore qui s'étaient convaincus qu'il n'existait pas d'autre issue. Pour un esprit occidental, de tels points de vue représentaient sans doute le summum de l'aveuglement, mais n'est-il pas vrai que, à l'ouest comme à l'est, nous préférons souvent considérer notre sort à travers un objectif déformant qui brouille toutes les vérités trop pénibles à regarder en face ? Même si nous nous persuadons que notre opinion est la seule pertinente, nous esquivons le fait qu'elle n'est que relative, circonscrite à notre petite expérience. Tout est subjectif, y compris la façon dont on choisit de voir le mur de Berlin.

J'ai descendu Unter den Linden jusqu'au pied de ce blocus. Pas de gardes, ici, ni de tours de guet. J'avais lu en faisant mes recherches que si le Mur lui-même n'était pas si difficile à escalader, puisqu'il faisait environ quatre mètres et demi de hauteur, les candidats à l'évasion rencontreraient ensuite un redoutable no man's land truffé de pièges et ratissé en permanence par des chiens policiers. Cette traversée mortelle, très peu avaient réussi à l'accomplir tant la surveillance était constante, les barbelés et les fils de détection étant pratiquement infranchissables. De plus, les gardes-frontière est-allemands avaient pour consigne de tirer à vue en cas de manquement aux ordres. Continuer à courir vers l'autre côté après avoir été repéré revenait à une mort certaine. S'ils restaient en vie, les transfuges arrêtés s'exposaient à une peine de trois ans de prison minimum, puis à l'impossibilité d'obtenir un emploi ou un logement, c'est-à-dire à une existence encore plus étouffante. Dans les dernières années, le nombre de tentatives s'était considérablement réduit, et pour cause. Quelle impression bizarre d'approcher le Mur de ce côté, avec la conscience de l'enfermement définitif qu'il supposait ! Si vous aviez jamais rêvé d'aller passer un an à Paris pour vous atteler à un roman, par exemple, vous « saviez » que cela resterait à jamais de l'ordre de l'impossible. Quel accablant paradoxe : l'État censé garantir votre bien-être qui vous condamnait à l'immobilité…

Ayant grandi avec la certitude naïve que la planète entière était mon terrain de jeu, j'étais persuadé que je pourrais l'explorer autant que je voudrais, à condition de ne pas m'emmurer dans les responsabilités et la dépendance affective. Car c'était là un aspect fort curieux de la vie occidentale : beaucoup d'entre nous qui auraient eu la latitude socio-économique de rester libres choisissaient de s'enfermer dans une existence non désirée, puis de déplorer amèrement d'être devenus esclaves du prêt hypothécaire, des traites pour la voiture, des enfants. Alors qu'ici, à Berlin-Est, l'enfermement avait un tout autre sens, une tout autre réalité.

Faisant demi-tour, je suis parti explorer la portion de la ville qui s'étendait d'Unter den Linden à l'Alexanderplatz. Ayant dépassé le Komische Oper, je suis entré un moment dans une librairie aussi vaste que mal achalandée, la *Buchhandlung* Karl Marx. À part des brochures politiques vieillies et des éditions officielles d'écrivains est-allemands tels que Heiner Müller et Christa Wolf, il y avait une petite section de littérature étrangère traduite en allemand, des ouvrages évidemment sélectionnés par les censeurs en raison du regard critique qu'ils portaient sur les valeurs bourgeoises et le système capitaliste : tout Dickens, *Madame Bovary*, *Une tragédie américaine* de Theodore Dreiser, *La Lettre écarlate* de Nathaniel Hawthorne, *Un autre pays* de James Baldwin, *Un rêve américain* de Norman Mailer, ou *L'Homme invisible* de Ralph Ellison.

Une jeune femme plutôt attirante était assise à la caisse de la librairie. Elle avait à peu près mon âge, et de longs cheveux bruns tressés avec soin, ramassés en un très haut chignon. Mince, elle portait une jupe en velours marron assez courte, un collant noir et un col roulé également noir qui moulait sa généreuse poitrine. Bien faite, avec un teint de porcelaine, elle avait de petites lunettes de grand-mère perchées sur le nez, qui apportaient un charmant contraste. Sans remarquer mon regard, elle a pris un paquet de cigarettes, certainement est-allemandes, des f6 dont l'emballage semblait dater de la Seconde Guerre mondiale. Quand elle en a sorti une, j'ai vu qu'elles étaient dépourvues de filtre et de qualité tout à fait médiocre.

— Vous voulez essayer une Marlboro ?

Elle a levé les yeux vers moi, surprise par la question et par le fait qu'un garçon de toute évidence *ausländer* (étranger) avec son blouson de cuir, ses lourdes bottes anglaises et sa grosse écharpe en laine s'exprime en allemand. Avant de passer la frontière, j'avais acheté trois paquets de Marlboro à la petite échoppe proche de l'*Istanbul Café*, me disant que ce serait toujours utile « de l'autre côté ». Rapidement, elle a inspecté les alentours et, constatant qu'il n'y avait personne, elle a accepté ma proposition d'un hochement de tête, avant de chuchoter :

— Pourquoi m'offrez-vous une cigarette ?

— Parce que j'en ai envie.

Je lui ai tendu le paquet ouvert. Après un nouveau coup d'œil à la ronde, elle en a pris une et a craqué une allumette. Elle a approché la flamme de sa Marlboro, puis de celle que j'avais mise à ma bouche. Elle a longuement aspiré la fumée ; une ombre de sourire est apparue sur ses lèvres. Elle m'a lancé un regard à la fois amusé et pénétrant.

— Donc, vous vous êtes dit que le meilleur moyen de draguer une fille de Berlin-Est était de jouer au GI année 1945 et de brandir vos cigarettes américaines. Depuis que vous êtes arrivé ce matin, combien de…

— Qu'est-ce qui vous fait penser que je suis arrivé ce matin ?

— « Vous » arrivez tous le matin et vous êtes tous repartis à la nuit tombée. C'est comme ça. À moins que vous ne fassiez partie d'un voyage officiel, mais, dans ce cas, vous ne seriez pas planté là à attendre que j'écarte les jambes en reconnaissance d'avoir fumé une de vos très américaines cigarettes.

— Qui a dit que j'attendais quoi que ce soit ?

— Vous êtes un homme, donc vous attendez « toujours » quelque chose. En plus, vous êtes un Américain, c'est-à-dire un profiteur et un agent de l'impérialisme occidental.

Elle a prononcé cette dernière phrase avec une ironie tellement délicieuse que mon intérêt initial s'en est trouvé décuplé. Ma réaction ne lui a pas échappé.

— On dirait que c'est une sacrée surprise de parler à une communiste qui a de l'humour…

— Vous êtes communiste ?

— Je vis ici, donc je suis ce que le système me recommande d'être. C'est comme ça que j'ai un travail dans une bonne librairie de la capitale, et un joli petit appartement à Mitte que vous aimeriez bien connaître, je suis sûre.

— C'est une invitation ?

161

— Non, simplement un autre commentaire sur ce qui doit se passer dans votre tête d'Américain, d'Américain qui « attend quelque chose ».

— Comment êtes-vous si certaine que je suis américain ?

— Oh, s'il vous plaît ! Mais votre allemand est assez correct, étonnamment.

— Je m'appelle Thomas.

— Et mon prénom n'a pas d'importance, parce que mon chef, Herr Kreplin, sera de retour ici dans moins d'un quart d'heure, et s'il me surprend en train de bavarder avec vous…

— Je comprends. Vous revoir plus tard, ce serait possible ?

— Et ce serait où ? Dans un café de mon quartier, pour que tout le monde voie que je suis assise avec un Yankee ? Ou chez moi, peut-être ? Ça vous plairait, n'est-ce pas ?

— En fait, oui. Beaucoup.

La franchise de cette réponse l'a décontenancée un court instant. Elle a lancé un coup d'œil par la vitrine.

— Ça ne me déplairait peut-être pas, moi non plus, mais je doute que mon petit ami apprécierait. Non qu'il mérite que je lui sois fidèle… Mais de toute façon, le problème, c'est que si jamais « ils » apprennent que j'ai pris un verre avec un étranger, un Américain qui plus est, ou encore pire, que je l'ai ramené chez moi… parce que, croyez-moi, quelqu'un nous verra et mouchardera forcément, alors je perdrai mon emploi dans cette librairie. Et tout ça pour avoir été séduite par une Marlboro… – Elle en a repris une longue, voluptueuse bouffée. – Très bonne cigarette, cela dit.

— Gardez le paquet.

Au moment où je le déposais dans sa main, elle a effleuré la mienne et ajouté tout bas :

— Il faut que vous partiez, maintenant. Tout de suite. Que Herr Kreplin ne me voie pas avec vous, surtout.

— Compris. Mais dites-moi comment vous vous appelez, au moins…

— Angela.

— Ravi de vous avoir connue, Angela.

— Moi de même, Thomas. Et je ne dirai pas « à la prochaine », parce que…

— C'est trop injuste.

— Non, a-t-elle répliqué d'un ton soudain coupant, c'est la réalité. Et maintenant… *Auf Wiedersehen*.

Je lui ai rendu son salut et je me suis éloigné. En la regardant une dernière fois par-dessus mon épaule, je l'ai vue faire disparaître prestement les Marlboro dans son sac, visiblement anxieuse. Après quelques pas sur le trottoir, j'ai croisé un homme d'une cinquantaine d'années vêtu d'un costume en synthétique gris, un attaché-case à la main, avec de grosses lunettes de myope à travers lesquelles il m'a jaugé d'un air soupçonneux avant de continuer son chemin et d'entrer dans la librairie. Était-ce lui, Herr Kreplin ? Si oui, Angela avait eu raison de me congédier, il avait la dégaine typique du bureaucrate et du délateur. Mais enfin, comment déduire une chose pareille après avoir croisé quelqu'un deux secondes, uniquement parce qu'une jolie fille t'a dit qu'il ne tolérerait pas de la voir en conversation avec un étranger ? me suis-je corrigé en silence. Nous sommes tous enclins aux conclusions hâtives, pas vrai ? Surtout dans un tel contexte, quand la tension de l'affrontement Est-Ouest est aussi palpable. Et certes je me sentais à la fois oppressé et stimulé par cette sensation, tandis que je déambulais dans les rues de Berlin-Est, par l'impression d'avoir à négocier mon chemin parmi une nuée d'interdits et de menaces, d'être déjà immergé dans la paranoïa d'un État policier. Berlin-Est, le territoire de tous les cauchemars de la guerre froide…

J'ai continué vers le nord, atteignant les immeubles à l'ancienne splendeur qui abritaient l'université Humboldt. À l'entrée, je me suis dit qu'il serait intéressant de flâner sur le campus, de lier conversation avec des étudiants, d'avoir un aperçu de la vie universitaire dans le bloc de l'Est ; mais un gardien en uniforme vérifiait les pièces d'identité de tous ceux qui entraient dans l'enceinte. M'apercevant, et notant sur-le-champ mon statut d'étranger, il a pris une mine pleine de méfiance. En faisant le sourire éberlué du touriste qui se rend compte brusquement qu'il n'est pas là où il devrait être, j'ai tourné les talons et j'ai repris le boulevard.

Je me trouvais dans une partie de la ville qui avait visiblement moins souffert des bombardements alliés que le secteur occidental, totalement dévasté. À l'ouest, les quelques bâtiments historiques ayant échappé aux ravages de la guerre – les élégantes résidences de Savignyplatz ou, de-ci de-là, un hôtel particulier fin de siècle – faisaient penser aux deux ou trois passagers survivants d'un avion de ligne accidenté émergeant, hagards, de la carlingue déchiquetée. C'était encore un paradoxe de Berlin et de sa partition que les vainqueurs aient reçu pour lot la portion de la ville la plus abîmée par le conflit, obligeant la nouvelle République à la reconstruire dans un mélange de styles modernistes à l'énergie un peu désordonnée ; à l'est, au contraire, de nombreux quartiers étaient restés presque intacts malgré la férocité du pilonnage aérien, et la grande majorité des immeubles qui entouraient Alexanderplatz avaient échappé à la destruction. La RDA n'avait pas les moyens de leur redonner leur éclat passé, tandis que l'esthétique architecturale communiste se résumait à l'omniprésence brutale du béton armé.

C'est ainsi que, laissant derrière moi la magnificence flétrie de l'université, du Staatsoper et de l'extraordinaire Berliner Dom, dont la coupole encore noircie par la fumée rappelait un passé très proche, je suis tombé sur l'un des édifices publics les plus laids que la RDA ait jamais conçus : le Palast der Republik, à la fois Parlement et siège central d'un parti unique qui remportait toutes les élections avec quatre-vingt-dix pour cent des voix, une espèce de boîte en béton imposant sur des hectares ses surfaces anguleuses et d'un gris grumeleux. Staliniste à l'extrême, ce palais du peuple était le reflet de la barbarie esthétique représentée par le Mur, un condensé de la philosophie de la hiérarchie est-allemande pour qui le pouvoir rédempteur de la beauté et de l'harmonie n'était qu'une chimère. Dur, froid et rude comme la vie sous sa dictature.

Remontant Unter den Linden, j'ai débouché sur l'un des lieux les plus emblématiques de la littérature allemande moderne, Alexanderplatz, l'espace narratif du célèbre roman éponyme d'Alfred Döblin, publié en 1929. *Berlin Alexanderplatz* n'est pas seulement le portrait panoramique des bas-fonds de ce qui était le centre même de Berlin, mais aussi l'une des plus grandes œuvres à avoir vu le jour durant la république de Weimar, cet âge d'or de l'entre-deux-guerres pendant lequel l'Allemagne allait se réaffirmer comme la grande source d'innovation artistique de l'époque. Ce qui se créait alors à Berlin – depuis la collaboration entre Bertolt Brecht et Kurt Weill jusqu'à Walter Gropius et l'école du Bauhaus en passant par la forme du *Bildungsroman* à la Thomas Mann ou l'avant-gardisme des premiers films de Fritz Lang, ce court triomphe de folle liberté et de tolérance – allait bientôt être écrasé sous la botte nazie.

Grâce aux photographies de l'Alexanderplatz que j'avais vues, je savais que la zone avait été très abîmée au cours de la dernière guerre, et que les autorités de la RDA avaient jugé bon d'édifier un symbole écrasant de leur conception du progrès, une immense tour de télévision, juste au milieu du théâtre des bombardements. Je ne m'attendais cependant pas à constater qu'elles avaient aussi transformé le quartier en une sorte de banlieue formée de barres de logements interminables, de mornes alignements et de magasins d'État vides. Pas la moindre couleur, pas la moindre végétation, rien qui puisse rendre cette désolation urbaine un tant soit peu tolérable.

Je suis entré dans un café en face de l'arrêt de tramway d'Alexanderplatz. Linoléum, néons grésillants, une vague odeur de graisse et de chou trop cuit. J'ai pris place à une table, observé par la femme corpulente aux cheveux constellés de bigoudis qui se tenait seule derrière le comptoir.

166

— *Ja ?* m'a-t-elle lancé d'une voix lasse.

— Café, s'il vous plaît.

En attendant d'être servi, j'ai sorti mon calepin pour noter mes impressions depuis que j'avais passé Checkpoint Charlie. Tout en laissant aller ma plume, j'ai allumé une Marlboro.

— Je peux en avoir une ?

Levant la tête, j'ai aperçu un type de mon âge. Cheveux noirs coupés court, peau cuivrée, blouson en cuir fauve élimé et jean délavé à l'excès. Il avait un paquet de f6 et une tasse devant lui.

— Servez-vous, ai-je répondu en lui lançant la boîte rouge et blanc, qu'il a rattrapée au vol.

— À Luanda, on en trouve, des Marlboro, a-t-il dit en s'emparant d'une cigarette et en l'allumant avant de me renvoyer le paquet.

— Vous êtes angolais ?

— Exact. Comment vous savez où c'est, Luanda ? Vous y avez été ?

— Non, mais j'aime bien étudier les cartes. Qu'est-ce que vous faites à Berlin-Est ?

— Encore à venir embêter les gens, celui-là !

Cette interruption était due à la tenancière, qui venait de m'apporter mon café tout en me désignant le jeune Africain du menton.

— Je n'arrête pas de lui dire que je ne veux pas de gens de son espèce ici mais rien à faire, il revient tout le temps.

— Il ne me dérange pas, ai-je rétorqué, et qu'est-ce que vous entendez par « son espèce » ?

167

Elle m'a fusillé du regard, posant la tasse si brusquement sur ma table qu'une partie du contenu s'est déversée dans la soucoupe.

— Trente pfennigs.

— Une cigarette ? ai-je suggéré en lui tendant le paquet.

Elle en a pris une sans hésiter avant de disparaître dans la cuisine située derrière le comptoir.

— Elle me déteste, a chuchoté mon interlocuteur.

— Je crois qu'elle déteste tout le monde.

— Ça, c'est vrai ! Est-ce que je peux… ?

Il a fait un signe de la main en direction de la chaise vide en face de la mienne.

— Bien sûr.

J'ai commis l'erreur de tremper mes lèvres dans le café, qui avait une couleur de pissat brunâtre, et un goût à l'avenant.

— Tu es américain ? m'a-t-il interrogé.

— Eh oui.

— Avec un permis d'une journée ?

— Oui.

— Ça doit être super, Berlin-Ouest…

— Tu n'y es jamais allé ?

— Pas le droit.

— Mais pourtant tu n'es pas d'ici, donc…

— Ça fait partie des conditions de ma bourse d'études. Ils ne me laissent pas sortir du pays, sauf pour retourner à Luanda. Et comme j'en ai pour trois ans…

— Des études de quoi ?

— D'ingénieur chimiste.

— Le niveau est bon ?

— Les profs savent de quoi ils parlent. Mais les étudiants… Je n'ai pas d'amis, sauf deux autres Angolais. Avant d'arriver ici, on m'a dit que la RDA accueillait bien les Africains des « pays frères socialistes ». Que les filles se jetaient à ton cou. La vérité, c'est que tout le monde fait comme si je n'existais pas. Moi, j'aimerais rentrer au pays, mais mon père me dit que sa situation au sein du Parti à Luanda sera difficile si j'abandonne mes études.

Il parlait à voix basse. La femme, de retour derrière le comptoir, nous surveillait avec des yeux désapprobateurs, cherchant à surprendre des bribes de ce qu'il disait. Je n'ai pas été étonné qu'il éprouve le besoin de se confier aussi soudainement, et qu'il le fasse avec une telle facilité. Quand votre voisin dans l'avion se met à partager avec vous ses plus noirs secrets, vous vous rendez vite compte que, petit *a*, ce qui le ronge doit forcément sortir à un moment ou un autre et, petit *b*, qu'il sait que vous êtes complètement en dehors de ses circuits habituels, que vous ne pouvez avoir aucun impact sur sa vie.

— Je peux ? a-t-il demandé en désignant le paquet de Marlboro.

— Vas-y. Et garde-les.

— Tu es sûr ? a-t-il demandé, réellement étonné.

— Mais oui.

La femme du comptoir s'est renfrognée encore plus.

— Elle va raconter ça, c'est couru. J'habite en face, je viens souvent prendre un café ici, même s'il est dégueulasse. Il n'y a nulle part d'autre où aller, dans le coin. Elle va s'empresser de leur dire que j'ai parlé à un étranger. Bah, avec un peu de chance, ils m'expulseront… – Il s'est levé, fourrant le paquet dans sa poche. – Merci pour les cigarettes.

Et il est sorti. Je suis revenu à mes notes en laissant refroidir l'horrible boisson dans ma tasse et en jetant parfois un coup d'œil à la tenancière. Juchée sur un tabouret près du réfrigérateur, elle fumait, le regard perdu sur les plaques jaunies au plafond. Toute son attitude exprimait la lassitude et la morosité. Les Allemands ont une expression très éloquente pour décrire cet état : *Weltschmerz*, littéralement la « douleur du monde »… J'aurais donné cher pour connaître ce qui la rongeait. Alors je lui ai posé la question :

— Mauvaise journée ?

Bien que m'ayant parfaitement entendu, elle a poursuivi sa contemplation du plafond et je n'ai obtenu pour réponse qu'un haussement d'épaules. Finalement, j'ai repris mes affaires, je me suis levé et, avec un simple *Auf Wiedersehen*, je me suis dirigé vers la sortie.

— Je peux avoir une autre cigarette ? a-t-elle dit derrière moi.

Je me suis approché du comptoir, sur lequel j'ai posé mon troisième et dernier paquet de Marlboro.

— Gardez-les.

— Pas besoin, a-t-elle fait. Juste une. C'est tout.

J'ai ouvert la cellophane, elle a sorti une cigarette, l'a glissée derrière son oreille après un hochement de tête en guise de remerciement, et elle s'est replongée dans ses rêveries. La communication était terminée. Il ne me restait plus qu'à m'en aller.

J'ai passé le reste de l'après-midi à vagabonder dans deux quartiers, Mitte et Prenzlauer Berg, qui avaient leur personnalité et leur intérêt architectural propres, d'autant que les bombes alliées les avaient eux aussi relativement épargnés. Même si quatre décennies d'indifférence les avaient laissés dans un triste état, les immeubles d'habitation datant du XIXᵉ étaient à taille humaine, ici, contrairement aux blocs stalinistes caractéristiques d'Alexanderplatz et de ses abords. Du coup, on sentait qu'une certaine vie locale subsistait sans être sous le joug du contrôle étatique. D'accord, la peinture des façades pelait et les quelques boutiques devant lesquelles je suis passé étaient presque vides, mais dans le petit parc de Kollwitzplatz, le cœur de Prenzlauer Berg, des mères poussaient leurs enfants sur des balançoires ou bavardaient sur les bancs en fumant. On en oubliait presque l'austérité de leurs vêtements, l'archaïsme des équipements de jeu. On en oubliait même qu'une gigantesque affiche au coin d'un bâtiment exhortait le peuple à « remplir les objectifs du Plan » sous le portrait arrangé de l'inamovible chef de l'État, Erich Honecker, qui, avec ses lunettes à grosse monture noire, ses cheveux d'un gris éteint et son air sévère, ressemblait à un inspecteur des impôts.

Ce qui comptait, c'étaient ces gamins qui jouaient à se poursuivre et ces femmes conversant entre elles, car ils me rappelaient qu'un quotidien connu et rassurant survivait au-delà de l'apparence hostile et fermée de Berlin-Est. Il y avait des repas à préparer, des chambres à ranger, des petits à aller chercher à l'école, des bus ou des tramways à prendre pour se rendre au travail, des fonctions à assumer, puis le retour à la maison, le dîner, le livre ou la télévision – ou même une distraction extérieure, un film, un concert, une pièce de théâtre… – qui occuperaient la soirée, et ensuite le lit avec éventuellement les plaisirs – ou les tourments, pour certains – du sexe, suivis d'un sommeil profond ou troublé. La répétition de telles journées, leur routine presque immuable, définit pour la majorité d'entre nous les contours de ce que nous percevons de notre existence. Le couple épanoui ou malheureux, le travail qui passionne ou accable, l'intimité qui exalte ou exaspère, toutes ces satisfactions et ces incertitudes, la palette entière de l'expérience humaine, existent dans toutes les formes de société, qu'elles soient ceintes de murs ou non.

À la nuit tombée, j'ai avisé un restaurant assez glauque près de Kollwitzplatz où, là encore, l'espace était livré au lino, aux néons et aux relents de chou bouilli. J'ai pris deux petits verres de vodka polonaise qui m'ont procuré une agréable sensation de chaleur, commandé une escalope panée qui s'est révélée graisseuse et insipide. Je me suis rincé la bouche avec deux bouteilles de bière locale, tout à fait buvable, d'autant que combinée à la vodka elle m'a fait plaisamment tourner la tête. Un mark cinquante, tel a été le prix modique de ces agapes. À ma montre, il était vingt heures.

Remontant Prenzlauer Allee, j'ai pris un tram pour Alexanderplatz avant de descendre dans les couloirs du U-Bahn. J'ai dû quitter la rame à Stadtmitte : si la ville avait été unifiée, Kochstrasse aurait été la prochaine station, mais la ligne est-allemande s'interrompait brusquement à Stadtmitte. Il ne me restait plus qu'à marcher jusqu'à Friedrichstrasse, cette fois en direction de l'ouest, avec les portes de Checkpoint Charlie devant moi. Il n'était pas si tard mais la ville semblait s'être claquemurée pour la nuit. Je savais que je reviendrais bientôt à Berlin-Est, que j'irais à l'opéra, ou à un spectacle du Berliner Ensemble, ou que je dénicherais un club de jazz, et que j'essaierais de décrypter un peu plus cette cité impénétrable. Comme la neige s'est mise à tomber plus fort et que tout était fermé autour de moi, je me suis résigné à conclure cette première exploration.

Arrivé en pataugeant à la barrière basculante, je me suis senti transi de froid. J'étais le seul à passer la frontière. Un garde sorti de sa cahute m'a ouvert pour que je puisse entrer dans la zone douanière. Malgré ce temps de chien, trois policiers debout dans le froid devant la guérite m'ont observé quand je suis entré pour présenter mon passeport.

— Avez-vous de la contrebande avec vous ? m'a demandé le douanier.

J'ai l'air si fou que ça ? ai-je failli rétorquer, mais je me suis contenté de répondre poliment par la négative.

— Vous n'avez rien acheté ?

Parce qu'il y aurait quelque chose à acheter ? ai-je pensé.

— Non.

Il m'a dévisagé, guettant une trace de nervosité ou d'anxiété, mais j'étais simplement gelé. Après avoir assené son tampon sur le document, il me l'a rendu.

— Passez.

Je lui ai adressé un bref signe de tête. Au dernier filtre avant le portail massif qui donnait sur le secteur américain, j'ai remarqué qu'il y avait encore trois gardes de service. L'un d'eux a vérifié une ultime fois mon visa de sortie, tandis que les deux autres – du moins est-ce l'impression que j'ai eue – le surveillaient.

À cette frontière, les guetteurs étaient-ils guettés, eux aussi ? Était-ce une société où tout le monde gardait l'œil sur tout le monde, afin que personne ne s'en échappe ?

Le garde a peut-être lu dans mes pensées car il m'a lancé sèchement en me remettant mon passeport :

— Vous pouvez y aller.

En quelques pas, j'étais de retour à l'Ouest. Avant d'entrer dans le métro, je me suis retourné pour regarder une dernière fois Checkpoint Charlie, mais même cette porte massive avait disparu derrière les rafales de neige, la neige qui ensevelit et purifie tout, effaçant ce que nous préférons ne pas voir.

6

Quand j'ai regagné l'atelier, Fitzsimons-Ross était en plein travail. Armé d'un pinceau, il appliquait vigoureusement une base de bleu sur une nouvelle toile. La stéréo beuglait une sorte de free jazz radicalement cacophonique ; quant à lui, il faisait penser à quelque membre d'une tribu touareg tant il était couvert de bleu sombre. En le regardant se balancer sur cette musique brutale et envoyer sa main avec une fluidité et un savoir-faire renversants, je me suis à nouveau émerveillé de voir comment il s'immergeait entièrement, à quel point il s'absorbait dans le plaisir, la jouissance de se perdre au sein de l'acte créateur tout en arrivant à contrôler la trajectoire de ses gestes et de ses visions. C'est en effet la grande consolation que peut offrir l'art : lorsque vous créez, vous avez un véritable pouvoir sur les choses. Une fois que le tableau est entre les mains de votre directeur de galerie, ou votre manuscrit chez votre éditeur, vous ne les « possédez » plus, vous n'avez même plus de contrôle sur leur destinée ; en revanche, quand vous y travaillez, ils n'appartiennent qu'à vous. Et assez souvent, dans l'acte créatif, il y a des moments d'urgence absolue tels que celui que j'avais alors sous les yeux. Un étrange déclic se produit dans votre cerveau : vous ne supputez plus la phase suivante, vous ne cogitez plus, vous ne « pensez » même plus. Vous œuvrez, c'est tout. Le travail a pris le dessus, vous êtes attiré et maintenu dans son épicentre et c'est presque être « possédé » que de se faire emporter par cette force qui vous pousse toujours plus en avant.

Oui, en l'observant avec son pinceau, je n'ai pu que penser : Voilà, c'est ça. L'instant. L'abandon amoureux le plus débridé qui soit. L'amour pur, fou…

Et comme je ne voulais surtout pas l'interrompre, je suis monté tout doucement à mon studio. Un bout de papier attendait sur ma table, avec quelques mots écrits à la hâte : « *Retourner à l'*Istanbul Café *cet aprèm'. Le patron dit que la secrétaire d'un certain Wellmann a téléphoné aujourd'hui, et que vous devez la rappeler.* » Suivait un gribouillis que j'ai déchiffré comme la signature d'Alastair.

En bas régnait un vacarme infernal mais, bien que vanné après ma longue journée, je savais qu'intervenir une nouvelle fois à ce sujet couperait net son élan créatif. Donc, j'ai ouvert une bouteille de vin et mon carnet, dans lequel j'ai entrepris de noter les derniers détails de ma virée à Berlin-Est. À quatre heures, la musique s'est tue d'un coup et comme je n'étais pas couché je me suis risqué à l'étage inférieur. Fitzsimons-Ross était assis à la table de la cuisine, une bouteille de vodka et un verre devant lui. Il paraissait épuisé, hagard et était aussi éclaboussé de peinture que s'il était resté dans la ligne de tir de Jackson Pollock. Il a allumé une gauloise et rempli son verre pendant que je m'arrêtais devant la toile à laquelle il venait de travailler. Les rectangles bien nets tellement caractéristiques de ses œuvres précédentes étaient ici brouillés aux angles, produisant un effet hypnotique, comme si la géométrie rigoureuse d'avant perdait de sa précision, de ses certitudes. Quant au bleu du fond, il n'évoquait plus du tout le ciel de Santorin par un midi d'été mais avait pris des nuances plus sombres, plus tourmentées, d'un chromatisme complexe. Cela reflétait un état d'esprit plus proche de Berlin que de la Grèce, même si je n'aurais jamais osé lui soumettre cette idée par crainte de me faire insulter. C'est lui qui a rompu le silence. Il a levé de son verre des yeux qui en dépit de l'heure tardive et du marathon artistique auquel il venait de se livrer gardaient toute leur étonnante incandescence, cet éclat qui ne se ternissait que quand il s'était administré sa dose de drogue biquotidienne.

— Je ne vous ai pas entendu rentrer, a-t-il dit d'une voix calme.

— Vous étiez occupé.

— Et vous ne m'avez pas dit de couper la musique.

— Je ne voulais pas déranger. Vous aviez l'air plutôt… impliqué.

— Vous m'avez espionné, alors ?

— C'est très bon, cette toile.

— Ce n'est pas une « toile », c'est un foutu tableau.

— Quoi qu'il en soit, j'aime beaucoup.

Fitzsimons-Ross a haussé les épaules. Se détournant, il a attrapé quelque chose sur l'étagère derrière lui.

— J'ai commencé à lire cette saleté.

Il m'a jeté un livre : mon voyage en Égypte.

— Où vous l'avez trouvé ?

177

— Je l'ai acheté, figurez-vous.

— Ah bon ?

— Ne prenez pas ce putain d'air éberlué. Sur Kant-strasse, pas loin du café *Paris*, il y a une librairie de langue anglaise et donc… Thomas Nesbitt en Égypte !

— Je suis flatté.

— Je n'ai pas dit que j'aimais.

— Vous n'aimez pas ?

— Pour être honnête, j'ai trouvé que c'était plutôt bien fichu, pour un premier bouquin. Et je ne « flatte » pas, moi. Vous avez du talent, vous êtes un excellent observateur…

— Et ? J'ai l'impression qu'un « mais » va suivre.

— Il y a un « mais », sauf que ce n'est pas une critique, simplement un constat.

— Lequel ?

— Vous n'avez pas encore été suffisamment baisé par la vie. Vous pensez sans doute le contraire. Oh, je sais, les parents insatisfaits, et deux ou trois histoires de nanas qui n'ont abouti à rien, en grande partie parce que vous étiez incapable de vous engager…

— Je n'ai jamais dit ça.

— Pas besoin, Tommy Boy. C'est inscrit sur votre foutu front : « S'il te plaît, aime-moi mais n'essaie pas de me piéger »…

— Vous êtes dur, ai-je répliqué tout en me disant : Comment diable a-t-il pu me percer à jour aussi bien ?

— Peut-être, mais j'ai mis dans le mille, non ? Et pourquoi j'en suis certain ? Parce que je suis taillé dans la même étoffe rigide que vous, mon enfant. Il faut que vous vous laissiez attendrir et amocher, Tommy Boy. Ça vous fera sortir de votre damnée clairvoyance, dont vous êtes abondamment pourvu pour l'instant, et ça vous transportera dans des territoires plus inquiétants. Enfin, ne me prenez pas trop au mot, là-dessus. Après tout, pour aplanir le terrain accidenté sur lequel j'opère, j'ai besoin de mes deux fix par jour.

— Vous n'avez jamais été amoureux ?

— Des tas de fois.

— Sérieusement, je veux dire.

D'un doigt, il a désigné la bouteille de vodka et la chaise libre près de lui. Je suis allé prendre un verre dans le placard avant de le rejoindre. Il m'a versé une rasade, puis il a poussé son paquet de Gauloises vers moi.

— « Sérieusement » ? a-t-il répété en imitant mon accent d'un ton moqueur. Si j'ai « sérieusement » aimé ?

— C'était la question, oui.

— Eh bien, « sérieusement », oui.

— Et ?

Il a vidé sa vodka, s'en est servi une autre sur-le-champ.

— La vieille histoire : j'ai cru avoir rencontré la personne avec qui je voulais passer toute ma vie. Un galeriste de Londres. Pas « ma » galerie, je ne mélange jamais vie professionnelle et vie privée. Frederick avait sa propre affaire et s'est toujours tenu à l'écart des miennes. Il avait vingt-six ans de plus que moi, d'ailleurs. Ancien élève de la Harrow School, Oxford-Cambridge, très chic, très aristo. Tout ce que je déteste – et admire en secret – chez ces foutus Britanniques. Issu d'une famille connue, il dissimulait son homo-sexualité le mieux possible. Il avait épousé une pauvre fille plutôt idiote, du même milieu que lui et qui était donc forcément blonde et s'appelait forcément Amanda. Lorsqu'elle a finalement découvert son « vilain petit secret », elle l'a fait écorcher vivant par ses avocats. Entre-temps, j'étais entré dans son existence. À ce moment, il était déchiré entre le désir de vivre comme il le voulait et le besoin d'assumer une vie « normale ». « Sauver les apparences », pareil que mon père, toutes ces foutaises à la Terence Rattigan…

» Quand on s'est rencontrés, ç'a été parfait, pour lui comme pour moi. À tous les niveaux. L'harmonie totale. Au bout de quelques semaines, bam ! il a décidé de s'installer avec moi. J'habitais alors un studio à Hackney, un truc épouvantable mais donné. Frederick nous a trouvé un petit appartement à Mayfair, une merveille. On vivait ensemble, on se montrait ensemble, on était un « couple », même si ça se passait il y a sept ans et si les préventions contre ce genre de choses restaient très fortes. Frederick a payé très cher d'assumer publiquement notre relation, sur le plan financier et social. « Pourquoi est-ce que je devrais cacher que je suis heureux pour la première fois de ma vie ? » – c'est ce qu'il m'a dit la veille de sa mort. Et ça, venant de quelqu'un qui, même quand je l'ai connu, était resté terriblement dépendant des conventions…

— Comment est-il mort ?

— En un clin d'œil. Un infarctus dans son bureau, à la galerie. Au milieu d'une conversation téléphonique. Son cœur a lâché, comme ça. Trop de cigarettes, de viande saignante et de contradictions dans lesquelles il se débattait depuis toujours… Il n'avait que cinquante-trois ans et nous n'avions été ensemble que huit mois – huit mois fantastiques. Dieu sait si Frederick avait ses côtés ombrageux et vous avez vu par vous-même que je ne suis pas moi-même un modèle d'équanimité. Mais comment dire ? Pendant ces huit mois, je me suis réveillé chaque matin en me disant : Je suis avec Frederick et la vie est fantastique ! Jamais encore je n'avais adopté une approche aussi positive de l'existence. Ce que sa mort a détruit. Pour toujours.

— Ne soyez pas si catégorique.

— Oh si, je le suis, absolument ! Je ne vois que trop bien la réalité des choses, j'ai eu mon « moment de grâce », comme on dit, et maintenant…

— Il y aura d'autres rencontres, peut-être une autre relation aussi forte…

— Vous voulez jouer à l'optimiste béat ? Non, cette partie de ma vie est morte et enterrée. Et je n'essaierai pas d'y revenir. D'ailleurs, je suis très content de mon petit arrangement avec Mehmet : trois fois par semaine, pas d'engagement, pas de liens.

— Mais vos tableaux se font plus sombres.

— Peut-être parce que j'en suis arrivé à accepter entièrement ma situation. J'ai mon travail, un amant pour la satisfaction de besoins basiques, je vends suffisamment pour avoir de quoi financer mes vices, et grâce à votre loyer j'ai pu enfin faire taire les récriminations et les menaces de ma crapule de propriétaire. C'est une existence relativement raisonnable, pour un camé. – Il a écrasé sa cigarette. – À propos : vous avez largement dépassé votre heure d'aller au lit, jeune homme. Quant à moi, vous savez que j'ai besoin de mon « médicament » pour arriver à dormir, et comme j'ai l'impression que la vue d'une seringue vous met mal à l'aise, mauviette que vous êtes…

— Compris, ai-je fait en me levant pour regagner l'escalier en colimaçon.

Le lendemain, je me suis réveillé à midi, ou plutôt j'ai été tiré du sommeil par les bruyantes effusions de Fitzsimons-Ross et de Mehmet. Une nouvelle fois, j'ai mis la radio à plein volume pour couvrir leurs ébats. Après le petit déjeuner et la douche, j'ai attendu que la porte claque, signalant le départ de Mehmet, pour m'aventurer en bas. Comme toujours après ses rendez-vous, Fitzsimons-Ross mélangeait des teintes, tendait des toiles sur leur cadre, faisait des croquis, activités préparatoires au « retour au vrai boulot », comme il disait. En me voyant passer alors que je me préparais à descendre au café pour téléphoner, il m'a lancé un regard circonspect où se lisait une pointe d'embarras.

— Je crois que j'ai eu une attaque de verbiage inconsidéré, cette nuit, a-t-il commencé en posant la palette sur laquelle il préparait ses couleurs.

— Ah bon ? Je n'ai pas remarqué.

— Parler de soi-même comme ça, c'est tellement pénible. Tellement américain.

— Ou irlandais. Je vous rapporte quelque chose, puisque je sors ?

— Deux paquets de Gauloises et une autre bouteille de Wyborowa, m'a-t-il demandé, citant la marque de vodka polonaise qu'il buvait toujours. Il y a trente marks dans la poche du blouson pendu près de la porte.

Ledit blouson, en cuir marron de bonne qualité mais tout usé, était accroché au portemanteau victorien de l'entrée. Plongeant ma main dans la poche intérieure, j'ai sorti non seulement une liasse de billets mais aussi un petit sachet de poudre blanche entouré d'un élastique.

— On dirait que vous avez oublié quelque chose, ai-je fait remarquer en revenant lui apporter ce qui était de toute évidence une réserve d'héroïne.

— Ça alors ! Je pensais l'avoir perdu.

J'ai lâché le sachet dans la main qu'il me tendait.

— C'est retrouvé, alors.

— Et là où je n'ai même pas eu l'idée de chercher ! Doux Jésus, quelle tête de linotte je suis…

Une fois arrivé à l'*Istanbul*, j'ai demandé un café et le téléphone, qu'Omar a posé sur le comptoir. J'ai ouvert mon calepin et composé le numéro du bureau de Jerome Wellmann. La cerbère habituelle m'a répondu. Quand je me suis présenté, elle s'est montrée aussi glaciale que la dernière fois :

— Herr Wellmann vous recevra demain à onze heures. Vous avez notre adresse ?

— Oui, je suis libre à cette heure-là demain, ai-je rétorqué, et, non, je n'ai pas votre adresse.

— Notez, alors. Munissez-vous d'une pièce d'identité. Vous ne serez pas admis, autrement. Et soyez ponctuel, car Herr Wellmann a un emploi du temps surchargé.

Le lendemain, je suis arrivé aux locaux de Radio Liberty avec un bon quart d'heure d'avance. J'avais revêtu ma seule veste un tant soit peu présentable, en velours brun avec des protège-coudes en daim, un col roulé noir et un jean bleu marine que j'avais même repassé pour la première fois depuis mon arrivée à Berlin. Très Greenwich Village année 1955, la tenue.

Ne manquait plus qu'un recueil de poèmes d'Edna Saint Vincent Millay dépassant de la poche.

La radio était installée à Wedding, une zone industrielle dominée par l'énorme QG du géant pharmaceutique Bayer, un édifice d'avant-guerre qui m'a sauté aux yeux dès que je suis sorti du métro. Chausseestrasse, un ancien point de passage désormais fermé, se terminait au pied du Mur, lequel bloquait l'horizon à l'est. Radio Liberty se trouvait sur Hochstrasse, à deux pâtés de maisons de là, non loin du Volkspark Humboldthain : un bâtiment bas en brique, sans aucun signe distinctif, qui aurait pu être une ancienne fabrique d'outils de précision mais où les impératifs de sécurité étaient très visibles puisqu'il était entouré d'un haut grillage surmonté d'une guirlande de barbelés. Une caméra surveillait le portail devant lequel je me suis arrêté pour sonner ; immédiatement, un colosse en uniforme bleu est sorti de la guérite installée de l'autre côté de l'enceinte.

— *Ja ?*

Sous son regard méfiant, j'ai exhibé mon passeport et expliqué que j'étais attendu par Herr Wellmann. Après avoir pris ma pièce d'identité et m'avoir ordonné d'attendre, il est rentré dans la guérite en me laissant piétiner dans le froid mordant. Une dizaine de minutes plus tard, il est revenu.

— Vous allez tout droit à la porte avec le panneau « RÉCEPTION ». Frau Orff sera là pour vous accueillir.

— Qui est-ce ?

— La secrétaire de Herr Wellmann.

Super.

— Je peux récupérer mon passeport ?

— À la sortie.

Je n'ai pas protesté. J'étais sûr de me retrouver devant une haridelle sèche et anguleuse, du genre gardienne de prison ou mère supérieure, mais Frau Stassi Orff s'est révélée être une femme extrêmement séduisante : la quarantaine, grande et mince, avec de longs cheveux châtains laissés libres et un sourire ironique animant un visage qui aurait pu être celui d'une actrice de cinéma française, elle était ultra-chic dans sa jupe en cuir noir et son chemisier en soie rouge. J'ai tout de suite noté son alliance et mon regard ne lui a pas échappé, pas plus que l'impression qu'elle produisait sur moi, ce qui expliquait le sourire mutin. En revanche, sa poignée de main était énergique et son ton complètement professionnel quand elle m'a accueilli d'un :

— Herr Nesbitt. C'est un plaisir de vous rencontrer.

Me précédant hors de la réception, qui ressemblait à une salle d'attente de médecin, elle m'a fait traverser un immense espace où des dizaines de bureaux étaient séparés par des cloisons amovibles. Nous marchions vite, et j'étais trop occupé à éviter de contempler le balancement de ses hanches devant moi pour prendre le temps de remarquer les occupants de cette fourmillière. Au fond, il y avait deux grands studios d'enregistrement présentant une paroi en verre double et, au milieu, une porte sur laquelle une plaque annonçait : « JEROME WELLMANN, DIREKTOR. »

Frau Orff l'a ouverte et nous sommes entrés dans une antichambre décorée d'affiches de la station remontant aux années 50. La table impeccablement rangée de cette secrétaire de rêve était juste à côté d'une seconde porte, à laquelle elle a tapé deux coups légers.

— *Kommen Sie doch herein.*

Elle est entrée à l'intérieur en me faisant signe d'attendre, ressortant quelques secondes plus tard.

— Herr Direktor va vous recevoir.

J'avais bien choisi ma tenue vestimentaire car Jerome Wellmann portait un costume en velours vert et un col roulé brun foncé. Il avait une petite cinquantaine d'années, une tête tout en longueur que bordait une barbe soigneusement taillée. Son bureau était tapissé de livres et de cadres avec des photos de lui en compagnie de diverses sommités politiques – Gerald Ford, Jimmy Carter, Helmut Schmidt – et de célébrités du monde de la culture telles qu'Ayn Rand, Mstislav Rostropovitch, Kurt Vonnegut, Leonard Bernstein... Tous étaient évidemment venus visiter la radio pendant quelque voyage à Berlin, mais j'ai trouvé intéressant que Wellmann ait décidé de juxtaposer les photos d'artistes américains connus pour leur engagement à gauche comme Vonnegut et Bernstein à celle d'Ayn Rand, la muse philosophique de l'ultralibéralisme capitaliste. Le message était clair : Radio Liberty ne voulait pas être le porte-voix de l'Amérique conservatrice. L'apparence même de son directeur, que l'on aurait très bien vu donner des cours sur Kant à l'université Columbia, prouvait qu'il n'était pas un tenant de la guerre froide comme tant d'autres.

Après m'avoir invité à prendre place dans le fauteuil devant son bureau, il est entré directement dans le vif du sujet, d'abord en anglais :

— Vous savez certainement que notre station dispose d'installations à Vienne, Hambourg, Trieste et Munich. Ces postes ont généralement des départements spécifiques qui émettent en langue polonaise, bulgare ou tchèque. Ici, compte tenu de notre position particulière, nous nous concentrons exclusivement sur des programmes conçus pour nos auditeurs de la RDA. D'où une question importante : *Wie fliessend ist ihr Deutsch ?*

Quel est votre niveau en allemand ?

Pendant la demi-heure suivante, Jerome Wellmann a tenu à s'en faire une idée en conversant uniquement *auf Deutsch* avec moi, et je ne m'en suis pas trop mal sorti. Il m'a interrogé sur mes études, mon livre à propos de l'Égypte, ma vie à Kreuzberg – j'avoue que je ne lui ai pas donné tous les détails concernant ma cohabitation avec Fitzsimons-Ross –, et il s'est montré particulièrement intéressé par mes impressions après ma première incursion à Berlin-Est. Là, le conteur en moi a pris le dessus et je me suis lancé dans un récit complet de ma rencontre avec la fille dans la librairie et avec l'étudiant angolais, non sans revenir sur mes réactions viscérales à la vue du Mur. Finalement, il a levé une main.

— D'accord, vous m'avez convaincu. Nous avons une plage juste après le principal bulletin d'informations de vingt heures. Le titre est simplement « Vu d'ailleurs ». Le format est un billet radiophonique pour lequel nous donnons carte blanche à un journaliste ou à un écrivain afin qu'il raconte sur un ton personnel un voyage ou un événement récent. Cette émission passe sur nos deux services, en allemand et en anglais. Nous avons plusieurs traducteurs dans l'équipe permanente, qui travailleront avec vous sur le texte que vous nous fournirez, et ensuite nous avons recours à des acteurs berlinois pour lire ce billet en allemand. Sur le service en anglais, vous le direz vous-même. Je voudrais que vous écriviez quelque chose qui reprenne à peu près tout ce que vous venez de me raconter, dans le style « Ma première fois de l'autre côté » ou tout autre titre que vous choisirez. Je laisse toujours les auteurs entièrement libres, et votre approche semble tout à fait correspondre à l'orientation de notre station. Mettez-y de l'humour, et n'oubliez pas que nous ne prétendons pas faire la leçon à nos auditeurs, leur imposer une vision manichéenne des choses, « ça, c'est bien, ça, c'est mal ». Nous préférons montrer la réalité dans sa complexité. Inutile de préciser que cela nous a créé plus d'un problème avec certains fervents patriotes de Washington qui estiment que nous devrions passer *God Bless America* toutes les cinq minutes. Ils ne comprennent pas que nous sommes un outil propagandiste bien plus efficace en ne présentant pas l'Ouest comme une sorte de paradis chimérique et en montrant que nous pouvons critiquer notre propre société.

» Si cette première contribution est satisfaisante, nous vous ferons d'autres propositions. Toutefois, vous devez comprendre que notre budget est modeste. Nous appliquons les tarifs de la radio publique, c'est-à-dire que je suis en mesure de vous donner deux cents dollars pour votre texte, ce qui inclut la rémunération pour le lire à l'antenne. Si ce n'est pas suffisant, je crains que…

Deux cents dollars, cela représentait cinq cent soixante deutschemarks, à l'époque. De quoi couvrir mon loyer et l'essentiel de mes dépenses courantes.

— C'est très bien, lui ai-je assuré.

— Excellent ! Votre texte pourra être prêt la semaine prochaine ? Je vais prévenir le producteur que je mets avec vous Pavel Andrejewski. Polonais, comme vous l'avez déduit, mais il maîtrise parfaitement l'allemand, de même que tous ceux qui travaillent ici. Il est en séance d'enregistrement, là, mais il devrait avoir terminé dans cinq minutes. Si vous vous entendez bien tous les deux, il n'y aura aucun problème. Je dois cependant vous prévenir que Pavel peut être difficile, mais c'est l'un de mes meilleurs producteurs. Nous avons plusieurs programmes à fournir, il y aura donc toujours du travail pour vous, d'autant que nos contributeurs extérieurs se sont révélés souvent imprévisibles. Faites-lui bonne impression et tout ira bien.

Le téléphone a sonné sur son bureau. Il a décroché, a écouté deux secondes et il a dit :

— *Schicken Sie herein.* (Faites-la entrer.)

La porte s'est ouverte et une jeune femme est apparue. Elle avait juste la trentaine, ai-je estimé. De taille moyenne, extrêmement mince, des cheveux auburn coupés au bol, une jupe en jean avec un collant noir et un tee-shirt à manches longues également noir. Elle avait une cigarette allumée à la main, une liasse de papiers dans l'autre. J'ai tout de suite remarqué qu'elle se rongeait les ongles, comme moi, que son collant avait filé sur le genou droit, et que ses bottines noires n'avaient pas été cirées depuis longtemps… Si je me suis attaché à ces petits détails, c'est que, sans que j'en

189

aie conscience sur le moment, j'évitais de regarder son visage, son teint clair et limpide, ses yeux bruns un peu cernés par le manque de sommeil mais qui irradiaient un mélange bouleversant de tristesse, de douceur et d'attente de quelque chose. C'était une femme qui avait connu la souffrance mais tenait à rester digne devant le reste du monde, ai-je perçu immédiatement. Le seul fait qu'elle ne semble pas se soucier de détails de son apparence comme un accroc à son collant, ou qu'elle puisse révéler sa vulnérabilité sans essayer de masquer ses ongles mordillés sous une couche de vernis, m'a aussitôt séduit. Sans doute parce que je l'ai trouvée belle, incroyablement belle, dès le premier regard. Elle n'avait pas la beauté convenue d'un mannequin ou de certaines actrices : la sienne exprimait une profonde intelligence, une fragilité touchante mais aussi une détermination à maintenir la tête haute en dépit de l'adversité, ainsi qu'une extrême solitude.

Et elle, quelle a été sa réaction en me rencontrant ? J'ai vu qu'elle me regardait attentivement, j'ai été sûr de percevoir la même surprise bouleversante que celle que je venais d'éprouver moi-même. Mais déjà elle se tournait vers Wellmann et disait :

— *Herr Direktor, hier ist die Übersetzung die Sie wollten.* (Voici la traduction que vous attendiez.)

— Merci, Petra, a répondu Herr Wellmann en prenant les papiers qu'elle lui tendait. Ah, je voulais vous présenter quelqu'un. Un écrivain américain, et un bon, en plus. – Je me suis levé machinalement. – Thomas, voici une de nos traductrices, Petra Dussmann.

Elle m'a fait face, a serré la main que j'avais avancée. Une fraction de seconde, nos yeux se sont à nouveau croisés. Il n'y avait pas de séduction dans les siens, pas d'intérêt spécifique, et pourtant dès cet instant où nos mains se sont touchées et où nous avons été l'un devant l'autre, j'ai « su ». Et j'ai eu l'impression qu'il en allait de même pour elle.

Puis elle s'est dégagée et, s'adressant à Wellmann :

— *Wenn Sie Fragen zu der Übersetzung haben, Herr Direktor...* (Si vous avez des questions sur la traduction, monsieur le directeur…)

— J'en doute. Vous savez, vous allez probablement très bientôt travailler avec Thomas.

Ai-je eu la berlue ou un sourire presque imperceptible est-il venu à la jeune femme quand elle a entendu ces mots ? En tout cas, elle a immédiatement repris un air grave et s'est contentée d'acquiescer de la tête.

— J'en serai ravi, ai-je fait, la gorge un peu nouée.

— *Ja*, a-t-elle répondu.

Sans plus me regarder, elle s'est dirigée vers la porte. Lorsque celle-ci s'est refermée derrière elle, une idée s'est imposée à moi : La vie telle que je la connaissais vient de changer.

Troisième partie

1

« La vie telle que je la connaissais vient de changer. »

J'ai mis par écrit cette pensée après être rentré chez moi le soir, tandis que je noircissais des pages de notes en sirotant une bière. Lorsque je l'ai relue le lendemain matin, pourtant, je me suis d'abord dit : Oh, arrête un peu ! Quoi, parce que vous avez échangé un regard ? Mais, alors que j'attendais que le café passe dans la machine, une autre voix dans ma tête est intervenue : Oui, mais si ce n'est que ça, pourquoi revois-tu tout le temps cette scène, plan par plan ? Pourquoi n'arrives-tu pas à effacer le visage de cette fille de ta mémoire ?

Après le départ de Petra, la veille, Wellmann était aussitôt revenu aux questions professionnelles, de sorte que j'ai hésité entre plusieurs explications : ou bien il n'avait rien remarqué du courant qui était passé entre elle et moi, ou bien il préférait ne pas y faire allusion, ou bien il ne s'était rien passé de notable et j'étais victime de mon imagination. Il avait téléphoné à Pavel Andrejewski pour lui demander de nous rejoindre et, pendant que nous l'attendions, il m'a annoncé qu'il allait avoir besoin d'une deuxième enquête de sécurité me concernant, après les premières vérifications menées à la suite de ma prise de contact avec Radio Liberty à Washington.

— Je pourrais très bien ne pas vous avertir, mais je préfère le maximum de transparence dans ces questions. Vous n'ignorez pas que toute personne travaillant pour nous, même en tant que pigiste, doit avoir reçu l'aval des grands manitous de l'antenne locale de l'organisation que vous savez. Maintenant, si jamais vous croisez ici quelqu'un qui dit avoir une relation avec l'Agence d'information américaine, l'USIA, ayez bien conscience que vous aurez affaire à un espion. Pourquoi je vous préviens ? Parce que je ne vois pas de raison pour que vous travailliez avec nous sans le savoir.

On a frappé à la porte. Frau Orff a passé la tête par l'embrasure et nous a informés que Herr Andrejewski était là. Wellmann l'a priée de le faire entrer. Un homme incroyablement grand et filiforme, avec une chevelure sombre très fournie et des lunettes teintées rectangulaires, en jean et col roulé noirs, cigarette au bec, est arrivé. Il m'a jaugé avec ce qui m'a paru être un détachement légèrement ironique.

— Vous avez besoin de moi, Herr Direktor ?

Il mettait une nuance un peu acerbe dans l'emploi de ce titre de « Herr Direktor », alors que Petra l'avait utilisé avec le plus grand respect.

— Je vous présente Thomas Nesbitt. Je vous prêterai le livre qu'il a écrit sur l'Égypte. Très bon, vraiment. Il est à Berlin pour en préparer un autre. Sur quel thème exactement, Thomas ?

— Sur Berlin, j'imagine.

— Vous voulez dire que vous n'êtes pas sûr du sujet de ce prochain livre ? a relevé Pavel Andrejewski.

— Je n'en suis jamais sûr tant que je n'ai pas tiré un certain temps dans un endroit.

— « Tiré du temps » ? On croirait que vous parlez d'une peine de prison.

— C'est ainsi que vous voyez la vie à Berlin ?

— Je ne fais que reprendre vos termes.

— Et j'ai l'impression que vous les interprétez de travers.

— Combien de livres avez-vous écrits, jusqu'ici ?

— Un seul.

— Donc, vous n'êtes encore qu'un débutant.

— Pardon ?

— Un seul livre publié, cela ne fait pas vraiment de qui que ce soit un véritable auteur.

— Vous choisissez toujours la provocation, quand vous rencontrez quelqu'un pour la première fois ?

— Absolument, a-t-il rétorqué avec un sourire.

Wellmann s'est interposé.

— Comme j'ai décidé que vous produiriez la première contribution de Thomas, j'attends de vous un esprit professionnel et coopératif, entendu ? Et maintenant, Pavel, j'aimerais que vous fassiez visiter nos installations à ce jeune homme et que vous lui montriez un peu les ficelles du métier, selon l'expression consacrée.

— À votre service, Herr Direktor.

— Un de ces jours, vous oublierez d'être aussi caustique, Pavel, et tout le monde ne s'en portera que mieux.

Donc, j'ai demandé à Thomas d'écrire un billet sur sa toute première visite à Berlin-Est.

— Allons-nous l'appeler « Les communistes et moi » ? a persiflé l'acerbe producteur.

— Excellent titre, ai-je glissé. Vous êtes plein de ressources, je vois…

— Et moi, je vois que vous allez former un couple parfait, a plaisanté Wellmann. Maintenant, déguerpissez d'ici et fichez-moi la paix. Bienvenue à bord, Thomas. Ne laissez pas Pavel vous donner le mal de mer.

— Loin de moi cette intention, a répondu l'intéressé du tac au tac. Allez, le débutant ! Je vais vous montrer ces fameuses ficelles.

Quand nous sommes passés dans l'antichambre, Frau Orff m'a arrêté. Elle avait un classeur dans les mains.

— Votre contrat, Herr Nesbitt.

J'allais lui demander comment elle savait déjà que Wellmann et moi étions parvenus à un accord mais Pavel m'a devancé :

— Alors, vous avez encore écouté à la porte de notre directeur bien-aimé, Frau *Stasi* ?

L'élégante secrétaire ne s'est pas laissé désarçonner, bien au contraire, car elle a rétorqué d'un ton dédaigneux :

— Un comique polonais : comme contradiction dans les termes, il n'y a pas mieux.

— Oh, Frau Stasi n'a vraiment pas le sens de l'humour.

Prenant les deux feuillets du contrat, j'ai rapidement vérifié les clauses concernant les honoraires et la date de remise, ainsi que celle qui stipulait que la station conserverait les droits radiophoniques sur mon texte, puis j'ai apposé ma signature.

— Je vois que vous êtes quelqu'un de très crédule, pour signer n'importe quoi venant de cette dame, a raillé Pavel.

— Je regrette que vous ayez été associé à ce « gentleman », Herr Nesbitt, m'a dit Frau Orff, parce qu'il est tout sauf ça.

— Vous n'arrivez toujours pas à renoncer à moi, hein ? s'est enquis le producteur avec le plus grand sérieux.

Frau Orff a secoué la tête et refoulé un éclat de rire.

— Soyons très clairs là-dessus, Herr Andrejewski : je n'ai jamais couché avec vous.

— Vous en êtes sûre ?

— Bonne journée, Herr Nesbitt, a-t-elle conclu en me reprenant le contrat.

Dès que nous avons été dans le couloir, Pavel s'est penché pour me chuchoter à l'oreille :

— Même si la Stasi l'interrogeait, elle continuerait à nier que nous avons couché ensemble.

— Apparemment, elle veut oublier cette expérience à tout prix.

— Son mari est un fasciste complet, c'est pour ça qu'elle doit garder le silence là-dessus.

— Qu'est-ce que vous entendez par « fasciste complet » ?

— Oh, démocrate-chrétien, cadre supérieur chez Krups, et le portrait craché de Wotan.

— Je vois que vous avez eu l'occasion de faire sa connaissance.

— Il est venu à notre pot de Noël, l'an dernier. J'ai été tenté de l'approcher et de lui dire que sa femme était plutôt volcanique au lit, mais avec de gros bonnets comme lui on ne sait jamais, ils ont toujours des tueurs à leur solde.

J'allais découvrir que ces élucubrations proférées avec un calme et une apparence de logique remarquables étaient typiques de l'individu. Même lorsqu'il était en colère contre le monde entier, ce qui lui arrivait souvent, Pavel maintenait une façade imperturbable, un flegme presque surnaturel. J'allais aussi vite me rendre compte que l'olibrius, à l'instar de nombre de ses collègues à Radio Liberty, était obsédé par l'idée que de sombres machinations se tramaient contre lui et qu'il vivait en permanence sous la menace de quelque tentative d'assassinat.

— Celle-ci, vous devez l'éviter comme la peste, a-t-il chuchoté alors qu'il me ramenait à la grande salle de rédaction qui flanquait les studios, en me montrant discrètement du menton une quadragénaire assez enveloppée qui avait un visage adipeux, des cheveux d'un noir de jais, un rouge à lèvres agressif et des bagues en or à chaque doigt.

Vêtue d'une sorte de caftan, elle tenait un long fume-cigarettes en plastique doré et semblait sortie d'une caricature de souk oriental d'un film de série B. Elle nous a regardés approcher avec une moue sardonique.

— Bonjour, bourreau des cœurs, a-t-elle lancé dans un allemand marqué par un fort accent que je n'ai pu identifier.

— Soraya ! Quel plaisir !

— Toujours un affreux menteur, à ce que je constate.

— Saluez l'un de nos nouveaux collaborateurs, Herr Nesbitt.

— C'est un ami à vous ?

— En quoi est-ce important ?

— Si c'est le cas, je ne veux surtout pas avoir affaire à lui.

— Je connais Pavel depuis trois minutes au plus, ai-je expliqué.

— Ah ? Si j'étais vous, cela suffirait à me convaincre de ne plus lui adresser la parole.

— Ce serait un peu compliqué, puisque notre cher directeur vient de m'ordonner d'être son producteur, a lancé Pavel.

— Toutes mes condoléances, m'a-t-elle dit.

Dès que nous l'avons quittée, j'ai regardé Pavel.

— Encore une de vos grandes admiratrices. Ne me dites pas que vous avez couché avec elle aussi…

— Ce serait une faute de goût impardonnable. Pour votre information, Soraya, qui est turque, est mariée à un nain bulgare dont tout le monde dit qu'il a jadis appartenu à la police secrète.

— Et maintenant ?

— Maintenant, il a une entreprise dont la mission est de louer des toilettes portables aux chantiers de construction. Une couverture, évidemment.

— Une couverture de quoi ?

Son haussement d'épaules m'a laissé entendre qu'une multitude d'activités illicites et clandestines pouvaient être envisagées.

201

— Soraya est notre experte du Moyen-Orient, soi-disant, m'a-t-il expliqué. Elle parle arabe, qu'elle traduit en allemand et en turc. Il s'est beaucoup dit qu'elle couchait avec un diplomate éthiopien, l'an dernier…

Je n'ai pu m'empêcher de rire. J'étais en train de discerner une récurrence de thème et variations assez précise dans les commentaires de mon guide. Selon sa logique, tous ceux qui travaillaient ici n'avaient pas simplement recherché un emploi dans le secteur radio-phonique : ils étaient à Radio Liberty parce que c'étaient tous des individus plus ou moins louches, avec un passé ou un présent des plus troubles.

— Comment va Robert, aujourd'hui ? a-t-il lancé à un bonhomme rondouillard et jovial qui arborait une grosse barbe taillée à la Johannes Brahms et une panse formidablement proéminente.

Il était vêtu dans le style que les Allemands appellent *Länder*, gros pantalon en tweed vert et veste matelassée du même tissu, avec un col en cuir, ce qui lui donnait l'apparence d'un éleveur de porcs westphalien mâtiné de lutin bavarois.

— Robert va très bien ! a répondu le joyeux luron en bourrant sa pipe avec le même empressement qu'on imaginerait un sexeur de poussins accomplir sa tâche professionnelle. Et mon ami polonais, il va bien ?

— Votre ami polonais est *sehr gut*, a fait Pavel en imitant juste un brin l'accent provincial de son interlocuteur, ce que ce dernier n'a pas paru remarquer, ou bien a choisi d'ignorer. Et il a un nouveau collègue qu'il aimerait vous présenter.

Nous avons échangé nos noms. Robert Mütter a sorti une allumette solitaire de sa poche, l'a frottée contre le revers en cuir de son veston et a allumé sa pipe, sur laquelle il a tiré quelques bouffées satisfaites avant de s'enquérir :

— Américain, « vraiment » américain ?

— Cent pour cent.

— Nous n'en avons qu'un de cette espèce ici : Herr Direktor. À moins que l'on ne compte nos « amis » de l'USIA…

Encore une mention de l'omniprésente Agence d'information des USA…

— Ce ne sont pas nos amis, a corrigé Pavel, mais nos vrais maîtres, bien qu'ils restent en coulisses.

— Et vous êtes certain que notre jeune visiteur n'en fait pas partie ? a demandé Robert, tout sourire.

— Lui ? Il écrit des livres.

— Boukharine en écrivait aussi.

— Jusqu'à ce qu'il soit liquidé par Staline, ai-je dit.

— Et tout ça parce qu'il s'opposait à la collectivisation des terres, a soupiré Pavel. À l'époque, ils fusillaient tous ceux qui s'élevaient contre n'importe quoi de collectif, y compris les dépressions collectives, dont il y avait de nombreux cas, notamment dans l'Oural…

— Vous êtes contre la collectivisation agricole, jeune homme ? m'a interrogé Robert.

— Pas si ça me vaut d'être fusillé.

— Ah, un petit malin ! s'est-il exclamé, ravi. Bienvenue au club, alors !

Quand nous avons été hors de portée de voix, Pavel m'a déclaré :

— Il joue à l'idiot du village mais ne vous y fiez pas : c'est lui qui supervise toutes les informations en langue allemande, ce qui signifie qu'hormis notre cher directeur il est l'arbitre suprême de tout ce que nos fidèles auditeurs enfermés dans la prison au bout de la rue peuvent savoir en matière de nouvelles *Bundesrepublik* ou *Demokratische Republik*. Étant donné ses fonctions, et son background de catholique à la Franz-Joseph Strauss de la bonne ville de Garmisch-Partenkirchen, berceau du *Gemütlichkeit* le plus exaspérant qui soit, il est évident qu'il émarge aussi au *Bundesnachrichtendienst*… Non qu'un néophyte comme vous connaisse ce type d'organisations, bien sûr.

— La police secrète ouest-allemande ?

— Pas possible ! Donc, je parie que vous êtes venu à Berlin glaner de la matière pour ce style de divertissement littéraire particulièrement oiseux que nous avons hérité de l'après-guerre, le roman d'espionnage…

— Je ne suis pas romancier et je crois que votre distingué compatriote Joseph Conrad n'aurait pas apprécié votre mépris pour ce genre de fiction, lui qui a écrit *L'Agent secret* en…

— En 1907. Eh bien, je constate aussi que votre savoir d'autodidacte n'est pas négligeable.

Nous sommes parvenus au bureau suivant, occupé par une jeune femme aux cheveux coiffés en brosse et au visage couvert de fond de teint blanc. Elle avait de gros écouteurs sur les oreilles, dont le support arqué semblait flotter au-dessus des pointes gominées qui s'élevaient sur son crâne. Elle fumait une cigarette et elle avait trois bouteilles de Coca-Cola ouvertes en face d'elle. Quand Pavel lui a adressé la parole en polonais, elle lui a lancé un regard vaguement amusé avant de fermer les yeux et de se mettre à fredonner, dans un anglais très étrange, les paroles qu'elle écoutait sur son magnétophone. Il m'a fallu quelques secondes pour reconnaître qu'elle massacrait *Is She Really Going Out With Him*, de Joe Jackson. Comme elle ignorait sa nouvelle tentative d'engager la conversation, Pavel lui a tapé sur l'épaule. Avec une lenteur exagérée, elle a retiré son casque et abaissé son doigt sur la touche « Stop » de l'appareil à bandes, puis ils ont échangé quelques phrases coupantes en polonais tandis qu'elle observait Pavel avec une notable condescendance. Il m'a désigné d'un signe et a dit, revenant à l'allemand :

— Je vous présente une autre compatriote, vivante celle-là, Malgorzata.

— Ce qui est « Margaret » dans votre langue, m'a-t-elle annoncé en anglais fort correct.

— Mais on parle allemand, ici ! a insisté Pavel. D'ailleurs, comment saviez-vous que Herr Nesbitt était anglophone ?

— Il a l'air tellement américain… Mais le genre américain OK.

— Vous entendez ça, Thomas ? Trente secondes après avoir fait votre connaissance, ma *Złota Baba* est déjà en train de flirter avec vous !

Malgorzata l'a aussitôt apostrophé en polonais, d'une voix où l'on sentait un certain agacement.

— J'ai raté quelque chose ? me suis-je enquis.

— Il m'a appelée sa *Złota Baba* ! s'est exclamée la jeune femme.

— C'est-à-dire ?

— Sa « nana en or » !

— C'est un terme affectueux, a plaidé Pavel.

— Et totalement déplacé dans ce contexte, a rétorqué Malgorzata-Margaret. Mais bon, je choisis d'ignorer ces bêtises et de demander plutôt à votre charmant ami américain s'il…

— Nous ne sommes pas « amis », l'ai-je interrompue.

— Vous m'êtes encore plus sympathique, alors. Bon, je suis en charge du rock and roll, ici. Toute la « musique dégénérée » qu'on balance de l'autre côté du Mur, c'est moi qui la choisis. Et vous, qu'est-ce que vous êtes censé faire dans cette station ?

— Noircir du papier.

— Je suis sûre que vous le noircissez de façon intéressante. À bientôt, j'espère.

Elle avait déjà remis ses écouteurs quand elle a pivoté sur son fauteuil pour tourner le dos à Pavel.

— Vous savez vraiment vous y prendre avec les femmes, vous, lui ai-je lancé quand nous avons repris notre marche à travers la grande salle de rédaction.

— N'est-ce pas ? Cette fille est encore une de mes conquêtes.

— Ah oui ? Permettez-moi une question : avec qui n'avez-vous pas couché ici ?

— Elle ! a-t-il chuchoté en désignant du menton une silhouette féminine qui venait de traverser le plateau et s'apprêtait à entrer dans l'un des deux studios.

Petra. Je ne pense pas qu'elle ait pu entendre Pavel, mais pile à l'instant où il a dit cela elle a jeté un coup d'œil dans notre direction et j'ai eu l'impression qu'elle était un peu étonnée. Un nouveau sourire est passé sur ses lèvres avant qu'elle le réprime et se contente de m'adresser un bref signe de tête. Une fois de plus, la voir a déclenché en moi une étrange décharge d'électricité, et même si nos regards ne se sont croisés qu'une seconde je n'ai pu détacher mes yeux d'elle lorsqu'elle s'est détournée, a ouvert la porte et a été sur le point de s'engager dans le studio, une liasse de feuilles à la main. À cette occasion, j'ai eu le temps de remarquer le galbe élancé de ses jambes, la finesse de sa taille et le mouvement gracieux qu'elle avait pour repousser une mèche de cheveux tombée sur son visage.

Et puis, sa main libre encore sur la poignée, elle a tourné la tête rapidement pour me regarder à nouveau. C'était un regard qui ne voulait rien dire ou qui disait tout : le simple fait qu'elle ait marqué une pause pour me l'adresser, qu'elle l'ait fixé sur mes yeux éperdus avant de finir par baisser la tête et disparaître dans le caisson insonorisé. Aussitôt, je me suis demandé si je n'avais pas eu tort de lui sourire aussi largement, de montrer mon jeu trop vite, ou si j'avais franchi une ligne invisible dont je devais encore découvrir le tracé. Pourquoi s'était-elle esquivée juste là, je n'en avais pas la moindre idée et j'ai su tout de suite que la question allait me harceler les jours suivants. Laisse tomber ! m'a enjoint la part la plus rationnelle de mon cerveau. Tu inventes, tu te racontes des histoires, et en plus à propos de quelqu'un avec qui tu n'as pas échangé dix mots ! Toutes ces fadaises pour un regard anodin dans une salle pleine de monde…

Pavel, qui semblait n'avoir rien remarqué de ces possibles vibrations entre Petra et moi, a continué à pontifier mais de façon intéressante, pour changer :

— Elle est intouchable, celle-là, a-t-il affirmé en faisant un geste vers la vitre du studio derrière laquelle on apercevait maintenant Petra en train de parler avec un homme assis devant un micro.

— Je vois…

Elle riait de concert avec ce type d'une trentaine d'années, aux traits pas désagréables, et effleurait son épaule comme pour approuver ce qu'il avait pu dire d'amusant. Tiens, voilà son petit ami ! est intervenu le détecteur de baratin en moi. Ça devrait mettre fin à tes délires romantiques, non ?

— En plus, personne ne sait rien de sa vie, a-poursuivi l'intarissable producteur, à part qu'elle vient de l'Est et qu'elle a été expulsée de la RDA pour « comportement politique déviant », ce qui est tout à son honneur. J'ai entendu raconter qu'elle avait été liée à un homme là-bas, lui aussi un « politique », qui serait toujours sous les verrous de l'autre côté du Mur. Mais, hormis Herr Direktor et nos braves espions de l'USIA, personne ne connaît la vérité sur Petra Dussmann.

— Elle fréquente quelqu'un, ici ? ai-je demandé en essayant d'adopter un ton aussi indifférent que possible.

— Aucune idée, mais si vous envisagez de la draguer, je vous conseille de ne pas perdre votre temps. Totalement inabordable, je vous dis. Toujours ponctuelle, efficace et plutôt intelligente quand elle est invitée à commenter son travail de traductrice, mais au-delà de ça… rien ! Elle se tient à distance de nous tous. À la dernière fête que nous avons eue à la radio, pour Noël, elle est restée une heure tout au plus, a échangé deux ou trois phrases et s'est éclipsée. Je crois comprendre qu'elle habite Kreuzberg.

Bien que cette dernière information ait recueilli toute mon attention, j'ai choisi de ne pas partager avec Pavel ma satisfaction à découvrir qu'elle résidait dans le même quartier que moi. Les yeux toujours fixés sur la vitre, je l'ai vue faire un signe d'au revoir espiègle à l'inconnu et se diriger vers la porte. S'ils étaient intimes, elle l'aurait embrassé, a plaidé une autre petite voix en moi, même si elle fait tout pour garder sa vie privée à l'abri de la curiosité de ses collègues, et… Seigneur, quel minable ! Essayer d'interpréter deux regards échangés à dix mètres de distance, ou une conversation anodine dans un studio dont l'intérieur était visible de tous ! Quelles divagations.

La porte s'est ouverte. Petra est sortie sans un coup d'œil dans ma direction et elle a rapidement quitté le plateau. Dans un désordre de pensées et d'émotions contradictoires, ce qui m'est apparu le plus précisément était une attente extrêmement douloureuse, comme je n'en avais encore jamais éprouvé. Même si je voulais mettre cela sur le compte d'un coup de cœur aussi idiot que sans lendemain, j'avais conscience qu'il se passait quelque chose de nouveau en moi, quelque chose d'impressionnant et d'inédit. J'étais entré dans un territoire inconnu, fascinant et angoissant à la fois. Et seulement quelques minutes après avoir fait sa connaissance ! Mais pourquoi ne m'avait-elle même pas jeté un regard en partant, bon sang ?

— Je lui ai évidemment proposé de prendre un verre, une fois, a ajouté Pavel. Rien. Pas un soupçon d'intérêt. Ici, tout le monde flirte un peu, même cette grosse Soraya, juste comme ça. Mais pas notre « Ossie », notre Allemande de l'Est. C'est une

forteresse. En Pologne, nous avions une plaisanterie :
« Qu'est-ce qu'il y a de pire qu'un Soviétique embrassant le communisme ? — Un Allemand faisant pareil… »

— Mais si elle a été expulsée de RDA, c'est bien qu'elle n'avait pas « embrassé le communisme » comme une Allemande.

— Peut-être, mais elle a tout de même été modelée par le système. C'est gravé en elle, que voulez-vous…

— Pas si elle a fini comme dissidente !

— Le problème des dissidents, c'est que ce sont d'anciens communistes purs et durs qui ont été déçus au point de choisir la voie opposée. Un peu comme les prêtres défroqués, vous me suivez ? Ceux-là finissent toujours comme les pires mécréants, à sauter toutes les femmes qu'ils peuvent.

— C'est ce qui vous est arrivé ?

— Ah, vous avez la vision simpliste de l'Américain de base ! Vous êtes persuadé que tous ceux qui s'enfuient des pays du pacte de Varsovie sont forcément des Ivan Denissovitch. Ou que nous sommes tellement opprimés que nous rêvons nuit et jour de passer à l'Ouest.

— Vous l'avez fait, en tout cas.

— Pas pour les raisons banales que vous croyez. J'ai été accepté dans une école de cinéma de Hambourg et mon gouvernement m'a autorisé à y aller.

— Sans contrepartie ?

— Bien sûr qu'il y avait des contreparties ! Il y en a toujours ! Bon, ce n'est pas un sujet que j'ai envie d'aborder maintenant. Peut-être plus tard, quand nous

nous connaîtrons mieux. Pour le moment, je voudrais que vous me parliez de votre idée de papier.

Nous étions arrivés à son box, dont la cloison était décorée d'une grande affiche du syndicat polonais Solidarność et, en dessous, d'une photo de lui en blouson de cuir et lunettes de soleil debout à côté d'un homme plus âgé – la cinquantaine, aurais-je dit – accoutré de la même façon.

— Vous savez qui c'est ? m'a interrogé Pavel.

— Encore un compatriote ?

— Bien vu. Andrzej Wajda, ça vous dit quelque chose ?

— Votre plus grand cinéaste vivant.

— Vous avez vraiment une certaine culture, bravo. Wajda a été un peu un père, pour moi. C'est lui qui est intervenu pour m'obtenir une bourse à la Film Schule de Hambourg. Section réalisation, s'il vous plaît. La grande porte.

— Alors, comment avez-vous abouti ici ?

— Comment en suis-je venu à travailler pour les propagandistes américains plutôt que de réaliser mes propres films, vous voulez dire ?

— Je ne me permettrais pas d'être aussi dur.

— Mais si c'est comme ça que je vois les choses, jour après jour ? Voyez-vous, mon ami, faire des films, cela demande beaucoup de travail. Plein d'argent, aussi, et il faut se fatiguer à intriguer, convaincre, promouvoir, bref, jouer à tout un tas de petits jeux qui me répugnent. Je suis paresseux et je m'en arrange très bien. C'est pour cette raison que j'ai échoué à Radio Liberty. J'y ponds des programmes qui donnent l'impression aux gens de Leipzig, de Dresde ou de Francfort – l'autre Francfort, celui sur l'Oder – d'avoir une connexion avec le merveilleux petit univers dans lequel les Occidentaux sont censés s'épanouir et mener une petite vie aussi merveilleuse qu'assommante. Mais j'ai digressé, à cause de vous ! Donc, votre papier ? Puisque je dois être votre producteur, il faut que je sache ce que vous projetez d'écrire.

Croisant les mains sur sa nuque et se rejetant en arrière, il m'a fait comprendre que je pouvais me lancer. J'ai pris ma respiration et je lui ai exposé mon projet à peu près dans les mêmes termes que ceux qui avaient convaincu Jerome Wellmann. Il m'a écouté, impassible, et à la fin de ma présentation il s'est ébroué en passant une main dans sa tignasse, puis il a lâché un soupir.

— Alors, vous avez fait le « grand saut » et vous avez découvert que la bouffe est horrible « là-bas », que les vêtements sont en synthétique et les immeubles gris. Bon… « Plus ça change, plus c'est la même chose », comme ils disent à Paris, la capitale spirituelle de la gauche bourgeoise. Mais la question, mon cher ami d'Amérique, c'est : Qu'avez-vous à dire sur Berlin-Est qui n'a pas déjà été rabâché ? Comment allez-vous amener vos auditeurs au « paradis du peuple » à penser : « Tiens, pour une fois voici un *Ausländer* qui ne nous abreuve pas de clichés ! » D'après moi, ce que vous venez de me raconter ne présente rien d'original, que ce soit en termes d'observation ou de réflexion. Revenez dans quelques jours avec quelque chose de moins banal et j'envisagerai éventuellement de l'éditer pour la radio.

Il m'aurait giflé que l'effet n'aurait guère été différent. Ce que je venais de comprendre, c'était que Pavel

Andrejewski était en position de me barrer la route, et ce quel que soit l'enthousiasme de son « cher directeur ». Il venait d'établir clairement que, dans la relation de travail que nous étions supposés nouer, c'était lui qui détenait le pouvoir. J'ai été tenté de riposter en invoquant l'opinion de Wellmann mais, comme toujours lorsque je rencontre un adversaire déterminé sur mon chemin professionnel, j'ai alors pensé à mon père et à son habitude de traiter de tous les noms ceux qui le contrariaient, une tendance qui avait parsemé sa carrière d'à-coups souvent dommageables. Aussi, en dépit de tous les arguments que j'aurais pu opposer à son évidente hostilité, je me suis contenté de m'informer :

— Bien, quelle longueur voulez-vous, et dans quel délai ?

— Dix pages double interligne dans quatre jours, maxi.

Il s'est détourné pour saisir quelques feuillets dactylographiés sur sa table, me faisant comprendre que l'entretien était terminé. Je me suis levé.

— À dans quatre jours, alors.

Pavel m'a salué distraitement et je suis parti. J'ai balayé le plateau des yeux dans l'espoir d'apercevoir Petra, mais elle n'était plus là. Dehors, j'ai remonté la fermeture de ma vareuse et troqué le badge que le gardien m'avait remis contre mon passeport. J'étais de retour chez moi au bout d'une heure. Aussitôt, j'ai ouvert mon carnet et je me suis mis au travail. L'ombre de Petra pesait sur toutes mes pensées. J'ai essayé de me raisonner, me remémorant ce que Pavel avait dit d'elle, me convainquant que même son sourire n'était sans doute rien de plus qu'une forme de politesse, voire une réaction d'embarras en constatant avec quelle insistance je l'avais regardée. Tu en as trop fait, idiot, me suis-je morigéné ; elle n'est qu'une fille parmi les dizaines que tu as croisées et qui t'ont fugacement provoqué une montée d'adrénaline, la brève impression que celle-ci ou celle-là pouvait être la « bonne ».

Sauf que, si j'étais honnête avec moi-même, je devais admettre que jamais encore je n'avais éprouvé, au premier regard, cette sensation étrange et obstinée d'avoir… trouvé. Et dans le débat intérieur qui se poursuivait en moi, l'autre voix, celle qui rejetait prudence et scepticisme, insistait : Tout ce que tu penses et ressens maintenant est authentique. C'est bien « elle » ! Mais comment en être si convaincu alors que je ne la connaissais presque pas ? Une réaction aussi instinctive suffisait-elle ? En quoi cette conviction était-elle crédible alors que je ne savais même pas si elle accepterait jamais de prendre un café avec moi, et a fortiori de jouer les Tristan et Isolde de Kreuzberg ? Soudain, j'ai refermé le cahier et revissé le bouchon de mon stylo à plume. Je ne doutais pas que, quand j'allais relire ces pages le lendemain, je grincerais des dents devant leur pitoyable naïveté.

J'ai pris dans le frigo une nouvelle bouteille de Paulaner, ma bière préférée à cette période, et tout à fait dans mes moyens puisqu'elle coûtait soixante-quinze pfennigs pièce. Je me suis roulé trois cigarettes d'avance, puis je suis allé prendre mon Olivetti sur son étagère. À ma montre, il était minuit vingt-trois. Plus tôt je remettrais ce fichu papier à l'insupportable Pavel, plus vite j'aurais une chance d'établir un contact avec

Petra. J'avais certes envisagé de lui téléphoner dès le lendemain et de lui proposer que nous nous retrouvions un soir, mais j'avais l'impression que la description que Pavel avait faite d'elle n'était pas loin de la vérité et que si je me montrais trop direct, trop pressant, je risquais de ruiner mes maigres chances... Il fallait jouer l'approche en douceur, et me préparer à admettre que mes fiévreuses rêveries ne se matérialisent jamais.

Quoi qu'il en soit, il fallait l'écrire, ce billet, car s'il était accepté il me garantirait une source de revenus réguliers. Ne pas trop écorner mon avance durant les mois à venir, ce serait avoir moins de piges à assurer pour des magazines américains lorsque je m'attellerais sérieusement à la rédaction de mon livre.

Retirant le couvercle de la machine à écrire, j'ai déployé le support de page à l'arrière, engagé une feuille vierge dans le rouleau et je me suis assis sur ma chaise, le clavier juste devant moi. Puis j'ai allumé une cigarette et inhalé une bonne bouffée en me demandant comment diable j'allais commencer. Dans la version que j'avais résumée pour Wellmann, je débutais en racontant mon passage de Checkpoint Charlie, le soudain basculement d'un monde en technicolor à un univers monochrome, mais le brutal assaut critique de Pavel m'avait fait reconsidérer cette approche. Tout en luttant avec cette hydre redoutable qu'est la phrase d'attaque d'un texte, j'ai repensé à ce qu'il avait dit et je me suis rendu compte, à mon corps défendant, que j'étais d'accord avec lui. À quoi bon raconter aux Allemands de l'Est ce qu'ils savent déjà ? Quel intérêt à répéter les clichés convenus sur la grisaille selon Marx-Engels ? Pourquoi ressasser les platitudes de n'importe

215

quel roman d'espionnage à propos du Mur et de l'obsession policière de l'État est-allemand ? Par sa critique, Pavel m'avait appelé à présenter l'évidence sans être prévisible, à sortir des sentiers battus. Quand on travaille avec un éditeur ou un producteur, il faut savoir apprécier très vite ce qu'ils ne veulent pas voir sous votre plume, ce qui les irrite ou les assomme. Dans le cas de Pavel, c'était l'Occidental s'étendant sur la morosité de l'Europe de l'Est, donc il fallait que j'effleure ce thème sans être pesant, d'une manière qui surprenne et mette en éveil l'auditeur. Au lieu de raconter par le menu ma rencontre avec la jolie libraire d'Unter den Linden ou le mélancolique Angolais dans un horrible café d'Alexanderplatz, je devais écrire sur...

Brusquement, mes doigts sont partis à l'attaque du clavier et m'ont donné ma première phrase : « *Comment la neige fait-elle pour amener le silence sur le monde ? Comment arrive-t-elle à tout purifier, à nous extraire du désespoir existentiel qui domine tant d'aspects de la vie adulte pour nous ramener dans la sphère de l'enfance, ce royaume magique où, ainsi que l'a dit Edna Saint Vincent Millay, personne ne meurt et, j'ajouterais, personne ne bâtit de murs ?* »

J'ai marqué une pause, songeant à la grimace que Pavel risquait de faire à cette mention du « désespoir existentiel », puis finalement décidé que je ne pouvais écrire en me préoccupant de telle ou telle expression susceptible de déplaire à celui qui tenait en main la clé de ma future collaboration avec Radio Liberty. Lorsqu'on doute, lorsqu'on s'inquiète de ce que d'autres risquent de penser de ce que l'on écrit, la seule solution est de continuer, de tout mettre sur le papier et de se faire du souci seulement après. Par conséquent, j'ai fini ma cigarette, j'en ai allumé une autre et je me suis concentré sur les touches. Les trois heures suivantes, j'ai écrit sans discontinuer, ne levant les yeux du clavier que pour engager une nouvelle feuille dans la machine et prendre une gorgée à la bouteille de bière posée sur ma table.

Une fois le dernier mot tapé, j'ai arraché la page du rouleau et je l'ai ajoutée à la petite pile devant moi. Je me sentais comme ivre après l'effort. Une autre cigarette, un coup d'œil à ma montre : près de trois heures du matin. Remettant l'Olivetti dans son boîtier, je l'ai posée sur l'étagère, les huit feuillets de mon texte en dessous, j'ai pris ma veste et je suis descendu. Alors que j'atteignais la porte d'entrée, la voix de Fitzsimons-Ross m'a arrêté.

— Un foutu bourreau de travail, hein ?

— Bonsoir, ai-je répondu.

— Bon putain de milieu de la nuit, vous voulez dire. Vous m'avez rendu dingue à taper sur votre machine comme un dératé.

— Maintenant, vous savez l'effet que ça fait quand vous passez Archie Shepp à fond. D'ailleurs, pourquoi vous ne vous êtes pas servi de vos écouteurs ?

— Je ne peux pas écouter de musique quand je ne peins pas. Et ce soir, j'étais simplement incapable de prendre un pinceau.

— Une raison particulière à ça ?

— Je ne pouvais pas, la voilà, la foutue raison ! Enfin, on vous pose autant de questions, à vous, quand vous avez la panne de l'écrivain ?

— Ça ne m'arrive pas.

— Bien sûr. Vous êtes un surhomme américain qui n'a jamais une putain de faille, pas un gramme de doute dans sa foutue caboche, pas un moment où il ne se trouve pas fantastique, pas…

— Et si vous la fermiez un peu et que vous veniez prendre un verre dehors avec moi ?

Cette proposition, et le ton mesuré que j'avais adopté, l'a stoppé net dans ses récriminations. Il a réfléchi quelques secondes.

— Je fais le con, n'est-ce pas ?

— Ce n'est pas faux.

Il était presque quatre heures quand nous avons commencé à marcher par une nuit aussi claire que le ciel de Berlin pouvait l'être. Il faisait très froid, mais j'étais encore tellement excité par l'intense concentration qu'avait nécessitée l'écriture qu'une température de moins dix degrés n'avait aucun effet sur moi. Je me suis mis à fredonner l'inoubliable chanson signée par Bertolt Brecht et son complice berlinois Kurt Weill :

« *Oh, show me the way to the next whiskey bar…* »

Fitzsimons-Ross a eu un petit rire amusé et, me surprenant agréablement, il a enchaîné sans hésiter :

« *Oh, don't ask why, oh, don't ask why*
For we must find the next whiskey bar
Or if we don't find the next whiskey bar
I tell you we must die, I tell you we must die… »

Et moi, plus fort maintenant :

« *Oh, moon of Alabama,*
It's time to say goodbye
We've lost our good old mama
And must have whiskey oh you know why ! »

Soudain, il a levé les bras tel un arbitre signalant la fin de la partie.

— C'est ça, exactement ! « *Moon of Alabama* » !

— Mais encore ?

— Le bar où je vais vous amener.

— Il y a un bar qui s'appelle *La Lune de l'Alabama* ?

— Évidemment ! On est à Berlin !

L'établissement en question se trouvant près de l'aéroport de Tempelhof, il fallait prendre un taxi, et, par chance, l'un d'eux passait justement dans la rue.

— Ah ! Tempelhof, le grand legs que nous ait laissé Albert Speer, ai-je dit une fois que nous avons été installés à l'arrière.

J'avais déjà visité rapidement cet énorme terminal dû à l'architecte en chef de Hitler, tous les guides de Berlin en faisaient des tartines sur l'esthétique « Art déco revisité par le IIIe Reich » d'une construction qui symbolisait remarquablement une période historique que l'on aurait préféré oublier de chaque côté du Mur.

— On y retrouve la sensibilité pédé qui existait chez tous les nazis, a affirmé Fitzsimons-Ross. Aucun mouvement politique dans l'Histoire n'a autant refoulé ses tendances homos, et c'est pourquoi ils ont mis les tapettes dans le même sac que les Juifs et les gitans, tous des ennemis du peuple. Que Hugh Trevor-Roper et tous les autres spécialistes british du nazisme n'aient pas plus insisté sur le fait que Hitler et ses sbires étaient des sodomites coincés, ça me la coupe, franchement. Regardez *Le Triomphe de la volonté* ou *Les Dieux du stade*, ces monstrueux chefs-d'œuvre de la cinéaste gouine du régime hitlérien, Leni Riefenstahl : plus homoérotique que ça, y a pas.

Cette tirade avait été exécutée avec le tempo et le volume sonore d'une harangue surexcitée, pouvant laisser penser qu'il s'était bourré de Dexedrine – ce qui ne m'aurait pas étonné, le connaissant –, de sorte que j'ai été aussi amusé que soulagé qu'il se soit exprimé en anglais et non en allemand, car le chauffeur avait l'air d'être un de ces jeunes Berlinois pas commodes qui n'auraient certainement pas apprécié la thèse exposée par mon camarade de virée.

— Au lieu de sourire béatement comme un gros Bouddha, dites-moi que je ne raconte que des foutaises ! s'est emporté mon colocataire.

— Non, non, c'est une interprétation historique assez fascinante.

— Allez-y, fichez-vous de moi !

— Loin de moi cette idée, Alastair.

C'était la première fois que je l'appelais par son prénom et il a réagi en haussant le sourcil avant de hocher brièvement la tête.

Nous nous sommes arrêtés dans une rue déserte, devant un portail au-dessus duquel avait été bombé à la peinture fluo, et délibérément pour imiter un graffiti, *Der Mond über Alabama*, la fameuse lune de l'Alabama. Les alentours étaient lugubres : pas un seul magasin ni un véhicule, seulement quelques entrepôts que la lune baignait d'une lumière blafarde. Mais, dès que je suis sorti dans l'air glacial, j'ai pu constater qu'une musique tonitruante venait de l'intérieur, un vacarme qui s'annonçait insupportable dès le trottoir.

— Je voulais vous prévenir, a glissé Fitzsimons-Ross, l'endroit est un peu spécial.

Nous avons emprunté un couloir laqué de noir, éclairé de néons violets, où un type tatoué, le crâne rasé, les biceps saillants, qui faisait office de videur, nous a pris dix marks chacun. Je m'attendais presque à ce qu'on nous fouille à la recherche d'armes quelconques mais, comme j'allais m'en rendre compte bientôt, *La Lune de l'Alabama* n'était pas un bar de loubards, ni une boîte gay, ni un repaire heavy metal, plutôt quelque chose d'inclassable, un mélange de tous ces genres. La salle était sombre, grande comme un terrain de basket et au plafond très bas. Il y avait un comptoir sur une longueur de mur et une petite estrade au fond, sur laquelle cinq musiciens blacks – un saxo, un trompettiste, un pianiste, un bassiste et un batteur dont l'âge allait de la vingtaine (le saxophoniste) à soixante-dix ans bien sonnés (le gars au piano) – produisaient le genre de boucan endiablé que d'aucuns appellent « free jazz ». L'endroit était bondé et plus de la moitié de l'assistance s'agglutinait autour de la scène, rendue aux trois quarts catatonique par la violence du déchaînement musical en cours. Les autres se livraient aux activités de leur choix, picolant – avec quelques consommateurs qui titubaient gravement devant le bar ne servant visiblement que de la vodka et de la bière –, fumant – et le haschich ajoutait une lourde odeur sucrée au nuage de fumée de cigarette qui planait partout –, se shootant sans dissimulation dans les coins ou disparaissant en couple derrière un rideau noir. J'ai cherché Fitzsimons-Ross du regard, pensant qu'il serait allé rejoindre directement ses semblables camés mais je l'ai aperçu au comptoir, cigarette et vodka dans une main, occupé à converser avec un skinhead assez petit mais spectaculairement musclé. Quand il a senti que je le regardais, il a poursuivi de plus belle son dialogue avec le type, dont l'une des particularités était d'avoir des croix en fer pendant à chacun de ses lobes d'oreilles.

J'ai observé la salle de plus près, rendu à moitié sourd par la musique et les yeux larmoyant à cause de la fumée. Mes tendances agoraphobes m'auraient poussé à m'enfuir, d'autant que le local semblait typiquement le théâtre possible d'un accident se terminant par des dizaines de morts dans une abjecte bousculade. Là, mon côté ultra-prudent s'exprimait, mes réflexes « regarde bien à droite puis à gauche avant de traverser », mais mon autre facette, le gars toujours en vadrouille et toujours prêt à se frotter à l'excentrique, ne pouvait que sortir ses antennes devant cette décadence fantastique, cet hédonisme général qui ne dissimulait rien. Les camés se piquaient ouvertement, les amateurs de coke sniffaient, les picoleurs s'accrochaient au bar, les joints et les pipes à hasch circulaient. Lorsque quelqu'un m'en a tendu une, j'en ai pris deux bouffées et j'ai eu instantanément l'impression qu'on venait de me fendre le crâne.

— Tu aimes cette merde ?

C'était une fille d'une vingtaine d'années, petite et menue mais avec des cheveux d'une longueur démente, qui lui arrivaient en bas du dos en une natte sophistiquée. Son visage était étrangement maquillé, le côté gauche passé au blanc comme un acteur de kabuki, le droit en noir gothique. Ses lèvres étaient peintes en violet, à moins que cela n'ait été l'effet des néons et des deux bouffées de délire herbal que je venais d'inhaler et qui me faisaient déjà planer au-dessus de cette salle comble, où la musique semblait soudain encore plus violente.

— Disons que c'est… intéressant.

— Prends-en encore une taffe.

Elle m'a repassé la pipe et j'ai avalé un autre petit nuage de fumée, cette fois en le recrachant tout de suite car l'impact narcotique brouillait maintenant ma vision périphérique et transformait tous les sons en un bour-donnement étourdissant.

— Il y a quoi, dans cette pipe ? lui ai-je demandé.

— De la skunk.

— Quoi ?

— Skunk. Allez, viens.

Elle m'a pris par la main.

— Où ça ?

— Derrière.

Je me suis laissé guider à travers la foule et nous sommes arrivés au rideau noir après ce qui m'a semblé une éternité. Dans cette pièce retirée, plusieurs couples à divers stades de la nudité étaient affalés sur des matelas, se livrant à ce qu'un pornographe victorien aurait appelé un « commerce sexuel ». Était-ce mon manque d'habitude de la drogue, ou la résistance de l'individu ultra-raisonnable en moi malgré l'influence déformante de la « skunk » sur mes perspectives, ou bien simplement le fait que je ne suis pas enclin à faire l'amour avec une inconnue en public, et plus spécifi-quement au milieu d'une quarantaine de corps plus ou moins nus et plus ou moins agités, ou encore la réti-cence que m'inspirait ce petit bout de femme au visage coupé en deux, peut-être une adepte de la sorcellerie pratiquant la magie noire ? Et puis une autre idée a traversé mon cerveau embrumé : Petra. Qu'est-ce que je fabriquais là, prêt à me laisser tomber sur un vieux matelas sérieusement taché en compagnie d'une fille plutôt bizarroïde ?

— *Scheisse !* a juré ma cavalière. Y a plus rien de libre.

J'ai plissé les yeux pour inspecter les alentours. Elle disait vrai. C'était complet.

— Une autre fois, a-t-elle lancé en se dirigeant vers le rideau.

Bon, ça simplifie beaucoup les choses, me suis-je félicité avant de parvenir à une conclusion particulièrement nette dans le fouillis de mes pensées : Il faut vraiment que je me casse d'ici.

Je ne me souviens plus très bien de ce qui a suivi cette décision, sinon qu'en me détournant de cet amoncellement d'anatomies entremêlées j'ai distinctement perçu une voix de femme à l'accent cent pour cent américain, qui disait : « On me croira jamais quand je vais raconter ça en rentrant chez moi à Des Moines ! » J'ai jeté un dernier regard à cette débauche collective, cette fantasmagorie copulatoire, et, sans doute à cause de l'herbe, j'ai commencé à me sentir franchement paranoïaque. Après m'être frayé un chemin dans la cohue, je suis sorti sur le trottoir, certain d'y trouver des agents secrets, des sbires de la Stasi qui s'étaient arrangés pour lire mes pensées concernant Berlin-Est, prêts à m'embarquer dans le coffre d'une voiture pour me faire passer par Checkpoint Charlie et me laisser croupir en prison pendant des mois, jusqu'à ce qu'ils m'utilisent comme monnaie d'échange pour obtenir la libération de confrères détenus par la CIA, puis que celle-ci découvre que j'avais subi un lavage de cerveau et que j'avais été transformé en taupe des services est-allemands… Ah, cette saleté de skunk était décidément trop forte, et les phares des voitures trop aveuglants même si je n'en voyais aucune passer, et…

Brusquement, surgi de nulle part, un taxi. Après m'être laissé tomber dedans, j'ai dû répéter trois fois mon adresse avant que le chauffeur, un Turc, arrive à comprendre mes marmonnements. Puis je me suis roulé en boule et je me suis mis à sangloter comme un fou, tous les malheurs de ma courte vie surgissant à l'appel de cette substance aberrante dont j'avais imprégné mes poumons et qui m'envoyait maintenant au bord d'un précipice émotionnel. Au bout d'un temps interminable, j'ai senti que le véhicule était arrêté et j'ai vu que j'étais enfin au pied de mon immeuble. J'ai lancé l'argent demandé au chauffeur, je suis monté à ma tanière je ne sais plus comment et, après m'être déshabillé et fourré tant bien que mal entre les draps, je me suis agrippé de toutes mes forces à mon oreiller car je venais de partir sur les pires montagnes russes que j'aie connues jusque-là. Tout tanguait autour de moi, l'oreiller a volé en l'air – ne me demandez pas comment –, et soudain je me suis retrouvé à la fois titubant et courant vers la salle de bains, que je n'ai pas réussi à atteindre avant de rendre tripes et boyaux. Ensuite, je me suis traîné jusqu'à l'évier et j'ai laissé mon visage sous un jet d'eau glacée en maudissant ma stupidité, dégoûté par moi-même, encore intoxiqué mais capable désormais de mesurer mon abjection. Puis je suis retourné m'effondrer sur mon lit et…

Le matin. En tout cas, de la lumière filtrait par la fenêtre. J'ai commis l'erreur d'ouvrir les yeux, constatant que mon retour sur la planète Terre s'accompagnait d'une migraine colossale. J'ai passé ma langue sur mes lèvres, y trouvant le goût ignoble de la bile séchée. Les draps autour de moi étaient trempés de sueur nocturne et empestaient le vomi, eux aussi. Au prix d'efforts considérables, je me suis levé et j'ai fait quelques pas, manquant de perdre l'équilibre à chaque mouvement. En arrivant devant la salle de bains, j'ai senti mon estomac se soulever en découvrant les traces du gâchis de la nuit, ces traînées et ces éclaboussures qui semblaient avoir atteint les moindres recoins.

Il y a des moments de la vie où l'on voudrait se faire tout petit, plaquer ses mains sur ses yeux et effacer les conséquences de sa crétinerie par un simple effort de volonté. À la place, l'héritage « corps des marines » de mon père, lui qui tenait à ce que je refasse impeccablement mon lit chaque matin et que mes chaussures soient toujours briquées et cirées, m'a poussé à me rendre dans la cuisine et à remettre la tête sous la cascade frigorifiante de l'eau municipale berlinoise jusqu'à ce que j'aie les idées relativement claires, puis à aller prendre le balai, le seau et plusieurs torchons dans le placard, des gants en caoutchouc et la bouteille de l'équivalent germanique de Monsieur Propre. J'ai passé l'heure suivante à nettoyer le cloaque que j'avais provoqué, un travail lent et méticuleux pendant lequel les souvenirs de la nuit précédente me sont revenus peu à peu. Avant de les coucher par écrit, j'ai changé les draps, pris une douche froide dans la salle de bains qui dégageait maintenant une agréable odeur de détergent citronné, je me suis lavé les dents plusieurs fois, j'ai avalé – sans les régurgiter – deux tasses de café, et c'est seulement lorsqu'une impression d'ordre et de propreté a pris le pas sur mon chaos personnel que j'ai commencé à noter dans mon cahier la recension de cette nuit d'excès, sans rien dissimuler de ma bêtise crasse. Brusquement, je me suis rappelé que je n'avais pas encore consulté l'heure. Deux heures et demie. Bon sang, presque toute une journée de perdue ! Aussitôt, je me suis mis à planifier ce qui me restait à faire : terminer mes notes, apporter les draps sales à la laverie du coin, prendre un déjeuner tardif à l'*Istanbul Café*, puis revenir corriger mon texte pour la radio tout en sachant que, vu l'état de mon cerveau, il s'agirait surtout de le relire en remettant au lendemain toute tentative d'amélioration.

De la discipline, et encore de la discipline. Le seul antidote au désordre de l'existence. Tout en relatant les errements de la nuit, je me suis cependant aperçu que j'étais loin d'être mécontent d'avoir échoué au milieu d'une telle folie nocturne. Que venaient-ils chercher dans l'antre de *La Lune de l'Alabama*, tous ces gens ? Se shooter, forniquer, s'enivrer, défier presque toutes les conventions sociales : un acte de subversion collective, donc, une célébration sybaritique qui, en dehors de ces murs peints en noir, vous aurait conduit droit en prison. J'étais convaincu que la grande majorité des loustics qui fréquentaient ce bar avaient des origines et une éducation aussi bourgeoises que les miennes, et c'est pourquoi je n'ai pu que me demander si leur fascination (et la mienne) envers un pareil établissement n'avait pas la même origine que le choix de s'établir à Berlin-Ouest de manière temporaire ou permanente : ici, nulle obligation d'avoir des fréquentations convenables, d'aller dans les soirées où il fallait aller, de se faire une place dans un microcosme social. Au contraire, on pouvait coucher avec qui on voulait sans que cela suscite de commentaires, on n'était pas observé par la société, chaque individu était isolé dans sa propre liberté, et j'avais l'impression qu'on ne restait à Berlin que si cette extrême atomisation convenait à son tempérament.

C'est sur cette réflexion que j'ai achevé mes notes du jour dans mon carnet. En rebouchant mon stylo, j'ai constaté que ma condition physique était passée de catastrophique à simplement terrible. Après avoir ramassé le baluchon de draps et de vêtements sales, j'ai enfilé mon manteau, ouvert la porte et commencé à descendre l'escalier. Deux bruits inattendus m'ont presque arrêté : le crissement hypnotisant d'une aiguille de tourne-disque bloquée dans le sillon final et, beaucoup plus déconcertants, des gémissements de douleur tellement faibles et gutturaux qu'ils faisaient penser à quelqu'un en train de s'étouffer. De s'étouffer avec son propre sang, ai-je soudainement pensé.

Exactement ce qui se passait : Alastair était étendu par terre, ses bras et ses jambes formant des angles impossibles ; un filet de sang s'écoulait de sa bouche qui émettait ces borborygmes que je venais de surprendre. Son atelier avait subi un véritable cataclysme : projections de peinture en tous sens, table et chaises renversées, pinceaux cassés, l'une des fenêtres fracassée et, pis, les trois grandes toiles sur lesquelles il travaillait lacérées, apparemment par un couteau.

— Alastair ? Alastair ?

J'ai avancé vers lui parmi les débris mais il était difficile à approcher à cause de la mare de sang dans laquelle il baignait. Tournant les talons, j'ai dévalé l'escalier principal et je me suis rué dans la boutique d'en bas en criant qu'on appelle la police :

— *Polizei ! Polizei ! Sie müssen die Polizei sofort rufen !*

L'homme qui se tenait derrière le comptoir a immédiatement réagi en attrapant son téléphone. Quand il m'a annoncé que la standardiste des urgences lui avait assuré qu'une ambulance serait là dans trois minutes, je suis remonté à l'atelier comme un fou. Après avoir vérifié qu'Alastair respirait encore, je me suis précipité dans sa chambre, j'ai bondi vers la table de nuit où je savais qu'il gardait son matériel d'héroïnomane, j'ai couru prendre un sac en plastique à la cuisine et j'ai tout fourré dedans, ses seringues, ses garrots, une cuillère noircie, trois sachets de poudre blanche, et j'ai jeté le tout par la fenêtre donnant sur la cour. Au même instant, des coups ont résonné à la porte. Les ambulanciers et la police étaient là.

Immédiatement, ç'a été un cauchemar, une suite grotesque de malentendus : tandis que les infirmiers se penchaient sur mon colocataire pour tenter d'arrêter l'hémorragie, les flics se sont empressés de décider que même si c'était moi qui les avais prévenus je ne pouvais qu'être l'auteur de cette sauvage agression. M'assaillant de questions innombrables, ils ont voulu voir mes papiers, exigé que j'explique la nature de mes relations avec la victime et pourquoi j'avais continué à dormir à l'étage alors qu'un tel charivari se produisait en bas. « Vous avez déjà fumé de la skunk ? » ai-je été tenté de répliquer, mais j'ai plus prudemment raconté que j'avais le sommeil plutôt lourd et que, non, je n'avais pas le moindre problème avec Fitzsimons-Ross, que je n'avais jamais été arrêté pour violences et voies de fait, que…

— Bon sang ! ai-je fini par m'emporter. C'est un ami à moi ! Je l'ai découvert dans cet état il y a dix minutes, j'ai couru appeler ! Demandez au type dans cette foutue boutique, demandez si…

— Surveillez votre langage ! m'a coupé l'un d'eux.

— Seulement si vous arrêtez de m'emmerder avec vos stupides accu…

— Vous voulez qu'on vous embarque ?

Il m'avait déjà saisi par la chemise mais son collègue, plus âgé, l'a retenu en posant une main sur son bras et lui a ordonné fermement :

— Tu vas descendre et vérifier avec le commerçant la version qu'il nous a donnée. Moi, je reste ici avec notre « ami ». Comment s'appelle votre colocataire ?

— Fitzsimons-Ross. Alastair Fitzsimons-Ross.

— Tu as entendu ? a-t-il dit à l'autre. Demande au type en bas s'il connaît ce Fitzsimons-Ross.

Après son départ, le flic qui avait pris le commandement des opérations m'a questionné sur la victime, sa nationalité, sa profession, ses habitudes. J'ai tracé un portrait assez honnête de Fitzsimons-Ross, expliquant que c'était un peintre respecté en Grande-Bretagne, qu'il menait une existence solitaire et que bien qu'en bons termes nous ne nous racontions pas notre vie.

— D'accord, mais vous cohabitez, donc…

— Nous n'avons pas du tout les mêmes horaires.

Pendant ce temps, deux autres policiers avaient entrepris de fouiller l'appartement, ouvrant les tiroirs, sortant les livres des étagères. Ils sont montés dans mon studio. Je retenais mon souffle, priant en silence pour qu'Alastair n'ait pas stocké des réserves de drogue quelque part. Soudain, l'un des infirmiers a annoncé que le patient était « stabilisé » et qu'ils allaient le transporter à l'hôpital.

— Il va s'en tirer ? l'ai-je interrogé.

— Il a perdu beaucoup de sang mais on a réussi à arrêter l'hémorragie. Si vous n'aviez pas été là, il serait mort dans les dix minutes.

J'ai jeté un coup d'œil au flic, espérant que cette information lui ôterait ses doutes mais il désirait tout savoir sur mon compte, si je travaillais légalement à Berlin, si j'avais une preuve que j'étais écrivain. Alastair était maintenant sur une civière, une poche de transfusion reliée aux veines ravagées de son bras. Les roues ont laissé des traces de sang sur le parquet lorsqu'ils l'ont poussé dehors. Avant de partir, le second infirmier a fait signe au policier de s'approcher et, soulevant le drap dont il avait recouvert Alastair, lui a montré les marques de piqûres sur le bras.

— Un camé, a-t-il constaté froidement.

Le flic s'est tourné vers moi.

— Vous étiez au courant de ça ?

Il était clairement en colère, à présent.

— Pas du tout.

— Je ne vous crois pas !

— C'est la vérité.

231

Après avoir crié à ses collègues de fouiller encore plus systématiquement, il a exigé de voir mes bras, qu'il a inspectés avec soin, déçu de n'y trouver aucune trace.

— Je persiste à ne pas croire que vous ignoriez qu'il se...

Il a été interrompu par son collègue, qui revenait avec le commerçant du coin de la rue, un Turc d'une cinquantaine d'années effaré par le spectacle de l'atelier mais qui a confirmé ma version des événements, ajoutant que je venais souvent faire des emplettes à son magasin.

— Et c'est la personne que vous avez vue entrer avec Herr Fitzsimons-Ross la nuit dernière ? a alors demandé le policier qui l'avait déjà interrogé.

— Non, pas lui.

— Vous êtes certain ?

— L'autre, je le connais bien, il vient aussi faire des courses. Mais je les ai jamais vus ensemble tous les deux.

— Alors, avec qui était Herr Fitzsimons-Ross quand vous l'avez vu cette nuit ? s'est impatienté l'inspecteur.

— Il s'appelle comme ça ? s'est enquis le commerçant.

— Vous venez de dire que vous le connaissiez bien et vous ne saviez pas son nom ?

— Je connais presque jamais le nom des clients.

Le flic a soupiré.

— Bon, décrivez-nous l'homme qui est rentré avec la victime.

— Petit, la tête rasée, avec un tatouage sur une joue.

— Quel genre de tatouage ?

232

— Une sorte d'oiseau, je pense. Il faisait sombre…

— C'était la première fois que vous le voyiez en compagnie de Fitzsimons-Ross ?

— Je crois. Quand je le croise tard la nuit comme ça, il est presque toujours avec un homme.

Les flics m'ont à nouveau dévisagé.

— Vous confirmez que Fitzsimons-Ross ramenait souvent des hommes ici ?

— Je vous l'ai dit, nous avons de bonnes relations mais nous menons des existences séparées.

L'inspecteur a tapoté mon passeport américain contre son pouce, visiblement agacé.

— Prends la déposition complète du commerçant, a-t-il dit à son collègue. Pendant ce temps, Herr Nesbitt, nous allons attendre de voir ce que la fouille va donner.

Une heure s'est écoulée. J'étais sur des charbons ardents. À un moment, l'un des policiers est redescendu avec le seul exemplaire de mon livre sur l'Égypte que j'avais apporté avec moi. L'inspecteur a examiné la couverture, lu ma présentation biographique au dos de la jaquette et a même feuilleté quelques pages.

— Bon, ceci confirme que vous êtes bien qui vous avez dit, a-t-il annoncé. Et que vous devez avoir un bon sens de l'observation, pour faire ce travail. C'est pour cette raison que je vous crois encore moins quand vous prétendez avoir ignoré que Herr Fitzsimons-Ross se droguait et ramenait des hommes chez lui.

— Vous avez vu que j'habite un studio séparé du reste de l'appartement. Je rentre et je sors à d'autres heures que mon colocataire, nous ne nous croisons presque jamais. Je savais que c'était un grand peintre, voilà tout. Et depuis que je vis ici, nous avons dû boire une bière ensemble deux fois, peut-être trois.

Il a noté cette déclaration, les sourcils froncés. Quand les deux policiers sont venus lui dire que la fouille était terminée et qu'ils n'avaient rien trouvé de suspect, sa déception m'a paru évidente. Après une minute de réflexion, il a déclaré :

— Si Herr Fitzsimons-Ross survit, nous prendrons sa déposition, naturellement, et si tout concorde vous ne serez plus concerné par l'enquête. D'ici là, je garde votre passeport.

— Mais enfin, le commerçant a bien dit que…

— Vous aurez besoin de votre passeport bientôt ? Vous prévoyez un voyage dans les prochains jours ?

— Pas avant une semaine, non.

— D'ici là, j'espère que nous aurons tout tiré au clair.

Il a sorti de sa poche un gros carnet de reçus, en a rempli un et me l'a tendu en m'expliquant que mon passeport serait conservé au *Polizeiwache* de Kreuzberg. S'il avait besoin de me téléphoner… Je lui ai répondu qu'il n'y avait pas de ligne à l'appartement et qu'il devrait laisser un message à l'*Istanbul Café*.

— Ah oui, les artistes se passent de téléphone, a-t-il persiflé. De toute façon, nous saurons toujours vous trouver si nécessaire, Herr Nesbitt.

— Pouvez-vous me dire à quel hôpital il a été emmené ?

— Pas tant que nous ne lui aurons pas parlé. Bonne fin de journée.

Quand j'ai été seul, je me suis aperçu que mon cerveau restait sous le choc de ma sanglante découverte mais arrivait à recouvrer un semblant de fonctionnement cohérent. Et d'abord, où était mon papier pour Radio Liberty ? Pourquoi n'avais-je pas fait une copie sur la photocopieuse de l'épicier, qui entre parenthèses méritait ma bénédiction pour m'avoir dédouané devant les flics. Avait-il été confisqué ou détruit dans la fouille ? Pis, la police allait-elle contacter la direction de la radio pour prendre des informations sur moi et l'informer que ce collaborateur potentiel restait un suspect dans une affaire d'agression violente sur la personne de son colocataire homosexuel et drogué ? Une fois que ce serait ébruité, nul doute que Petra m'enverrait paître si je finissais par réunir le courage suffisant pour l'inviter à prendre un verre avec moi…

En quelques bonds, j'étais de retour dans ma chambre. La machine à écrire avait été déplacée de son étagère à la table et ouverte. Plusieurs touches étaient enfoncées, les enquêteurs ayant évidemment voulu s'assurer qu'aucun sachet de quelque substance illicite n'avait été dissimulé à l'intérieur. Quant à mon texte, que j'avais rangé sous l'Olivetti, ses huit pages étaient maintenant éparpillées sur le sol. Je les ai ramassées et remises dans l'ordre, puis j'ai vérifié que tous mes carnets étaient là. Ils avaient été ouverts et abandonnés par terre, eux aussi. Ces gens n'appartenant pas à une police politique, mes impressions sur Berlin ne les intéressaient pas : ce qu'ils avaient cherché, c'était de la drogue.

Il m'a fallu longtemps pour ranger le studio, car tout avait été fouillé, dérangé, jeté par terre. Tout, de la penderie au placard sous l'évier de la cuisine. Ils étaient allés jusqu'à démonter la machine à café. Dans la salle de bains, mon tube de dentifrice avait été écrasé, celui de crème à raser également, la boîte de talc renversée sur le sol, la bouteille de shampooing à moitié vidée. Et dire que je venais juste de la briquer de fond en comble !

Enfin, le principal était que rien ne manquait ni n'avait été abîmé. Ils avaient même laissé les piles de mon magnétophone près de l'appareil après avoir vérifié leur logement. De retour en bas, je me suis dit que mon sort était plus enviable que celui du malheureux Alastair et de son atelier aux murs éclaboussés de sang et de peinture. Je suis allé dans sa chambre. L'agression avait dû commencer là, car les draps étaient tachés de rouge sombre. La police avait aggravé l'aspect chaotique des lieux en dispersant ses habits par terre. J'étais en train d'évaluer les dégâts, et la quantité de travail qu'il faudrait pour tout remettre en état, lorsque j'ai sursauté en entendant une clé tourner dans la serrure de la porte d'entrée. Instinctivement, j'ai attrapé une chaise pour me défendre mais celui qui est entré n'était pas le criminel revenant sur les lieux de son forfait. C'était Mehmet. En découvrant les lieux dévastés, et en me voyant prêt à frapper, il a ouvert des yeux à la fois stupéfaits et apeurés.

— Pardon, pardon, ai-je murmuré en reposant la chaise. Il s'est passé quelque chose de terrible.

— Où est Alastair ?

— À l'hôpital. Il y a eu une tentative de cambriolage, cette nuit. Il a été attaqué au couteau, frappé plusieurs fois. Moi, j'étais en haut, et tellement soûl que rien n'a pu me tirer de mon sommeil.

— Il est vivant ?

— Oui, dans un état grave, mais vivant. Les infirmiers ont dit que, si je n'avais pas donné l'alerte, il serait mort dans les dix minutes.

— Et celui qui a fait ça ? Ils l'ont arrêté ?

— Non. J'ai déduit qu'il était entré par une fenêtre ouverte pendant qu'Alastair dormait. Il s'est réveillé et a essayé de se défendre, et puis…

Mehmet a fait non de la tête, très lentement. D'une voix qui était à peine plus qu'un chuchotement, il a dit :

— Inutile de me mentir. Je sais qu'il ne s'agit pas d'un cambrioleur. Je sais quelle vie Alastair mène.

Je l'ai regardé bien en face, et j'ai lu dans ses yeux la même expression que celle d'une femme constamment trompée qui s'est résignée à ce que son mari continue à agir de la sorte tant qu'ils seront ensemble. Mais quel droit avais-je de spéculer sur la nature de leur relation ? Il était évident que Mehmet était réellement affligé par le saccage que l'appartement avait subi, et surtout par mon incapacité à lui donner des nouvelles plus précises concernant l'état de santé de son amant. Il y avait notamment une question qui provoquait son effarement :

— Pourquoi ils ne vous ont pas dit à quel hôpital il était ?

— Parce que les ambulanciers l'ont emmené tout de suite et que les policiers étaient occupés à m'interroger.

— Comment vous allez le retrouver, alors ?

— Je vais téléphoner partout. Quand je saurai où il est, on pourra aller le voir ensemble.

— Non, moi, c'est impossible.

— Je comprends.

— Non, vous ne comprenez pas. Personne ne comprend. Si ça s'apprenait, notre… « amitié », ma vie s'arrêterait. Je serais fini. Mort.

Un silence est tombé. Mehmet a sorti un paquet de cigarettes de sa veste, en a porté une à ses lèvres et m'a lancé le reste. J'en ai pris une et je lui ai renvoyé le paquet, puis mon Zippo…

— Ce qu'on pourrait faire pour Alastair, ai-je suggéré, ce serait repeindre l'atelier, nettoyer le sang sur le sol et les meubles.

Il s'est montré immédiatement intéressé.

— Vous savez, c'est mon deuxième boulot ! Je m'occupe du pressing, de l'affaire familiale, mais en plus je rénove des appartements. Bon, je ne peux pas amener mon équipe habituelle ici, bien sûr…

— Je me débrouille avec un pinceau.

— Vous pouvez vous lever tôt, demain ?

— Après la nuit que j'ai vécue, je pense que je serai couché à neuf heures, ce soir.

— OK, j'arriverai demain matin à huit heures, avec tout ce dont on a besoin.

— Je serai prêt.

— Merci.

— Il n'y a pas de raison de me remercier.

— Mais si. Parce que je sais que je peux vous faire confiance. Parce que vous voulez le bien d'Alastair. En plus, il m'a dit qu'il vous appréciait alors que peu de gens trouvent grâce à ses yeux.

Avant de partir, Mehmet s'est rendu dans la chambre et m'a informé qu'il allait commander un nouveau matelas. Il a aussi ramassé tous les vêtements souillés de sang d'Alastair et les a fourrés dans un grand sac-poubelle, disant qu'il s'en occuperait à sa laverie. Il faisait nuit depuis longtemps quand il a pris congé, et je me suis soudain senti écrasé de fatigue, ce qui n'était pas étonnant après la nuit et la journée que j'avais eues… Il était sept heures. Bien que n'ayant rien bu ni mangé à part deux tasses de café, je n'éprouvais qu'un seul et unique besoin : dormir. J'ai pris une douche brûlante et je me suis mis au lit, réglant mon réveil sur quatre heures du matin.

J'ai dormi si profondément qu'en me réveillant avant l'aube j'ai goûté quelques minutes d'une béatitude émerveillée, comme si je vivais littéralement une seconde naissance, et puis le drame de la veille m'est brusquement revenu en mémoire et j'ai été hanté par l'idée qu'Alastair avait pu mourir pendant mon sommeil. Ce qui lui arrivait était d'une injustice monstrueuse, et je le tenais maintenant pour un ami. J'aurais tant voulu téléphoner à la police pour prendre de ses nouvelles, mais appeler à une heure pareille risquait de me faire cataloguer comme un illuminé, ou quelqu'un en proie à un sentiment de culpabilité obsessionnel. Et puis, encore aurait-il fallu trouver un téléphone public en état de marche à un coin de rue glacial, puisque pratiquement toutes les cabines de Kreuzberg étaient en dérangement ou avaient été cassées par des vandales. Il me restait donc une solution : me remettre au travail. Une tasse de café, un bout de fromage sur un morceau de pain de seigle et, armé d'un crayon bien taillé, je me suis attaqué aux débordements descriptifs et aux considérations trop hâtives de mon papier, essayant de le rendre plus fluide et plus uni sur le plan stylistique. Il était six heures quand j'ai terminé ma révision. J'ai encore préparé du café, inséré une feuille dans le rouleau de la machine, allumé ma première cigarette de la journée, et j'ai commencé à taper la version corrigée. Il m'a fallu un peu moins de deux heures pour terminer les huit pages, y compris le temps nécessaire pour que le Tipp-Ex sèche lorsque j'avais fait une faute de frappe. Je venais de mettre le point final quand j'ai entendu la porte du bas s'ouvrir. Mehmet était là.

— Vous pouvez m'aider à monter deux ou trois affaires ?

Les « deux ou trois affaires » en question étaient quatre pots de peinture blanche de cinq litres, des pinceaux et des rouleaux neufs avec leur bac, une énorme sableuse pour décaper le sol et une ponceuse pour le mobilier, une dizaine de sacs à gravats et deux échelles.

— Eh ben ! Comment vous avez fait pour mettre la main sur tout ça en si peu de temps ?

— Un de mes cousins a un magasin de peinture dans le quartier.

Pendant que je faisais du café, Mehmet m'a expliqué qu'il jugeait préférable de commencer par les murs, mais qu'il fallait d'abord dégager l'atelier de tous les débris. Le temps que j'aille enfiler un vieux jean et un tee-shirt usé, il s'était déjà lancé dans cette tâche préliminaire et je me suis joint à lui, de sorte que nous avons tout déblayé en une demi-heure. Il aurait voulu jeter les trois toiles déchirées, pensant qu'Alastair serait trop affecté par leur vue, mais je l'ai convaincu de les empiler dans un coin et d'attendre que j'en aie parlé avec notre ami. Après un silence, il a ajouté tout bas :

— Pas de nouvelles ?

J'ai secoué la tête. Sans plus rien dire, il a ouvert l'un des pots de peinture, en a versé dans deux bacs, et nous nous sommes attelés au travail en silence pendant les trois heures suivantes. Comme je lui avais demandé si la musique ne le gênait pas et qu'il avait répondu que non, c'est au son des quatre disques du *Clavier bien tempéré*, sous les doigts de Glenn Gould, que nous avons donné une première couche aux grands murs de la pièce.

À dix heures, j'ai fait une pause pour descendre au café et appeler Pavel à Radio Liberty. Il a décroché à la cinquième sonnerie.

— Que me vaut cet honneur ? m'a-t-il demandé.

— J'ai le texte.

— Ah, ah ! « Le travail avant tout », je vois !

Oui, parce que je n'arrête pas de penser à Petra Dussmann, ai-je songé.

— Vous avez dit que vous le vouliez rapidement, alors…

— Pouvez-vous l'apporter cet après-midi ?

— Sans problème.

— Disons trois heures.

Il a raccroché. Ensuite, j'ai emprunté au patron son annuaire et j'ai téléphoné aux six hôpitaux de Berlin-Ouest. Chaque fois, on m'a répondu qu'il était impossible de confirmer si un certain Alastair Fitzsimons-Ross avait été admis la veille ou non, que ce genre d'informations ne pouvait être communiqué que si je me présentais en personne, avec une pièce d'identité. « C'est notre règlement et nous ne pouvons pas le changer », tel était le leitmotiv. De retour à l'appartement, j'ai raconté à Mehmet mes vaines tentatives, à quoi il a réagi par un haussement d'épaules. Nous avons

241

continué à travailler jusqu'à midi. Il a annoncé qu'il devait aller au pressing mais qu'il serait de retour à huit heures pour poursuivre la rénovation.

— En trois ou quatre jours, nous devrions avoir terminé, a-t-il estimé.

— Et si la police me contacte d'ici à demain ?

— Vous me le direz quand je viendrai demain matin. Personne ne doit être au courant de ma présence ici. Personne.

— Vous pouvez compter sur moi.

Après son départ, je suis monté me doucher et me changer, puis j'ai relu encore une fois mon billet en pensant : Il va certainement le trouver détestable et ce sera la fin de tout. Petra l'apprendra probablement et ne voudra pas fréquenter de quelque manière que ce soit un type qui n'est même pas jugé digne de bosser pour la radio.

Et justement, qui ai-je vu peu après, alors que je venais de sortir de la station de métro de Wedding, arrivant dans la direction opposée ? Petra. Elle portait un blouson en cuir noir fatigué dont elle avait remonté la fermeture jusque sous le menton à cause du froid, une jupe courte en velours et un collant noir. Dans le rare soleil d'hiver, ses cheveux avaient une belle nuance châtain et sa peau était plus lumineuse que jamais. Au début, elle ne m'a pas aperçu. Elle marchait les yeux baissés, une expression tourmentée sur les traits, comme si des préoccupations secrètes la plongeaient dans une grande anxiété. J'aurais voulu la héler mais je me suis dit que ce serait une mauvaise idée. Toutefois, lorsque nous sommes arrivés ensemble devant les grilles de Radio Liberty, elle s'est rendu compte de ma présence et m'a aussitôt gratifié d'un sourire hésitant, timide.

— Ah, c'est vous, a-t-elle constaté. Qu'est-ce qui vous amène ici ?

— Je viens remettre mon texte à Pavel.

— Vous êtes rapide…

— Avec une *deadline*, on se concentre toujours plus facilement.

— Contente de vous avoir revu, a-t-elle conclu en reprenant sa marche.

— Écoutez, j'ai deux billets pour la Philharmonie demain soir. C'est un programme consacré à Dvořák, sous la baguette du grand Kubelik qui, comme tout Tchèque qui se respecte, connaît son Dvořák sur le bout des doigts…

— Désolée, je suis prise. Mais, merci.

Elle s'est hâtée vers l'intérieur du bâtiment. La déception a été immédiate, et cuisante. Ce qu'elle m'avait dit très clairement, c'était : « Je ne suis pas intéressée », ou bien : « J'ai quelqu'un dans ma vie », ou plus simplement : « Merci et adieu. » J'ai bien cherché une explication rationnelle quelconque – elle était réellement prise demain ; elle avait un rendez-vous de travail et c'est pour ça qu'elle a coupé court aussi abruptement… – mais il n'en restait pas moins qu'elle m'avait envoyé balader.

— Vous avez l'air mélancolique !

J'ai levé les yeux. Pavel venait de me rejoindre à l'accueil. En le connaissant mieux, j'allais m'apercevoir qu'il souriait rarement, sauf quand il voyait quelqu'un se débattre avec de sombres pensées.

— *Weltschmerz* momentanée, ai-je répondu.

243

— D'après ce que je sais de la vie, cette douleur n'est jamais momentanée. Suivez-moi.

Je lui ai emboîté le pas jusqu'à son box, gardant la tête baissée au cas où j'apercevrais Petra. Il m'a fait signe de m'asseoir en face de lui. À sa demande, je lui ai remis mes huit feuillets, qu'il a commencé à lire tout de suite, sans les digressions ou commentaires habituels, ce qui n'a pas cessé de m'étonner. Malgré moi, je lui ai jeté plusieurs coups d'œil pour essayer d'apprécier sa réaction mais son visage était impénétrable. Au bout de dix longues minutes, il a reposé les pages sur sa table.

— Bon, vous écrivez pas mal. Pas mal du tout, même. Toutefois, j'ai quelques suggestions…

Avec une rapidité déconcertante, il a exposé les modifications qu'il voulait me voir apporter, la plupart ayant trait à mes observations sur la société est-allemande, certaines manquant de subtilité, d'après lui. Il m'a aussi demandé de « renoncer à faire du pseudo-Le Carré » dans ma description du passage de Checkpoint Charlie.

— On a trop entendu ça, vous comprenez ? Pour le reste, le papier est bien. Vous pouvez le corriger d'ici à demain matin ?

— Sans problème.

— OK, laissez-le au gardien avant neuf heures. Je vous contacterai quand on aura besoin de vous pour l'enregistrement. Et je vais lancer la traduction dès que votre texte sera prêt.

— Compris.

Il l'a eu encore plus tôt, car après avoir retouché le texte à mon retour chez moi et m'être mis au lit très tôt j'étais dans le U-Bahn en direction de Wedding dès six heures et demie. Une fois les feuillets déposés au poste de garde de la radio, je suis revenu en métro à Kreuzberg et j'étais en haut d'une échelle dès huit heures du matin, un rouleau à la main. Cette fois encore, Mehmet a travaillé de l'autre côté de la pièce, fermé à toute tentative de conversation, se contentant de dire pendant une pause-café que nous pourrions commencer à poncer les meubles le lendemain. Il est parti peu avant midi, comme à l'accoutumée, et une demi-heure plus tard je suis descendu à mon café, douché et habillé de propre.

— J'ai un message pour vous, m'a lancé Omar en me voyant entrer. Il y a vingt minutes à peu près, on a appelé. Une certaine Fraülein Dussmann.

— C'est une blague ?

— Mais non ! C'est moi qui ai répondu. Elle demande que vous la rappeliez.

Il a posé le téléphone sur le bar, ainsi qu'un bout de papier avec son nom et un numéro.

Elle a décroché tout de suite. C'était sa ligne directe.

— Ils vous ont bien passé le message, alors. Pavel m'a dit que c'était le seul moyen de vous contacter.

— Il faudra vraiment que j'aie le téléphone chez moi, un de ces jours.

— Mais dans ce cas vous serez joignable, et tout le charme mystérieux d'avoir un café turc pour central téléphonique sera perdu.

Le ton qu'elle avait, léger et un brin ironique, m'a surpris. À nouveau, elle m'a semblé merveilleuse.

— Pavel m'a donné votre texte à traduire. J'ai quelques questions. Vous avez un moment maintenant ?

— Prenez un café avec moi.

— Mais il n'y en a pas pour…

— Prenons un café ensemble, Petra.

Un long silence a suivi, pendant lequel j'ai écouté sa respiration. « Rien qu'une tasse de café ! » ai-je été tenté d'argumenter, mais j'ai senti que nous n'en étions plus là, qu'elle avait perçu quelque chose et que, comme moi, elle avait conscience que l'instant était décisif. Ou du moins c'est ce que je voulais déduire de son hésitation. J'ai préféré attendre ; finalement, d'une voix qui était à peine plus qu'un murmure, elle a répondu :

— D'accord. Retrouvons-nous pour un café.

2

Nous avons choisi comme lieu de rendez-vous un café de Kreuzberg, « mais pas dans votre coin chic, dans le mien », a-t-elle dit lorsque j'ai mentionné que je ne me trouvais pas loin de Heinrich Heine Strasse.

— Vous pourrez vous risquer là-bas ? a-t-elle demandé avec une nuance taquine.

— Absolument. Et je ne savais pas que la partie de Kreuzberg où j'habite était élégante à ce point. Ce n'est quand même pas la rue Saint-Honoré.

— Je ne suis jamais allée à Paris. Les seules villes que je connaisse, c'est Berlin, Leipzig, Dresde et Halle.

— La dernière, je ne connais pas du tout.

— C'est le cas de presque tous ceux qui vivent en dehors de la RDA. Même les Allemands de l'Est évitent d'y aller, et ils ont leurs raisons.

— Mais vous, vous y êtes allée.

— Pire que ça. Je suis née et j'ai grandi à Halle.

— Ah, et c'est encore plus terrible que la partie « pas chic » de Kreuzberg ?

— Quelle est la pire ville que vous connaissiez, aux États-Unis ?

— Euh, la compétition pour ce titre est assez ouverte mais je dirais Lewiston, dans le Maine. Une cité industrielle en pleine dépression, vraiment moche.

— Ça pourrait être Halle, sauf qu'évidemment, comme c'est en RDA, la ville est présentée comme un fleuron de la productivité socialiste et de l'épanouissement du prolétariat.

— Oui. Lewiston, c'est surtout plein de Canadiens catholiques qui se soûlent…

— Tout le monde se soûle, à Halle. C'est le seul moyen de supporter les fumées toxiques de toutes ces usines.

— À Lewiston, il y a juste des fabriques de papier qui dégagent une odeur atroce.

— Mais vous n'avez pas passé votre enfance là-bas.

— Je ne l'ai pas prétendu. Si je connais ce bled, c'est parce que, quand j'étais à l'université, j'ai participé à une épreuve de cross-country contre l'équipe locale.

— Ah, un coureur de fond new-yorkais qui échoue à Kreuzberg ! Ce n'est pas banal, si ?

— Je ne suis pas le genre de New-Yorkais que vous pensez.

— Eh bien, vous me direz quel genre vous êtes plus tard ; je dois finir une autre traduction et nous bavardons depuis déjà bien trop longtemps.

— Vous regrettez ?

— Je constate, c'est tout.

Et elle m'a donné l'adresse d'un café, l'*Ankara*, à Kandererstrasse, tout près de la station de métro Bormann.

— Je présume que ça ne vous dérange pas de passer d'Istanbul à Ankara ? m'a-t-elle interrogé, et j'ai été une nouvelle fois charmé par son ton espiègle.

— C'est certainement plus facile que d'aller du « bon » Kreuzberg au « mauvais ».

— Alors, n'oubliez pas de prendre votre passeport. Vingt heures demain, ça va ?

— Tout à fait.

— Bon Dvořák, ce soir.

Elle a raccroché. J'étais transporté, évidemment, car elle s'était montrée beaucoup moins distante que durant nos rapides rencontres antérieures. De plus, j'avais été aussi intrigué que ravi par les aperçus de son humour à la fois tendre et caustique. Et puis, avant tout, elle avait accepté de me voir dans un cadre qui n'était pas strictement professionnel, et je me suis soudain rendu compte que l'attente allait être sacrément longue. L'impatience est une sensation paradoxale : nous voudrions déjà être au lendemain parce que nous espérons qu'il comblera nos attentes mais d'un autre côté nous savons que rien ne garantit que les choses tourneront comme nous le désirons. C'est souhaiter une confirmation bien avant d'avoir l'assurance qu'elle sera donnée, et en allant trop vite en besogne, par exemple en laissant comprendre à quelqu'un que l'on est déjà envoûté, on ne fait souvent qu'augmenter le risque d'un refus… Il faut se montrer intéressé mais non fébrile. Et apprendre la patience.

J'avais aussi un petit détail à régler : quand je lui avais proposé de m'accompagner au concert, je m'étais avancé sans avoir la moindre certitude de trouver deux places à un prix abordable ; désormais, je me sentais obligé d'en obtenir une pour moi, dans le cas plus que probable où elle me demanderait ce que j'avais pensé de la prestation de la Philharmonie – et puis, Rafael Kubelik dirigeant Dvořák, c'était tout de même un sommet. Aussitôt, j'ai décidé de quitter l'appartement à six heures, de me rendre à Potsdamer Platz en métro et d'essayer de me dégoter un billet devant l'entrée.

Auparavant, toutefois, quelques coups secs et impérieux ont retenti à la porte. Je suis descendu, j'ai ouvert et je me suis retrouvé nez à nez avec l'inspecteur qui m'avait interrogé à la suite de l'agression d'Alastair.

— Je peux entrer ?

— Je vous en prie. Des nouvelles ?

Il a fait quelques pas à l'intérieur de l'atelier.

— Votre ami a eu de la chance. Il s'est révélé plutôt costaud, pour un drogué. Il a bien réagi aux transfusions. Son état reste grave mais il devrait se rétablir. Bien entendu, il est maintenant en pleine crise de manque, parce qu'il n'a plus sa « substance », mais j'imagine que vous n'êtes toujours au courant de rien, là-dessus ?

— Vous et vos collègues, vous avez mis l'appartement sens dessus dessous à la recherche de cette « substance » et qu'avez-vous trouvé, exactement ?

— Ce n'est plus un interrogatoire, Herr Nesbitt. Je suis juste passé vous rendre votre passeport. J'ai pu m'entretenir avec Herr Fitzsimons-Ross, ce matin, et non seulement il vous a mis hors de cause mais il m'a même donné l'adresse de l'individu qui l'a attaqué. Il semble qu'ils se soient… fréquentés, auparavant, quoique sans atteindre une telle violence. Votre ami a eu la déveine de tomber sur lui dans un bar la nuit de l'incident. Évidemment, vous ne connaissez pas du tout l'établissement en question ?

— J'ai bien peur que non.

— Oui, c'est vrai, vous êtes le voyageur innocent. Vous ne savez rien, vous n'avez rien vu et, heureusement pour vous, nous n'avons rien trouvé.

Il a tiré de l'une de ses poches mon passeport américain ainsi que le gros carnet de reçus qu'il avait utilisé la dernière fois.

— Pouvez-vous signer ici afin de justifier que votre document vous a été rendu ?

J'ai obtempéré.

— Et maintenant, vous allez me dire dans quel hôpital est mon ami ?

— Celui qui est à côté du *Zoologischer Garten*…

Typique d'Alastair, d'échouer dans un hosto situé près d'un zoo…

— … et il a dit qu'il apprécierait que vous lui rendiez visite ce soir.

— Merci.

— Bon. J'espère, et je veux croire, que nos chemins ne se croiseront plus, professionnellement parlant.

— J'ai bien l'intention de ne pas chercher les ennuis.

— Bien sûr, bien sûr. Vous êtes allergique aux ennuis, c'est clair…

À son départ, je me suis retenu d'aller au pressing de Mehmet pour partager avec lui ces excellentes nouvelles. Renonçant à ma soirée philharmonique, je suis parti à pied et, après cinq minutes de marche, j'ai repéré un triste immeuble des années 50 au fond d'une allée marquée par le panneau « KRANKENHAUS »,

251

hôpital. C'était pile le début des heures de visite du soir. J'ai acheté une boîte de chocolats dans la boutique de cadeaux du hall, à joindre aux magazines et aux livres que j'avais pris dans mon studio. Une fois mon identité vérifiée, la réceptionniste a consulté son porte-fiches et m'a indiqué que Herr Fitzsimons-Ross était hospitalisé au Pavillon K, bloc B, m'expliquant comment m'y rendre.

C'était, au quatrième étage, un long couloir dans lequel j'ai croisé deux parents à l'air épuisé poussant dans un fauteuil roulant un garçon qui ne devait pas avoir plus de sept ans et dont le teint faisait penser à un parchemin usé, tandis qu'il ne restait plus que quelques mèches de cheveux sur son crâne ravagé par la chimiothérapie. Plus loin, un homme d'une quarantaine d'années, presque obèse, sanglotait, le visage tourné vers l'un des murs vert bouteille, alors qu'une femme plus jeune, appuyée sur un déambulateur, s'éloignait péniblement. L'écrivain en moi aurait voulu absorber chacune des formes de détresse ou d'infirmité que j'apercevais, les graver dans ma mémoire parce que je savais que je les utiliserais un jour, mais l'aspect de moi moins enclin à une observation clinique m'a bientôt conduit à baisser les yeux sur le lino fatigué, ne les levant que pour vérifier si j'étais proche du lit 232, celui occupé par Alastair, d'après ce que la réceptionniste m'avait dit.

— Tu ne sais pas que je déteste le foutu chocolat ?

Tels ont été ses premiers mots quand je suis parvenu à son chevet. J'ai eu du mal à le reconnaître tant ses joues s'étaient creusées, tant sa pâleur s'était accentuée. Deux poches de perfusion reliées à chacun de ses bras étaient suspendues à des perches, et il était encerclé d'appareils et d'écrans surveillant les battements de son cœur. Malgré son apparence cadavérique, ses yeux n'avaient rien perdu de leur éclat surnaturel.

— Et il est hors de question que je lise le moindre foutu roman, a-t-il ajouté en me voyant extraire de mon sac les livres que je lui avais apportés. Je hais les romans. De la réalité en trompe l'œil inventée par des branleurs. Presque aussi nul que les livres de voyage.

Je n'ai pu retenir un rire.

— Ravi de constater que vous… tu sembles en voie de complet rétablissement.

— Je crois que je vais devenir un vampire, après cette expérience, vu la quantité de sang d'inconnus qu'on m'a refilée depuis des jours.

— L'essentiel, c'est d'être en vie.

— Au fait, les flics m'ont appris que je te dois la vie, ce que je ne te pardonnerai jamais.

— Il paraît qu'ils savent qui est le coupable.

— Correction : « je » sais qui c'est, et je suis celui qui a été assez stupide pour faire sa connaissance auparavant. Comme il ne m'avait pas lardé de coups de couteau la première nuit que nous avons passée ensemble, j'ai pensé qu'il n'était pas risqué de lui proposer une nouvelle petite fredaine. Le problème, c'est que Horst est peintre…

— Je me demandais…

— Quoi ?

J'ai hésité un instant, conscient qu'il faudrait bien le lui dire et qu'il valait mieux ne pas attendre.

— Celui qui t'a agressé a aussi abîmé les trois toiles que tu étais en train de finir.

Ses lèvres se sont pincées, il a fermé les yeux. J'ai eu de la peine pour lui, mais c'est avec le plus grand calme qu'il a demandé :

— Dans quel état elles sont ?

— Très mauvais.

— C'est-à-dire ?

— Irrécupérables.

Ses paupières se sont crispées encore plus et il a rejeté la tête en arrière. Le silence s'est installé entre nous. J'ai vu qu'il faisait de grands efforts pour retenir un sanglot.

— Je suis désolé, ai-je murmuré.

— Pourquoi ça ? s'est-il insurgé, soudain plein de rage. Tu n'es pas le petit salaud dénué de tout talent qui a commis une chose pareille… – Une pause, puis : – Tu aurais dû me laisser crever là-bas. – Un autre silence, et quand il l'a rompu il avait retrouvé un ton égal : – Merci, mon vieux.

— De quoi ?

— De me l'avoir dit tout de suite. Si tu avais attendu que je sois sur pied, je t'aurais méprisé.

— J'ai vu Mehmet, l'autre jour.

— Tu lui as raconté ?

— Il est passé à l'appartement, donc il a tout vu…

— Bonté divine ! Et tu lui as dit dans quelles circonstances ça s'était…

— J'ai dit qu'un cambrioleur s'était introduit dans l'atelier pendant ton sommeil, que tu t'étais réveillé et que tu avais essayé de te défendre.

— Je suis sûr qu'il n'en a pas cru un mot.

— Il m'aide à retaper l'atelier, depuis. En fait, c'est lui qui s'est occupé de tout, de la peinture pour les murs, des…

— Hein ? Pourquoi vous repeignez ces putains de murs ?

— Parce qu'il y avait du sang partout. Mais tout sera arrangé le temps que tu sortes d'ici. À propos, je suis vraiment content que tu sois toujours parmi nous.

— Pas moi. Au fait, ces tableaux, et ne les appelle plus jamais des « toiles », étaient bons, très bons même…

— J'ai connu un romancier qui a perdu le manuscrit sur lequel il travaillait depuis plus d'un an. Le feu. Chez lui, à Manhattan. Il s'était endormi dans son lit avec une cigarette allumée. Il a eu de la veine de s'en tirer, mais l'original et la copie qu'il avait faite, tout a cramé. Et d'après toi, qu'est-ce qu'il a fait ?

— C'est quoi, le message que tu essaies de me faire passer là ? Un de ces sermons horriblement faux-derche dont ton pays raffole tant ?

— Désolé de vouloir te redonner un peu le moral.

— Rien ne peut me « redonner le moral ». Ça va bien au-delà de ça.

— Mais tu les repeindras, ces tableaux. Et ils seront presque aussi bons à tes yeux, peut-être autant que ceux qui ont été détruits.

— Tu es trop foutrement gentil, Tommy Boy. Comment va Mehmet ?

— Il est très inquiet pour toi. Et il vient tous les matins pour travailler dur. Dis-moi, tu sais quand ils vont te laisser sortir ?

— Ce n'est pas seulement à cause de tout le sang que j'ai perdu qu'ils me gardent, c'est aussi à cause de mon petit « problème ». Ils me refilent un truc de substitution, tu saisis ? Le charlatan qui s'occupe de moi dit qu'il ne signera pas ma sortie tant qu'il ne sera pas certain que je ne suis plus dépendant de l'héro.

— De la méthadone, c'est ça ? Comment ça se passe ?

— Au début, sans difficulté, puisque j'étais dans le coma. Maintenant, par contre… Je sens déjà que la désintoxication va être une épreuve monstrueuse, même avec la méthadone. J'ai pas mal d'amis camés qui ont dû en passer par là et ils ont tous eu la même appréciation : l'enfer absolu.

— Au moins, tu en auras fini avec ça.

— Arrête de présenter les choses comme si j'avais attendu toute ma vie de me faire quasiment trucider par un peintre raté que j'ai ramassé dans un bar-baisodrome sordide pour me débarrasser de ma répugnante accoutumance. J'aime cette merde, j'en ai besoin, c'est un fait.

— Mais puisqu'ils ne te laisseront pas sortir tant qu'ils ne seront pas sûrs que tu as décroché.

— Je peux très bien m'en aller tout seul dès que j'aurai suffisamment d'hémoglobine dans les veines. Le toubib et l'inspecteur ont souligné que, puisque je suis un putain d'*Ausländer* et qu'ils ont la preuve médicale que je suis camé, je pourrais être expulsé du pays, légalement. Mais les Allemands ne sont pas aussi durs que les Anglais ou les Français, sur ce terrain, et puis heureusement qu'ils n'ont pas fouillé l'appartement…

— Qui t'a dit ça ?

— C'est ce que j'ai imaginé, étant donné que c'était clairement une tentative de meurtre.

— Tu es un drogué, ils l'ont vu tout de suite et ils ont cherché absolument partout.

— Alors ils ont trouvé…

— Non. J'ai tout mis dans un sac que j'ai jeté par la fenêtre. Je l'ai mis à la poubelle le lendemain.

— Tu as tout balancé ?

— Qu'est-ce que j'étais censé faire, enfin ? Te le garder au chaud jusqu'à ton retour ? Et si les flics étaient revenus et avaient trouvé ta merde ?

— Il y en avait pour sept cents marks !

— Ce n'est pas cher payé pour éviter de se faire choper et d'être viré de la Bundesrepublik.

— On n'est pas en Bundesrepublik, ici. On est à Berlin.

— Ils t'auraient expulsé quand même. Et maintenant, tu vas te mettre clean à leurs frais, en plus.

— Oh, quel horrible pragmatique tu fais ! Bon, quand est-ce que tu dois revoir Mehmet ?

— Demain matin à huit heures. On va démarrer le ponçage de ton parquet.

— Tu lui diras de passer me voir ?

— Oui, mais tu sais bien qu'il ne peut pas risquer d'être vu avec toi.

— Il t'a dit ça ?

— Eh oui.

— Alors, tu reviens demain soir et tu me mets au courant.

— De quoi ?

— De tout ce qui se passe en dehors de cette foutue chambre !

— Demain soir, c'est impossible.

— Pourquoi ?

— Je suis déjà pris.

— Comment s'appelle-t-elle ?

— Je te le dirai si quoi que ce soit se concrétise.

— Ça se « concrétisera ».

— Comment en es-tu aussi certain ?

— Parce que « tu » le sais. Après-demain, donc ?

— Absolument.

— Et dis bien à Mehmet que je pense à lui.

J'ai transmis le message le lendemain matin, alors que tous les murs étaient repeints et secs. Nous devions maintenant passer à une phase très salissante de l'intervention, le sablage et le ponçage des sols, Mehmet m'ayant expliqué que nous allions obligatoirement récolter une grande quantité de sciure et de poussière en raison de la médiocre qualité du parquet. Auparavant, il avait accueilli d'un discret hochement de tête les nouvelles d'Alastair que je m'étais empressé de lui donner, mais c'est seulement après un bon moment de travail acharné sur les taches de sang incrustées dans le bois qu'il m'a interrogé à brûle-pourpoint :

— Vous me racontez la vérité ? Il va vraiment s'en tirer ?

— C'en a tout l'air. Et il a demandé plusieurs fois comment vous alliez. Pourquoi vous ne lui rendriez pas visite ? Ce n'est pas comme si on était de l'autre côté du Mur, et si nos moindres faits et gestes n'étaient pas surveillés. Et même si vous tombiez sur une connaissance là-bas, vous diriez que vous allez voir un ami, rien que de très banal, non ?

— Ce n'est pas aussi simple que ça.

Nous avons continué à nous activer en silence jusqu'à midi. Après m'avoir aidé à balayer toute la sciure et s'être lavé les mains, Mehmet a remis sa cravate et lancé :

— À demain matin, huit heures.

J'ai consulté ma montre après son départ. Tout un après-midi à attendre le moment de rejoindre Petra au café qu'elle m'avait indiqué. Me surprenant moi-même, j'ai brusquement décidé de faire ce à quoi je m'étais refusé depuis ma dernière année de fac : aller courir. Je dois avouer que je me suis imaginé coureur de marathon, ou plutôt coureur de marathon en herbe, pendant toute une partie de ma jeunesse. J'avais fait de la course d'endurance au lycée, avec le dix mille mètres pour spécialité, et comme je l'ai déjà mentionné j'ai continué pendant mes deux premières années d'études supérieures, finissant même troisième lors d'une compétition inter-universitaire – jusqu'à ce que mon histoire d'amour avec les cigarettes mette un point final à cette discipline et à mes ambitions.

En me lançant sur le béton compact et inégal des rues de Berlin, j'ai été tout de suite étonné de constater avec quelle facilité les leçons de mes entraînements passés me revenaient. Au point que j'ai cru entendre mon coach de l'école new-yorkaise, M. Toole, un ancien marine comme mon père, m'admonester à nouveau : « Quatre foulées et ensuite quatre expirations, quatre foulées et quatre expirations, et ainsi de suite, et tu ne changes "jamais" ce rythme ! Sans ça, ta respiration tournera au n'importe quoi et tu perdras tout : régularité, vitesse et résistance. J'ai vu des coureurs expérimentés faire l'erreur de ne pas surveiller leur respiration, d'oublier simplement la règle du "quatre et quatre", et ils finissaient flageolants, essoufflés, rincés. Dans ce sport, la respiration, c'est l'énergie et je te promets que je ne te lâcherai pas tant que tu ne te seras pas fourré ça dans le crâne, Nesbitt ! »

Mais je n'avais pas oublié, non, et ce jour-là, tout en trottinant à travers Kreuzberg, je me suis répété en silence la formule magique : Quatre foulées, quatre expirations. Ensuite, inspirer lentement par le nez. Quatre foulées, quatre expirations. Et ne jamais retenir son souffle plus que nécessaire. Quatre foulées... La jeunesse est un don merveilleux que l'on n'apprécie pleinement que plus tard, hélas, quand on se rend compte que l'organisme ne pardonne plus les excès. Mon premier kilomètre parcouru haut la main, j'ai exulté en pensée : Alors, je peux fumer et courir, c'est aussi simple que ça !

Une ville n'est plus pareille, dès qu'on y court. Les distances qui semblaient longues en marchant se raccourcissent de manière surprenante ; celle entre mon immeuble et la station de métro de Heinrich Heine Strasse, par exemple, n'était plus qu'une broutille au lieu des habituelles dix minutes à bon pas. Il y a aussi le fait qu'on cherche instinctivement les rues les moins animées, qu'on évite les piétons et les voitures en zigzaguant, ce qui m'est arrivé alors que je me dirigeais vers le nord, en me servant du Mur comme repère. J'ai pu constater à nouveau, mais cette fois avec la perspective du coureur, l'obstacle interminable qu'il représentait : je pouvais prendre à gauche pour esquiver les difficultés sur mon chemin, mais jamais sur la droite, et je me suis résigné à le suivre en une trajectoire septentrionale qui m'a finalement amené en face de la porte de Brandebourg et les ruines du Reichstag. Là, j'ai obliqué à gauche, et traversé le Tiergarten, le grand parc dans lequel les hordes hitlériennes s'étaient ruées lorsqu'elles avaient incendié le Parlement. Avant cette nuit d'infamie, durant les années de débauche de la république de Weimar, ce jardin avait surtout été connu pour être un repaire de prostitués des deux sexes, un lieu sur lequel pesait désormais l'ombre de ce passé impérial et fasciste, ainsi que celle de la principale muraille idéologique édifiée au cours d'un siècle particulièrement meurtrier.

Mais ces réflexions ne me sont venues qu'après coup. Pour l'heure, le Tiergarten n'était qu'un espace vert que j'ai parcouru à une allure assez soutenue, du moins jusqu'à ce que mon énergie commence à me faire défaut et que je me sente les jambes lourdes, la gorge desséchée et la poitrine en feu. Bientôt, j'ai dû m'arrêter, le souffle coupé, penché en avant, les mains sur les genoux, la bouche envahie d'un mucus au goût de tabac. Je venais de courir sans interruption pendant quarante minutes alors que j'avais abandonné la pratique de la course depuis cinq ans. Jetant un œil à ma montre, j'ai levé la main et attrapé un taxi pour rentrer.

Le temps de me doucher, de me raser et d'enfiler un jean, un col roulé et un blouson en cuir uniformément noirs, le moment était venu de me rendre à mon rendez-vous, le café *Ankara* se trouvant à vingt minutes à pied. Petra n'avait pas exagéré : comparée à mon coin de Kreuzberg, décati mais vibrant d'énergie, cette partie du quartier était pauvre et sans vie, avec de rares et tristes boutiques. Au bout de la rue, les tours d'habitation radicalement laides de Berlin-Est paraissaient étrangement proches, même si les dernières s'arrêtaient à une centaine de mètres du Mur proprement dit. Une fois encore, j'ai essayé d'imaginer la vie des personnes dans ces nids d'aigles stalinistes d'où l'on avait une vue panoramique sur la cité interdite à l'ouest. Fallait-il être un apparatchik pour jouir de ce privilège ? Ou bien, au contraire, y logeait-on les opposants politiques afin de retourner le coutcau dans la plaie et de leur rappeler que, malgré cette proximité géographique, ils restaient coupés de l'autre monde ?

L'*Ankara* était une réplique encore plus défraîchie, si c'était possible, du café où j'avais mes habitudes : même lino à fleurs gris de saleté, même papier peint jauni par la fumée d'innombrables cigarettes, mêmes tables en formica, mêmes néons grésillants, même odeur de tabac froid, de café trop bouilli et de graisse en suspension. Et il était désert à mon arrivée. Je me suis assis sur une banquette. À ma montre, j'avais cinq minutes d'avance. Pour me calmer mais aussi pour me donner une contenance, je me suis roulé une cigarette. Le type du comptoir m'a crié : « Qu'est-ce qu'vous voulez ? » J'ai commandé un café « moyen », c'est-à-dire avec une cuillère et demie de sucre et non trois comme ils en mettaient dans mon boui-boui habituel pour leur version aussi caféinée que sirupeuse. J'ai sorti mon calepin et noté les pensées qui m'étaient venues en courant. Mon café est arrivé, j'ai allumé ma clope et j'ai continué à écrire, laissant les phrases s'accumuler sur les pages étroites afin de calmer mon impatience et mon anxiété. En plein milieu de la description de la manière dont j'avais succombé à la fatigue au Tiergarten, j'ai soudain entendu sa voix :

— *So viele Wörter*. Tant de mots…

J'ai levé les yeux. Elle était là, Petra. Elle portait un manteau en tweed gris au-dessus de ce qui devait être sa tenue favorite, un col roulé marron, une courte jupe en velours vert et le même collant noir un peu déchiré sur le genou gauche. Je me suis forcé à prendre un ton détaché :

— *Ja, so viele Wörter. Aber vielleicht sind die ganzen Wörter abfall.*

Oui, tant de mots… Mais peut-être que tous les mots sont de la foutaise.

Elle a eu un petit rire et s'est assise en face de moi. Elle avait un sac en similicuir en bandoulière, dont elle a sorti un paquet de cigarettes, des HB. J'ai saisi mon paquet de tabac et mon papier.

— Tiens, je ne savais pas que les Américains fumaient des roulées, a-t-elle déclaré en prenant le briquet que j'avais laissé sur la table. Sauf dans les romans de John Steinbeck, évidemment.

— C'est une habitude qui m'est venue quand j'étais étudiant. Notamment parce que c'était moins cher que les « vraies ».

— Mais pas aussi bon. Enfin, moi qui ai connu les cigarettes, là-bas…

— Comme les f6 ?

— Ah oui, vous mentionnez cette marque dans votre papier. J'ai apprécié ce que vous dites sur la présentation du paquet. Bien vu.

— Et le reste ?

Elle a eu un rapide sourire.

— On y viendra plus tard. D'abord, j'ai besoin d'une bière.

— Je n'en refuserais pas une, moi aussi. Tout à l'heure, j'ai essayé de courir pour la première fois depuis cinq ans.

— Courir après quoi, exactement ?

— Après mon souffle perdu à cause d'un excès de cigarettes, et après le temps où j'étais capable de faire dix kilomètres en moins d'une heure.

— Vous avez été capable de ça ?

— Pendant une brève période de mon adolescence, oui.

— Personnellement, je n'imagine pas la vie sans cigarettes.

— C'est radical, comme affirmation.

— Je suis une fumeuse radicale.

— Combien par jour ?

— Deux paquets.

— Vous n'avez jamais essayé d'arrêter ?

— C'est le deuxième grand amour de ma vie.

— Et le premier ?

Elle a réfléchi en prenant une longue bouffée.

— Je vous le dirai peut-être quand je vous connaî-trai mieux. Mais il me faut une bière !

J'ai fait signe au gars du bar, qui est enfin sorti de derrière son comptoir pour venir lentement à nous.

— Bon, moi j'ai un faible pour la Hefe-Weisse, ai-je annoncé.

— Chacun ses goûts. Beaucoup trop bavarois pour moi, trop *gemütlich*. Je suis une fille de Berlin… d'adoption, en tout cas, alors je prends toujours une Berliner Pilsner…

264

— Quoi, ils ne font pas de bière, à Halle ?

— Mon père, si. La sienne. Et il était doué, d'ailleurs. Il avait appris la technique de son père, qui avait travaillé dans une brasserie avant la guerre.

— Et le vôtre, il faisait quoi ?

— Producteur à la station régionale de la Rundfunk der DDR, la radio nationale. Quelqu'un de très cultivé mais qui n'a jamais eu énormément d'ambition, ce qui lui a fait rater les promotions qui lui auraient permis d'être nommé à Leipzig, ou Dresde, ou, consécration absolue, à Berlin. Il était membre du Parti, bien sûr, parce que dans un endroit comme Halle il aurait été impossible d'obtenir un poste pareil sans l'être, mais c'était juste pour la forme, et je crois que ses supérieurs le sentaient. C'est pour ça qu'ils l'ont laissé moisir dans cette province alors qu'il ne pouvait satisfaire ses intérêts dans la vie, la musique classique, la littérature, que dans une grande ville. Les rares fois où il a eu l'occasion d'aller à la Staatskapelle de Dresde ou au Gewandhaus de Leipzig, deux de nos grandes forma-tions musicales, il est revenu à Halle assez mélanco-lique, il avait l'impression de passer à côté de choses importantes dans son existence et... – Elle a secoué la tête, les sourcils soudain froncés. – Je suis furieuse contre moi, maintenant.

— Pourquoi ?

— J'ai déjà trop parlé de mon insignifiante petite vie.

— Mais elle m'intéresse, moi !

— Inutile de dire ça par politesse, Thomas.

C'était la première fois qu'elle prononçait mon prénom.

— Ce n'est pas de la politesse, Petra. Je suis sincèrement intéressé.

— Il nous faut vraiment une bière, a-t-elle lancé avant de passer commande pour nous deux.

— Et votre mère ?

— Vous posez bien trop de questions. Déformation professionnelle, je suppose.

— Ça m'intéresse.

— Vous l'avez déjà dit.

— Parce que c'est vrai. Donc, votre mère ?

Elle m'a dévisagé comme si elle essayait de se convaincre que je pouvais réellement porter un intérêt authentique à son passé. Surprenant ce mélange de prudence et d'espoir dans ses prunelles, je me suis demandé : Est-il possible qu'elle soit aussi charmée et nerveuse que moi ?

— D'accord, mais vite, nous avons du travail. Ma mère… Une vraie Berlinoise, capable de lire et d'écrire quatre langues. Je sais qu'elle aurait voulu être écrivain, ou éditrice, ou journaliste, mais… – Elle a écrasé sa cigarette. – Mais voilà, l'amour…

— Pardon ?

— Elle est tombée amoureuse. Comme elle me l'a souvent dit pendant l'année précédant sa mort, elle a aimé un homme bien mais qui l'a aussi emmenée s'enterrer à Halle, lui faisant vivre une existence qu'elle n'aurait jamais envisagée.

— Elle est morte de quoi ?

— De ce dont la plupart des gens meurent quand ils ont la quarantaine : le cancer. Des ovaires, dans son cas.

— C'était quand ?

— Il y a six ans.

— Un an avant le décès de la mienne.

— À quel âge ?

— Quarante-deux. Cancer, également. Provoqué par « ça », ai-je fait en montrant le cendrier entre nous.

— Désolée…

Spontanément, elle a effleuré ma main. Ses doigts étaient chauds mais elle les a retirés aussitôt, comme si elle craignait d'être allée trop loin ou que je ne me méprenne sur son geste. Moi qui ne désirais que prolonger ce contact, l'attirer à moi et sans doute tout gâcher par un impair d'un dixième de seconde.

— Elle n'était pas la plus heureuse des femmes, ai-je ajouté.

— Ça me rappelle quelque chose. Et votre père ?

— Un type compliqué. Ancien soldat, homme d'affaires, très à cheval sur les règles et la hiérarchie, et pourtant je suis certain que lui aussi aurait voulu avoir une autre vie.

— Que pense-t-il de son fils écrivain ?

— J'ai l'impression qu'il n'arrive pas trop à me cerner tout en se disant au fond de lui que je mène l'existence dont il aurait eu envie.

— Ah, mais il n'écrit pas de livres, lui !

— « Un » livre, pour l'instant.

— Mais un très bon…

Je l'ai dévisagée.

— Vous l'avez lu ?

— Pas de quoi avoir l'air si surpris, a-t-elle rétorqué en prenant une autre cigarette.

— Mais comment vous êtes tombée dessus ?

— Pavel en avait un exemplaire. Je lui ai demandé si je pouvais l'emprunter.

— Il a dû trouver ça amusant.

— Il se veut beaucoup trop cool pour manifester le moindre amusement. Mais il a dit que votre livre était « pas mal » et, venant de lui, c'est un énorme compliment.

— Et venant de vous ?

— Très bon, pas mal… – Elle a ri de nouveau. – Qu'est-ce que ça peut faire, ce que je pense ? Vous êtes un auteur publié, moi, je ne suis qu'une fonctionnaire…

— Allons, pas du tout !

— Ce n'est plus de la politesse, c'est de la flatterie.

— Mais non ! Vous, les traducteurs, vous n'êtes pas des fonctionnaires. Vous êtes réellement le « double » d'un auteur.

— Quel accomplissement ! Se transformer en l'ombre de quelqu'un d'autre…

— Vous transposez les mots du matin en mots du soir.

— Jolie métaphore. Je parie que c'est un traducteur qui l'a trouvée.

J'ai ri de bon cœur, à mon tour. On nous a enfin servis et nous avons trinqué.

— Et maintenant, a-t-elle déclaré, assez parlé parents et métiers, pour l'instant. Il est temps de regarder votre texte.

Elle a sorti de son sac des pages dactylographiées en allemand, avec de nombreuses notes manuscrites dans la marge, tracées d'une écriture très nette.

— On dirait que vous avez un tas de questions.

— Surtout en matière de choix de mots. Les miens pour les vôtres. On va pouvoir vérifier ça facilement, mais avant, si vous voulez bien, j'ai quelques observations critiques. Il faut que je précise que j'en ai parlé à Pavel cet après-midi, avant de vous rencontrer, parce qu'il est le producteur de l'émission et moi une simple traductrice. Cela dit, je suis également une « Ossie », et puisque vous évoquez la ville où j'ai vécu pendant dix ans…

— Allez-y. Je vous écoute.

— La construction et l'argumentation sont intelligentes. Il y a toutefois une critique de fond, avant de passer aux petits problèmes strictement techniques. Donc, vous décrivez Berlin-Est comme un univers gris, désolé, sans nuances ni couleurs humaines…

— C'est vrai, non ?

— Mais prévisible.

— C'est ce que j'ai vu, en tout cas.

— Et c'est ce que n'importe quel journaliste ou écrivain occidental « voit » de Berlin-Est, de Prague ou… oui, de Bucarest, qui grâce à l'autre cinglé de Ceauşescu pourrait faire passer l'Allemagne de l'Est pour un paradis scandinave, en comparaison ! Ce que je veux dire, Thomas, c'est que vous avez tendance à raconter à nos auditeurs est-allemands ce qu'ils connaissent déjà par cœur.

— L'idée de base de ce texte correspond à ce que Jerome Wellmann m'a demandé de faire : jouer l'Américain qui s'aventure à Berlin-Est pour une journée. J'ai choisi de le construire entièrement autour de la neige comme métaphore, vous n'allez pas me soutenir que c'est « cliché », ça…

Je me défendais avec une véhémence qui m'a moi-même étonné et que j'ai essayé de comprendre avec le recul de plusieurs années. Il ne s'agissait pas seulement de justifier mon travail : m'engager dans ce débat avec elle, c'était prendre part à un jeu de séduction qui se développait tandis que nous buvions nos bières, fumions nos cigarettes et prenions soin de ne pas nous fixer mutuellement dans les yeux trop longtemps.

— Pardon, mais les remarques sur l'« horreur architecturale stalinienne qui pèse désormais sur Unter den Linden » ou la description de votre dîner insipide près d'Alexanderplatz… Vos auditeurs de là-bas vivent ça tous les jours, Thomas ! Mais ils ont aussi une autre vie que vous n'avez pas soupçonnée, et personne ne vous en blâmera, après tout c'était votre premier… contact avec la réalité du pacte de Varsovie. Derrière les immeubles hideux, les boutiques presque vides, l'absence de Marlboro et de voitures qui ne font pas le même bruit que des tondeuses à gazon, il y a autre chose. Là où j'habitais avec mon mari, par exemple…

Est-ce que j'ai tressailli de façon visible en entendant ces mots ? Certainement, car Petra s'est interrompue et, après m'avoir observé quelques secondes, elle a précisé :

— Je ne suis plus mariée.

— Vous l'avez été longtemps ?

— Six ans, mais c'est une autre histoire et elle n'est pas pour maintenant. Quand je vivais dans le quartier de Prenzlauer Berg…

— J'y suis allé.

— Vraiment ? Pourquoi ?

— Simplement en remontant Prenzlauer Allee à partir d'Alexanderplatz, parce que les maisons paraissaient différentes.

— Évidemment. C'est une zone qui n'a pas été complètement détruite pendant la guerre. Où avez-vous été ?

À chaque nom de rue que je citais, son visage s'éclairait. Ses souvenirs restaient précis et elle a mentionné plusieurs détails pour compléter mon récit, un petit magasin, un immeuble original, voire un lampadaire biscornu qui avait survécu à l'épreuve du temps. Lorsque j'ai parlé du terrain de jeux de Kollwitzplatz avec ses enfants et ses mères de famille, elle s'est rembrunie.

— Oui, je connais, s'est-elle bornée à noter.

Si sa réaction m'a intrigué, j'ai eu le sentiment qu'il aurait été indélicat de la questionner à ce sujet, tout comme de chercher à la faire parler de l'homme qui avait été son époux. J'ai donc prudemment ramené la conversation sur un terrain moins personnel.

— Alors, vous disiez que la vie à Prenzlauer Berg n'était pas aussi morose que j'en ai eu l'impression ?

Petra a lâché une longue volute de fumée, clairement soulagée de ne plus avoir à évoquer l'image de ce parc.

— En fait, c'était la « rive gauche » de Berlin-Est, ou le bas de Manhattan, d'après ce que j'ai lu dans les livres. À condition de savoir jouer avec les contradictions du système, on pouvait obtenir un grand appartement dans une de ces vieilles bâtisses pour un loyer proche de zéro. Et presque tous nos amis, peintres, écrivains, savaient le faire. Avec ce réseau de contacts, on trouvait toujours un plombier ou un électricien pour venir réparer ce qui n'allait pas. Bien entendu, ce n'était pas le grand confort, loin de là. Prenzlauer Berg était vraiment une communauté d'artistes, de gens qui n'étaient presque jamais publiés, qui ne pouvaient pas exposer, mais qui survivaient grâce à la débrouille et l'entraide. Et on avait des fêtes géniales, très folles, qui commençaient le vendredi soir et duraient jusqu'à six heures du matin le dimanche… C'était la « bohème » à notre manière, si vous voulez.

— Vous étiez déjà traductrice ?

— Oui. De l'anglais à l'allemand pour une maison d'édition « d'État », bien sûr. Comme je n'appartenais pas au Parti et que j'étais cataloguée parmi la « faune dégénérée » de Prenzlauer Berg, ils ne m'ont jamais donné de travail prestigieux. Le dernier roman de la mouvance antiraciste américaine qui présentait un tableau affreux des États-Unis, ou le pamphlet d'un auteur communiste anglais contre les inégalités sociales en Grande-Bretagne, ils les confiaient à d'autres. Moi, je traduisais des livres sur la faune du Grand Nord, des études géologiques sur la dérive des continents, ou des manuels techniques. Affreusement barbant, mais ça m'occupait… Enfin, assez parlé de moi. Je n'arrive toujours pas à comprendre ce que vous pouvez me trouver d'intéressant.

— Je vous trouve merveilleuse.

— Pourquoi vous dites ça ? m'a-t-elle demandé, surprise mais sans trace de reproche dans la voix.

— C'est ce que je pense.

— Mais comment est-ce possible ? Vous me connaissez depuis… quoi, une demi-heure ?

— Je le pense quand même, et j'en suis convaincu.

— Maintenant vous m'embarrassez.

— Je vous dis juste ce que je ressens.

Elle a eu un bref sourire qu'elle a dissimulé derrière son verre de bière, une nouvelle cigarette et une suggestion qui était presque un ordre :

— Revenons à votre texte, d'accord ?

Nous avons recommencé à discuter ses objections pendant une vingtaine de minutes. Comme elle avait les idées bien arrêtées – ce qui était tout à son honneur –, j'ai accepté la majeure partie de ses remarques, qui visaient à atténuer certains de mes propos trop catégoriques, puis nous sommes passés à des problèmes de traduction concrets, notamment les américanismes que j'avais employés, par exemple celui de « tenir la batte ».

— On ne joue pas au base-ball, en Allemagne de l'Est, a-t-elle expliqué d'un ton un peu taquin. Mais il n'empêche, j'aime bien votre manière de manier les mots.

— Sauf quand ils sont destinés à mettre en cause le charme architectural d'« Ost Berlin »…

— C'est-à-dire quand vous cédez aux clichés. Vous êtes beaucoup trop intelligent pour vous abaisser à ça.

— À votre tour de me flatter…

Pour la première fois depuis un bon moment, elle m'a regardé droit dans les yeux.

— Non, Thomas. C'est ce que je « pense ».

— Parfait.

— Et maintenant… – Elle a consulté sa montre. – … je dois y aller.

— Hein ? ai-je laissé échapper.

— Je suis prise, ce soir.

— Je vois…

— Vous avez l'air déçu.

— Eh bien oui, je le suis. Mais si je proposais qu'on dîne ensemble cette semaine, vous diriez quoi ?

— Je dirais « bien sûr ».

— Et si, au risque de paraître trop insistant, je suggérais demain soir ?

— Je répondrais qu'il y a un bon italien pas cher à deux rues d'ici, sur Pflügerstrasse. Bon, il a un nom idiot, *Arrivederci*, ce qui n'est pas très malin sur le plan commercial, pour un restaurant.

— OK, alors à demain, disons huit heures ?

— Bien. – Puis, tandis que je posais quelques pièces sur la table : – Vous n'avez pas à payer pour moi.

— Mais j'en ai envie.

Nous avons quitté le café.

— Et donc, qu'est-ce que vous pensez de ce quartier très moche qui est maintenant mon chez-moi ?

— Ce n'est pas pire que mon coin de Kreuzberg.

— Je ne devrais pas vivre ici. C'est trop « gris », pour vous citer…

— Pourquoi rester, alors ?

Elle a lancé un rapide coup d'œil aux tours de Frie-drichshain, de l'autre côté du Mur, avant de répondre à voix basse :

— J'ai mes raisons.

Sans le moindre signe avant-coureur, elle m'a soudain attrapé par un bras, m'a attiré à elle et m'a embrassé sur la bouche. Elle s'est ensuite écartée sans me laisser le temps de l'enlacer mais elle a pris ma main, l'a pressée avec force dans la sienne.

— À demain.

— Oui… à demain, Petra.

Elle m'a lâché, elle a tourné les talons et elle s'est éloignée d'un pas rapide, me laissant encore étourdi par ce baiser aussi bref que bouleversant. Je l'ai regardée atteindre le coin de la rue. Avant de disparaître, elle a tourné la tête et s'est aperçue que j'étais resté à la même place. Dans son expression se mêlaient le soulagement de constater que je n'étais pas parti et une stupéfaction peut-être aussi intense que la mienne. Elle a souri, a posé deux doigts sur ses lèvres et m'a envoyé un baiser de loin. Avant que je puisse réagir, elle a tourné à gauche. J'ai songé que j'allais devoir attendre une journée entière avant de la revoir.

3

Une passion amoureuse naissante revêt bien des formes complexes. L'une d'elles consiste à chercher une signification cachée, un message implicite dans chacune des paroles échangées avec l'objet de son amour. À ce stade initial où vous savez que vous êtes amoureux, où vous avez l'impression – mais non la preuve formelle – que le sentiment est mutuel et où vous désirez à tout prix que les choses tournent bien, vous vous transformez en un expert en sémiotique essayant de décrypter le moindre mot.

C'est du moins la réflexion que je me suis faite après cette heure passée avec Petra à l'*Ankara*. Toute la soirée, alors que je rentrais chez moi, que j'essayais en vain de lire et que je finissais par aller vider quelques bières au *Schwarze Ecke*, je n'ai cessé d'analyser les questions et les réponses, les sous-entendus possibles, les plaisanteries peut-être significatives, bref, la tension existant entre deux êtres qui cherchent à se connaître et à se rapprocher l'un de l'autre, dont les désirs et les espoirs – à la fois convergents et spécifiques – sont contrebalancés par le besoin de se protéger, la peur d'en faire trop, l'angoisse de la déception ou de l'échec.

Dans ma tête, les supputations allaient bon train : Qu'elle ait été plus que d'accord pour te retrouver demain montre que c'est sérieux, pour elle... Oui, mais comment expliquer son allusion énigmatique à son ex-mari ? S'il est réellement son « ex », bien sûr... Et sa tristesse soudaine quand tu as parlé des enfants jouant sur la place de Prenzlauer Berg ? Elle voulait en avoir un, et elle n'a pas pu ? Ou elle a perdu son bébé et la douleur reste vive ? Ou... Stop ! Sa réaction pourrait simplement s'expliquer par la nostalgie d'un lieu et d'une période de son passé !

Car il était évident que Petra considérait toujours Berlin-Est comme « sa » ville, une ville qu'elle défendait avec une affection surprenante et qui lui rappelait la vie de bohème d'un temps révolu. Elle avait de la tendresse pour ce qu'elle avait laissé derrière elle et, en même temps, elle assumait son statut d'émigrée ayant fui un régime d'oppression. Pour quelle raison avait-elle quitté la RDA, et surtout de quelle manière ? Quel impact cela avait-il eu sur elle jusqu'à ce jour ? Je ne me sentais pas encore en droit de l'interroger à ce sujet.

L'après-midi suivant, après avoir poncé et préparé le parquet pour la vitrification avec Mehmet, je suis reparti fouler le pavé. Bien qu'assez courbatu, j'ai eu l'impression d'avancer plus aisément, sans doute parce que la veille je m'étais limité à sept roulées et à trois bières, mais aussi parce que je parvenais plus facilement à ajuster ma respiration à l'effort musculaire et à garder une allure régulière. Une nouvelle fois, j'ai suivi le Mur en direction du nord, pris à gauche devant la porte de Brandebourg, et là j'ai fait demi-tour et je suis revenu à la même cadence jusqu'à Kreuzberg. J'étais en nage et à bout de souffle lorsque je me suis laissé tomber sur une chaise de l'*Istanbul Café* pour commander une bouteille d'eau gazeuse et un café. Avant de me servir, Omar m'a informé qu'« un certain Pavel » m'avait appelé à dix heures du matin. J'ai pris le téléphone sans plus attendre.

— Ah ! Thomas. Content que vous ayez eu le message. J'ai un studio libre dans peu de temps, à seize heures. J'aurai enregistré la traduction en allemand d'ici là mais, si vous pouvez venir, je pense qu'il ne faudra pas plus de quarante-cinq minutes pour vous mettre en boîte… à moins que vous ne fassiez un tas de fautes en lisant votre propre texte…

— À vrai dire, je n'ai jamais lu un de mes textes à la radio.

— Dans ce cas, ça va être catastrophique. Bien, je réserve le studio pour deux heures entières.

En fait, il m'a suffi d'une heure pour enregistrer ma première contribution radiophonique. Je suis monté chez moi m'entraîner à la lecture à voix haute, et au bout de cinq essais je me suis senti assez sûr pour le faire sans bafouiller à Wedding. Pendant que j'attendais Pavel à la réception, j'ai regardé autour de moi dans l'espoir d'apercevoir ou de croiser Petra, mais je n'ai pas eu cette chance. Pavel est arrivé en compagnie d'un quin-quagénaire à la mine morose, emmitouflé dans un anorak vert.

— Je vous présente Herr Mannheim, Thomas. Il vient juste d'enregistrer votre billet en allemand. Herr Mannheim, voici l'auteur du texte que vous avez lu.

— Enchanté, ai-je dit à l'intéressé, qui s'est contenté de hausser les épaules avant de se tourner vers Pavel pour lui rappeler qu'il pourrait prendre plus de travail cette semaine, de nous saluer d'un signe de tête très sec et de prendre la porte.

— Il est toujours aussi aimable ? ai-je demandé à mon producteur.

— Vous l'avez vu dans un de ses rares bons jours. C'est un dépressif chronique mais il a une voix très radiophonique et une excellente diction. Il pourrait jouer Schiller au Deutsche Theater mais il est tellement renfrogné qu'aucun metteur en scène ne voudrait de lui. Cela étant, il a plutôt fait du beau travail avec votre texte, et à mon avis les modifications proposées par Petra l'ont énormément amélioré. C'est une « Ossie », n'est-ce pas, donc elle se sent un peu plus concernée par le sujet que votre serviteur.

J'ai renoncé à le reprendre sur ce terme péjoratif qu'il appliquait une fois encore à une Allemande de l'Est et, du ton le plus dégagé que je puisse feindre, j'ai demandé :

— Est-ce qu'elle a assisté à l'enregistrement de Herr Mélancolique ?

— Elle n'est pas venue travailler, aujourd'hui. Congé maladie.

Oh non... Heureusement, Pavel marchait devant moi tandis que nous nous rendions au studio, de sorte qu'il ne m'a pas vu accuser le coup. Je me suis ressaisi et nous nous sommes installés autour de la table sur laquelle trônaient des micros. Pour commencer, il m'a demandé de dire mon texte à haute voix afin de me chronométrer. « Il faut que vous réduisiez de deux minutes et huit secondes », a-t-il déclaré à la fin du test. Cela exigeait un élagage ligne par ligne que j'ai rapidement effectué. Au deuxième essai, j'étais encore trop long de trente-huit secondes et j'ai donc dû couper un paragraphe. Le travail, supervisé par un Pavel soudain plein de rigueur, professionnel jusqu'au bout des ongles, était minutieux.

Qu'il m'ait tenu à des délais très serrés était une bonne chose, car cela m'a empêché de me morfondre en pensant que mon rendez-vous avec Petra quelques heures plus tard était très probablement tombé à l'eau. Dès que l'enregistrement a été « dans la boîte », toutefois, cette perspective m'a hanté. Quand on commence à être amoureux, on voudrait que tout progresse sans aspérité, avec une facilité miraculeuse, et un rendez-vous annulé à ce stade est un coup vraiment dur. En quittant la radio, j'ai pensé à passer par l'*Istanbul Café* en rentrant et j'ai aussitôt imaginé Omar en train de me lancer du comptoir, sur le ton bourru qu'il aimait affecter : « Une fille a téléphoné et elle a dit que c'était impossible ce soir. Pas de chance, l'Américain ! »

Lorsque je suis entré dans le boui-boui vers six heures, pourtant, il a juste fait non de la tête alors que je lui demandais si j'avais de nouveaux messages. J'ai soupiré d'aise.

— Ça ne vous gêne pas si je repasse dans une heure pour vérifier ?

— Pourquoi je serais gêné par la façon dont tu perds ton temps ?

Il y avait encore de l'espoir, donc. Petra avait déjà appelé au café auparavant, elle se serait certainement arrangée pour me prévenir si elle était vraiment malade et… comment avais-je été assez idiot pour ne pas prendre son numéro de téléphone, la veille ? Un peu moins abattu, je suis monté à l'appartement, j'ai pris ma troisième douche de la journée, je me suis changé et, mon inséparable blouson en cuir sur le dos, je suis retourné au café. « Pas de message, l'Américain », a été le verdict d'Omar. Il était temps de prendre le métro, de descendre à la station suivante et de chercher Pflügerstrasse, une rue dont le nom reflétait l'époque où ville et campagne s'entrecroisaient puisque *Pflüger* signifie « laboureur ». Désormais, l'unique touche de verdure était un petit parc coupé en deux par le Mur.

L'*Arrivederci* était l'un des deux restaurants – le deuxième étant une gargote vendant des kebabs à emporter, présentant un bloc d'agneau peu appétissant tournant sur sa broche – d'une rue qui semblait par ailleurs abandonnée avec ses immeubles aux portes condamnées par des planches abondamment taguées, dont plusieurs avaient été forcées, sans doute par des squatteurs. Le classique petit italien de quartier : une dizaine de tables, toutes inoccupées quand je suis arrivé, des vues jaunies de Naples, Rome, Venise ou Pise aux murs, des bouteilles de chianti vides en guise de chandeliers… L'unique serveur, qui avait plaqué ses quatre ou cinq mèches de cheveux restantes sur son crâne dégarni, s'est empressé de me conduire à une banquette en skaï rouge, apparemment indifférent aux taches de sauce parsemant sa chemise blanche et son nœud papillon. Il m'a demandé si j'attendais quelqu'un et j'ai redouté une seconde qu'il ne m'annonce qu'il avait un message pour Herr Nesbitt, mais il voulait simplement savoir si je désirais un verre de prosecco « offert par la maison » pour patienter. J'ai dit que ce serait avec plaisir lorsque mon amie arriverait puis, constatant que j'avais dix minutes d'avance, j'ai sorti mon carnet pour prendre quelques notes à la hâte.

J'en étais à la quatrième page et à ma deuxième cigarette roulée quand j'ai entendu la porte s'ouvrir. C'était Petra, en jean et tee-shirt blanc sous un épais cardigan marron et une veste en tweed. Elle a eu un sourire qui m'a paru un peu forcé et, lorsque je me suis penché pour l'embrasser, elle a détourné la tête afin que le baiser se pose non sur ses lèvres mais sur sa joue. J'ai vu à son regard qu'elle avait passé une très mauvaise journée.

— Pardon d'être en retard.

— Tu ne l'es pas tant que ça. En fait, je me demandais si tu pourrais venir, ce soir.

— Je t'avais dit que oui.

— Oui, mais je suis allé à la radio, cet après-midi, et Pavel m'a appris que tu étais malade.

— Tu ne lui as pas dit qu'on avait rendez-vous ?

— Bien sûr que non !

— Désolée, c'est simplement que… je n'aime pas ce type. Et donc, je n'ai pas envie qu'il sache ce que je fais en dehors du travail.

— Si c'est ça, il ne sait rien, ne t'inquiète pas. Mais toi, ça va ? Si tu ne te sens pas bien ce soir, on peut reporter.

— C'est gentil mais, si je suis là, c'est que j'en ai envie. Il y a encore quelques heures, ça n'allait pas fort du tout.

— Ç'a l'air sérieux.

— Non, pas « sérieux ». C'est juste… la vie. Et je boirais bien quelque chose.

Elle a acquiescé quand je lui ai proposé un apéritif offert par le patron. Sortant son paquet de HB, elle en a allumé une avant de me raconter qu'elle s'était réveillée le matin avec l'impression qu'une aiguille transperçait la cornée de son œil gauche, une douleur tellement intense qu'elle avait eu du mal à aller jusqu'au placard où elle gardait les comprimés contre ces attaques de migraine foudroyantes. Cela ne lui arrivait que deux ou trois fois par an, a-t-elle précisé, mais elle devait alors rester allongée, les yeux fermés, le médicament ne faisant son effet que lentement.

— Bon, maintenant que je t'ai embêté avec ma petite histoire de maux de tête apocalyptiques, tu vas te dire que je ne suis pas très normale…

— Je suis seulement content que tu ailles mieux.

— Oui, tu es trop gentil pour dire autre chose.

— Euh, c'est un problème ? me suis-je enquis avec un rire.

— Plutôt… inhabituel, voilà tout. Ce qui m'amène à me demander comment tu te débrouilles avec tes idées noires.

— Comment sais-tu que j'en ai ?

— Tout le monde a son côté sombre. Surtout les gens qui écrivent. Ce qui m'a étonnée dans ton livre, c'est qu'on apprend des foules de choses sur l'Égypte mais pratiquement rien sur l'auteur. Tu racontes magnifiquement les histoires des autres, avec une grande compassion. Celle de cette jeune enseignante rencontrée dans un bus au Caire, qui avait perdu son mari et son fils de trois ans dans un accident de voiture. J'en ai pleuré, tu sais. Mais à ton sujet, on ne sait rien.

— C'est toute la logique du bouquin. Ma petite existence m'intéresse beaucoup moins que celle des gens que je croise.

— « Petite existence », tu n'exagères pas ?

— Pas vraiment. Enfin, ce que je veux dire, c'est qu'un lecteur qui choisit un livre de voyage en Égypte n'a pas envie que je lui parle du fait que mes parents n'ont jamais été heureux en mariage, par exemple.

— C'était vraiment le cas ?

— On en parlera une autre fois.

— Pourquoi pas maintenant ?

— Disons que je ne voudrais pas t'ennuyer avec des…

— … des détails sur ta « petite existence » ?

— Exactement.

— Mais ça m'intéresse, moi. – Elle a pris son verre de prosecco et l'a fait tinter contre le mien avant de boire une gorgée. – Hier, c'est toi qui m'as fait parler, aujourd'hui c'est ton tour. Alors, tu es à Berlin juste pour écrire un livre ou aussi pour fuir quelque chose ?

— Je peux te prendre une cigarette ?

Elle a poussé son paquet vers moi.

— Quoi, la dernière bouffée avant de passer devant le peloton d'exécution ? C'est ça ? Mon Dieu, nous ne sommes pas très portés sur les confidences, toi et moi !

— Ça me plaît, chez toi.

— Mais j'ai quand même envie de savoir pourquoi tu as dit que tes parents avaient eu un mariage malheureux.

J'ai tiré sur la HB que je venais d'allumer. Pour quelle raison me sentais-je aussi tendu ? Sans doute parce que j'avais l'habitude de garder mon passé pour moi, en effet. Fitzsimons-Ross m'avait déjà reproché plusieurs fois ma réticence à révéler des choses personnelles, même quand j'évoquais une histoire avec une fille qui s'était terminée depuis longtemps. Pourtant, devant Petra, cette femme qui m'envoûtait et qui avait visiblement la même difficulté à se confier, il y a eu en moi une sorte d'étrange déclic, presque une épiphanie, et j'ai soudain pensé : Si tu ne lui fais pas assez confiance pour partager tes trucs avec elle, les zones cachées qui expliquent tant de toi, quel avenir a cet amour en train de naître ? Prends le risque, laisse-la avoir un aperçu de ton passé !

Je me suis mis à parler. Je lui ai décrit l'infélicité fondamentale de ma mère, ses chamailleries incessantes avec mon père, leur affirmation répétée qu'ils se quitteraient sur-le-champ s'ils n'avaient pas un enfant ensemble, ce qui me poussait encore plus à me renfermer en moi-même, la manière dont j'en étais venu à passer la plupart des week-ends tout seul, adolescent, me cachant dans un cinéma ou une bibliothèque.

— Mais tes parents n'ont jamais pensé faire des choses avec toi, en famille ?

— Pas vraiment. Pendant mes dernières années de lycée, ils avaient eux-mêmes deux existences virtuellement séparées. Mon père était le plus souvent « en voyage d'affaires » les fins de semaine, une expression dissimulant le fait qu'il retrouvait l'une ou l'autre de ses nombreuses maîtresses, comme je l'ai appris par la suite. Très rarement, s'il était là, il me proposait d'aller voir un film le samedi, suivi d'un déjeuner tardif dans un restaurant italien qu'il aimait. Par ailleurs, il n'était pas du tout autoritaire, pas le genre « c'est comme ça ou c'est la porte ». J'avais seize ans quand il m'a donné ma première cigarette et mon premier verre de vin, en m'expliquant qu'il voulait que j'apprenne à fumer et à boire « comme un homme ».

— Un peu machiste, non ?

— Certainement. Mais il était aussi très faible devant ma mère, qui lui a mené une vie infernale. Il le lui a bien rendu, d'accord. Et ils n'ont jamais eu le bon sens de se séparer.

— On croirait voir mes parents.

— Eux aussi, ils étaient malheureux à ce point ?

— Pas tout à fait. C'était comme s'ils avaient trouvé le moyen de vivre sous le même toit sans être ensemble. Je sais que mon père avait une amie qui travaillait à la station de radio de Halle, tout comme maman était liée au directeur du collège où elle enseignait. Ça, je l'ai appris par hasard, quand j'étais en quatrième, un jour où j'ai pris un raccourci en sortant de l'école et où je les ai vus s'embrasser dans sa Trabant. Parce que le directeur était un cadre du Parti, il avait eu droit à cette voiture très recherchée, pendant que le commun des mortels devait s'inscrire sur une liste d'attente.

— Ta mère a su que tu les avais surpris ?

— Non, heureusement. Elle était trop absorbée par le baiser qu'elle échangeait avec ce cher camarade Koelln…

— Et tu ne lui as jamais rien dit ?

— Tu es fou ? Même à treize ans, j'avais intégré un principe de base de la vie en République démocratique allemande : apprendre à garder les choses pour soi. Surtout quand on commence à remettre en cause les prétendus idéaux du pays. C'est essentiel, dans une société où la police secrète prétend « tout savoir ».

— Toi, tu as commencé par contester quoi ?

— Ah, tout ce bourrage de crâne sur le fait que la RDA était un grand projet humaniste ! Le paradis des travailleurs, le rêve d'égalité enfin réalisé. Au début, j'ai tout gobé. Il faut savoir que, depuis mes sept ans, j'ai passé presque chaque été en camp de « pionniers communistes ». Et puis on avait des cours d'idéologie à l'école, où on nous parlait de l'enfer capitaliste à l'ouest de nos frontières, des enfants forcés de travailler, des Américains abrutis par la culture de la consommation qui finissaient par mourir à force de trop se gaver…

— Il y a un peu de vrai, dans cette dernière affirmation.

— Évidemment ! C'est ce qu'Orwell dit bien à propos des idées reçues : elles comportent toutes une part de vérité, à un certain niveau… Ne va pas croire qu'on était autorisés à lire Orwell au lycée ou à l'université, pourtant.

— Tu l'as lu quand, alors ?

— Quand je me suis mise à vivre avec Jürgen et que…

— Qui est-ce ?

— Mon mari.

Il avait un prénom, finalement. Mais Petra, qui venait d'écraser sa cigarette et d'en allumer une autre, s'est empressée de changer de sujet.

— Tu m'as demandé à quel moment j'ai commencé à remettre en cause certaines choses et je m'en souviens précisément : un week-end que j'ai passé chez une amie d'école, Marguerite. Ses parents avaient une maison de campagne, plutôt une bicoque, très simple mais avec un poste de télévision ! Et comme c'était à seulement vingt-cinq kilomètres de la frontière avec la Bundesrepublik, j'ai découvert la télé ouest-allemande. Toutes ces publicités pour des produits qu'on n'avait jamais vus, chez nous, toutes ces couleurs, tous ces beaux habits. Et aussi, j'ai vu un film qui se passait à Paris, doublé en allemand. J'avais entendu parler de la France et de Paris en classe d'histoire antifasciste, quand le professeur racontait que les nazis avaient envahi ce pays en 1940 et que presque tous les Français avaient collaboré avec eux, excepté une poignée de courageux communistes. Mais là, j'ai « vu » Paris ! C'était tellement beau. Le film racontait une histoire d'amour, je ne me rappelle plus le titre mais il m'a complètement fascinée.

» En rentrant le lendemain soir, j'ai annoncé à mon père que j'avais décidé d'apprendre le français et de partir vivre à Paris dès que je serais majeure. Sa réaction a été stupéfiante, complètement nouvelle pour moi : il est entré dans une colère incroyable. Il a exigé de savoir qui m'avait fourré de pareilles idées en tête. J'ai improvisé une explication, dit que j'avais vu un livre de photos consacré à Paris ; il a répliqué que je mentais, qu'il n'y avait pas de livres de ce genre dans tout Halle, à moins que les parents de Marguerite n'en aient un… C'était tellement surprenant de sa part que j'ai fini par lui avouer que j'avais regardé la télévision ouest-allemande dans leur maison de campagne. Là, il est devenu blanc de fureur. Il m'a dit que je ne devais répéter ça à personne, sous aucun prétexte, et qu'il fallait que j'arrête de fréquenter Marguerite. J'ai fondu en larmes, non seulement parce qu'il voulait que je tourne le dos à ma meilleure amie mais aussi parce que son attitude était incompréhensible. Je ne l'avais jamais vu dans un tel état.

— Et ensuite ?

— Il m'a expliqué que si quelqu'un l'apprenait nous pourrions avoir de graves ennuis. Il fallait que ça reste un secret. J'ai répondu que je connaissais des camarades de classe que leurs parents laissaient regarder la télévision occidentale mais il a dit : « Leurs pères n'ont pas une place importante à la DDR Rundfunk ! » D'après lui, c'était très dangereux pour sa carrière. Et il m'a fait promettre de ne plus parler à Marguerite.

— Et tu l'as tenue, cette promesse ?

Petra a baissé la tête, un instant silencieuse, puis elle a murmuré :

— Je ne sais pas pourquoi je t'en parle. Je ne l'ai jamais confié à personne…

— C'est vrai ?

— Même pas à mon mari.

— Qu'est-ce qui est arrivé, ensuite ?

— Papa est allé tout raconter à maman, qui est venue me voir dans ma chambre et m'a dit que je devais suivre les instructions de mon père à la lettre. Elle a blâmé les parents de Marguerite. Quand je lui ai dit que j'avais trouvé Paris magnifique, que je rêvais d'y habiter un jour, elle a répliqué sèchement que c'était impossible, que je pourrais voyager un jour, aller à Varsovie, Prague ou même Budapest, mais certainement pas

« de l'autre côté ». Pour la première fois de ma vie, je me suis rendu compte que le monde était réellement coupé en deux pour nous, que se rendre là où on aurait voulu était interdit, comme regarder un simple film à la télé occidentale.

— Et avec Marguerite, comment ça s'est passé ?

Elle a fixé son verre vide.

— Je ne sais pas.

— Qu'est-ce que tu veux dire ?

— Le lendemain, elle n'est pas venue en cours, ni le jour suivant, ni celui d'après. Le plus bizarre, c'est que mes parents ne m'ont plus jamais parlé d'elle. À la fin de la semaine, j'ai demandé à ma prof principale si elle savait où était Marguerite. Je revois encore son air gêné quand elle a répondu : « On m'a dit que son père avait été muté dans une autre ville. »

J'ai regardé Petra, qui ne levait pas les yeux de son verre.

— Tes parents les ont dénoncés ?

— Aucune idée.

— Tu leur as posé la question ?

— Comment j'aurais pu ?

— Tu as revu Marguerite, finalement ?

— Non. Mais six mois après il est arrivé quelque chose d'intéressant : mon père a été promu chef des programmes culturels de la radio de Halle. Et quatre ans plus tard, quand j'ai posé ma candidature à l'université Humboldt pour étudier le français et l'anglais à Berlin, j'ai été acceptée, ce qui m'a étonnée, parce que je venais de province et que ma moyenne était un demi-point en dessous des minima…

— Ils ont peut-être décidé de te donner une chance en voyant ton dossier. Et pour ce qui est de la promotion de ton père, n'était-ce pas tout simplement une façon de récompenser des années de bon travail ?

— Tu es trop gentil, une fois encore. Mais ceux qui n'ont pas vécu là-bas ne peuvent pas imaginer ce système qui fonctionne principalement sur la délation. Je n'ai pas de preuve formelle que mes parents ont parlé de ceux de Marguerite à la Stasi, évidemment, mais cette mutation soudaine est inexplicable autrement. On vivait tous dans la peur de se faire dénoncer pour la moindre « déviation », c'était l'autocensure permanente, le règne du silence. Moi-même, je n'ai plus jamais prononcé le prénom de mon amie devant mes parents.

— Tu es toujours en contact avec ton père ? – Elle a fait non de la tête. – Tu as essayé de le joindre d'une façon ou d'une autre ?

— Tu ne comprends pas. Que sa fille soit partie à l'Ouest a sans doute nui à sa carrière, mais si je tentais de le contacter maintenant les conséquences pourraient être très graves.

— Et lui, il n'a jamais essayé ?

— Tu ne comprends toujours pas ! Pour survivre là-bas, il doit faire comme si j'étais morte. Je n'existe plus.

— Désolé…

J'ai posé ma main sur la sienne. Elle ne l'a pas retirée et a même mêlé ses doigts aux miens. À voix basse, elle a dit :

— Je n'aurais pas dû te raconter tout ça.

291

— C'est important pour moi que tu l'aies fait, au contraire.

— Maintenant, tu vas penser que j'ai un passé « compromis », que j'ai détruit des existences.

— Tu étais une gamine, voyons ! Tu as regardé innocemment un film sur une télé étrangère, sans te douter que c'était illégal. D'ailleurs, les parents de Marguerite savaient certainement qu'ils prenaient un risque en te montrant ça…

Elle a dégagé sa main.

— Je les ai trahis.

— Jamais de la vie ! Tu as dit toi-même que tu n'avais aucune preuve que tes parents avaient alerté les autorités et…

— Oh, je t'en prie, arrête de mettre de la rationalité partout ! Là-bas, la trahison, c'est une forme de survie, sans arrêt. Mais évidemment on finit par se trahir soi-même…

J'aurais voulu rétorquer que c'était notre lot à tous mais je ne voulais pas paraître naïf, ou laisser penser que je banalisais une expérience aussi traumatisante. Ma sympathie pour elle et la joie de savoir qu'elle avait décidé de partager ce secret avec moi ne faisaient que renforcer mes sentiments pour elle. Comme elle avait crispé sa main sur sa serviette et la triturait nerveusement, je l'ai reprise dans la mienne et je l'ai serrée ; un mouvement de recul instinctif, puis elle a à nouveau entrelacé ses doigts aux miens.

— Désolée, a-t-elle murmuré, vraiment désolée…

— Tu n'as pas à être désolée, Petra.

— Tu es un garçon adorable, a-t-elle répondu sans parvenir à me regarder dans les yeux.

— Et toi, une fille adorable.

— Non. D'ailleurs, tu ne me connais presque pas.

— Tu es merveilleuse, tu…

— Tu l'as déjà dit hier.

— Eh bien, je n'ai pas changé d'avis depuis.

Elle a ri légèrement et elle a renforcé sa pression sur ma main.

— Personne ne m'a jamais dit ça.

— Vraiment ? ai-je fait, et ma surprise n'était pas feinte.

— Mon mariage… a été une drôle d'histoire.

Je me suis tu, attendant qu'elle poursuive, mais elle s'est brusquement emparée du menu.

— Je meurs de faim. Je n'ai rien pu avaler de la journée.

— Commandons, alors, ai-je proposé avec un sourire.

— Merci, a-t-elle dit tout bas, et j'ai compris qu'elle faisait référence au fait de ne pas lui avoir posé davantage de questions sur son mari.

Le serveur s'est approché. Nous avons choisi des spaghettis carbonara et j'ai suggéré une bouteille de vin blanc, à quoi elle a acquiescé en ajoutant :

— C'est seulement après avoir été expulsée de RDA que j'ai découvert la cuisine italienne. Le parmesan, les *linguini*, les *vongole*, les boulettes de viande qui ont réellement le goût de la viande… Un autre univers. Mais toi qui as grandi à New York, tu dois connaître toutes les cuisines du monde ?

Elle a continué en m'interrogeant sur mon adolescence à Manhattan, curieuse de tous les détails sur mon quartier, les petits restaurants tels que *Pete's Tavern* ou

Big Wong King à Chinatown où mon père m'amenait, les shows de Broadway que j'avais vus enfant, l'ambiance du Village au début des années 70. Elle m'a même convaincu de lui faire une démonstration de la différence entre l'accent de Brooklyn et celui du Bronx, riant de bon cœur quand j'ai imité les intonations de Prospect Heights que mon père avait gardées. Elle s'était détendue, savourant ses pâtes et buvant plusieurs verres du blanc maison. Comme je lui faisais remarquer que je parlais beaucoup de moi, elle a plaidé :

— C'est parce que je veux tout savoir de toi… sauf tes anciennes petites amies. Ou pas pour l'instant, en tout cas.

— Je n'ai pas grand-chose à raconter, sur ce plan.

— Quand il est question d'amour, il y a toujours des tas de choses à raconter ! Ah, mais le vin me monte à la tête, on dirait…

— Mais tu as dit toi-même qu'on n'en parlerait pas maintenant…

— D'accord, fais ton mystérieux !

— Pas plus que toi.

— Je sais par avance que ton histoire sera moins déprimante que la mienne.

— À ce point ?

— Oui, à ce point. Dis, je ne serais pas contre le fait de reprendre une demi-bouteille de ce vin, si tu es d'accord ?

— D'accord ? Je suis tellement…

Sans me laisser finir, elle a posé son index sur mes lèvres.

— Pas besoin de le dire, Thomas. Je sais. Je sais ce que tu ressens.

Soudain, elle a posé les coudes sur la table, s'est pris la tête entre les mains et elle a eu une expression désespérée, comme si tout était brusquement trop difficile à surmonter.

— Ça ne va pas, Petra ?

— Je ne peux pas…

Frissonnante, elle a caché ses yeux derrière ses doigts. Quand j'ai voulu lui caresser la main, elle m'a repoussé et elle a répété, de façon presque inaudible :

— Je ne peux pas…

— Tu ne peux pas quoi ?

— Il vaut mieux que tu partes, Thomas. C'est mieux pour toi.

— Comment ?

— Va-t'en, protège-toi.

— M'en aller ? Pas question. Je ne vais pas te laisser me… nous faire ça. Pas alors que je sais que nous…

— Je le sais aussi ! Je l'ai su dès la première fois que je t'ai vu. Et c'est pour ça que je te demande de partir. Parce que c'est impossible…

— Qu'est-ce qui est impossible ? Pourquoi ? Tu représentes tellement pour moi, déjà, tu…

Elle s'est levée d'un bond, elle a attrapé son paquet de cigarettes et elle a prononcé trois mots dans un souffle :

— *Ich liebe dich.*

Elle a tourné les talons et a presque couru jusqu'à la porte, se jetant dans la rue. Sans réfléchir, j'ai déposé quelques billets sur la table et je me suis précipité dehors. Pflügerstrasse était déserte. J'ai crié son prénom à plusieurs reprises, couru dans un sens puis

295

dans l'autre, vérifiant les rares entrées d'immeubles qui n'étaient pas obstruées, les ruelles adjacentes. Rien d'autre que le vent qui sifflait sur les tôles rouillées barrant de nombreuses fenêtres. Je suis remonté jusqu'à l'artère principale de ce quartier laissé à l'abandon. Petra avait disparu.

J'étais perdu, abasourdi par son départ brutal et aussi par ce qu'elle m'avait montré d'elle auparavant. Et il y avait aussi cette déclaration d'amour qu'elle avait faite avant de s'enfuir. Elle l'avait dite avec son cœur, j'en étais sûr, et cela venait éclairer d'un jour splendide certaines confidences que nous avions échangées pendant cette soirée – « Je l'ai su dès la première fois que je t'ai vu »… –, leur conférer une vérité intangible.

De la neige fondue s'est mise à tomber, apportant un froid humide et insidieux. Mais je n'avais aucune envie de reprendre le métro et de rentrer chez moi. Il fallait que je retrouve Petra, mais sans son adresse ni son numéro de téléphone… Il n'y avait qu'une solution : retourner au restaurant en espérant qu'elle finirait par faire de même, qu'elle allait se raviser, que cette fuite soudaine s'expliquait par… Par quoi ? Un excès d'émotions ? Une réaction de panique devant l'ampleur de ce qui se profilait ? Ou bien était-ce lié à d'autres aspects secrets qu'il me restait encore à découvrir ? En admettant que j'en aie l'occasion un jour… L'intensité de ce que je ressentais ne faisait que confirmer toutes mes rêveries, mes interrogations et tous mes espoirs des derniers jours : l'amour était là, tel que je ne l'avais encore jamais éprouvé, et la possibilité que je vienne de perdre Petra, que toutes ces promesses deviennent irréalisables était insupportable.

L'*Arrivederci* était toujours désert quand le serveur m'a regardé entrer. D'un air désolé, il a levé un sourcil d'une manière qui voulait dire : « Ça ne s'est pas arrangé ? » Il connaissait déjà la réponse, néanmoins ; me faisant signe de m'asseoir à une table, il est revenu avec une imposante bouteille de cognac Vecchia Romagna et un petit verre. Il l'a rempli, m'a tapoté affectueusement l'épaule et a dit simplement :

— Buvez.

Ensuite, il a posé la bouteille sur la table et m'a laissé à mon verre, à la cigarette que je venais de rouler et à mes pensées. Une heure a passé, pendant laquelle j'ai fumé quatre roulées, bu quatre coups de cognac et attendu en vain le retour de Petra. Cette fois, je n'ai pas eu la force de recourir à mon remède habituel quand je me sens nerveux ou inquiet : mon calepin et les notes compulsives dont je le couvre. Les yeux au plafond, je ne cessais de la revoir et de me dire que j'avais rencontré la femme de ma vie, que tout en elle, sa beauté, son esprit, son ironie et son immense vulnérabilité, sa tristesse et la sensualité naturelle qui émanait d'elle, la façon dont ses cheveux flottaient dans l'air quand elle secouait la tête, son rire si pur lorsqu'elle était agréablement surprise, ses larmes imprévisibles, tout était une *terra incognita* que je voulais explorer.

Mais que faire, maintenant ? J'ai écrasé ma cigarette et je me suis levé, m'attendant à me sentir un peu chancelant après ces verres de liqueur bon marché. Tout ce que je ressentais, cependant, était une immense déception : Elle n'est pas revenue et elle ne reviendra pas. Elle t'a fui, elle nous a fuis. C'est fini. Fini avant même d'avoir commencé.

— Combien je vous dois pour le cognac, mon ami ? ai-je demandé au serveur.

— C'est offert.

— Non, je veux payer quelque chose.

— Quand vous êtes parti en courant derrière votre amie, vous avez laissé plus d'argent qu'il ne fallait. Vous avez assez payé, ce soir.

— Vous êtes trop aimable.

— J'espère que vous reviendrez. Et maintenant, je vais vous appeler un taxi.

Comme une grande fatigue m'était brusquement tombée dessus, j'ai accepté. En m'accompagnant à la porte à l'arrivée du taxi, le serveur m'a pris par l'épaule.

— Vous aimez cette fille, pas vrai ?

— C'est si évident que ça ?

— Vous avez de la chance. Moi, je n'ai jamais aimé. Pas une fois.

— Vous êtes encore célibataire ?

— Non, marié depuis vingt-cinq ans à la même femme. Et je vous envie.

— Mais si ça ne marche pas, entre elle et moi ?

— Au moins vous aurez connu « ça ».

Sur ce réconfort très relatif, je lui ai serré la main et je suis parti. Quelques minutes plus tard, j'étais à l'appartement. J'ai contemplé un instant les murs immaculés de l'atelier, le parquet comme neuf, puis je suis monté dans ma chambre, j'ai lancé mon blouson dans un coin, enlevé mes bottes et je me suis jeté sur le lit.

Soudain, une sorte de sonnerie lointaine est venue me tirer de mon état quasi inconscient. Deux heures et demie au radio-réveil. « Drrring »… On sonnait en bas, à la porte. Avec insistance, comme si quelqu'un gardait le pouce sur le bouton. Pour que je l'entende enfin, pour que je la… J'ai compris, d'un coup. Je me suis rué dans l'escalier en frottant mes yeux ensommeillés, j'ai foulé de mes pieds nus le carrelage froid de l'entrée, ouvert la porte à la volée.

Petra se tenait devant moi. Trempée de neige fondue, les cheveux dégoulinants, les yeux rougis comme si elle n'avait cessé de pleurer depuis son départ précipité, son corps tout tremblant quand elle s'est jetée dans mes bras.

— J'ai froid, a-t-elle bredouillé en se serrant contre moi.

Sa main s'est posée sur mon visage, dont elle a parcouru les traits. On aurait cru qu'elle voulait s'assurer que j'étais bien réel. J'ai fermé les yeux, dans lesquels je sentais les larmes près de perler.

— Ne me laisse pas, a-t-elle murmuré. Ne me laisse jamais.

4

Plusieurs heures après – cinq heures vingt du matin, indiquait ma montre –, je me suis réveillé, les bras passés autour de Petra profondément endormie. Me redressant sur un coude, je l'ai longtemps contemplée, émerveillé par sa beauté, revivant les moments extraordinaires que je venais de connaître : comment elle m'avait attiré à elle dès que nous avions été dans mon studio, comment nous nous étions jetés dans un baiser tellement intense que nous aurions pu être deux amants qui, se retrouvant après une longue absence, sont insatiables l'un de l'autre ; comment nous nous étions mutuellement arraché nos vêtements dans une sorte de transe ; le cri perçant qu'elle avait poussé lorsque j'étais entré en elle, allongée sur le lit, et comment elle avait noué ses jambes autour de moi pour me prendre avec une violence passionnée ; comment elle avait saisi mon visage entre ses mains et m'avait regardé dans les yeux avec un désir, une ardeur, un espoir si bouleversants que les mots étaient venus tout seuls à mes lèvres, résumant tout ce que j'avais pensé et souhaité dire depuis notre première rencontre, *Ich liebe dich*, et elle me répondant dans ma langue « Je t'aime aussi »…

Ces paroles avaient été échangées dans un murmure, comme si nous formulions un vœu, un serment, et ensuite nous nous étions abandonnés à la passion physique, débridée, fusionnelle. Une faim de l'autre de plus en plus vertigineuse. Puis nous étions restés enlacés, les yeux dans les yeux, remués jusqu'au tréfonds de nous-mêmes, conscients de ce que nos vies respectives venaient peut-être de prendre un cours aussi imprévu qu'irrésistible.

— Mon amour, avait-elle chuchoté en me serrant de toutes ses forces. Mon amour…

— Je suis à toi, avais-je répondu en caressant sa joue, son front, ses lèvres.

Cachant son visage dans mon épaule, elle avait éclaté en sanglots.

— Tout ira bien, Petra, lui avais-je dit. Je te le promets.

— Tu ne sais pas… oh, tu ne peux pas savoir…

— Quoi, mon amour ?

— Quand je suis partie tout à l'heure, j'ai erré dans la rue, si longtemps. J'avais peur.

— Peur de quoi ?

— De t'avoir perdu à cause de ma folie. De ne pas être capable d'accepter le bonheur que j'entrevoyais avec toi.

— Mais pourquoi ?

— Il y a tant de choses. Je t'expliquerai un jour, mais pour l'instant, s'il te plaît, je veux juste vivre ce moment. Avec toi. Garde-moi dans tes bras, très fort. C'est là que je veux dormir maintenant, et demain, et la semaine prochaine, et le mois prochain, et l'année prochaine, et le siècle prochain…

— Ce qui fera plus de cinquante ans à dormir dans mes bras. C'est beau.

— Je t'aime, Thomas.

— Je t'aime, Petra.

Elle s'était vite endormie après m'avoir embrassé et je l'avais imitée, pressé contre elle, épuisé par les émotions de la nuit et par la folie de nos ébats. Puis j'ai ouvert les yeux à cinq heures vingt, donc, dans ce bref moment où l'on ne sait plus où l'on est, jusqu'à ce que je sente Petra remuer paisiblement dans son sommeil et que je m'absorbe dans sa contemplation. Mon esprit n'était certes pas au repos : avant de le vivre – et il est à souhaiter que cela vous soit arrivé, à un moment ou à un autre de votre existence –, personne n'est réellement préparé au tremblement de terre mental et affectif qu'est un premier, véritable « grand amour ». Tout semble possible, brusquement, et le monde paraît vous sourire. Qui plus est, l'Américain en moi, ce versant de ma personnalité qui croyait au « oui, on peut ! », qui ne voulait reculer devant aucun obstacle, qui était prêt à rebâtir la grange écroulée sitôt après le passage de la tornade, proclamait maintenant : « Quelles que soient les souffrances du passé qui continuent à la hanter, tu l'aideras à les surmonter. Tu seras là pour elle, entièrement, tu ne la laisseras jamais seule face à la vie, tu seras son point d'appui et son refuge, tu seras son homme. »

Oui, j'évoluais dans un état d'élévation qui me faisait voir l'existence sous un tout autre jour et j'étais transporté par le changement qui s'était opéré en moi. Cette femme étendue près de moi dans sa magnifique omniprésence et sa poignante fragilité, je l'aimais, elle m'aimait, notre convergence avait été immédiate, notre union complète, et il y avait une vérité formidable, indiscutable, à la base de notre amour. Pour la première fois de ma vie, je comprenais ce qu'est une certitude. On peut passer sa vie à rechercher l'être auquel on est destiné, et la plupart du temps cette quête pousse à des compromis, certains acceptables, d'autres catastrophiques, d'autres encore à la limite du désespoir silencieux et de la tristesse d'un horizon limité. Mais quand – et « si » – on se retrouve devant celui ou celle avec qui il existe une possibilité de transcender l'existence quotidienne, alors il faut savoir tout changer et lui faire sa place. Parce que c'est alors l'instant à saisir, c'est maintenant ou jamais et cela ne se reproduira peut-être jamais durant notre court passage sur terre.

Finalement, je me suis levé en prenant soin de ne pas la réveiller et j'ai ramassé ses vêtements trempés éparpillés sur le sol pour les mettre à sécher sur les radiateurs. En allant chercher mon peignoir dans la salle de bains, j'ai surpris mon reflet dans la glace ; moi qui n'ai jamais été satisfait par mon apparence physique, je n'ai pu m'empêcher de sourire en me voyant, un autre effet magique de cette nuit inoubliable. Je suis revenu déposer le peignoir sur une chaise près de Petra pour le cas où elle se réveillerait avant moi, puis je me suis rallongé et je l'ai à nouveau enlacée.

— C'est toi ? a-t-elle murmuré dans un demi-sommeil.

— C'est moi.

— Viens plus près.

Nous nous sommes rendormis dans les bras l'un de l'autre. Bien plus tard, j'ai senti à travers mes paupières la lumière qui passait par les stores, et mon oreille a distingué une voix qui fredonnait non loin. Il était onze heures passées. La mélodie est devenue plus distincte au fur et à mesure que je reprenais mes esprits, et avec elle me parvenait un arôme de café. Petra s'était levée et s'activait dans la cuisine en chantant doucement en allemand une chanson qui ressemblait à un *lied* et que j'ai cru reconnaître. Je me suis redressé. Je me sentais incroyablement reposé et, sensation très nouvelle pour moi, pleinement heureux.

— Bonjour, mon amour, ai-je lancé.

Petra est apparue sur le pas de la porte. Elle avait enfilé mon peignoir et elle était lumineuse, son visage était radieux, ses yeux étincelants.

— Bonjour, mon amour…

Elle s'est laissée tomber sur moi, nous nous sommes embrassés, elle a enlevé le peignoir et nous avons encore fait l'amour, cette fois avec moins de hâte, plus attentifs à notre plaisir respectif et partagé. Après, elle s'est allongée sur moi, les yeux dans les yeux.

— C'est tellement… ah, j'ai failli dire « révolutionnaire » mais ça ferait trop communiste ! Pourtant, c'est le mot. Révolutionnaire. Parce que ce que j'éprouve maintenant pour toi, pour nous, c'est comme un nouveau pays…

— Un pays que nous sommes en train de fonder pour nous, nous seuls. C'est tout ce qui compte, Petra : « nous ».

— Le plus beau pronom qui soit. Et je ne l'avais jamais vraiment utilisé, jusqu'ici.

— Moi non plus. Pour moi aussi c'est comme tu as dit, révolutionnaire.

— Et moi, je suis la femme la plus heureuse de tout Berlin, ce matin. Ah, je ne quitte plus ce lit… Non, je suis tellement contente que je veux nous servir le petit déjeuner ici.

— Tu ne dois pas aller travailler ?

— Je les appellerai plus tard pour dire que je ne suis pas encore tout à fait remise…

Nos lèvres se sont jointes et nos mains ont repris leurs caresses jusqu'à ce que la réalité fasse irruption dans notre paradis sous la forme du hululement d'une ponceuse en bas.

— Bon sang, j'avais complètement oublié…

— Ne t'inquiète pas, m'a-t-elle rassuré. Quand j'ai entendu du bruit en bas tout à l'heure, je suis descendue et je me suis retrouvée devant un monsieur turc. Il m'a expliqué que vous travailliez ensemble pour refaire « l'atelier de mister Alastair ». Il m'a recommandé de ne pas te réveiller. Ce « mister Alastair », c'est ton logeur ?

— On peut dire ça, et bien d'autres choses. C'est une personne à multiples facettes, « mister Alastair ».

— Tu m'intrigues.

— Oh, c'est une longue histoire…

— J'ai tout mon temps. Et puis, j'aime comment tu racontes les histoires.

— Et ce petit déjeuner au lit ?

— D'accord, marché conclu : j'apporte le petit déjeuner et tu me dis tout sur ton mystérieux colocataire.

— Je vais t'aider.

— Non ! Laisse-moi le plaisir de servir *mein Mann* au lit. Permets-moi de jouer à la petite femme au foyer, juste une fois !

De retour à la cuisine, elle a recommencé à fredonner la chanson qui m'avait charmé à mon réveil.

— On dirait du Schubert, non ?

— Bravo. *An die Musik*, ça s'appelle. À la musique. Beau et méditatif, comme toujours chez Schubert.

— Et tu le chantes si bien…

— Ne me raconte pas que je suis un rossignol, s'il te plaît !

— Pas un canard, en tout cas. Tu as une voix très agréable.

— Compliment accepté, mais j'ai deux questions urgentes : un, ton café, noir ou avec du lait ? Deux, confiture ou fromage avec ton pain ?

— Noir et fromage, je te prie.

— Exactement comme moi !

Trois minutes après, elle est revenue en tenant un plateau devant elle, toujours fredonnant, son sourire encore plus radieux. Elle s'est penchée pour m'embrasser sur la bouche, puis elle a rempli à moitié deux tasses d'un café bien serré et, prenant la sienne, elle a trinqué avec moi.

— À nous.

— À nous, mon amour.

Le café était délicieux et j'étais affamé, à cette heure tardive, si bien que le pain de seigle et le munster ont vite été engloutis.

— Et maintenant, à toi de tenir ton engagement, a déclaré Petra. Tout sur « mister Alastair » !

— OK, je ne te cacherai rien.

Je lui ai dressé un portrait détaillé du personnage. À la fin de mon récit, elle a dit :

— On dirait que tu as vraiment de l'affection pour lui.

— Oui. C'est un type qui fait tout « à l'extrême » mais je pense qu'il a un bon fond. Il est même très moral, en réalité, même s'il refuse de l'admettre. Il est d'une discipline incroyable quand il s'agit de peindre et de tenir son intérieur. En plus, la configuration de l'appartement fait que chacun de nous peut vivre dans son coin, et depuis que je l'ai persuadé de se servir d'un casque je n'ai presque plus à pâtir de son envie d'écouter de la musique à fond.

— Très bien, a-t-elle approuvé avec un sourire.

— Conclusion : si tu viens vivre avec moi, ça ne signifiera pas que tu cohabiteras avec lui.

— Très bien aussi.

— Est-ce que je vais trop vite, là ?

— Oui. Et j'aime ça.

Nous nous sommes embrassés.

— Aujourd'hui, je ne veux pas quitter cette chambre, a-t-elle déclaré. Le reste du monde est derrière cette porte et il ne faut pas l'ouvrir.

— L'idée me semble très attirante.

— D'ailleurs, j'ai regardé dans tes placards, il y a de quoi manger et boire tout ce qu'on veut. Ça m'a agréablement étonnée, des réserves pareilles chez un célibataire…

— Hé, je suis new-yorkais, que veux-tu ! Nous avons tous la névrose du bunker.

— J'ai déjà planifié le dîner : spaghettis sauce tomate et anchois. Il y a du parmesan et de l'ail dans le frigo, et deux bouteilles de vin blanc. Très impressionnant, Thomas. Décidément, je vais venir habiter avec toi !

Nos lèvres se sont rencontrées dans un rire. Elle a posé le plateau par terre, nous nous sommes glissés entre les draps et en quelques minutes nous étions une nouvelle fois unis l'un à l'autre. Quand il est aussi pur, le désir est une ivresse qui paraît ne jamais pouvoir finir. Il y a ce besoin irrépressible de se toucher, d'établir un contact physique presque permanent, et celui de proclamer sans cesse son amour avec des mots qui sont à la fois d'un romantisme absurde et d'une sincérité totale. De cette journée enchantée, je me rappelle avoir employé avec délice un langage amoureux que j'avais jusque-là toujours évité, parce que, si l'on n'est jamais tombé fou amoureux, même cette expression, « fou amoureux », sera taxée de ridiculement mièvre par les sceptiques dont j'avais fait partie. Dès que l'on franchit cette borne, pourtant, on se surprend à répéter des mots d'amour avec une telle conviction que l'on en vient à se demander : Cet univers extraordinaire dans lequel je me retrouve est-il bien réel ? Ce bonheur que j'éprouve est-il tangible ?

Petra avait les mêmes pensées car, quand je me suis réveillé après notre sieste d'une heure et quelques, je l'ai découverte assise sur le lit, les yeux sur moi, plongée dans une contemplation similaire à la mienne au petit matin.

— Hé, toi, ai-je dit en lui prenant la main. Tu vas bien ?

— Je n'arrête pas de me demander… Est-ce vrai ? Ça arrive pour de bon ?

— Moi aussi, pareil.

— Et je prie je ne sais quel Être suprême, celui qui ne m'a jamais écoutée par le passé, sans doute parce qu'il sait que je ne suis pas du tout convaincue de son existence, je lui dis : « Fais que ça continue. Que ça reste toujours comme c'est maintenant. »

— Pourquoi pas ? Ce qu'il y aura entre nous ne dépend que de toi et moi, et de personne d'autre. – Elle s'est soudain rembrunie, s'est mordu la lèvre. – Quoi, j'ai dit quelque chose qu'il ne fallait pas ?

— Une question, Thomas : tu as eu beaucoup de chance, dans ta vie ?

— De la chance ? Qu'est-ce que tu entends par là ? D'être né à New York ? D'avoir grandi sans connaître le besoin matériel ? Par rapport au sort de l'humanité en général, je peux dire que j'ai été relativement favorisé, oui. Surtout depuis que je mène la vie que je voulais.

— Eh bien moi, la chance… Elle semble m'avoir souvent oubliée. Il y a eu plein de fois où je me suis demandé : Pourquoi c'est si difficile ?

— Quel genre de difficultés ?

— Ce que je veux dire, c'est que, quand tu n'as jamais eu trop de chance, tu en viens à penser que tu perdras forcément tout ce qui t'arrivera de bien.

— Ce n'est pas valable pour nous. Jamais.

— Promets-moi.

— Bien sûr que je te le promets.

Elle m'a serré contre elle, la tête au creux de mon épaule.

— Merci, a-t-elle chuchoté.

— Et merci à toi.

— De quoi ?

— D'être toi.

— Mais tu ne me connais pas vraiment, Thomas. Et si j'étais une femme impossible, une enquiquineuse, une garce ?

— Tu as encore d'autres points positifs à ton actif ?

— Ah… je t'en prie, fais-moi toujours rire quand je deviens trop sombre.

— Avec plaisir.

— Et ne pars jamais sans rien dire.

— Je n'en ai aucunement l'intention.

— Mais ça t'est arrivé dans le passé, n'est-ce pas ? J'en suis sûre.

— Je plaide coupable, et pourtant je vais te confier quelque chose que je n'avais encore jamais admis jusqu'ici : j'ai toujours été à la recherche d'une excuse pour rester tranquille, arrêter de vagabonder.

— Nous sommes fous tous les deux, tu t'en rends compte ?

— Pourquoi tu dis ça ?

— Parce qu'on se fait toutes ces grandes déclarations après seulement une nuit ensemble.

— Je trouve ça plutôt fantastique, moi.

— Honnêtement, tu as déjà ressenti ça avant ?

— Jamais. Et toi ?

— J'ai été mariée, mais ce n'était pas du tout pareil. Pas comme l'état dans lequel je suis. Mais c'est quoi, cet état ? De la folie. Une merveilleuse folie.

— Une folie qui n'a rien de mauvais, je trouve !

— Tant qu'elle dure.

— Elle va durer, mon amour.

Le soir venu, nous avons pris une douche ensemble, prenant le prétexte de nous savonner et de nous sécher mutuellement pour des caresses renouvelées. Ensuite, nous nous sommes installés sur le canapé, j'ai ouvert une des deux bouteilles de pinot grigio bon marché, nous avons fumé une cigarette et Petra est allée examiner la vingtaine de disques que j'avais achetés depuis mon arrivée à Berlin.

— Je vois que tu raffoles du jazz des années 50, et des quatuors de Beethoven, et de Bartók, et de la musique pour clavier de Bach... et tu as plein de Brahms, ce qui montre ton côté mélancolique. Tiens, deux albums de Frank Zappa, juste pour montrer que tu vis avec ton temps. Mais à part ça, rien d'actuel : pas de Clash, de Sex Pistols, de Police, de Talking Heads...

— J'aime bien tous ces groupes, en fait.

— Et moi, je les adore ! Faut dire, je ne les ai connus que tout récemment. Enfin, je ne critique pas tes goûts. Ça fait très intello new-yorkais, très sophistiqué. Ah, je voudrais tant voir New York !

— C'est facile à organiser.

— C'est moi qui vais trop vite, là. Je devrais être plus réservée, plus méfiante. Ma mère me disait tout le temps, quand j'ai commencé à fréquenter des garçons : « Fais comme si tu n'étais pas intéressée, fais-toi attendre, toujours. »

— Et tu l'as écoutée ?

— J'ai essayé mais je n'étais pas douée... Je n'aime pas faire du cinéma, ce n'est pas ma nature, et puis je ne suis pas « réservée ». Ni très romantique, d'ailleurs... Enfin, jusqu'ici. Mais c'est de toi qu'on parlait !

— Choisis un disque, d'accord ?

— D'accord. Voyons... Brahms, le trio avec clarinette.

Elle a sorti le disque, un enregistrement datant d'il y a longtemps, avec Benny Goodman. J'avais un tourne-disque tout simple, acheté quinze marks dans une brocante dont le patron m'avait même offert quelques aiguilles de rechange.

— C'est drôle, a dit Petra.

— Quoi ?

— Que tu n'aies pas une chaîne stéréo, tout ça…

— Je ne serais pas contre, mais je vis avec un budget serré.

— Et ce livre que tu prépares, ce sera sur quoi ?

— Sur Berlin. Quoi exactement, je ne le saurai pas avant d'avoir commencé à l'écrire. Et ça, ce ne sera pas avant que…

— Que tu aies quitté Berlin ?

Elle a posé le vinyle sur le long support qui pouvait en accueillir quatre à la fois, appuyé sur la touche de départ. Le disque est tombé sur le plateau, le bras est venu se placer au-dessus du sillon, l'aiguille s'est abaissée et, après les craquements habituels, les premières harmonies mélancoliques de Brahms ont résonné.

— Je n'ai pas l'intention de quitter Berlin, ai-je répondu.

— Pardon. C'était juste une question, mais je comprends que tu l'aies pris autrement.

— Si je dois partir d'ici, maintenant, ce sera avec toi.

Elle s'est penchée, m'a embrassé doucement.

— J'aime bien que tu puisses être si sûr de ça après seulement un jour.

— J'en ai été sûr dès que je t'ai vue.

— Moi aussi, même si ça m'effrayait complètement. La perspective du bonheur, ça peut être intimidant. Tu as lu Graham Greene ?

— Je crois que tous ceux qui voyagent et écrivent sur leurs voyages ne peuvent qu'aimer Graham Greene.

— Il dit quelque chose dans *Le Fond du problème* qui m'a énormément touchée quand je l'ai lu l'année dernière, quelque chose à propos de son personnage qui « éprouve la fidélité que nous inspire le manque de bonheur, cette sensation que c'est à cette place que nous devons être et rester ».

— Il est génial, oui. Et c'est une excellente description de mes parents. Mais toi, quand tu as lu ça…

— J'ai pensé : Est-ce que je trouverai jamais une place hors de la tristesse ?

— C'était avant que tu arrives ici, ou après ?

— Juste avant, mais…

Elle s'est interrompue, me laissant comprendre que nous étions parvenus à la limite qu'elle avait fixée quand elle parlait d'elle, limite qu'elle n'était pas encore prête à franchir. La prenant dans mes bras, je lui ai dit simplement :

— Tu as déjà quitté ça, mon amour.

Nous avons préparé le dîner ensemble. Tout en débattant du nombre de gousses d'ail à ajouter à la sauce – je penchais pour cinq alors que Petra soutenait que deux suffisaient –, nous avons tous deux trouvé que les anchois lui donnaient une saveur particulièrement intéressante. Lorsque j'ai proposé d'aller chercher du pain frais à une épicerie italienne assez proche de l'appartement, Petra s'y est opposée :

— Je ne veux pas que tu me quittes, même cinq minutes, ce soir. N'aie pas peur, je ne suis pas toujours aussi collante, mais accorde-moi ce petit caprice, d'accord ?

J'ai accepté, tout en me demandant si elle avait eu dans sa vie un homme qui avait disparu après avoir annoncé qu'il descendait acheter des cigarettes.

Pendant que les pâtes cuisaient dans une casserole et que Petra râpait le parmesan, j'ai allumé des bougies et débouché la seconde bouteille de vin. Tous ces détails domestiques restent présents dans ma mémoire comme s'ils remontaient à la veille et non à plus de vingt ans : la silhouette de Petra dans la douce lumière des chandelles quand elle est venue s'asseoir à la table, l'adresse avec laquelle elle a transformé les deux banales serviettes en papier en élégants origamis, notre discussion sur le temps de cuisson idéal pour obtenir des spaghettis *al dente*, nos félicitations mutuelles en constatant que la sauce était vraiment réussie... Je lui ai demandé comment elle avait appris cet art japonais.

— Par hasard, il y a environ quatre ans, en tombant sur un livre consacré aux origamis dans la maison d'édition pour laquelle je travaillais, au milieu d'une pile d'ouvrages décrétés « impropres à la publication ». Je l'ai dérobé, il m'a tout de suite intéressée et j'ai commencé à m'entraîner avec des feuilles du *Neues Deutschland*. C'est devenu une passion. On avait tellement peu de beauté, dans notre quotidien, en RDA, alors je crois que ç'a été pour moi un moyen d'en créer avec un matériau aussi courant que le papier... Je me débrouillais tellement bien que Jürgen m'a convaincue d'organiser une exposition privée chez nous, à

Prenzlauer Berg. Plus de cinquante personnes se sont entassées dans notre petit appartement et j'ai vendu tous mes origamis… bon, quatre ou cinq ostmarks, ce qui n'est pas grand-chose, comme tu sais. Enfin, depuis le temps que je côtoyais des artistes, je faisais quelque chose d'original, moi aussi, ils me reconnaissaient comme une égale… Du coup, je suis sans doute la seule habitante de Kreuzberg à pouvoir transformer une serviette en papier en cygne à la japonaise ! La vie était tellement dure, là-bas, qu'on s'inventait des talents complètement imprévus. Il y avait par exemple un peintre abstrait très doué, Wolfgang Friederich, vraiment le De Kooning de Berlin-Est, qui s'est découvert un don pour… réparer les chasses d'eau. Comme il fallait attendre des semaines si on avait besoin d'un plombier « homologué », les gens ont commencé à faire appel à lui et bientôt il s'est mis à gagner cent cinquante marks par mois, la même chose que moi avec mes traductions. Évidemment, il a fini par être dénoncé comme « profiteur » et il a même été emprisonné… Enfin, c'est le passé. – Elle a levé son verre. – Et maintenant, à nous !

— À nous.

Nous avons parlé de beaucoup de choses, ce soir-là. De notre enfance, des professeurs qui nous avaient marqués ou que nous avions détestés, de la première « boum » où nous étions allés, du premier baiser échangé, de la condition d'enfant unique de parents qui ne s'aimaient plus… Le plus étonnant de toutes ces confidences, c'est que, alors que nous partagions beaucoup de souvenirs et que nous avions visiblement été des adolescents avec la même sensibilité, nos références culturelles étaient très dissemblables. Pour moi, c'était l'occasion de constater directement à quel point la jeunesse est-allemande restait privée de films, de livres et de musique qui n'étaient pas « idéologiquement corrects ». J'ai aussi trouvé fascinant que, malgré l'opposition entre l'Occident ultra-consumériste et un bloc de l'Est où l'État décidait de ce que l'on pouvait acheter ou pas, la mode ait été une des grandes préoccupations d'une fille de Halle. Petra m'a ainsi raconté comment sa mère, Ulrika, lui avait cousu une imitation de blouson en jean en se servant d'un tissu roumain qu'elle avait teint elle-même et de petits boutons métalliques en guise de rivets, « presque comme un vrai Levi's », et quel plaisir elle avait éprouvé quand ses amies d'école lui avaient demandé où elle avait réussi à se le procurer.

Ce bavardage détendu nous a permis de mesurer à quel point nos idées convergeaient sur nombre de sujets essentiels, et ce malgré l'énorme différence de nos formations culturelles. Du scepticisme à l'encontre de toute croyance religieuse au rejet de l'hyper-intellectualisme, de la réticence aux auteurs et aux cinéastes trop nombrilistes à l'émotivité devant des œuvres poignantes – Petra a ainsi mentionné qu'elle ne pouvait retenir ses larmes en écoutant *La Bohème* de Puccini –, nos goûts s'accordaient remarquablement. Nous aimions aussi tous deux les grands espaces et le spectacle de la nature dans toute sa majesté, même si Petra m'a appris qu'elle n'était encore jamais allée à la montagne.

— Les Alpes ne sont qu'à quelques heures de train, pareil pour les Dolomites. Il suffit que tu prennes une semaine de congé et hop, on saute dans un Trans-Europ-Express.

— Mais c'est beaucoup d'argent !

— Je m'occupe de ça.

— Je veux payer ma part.

— À négocier plus tard, ma chérie.

— Pas de négociation ! a-t-elle répondu. Capitulation sans condition devant mon point de vue.

— Ah ! Tu es une stalinienne qui s'ignore, donc…

— Je suis une fille impossible et très, très heureuse.

— Eh bien, voilà quelque chose qui va te rendre encore plus heureuse, j'espère, ai-je annoncé en ouvrant un tiroir de la cuisine pour y prendre une clé que j'ai posée sur la table près d'elle. Tu peux apporter tes affaires dès demain.

Elle a gardé les yeux baissés sur la clé un long moment.

— Tu es vraiment sûr, Thomas ? Déjà ?

— Absolument.

Un autre silence. Elle se mordait la lèvre et j'ai vu ses yeux se remplir de larmes. Elle s'est maîtrisée.

— Tu es fou et tu es merveilleux, Thomas. D'accord, j'apporterai quelques affaires demain.

— Excellent, ai-je approuvé, tout en comprenant que, par cette nuance entre « mes affaires » et « quelques affaires », elle cherchait à me dire avec douceur que je ne devais pas trop la bousculer.

— Mon Dieu, regarde l'heure ! s'est-elle soudain exclamée en me montrant son poignet.

Il était une heure trente-trois du matin.

— Et regarde le cendrier !

Il était plein de mégots de toutes les cigarettes que nous avions fumées au cours des dernières heures.

— Et ces deux bouteilles de vin vides !

— Sans compter la demi-bouteille de schnaps que nous avons éclusée, ai-je ajouté.

— Pourquoi je ne me sens pas soûle du tout ? s'est-elle étonnée.

— Devine.

Elle s'est levée et est venue s'asseoir sur mes genoux en passant ses bras autour de mon cou.

— Quand je vais me réveiller tout à l'heure, tu sais ce que je vais penser ? Que le monde est différent, maintenant. Mais ça va être affreux, d'être loin de toi jusqu'au soir…

— Pour moi aussi.

Quelques minutes plus tard, nous étions au lit, endormis dans les bras l'un de l'autre. Le réveil a sonné à neuf heures. Quand je me suis détourné pour l'éteindre, Petra m'a attiré à elle.

— Mon travail peut attendre encore une heure, a-t-elle affirmé.

Nous avons fait l'amour et nos yeux ne se sont pas quittés, nos corps se sont unis sur un rythme commun, naturel, passionné.

— Je veux me réveiller chaque matin comme ça, a-t-elle dit alors que nous restions enlacés après le paroxysme de notre plaisir.

— Je ne suis pas contre, ai-je répondu en souriant.

J'ai préparé le petit déjeuner pendant qu'elle prenait sa douche. Quand elle m'a rejoint, les cheveux encore humides, le café était prêt, le pain et le fromage attendaient sur la planche à découper, deux verres de jus d'orange étaient disposés près de nos tasses.

— Bonjour, ai-je lancé.

— Bonjour. Tu sais ce que j'ai pensé, sous la douche ?

— Dis-le-moi.

— Que la chance s'est enfin décidée à me rendre visite.

5

« La chance s'est enfin décidée à me rendre visite. »

Assis sur un banc du Tiergarten quelques heures plus tard, j'ai repensé à la phrase de Petra, à nouveau frappé par la beauté et la profondeur de cette formule, par la résonance qu'elle avait pour moi, pour nous.

Alors, c'était cela, l'amour... Oubliant le froid, j'ai repensé aux jours qui avaient suivi notre première rencontre, à mes vaines tentatives pour tempérer le formidable élan qui me poussait vers elle, quand je me disais qu'elle ne voudrait peut-être pas de moi, puis au vide terrible que j'avais ressenti lorsqu'elle s'était enfuie du restaurant, comme si une porte s'était refermée devant un vaste espace de possibilités, d'espoir, de félicité. Mais maintenant, ici et maintenant, ce n'était plus un souhait brûlant, c'était une réalité concrète. Dans le film des dernières trente-six heures que je projetais sur l'écran de ma mémoire, il y avait tout ce qui compose l'amour : la passion infinie, la complicité la plus profonde et la certitude que je venais de rencontrer celle qui serait avec moi toute ma vie.

Les yeux levés vers le ciel à nouveau hivernal de Berlin, j'ai eu un accès d'angoisse, pourtant : Et si Petra prenait peur comme je l'ai fait avec Ann, si elle décidait de renoncer à quelqu'un qui ne voulait que son bonheur ? Une voix en moi s'est élevée contre cette sombre hypothèse : Fais-lui confiance, fais confiance à votre amour, m'a-t-elle recommandé. Tu n'es plus seul, désormais. Tu as une femme qui non seulement voit en toi ce que tu vois en elle, mais qui désire cela aussi fort, aussi sincèrement que toi.

Finalement, une bise glaciale m'a obligé à me remettre en route, cette fois en direction de l'hôpital. Dans mon sac à dos, j'avais tout le courrier d'Alastair et quelques numéros du *New Yorker*. À son chevet, un peu plus tard, je lui ai tendu les enveloppes, m'attirant un regard agacé et la réaction suivante :

— Celui qui apporte de mauvaises nouvelles sera châtié. Enfin, tu croyais bien faire en m'amenant toutes ces factures et ces réclamations des divers banquiers et autres piranhas qui me poursuivent ?

— La vie continue, vois-tu, et je me suis dit que quand ils te jeteront d'ici tu seras sans doute content de ne pas avoir une foule de créanciers t'attendant à ta porte.

— Tu m'as apporté mon chéquier ?

— Il est dans cette chemise, avec les factures à payer.

— Tu es encore plus maniaque que moi. Ah, et le *New Yorker*. Je hais ce canard. Tous ces prétentieux coincés de Nouvelle-Angleterre qui fantasment sur la femme du voisin pendant que la neige tombe sur Boston et qu'en bas tout le monde entonne des chants de Noël.

Quand ce ne sont pas des papiers tellement pointus – c'est le cas de le dire – que ça en devient grotesque : l'autre jour, je suis tombé sur un article de dix-huit pages consacré aux origines du couteau suisse ! Je sais que pas mal d'Américains de la côte est se croient très évolués et très cosmopolites parce qu'ils lisent ce machin, mais c'est d'un sclérosé…

— Je vois que tu es en pleine forme. Le traitement avance bien, donc ?

— Tu me vois dans la demi-heure supportable de la journée. Bon, j'admets que leur saleté de substitut rend le truc moins intolérable mais les charlatans de ce service veulent me garder encore une quinzaine avant que je sois « désintoxiqué », sauvé, rédimé ou je ne sais quoi. Assez parlé de moi, bien que ce soit un sujet passionnant, et intéressons-nous plutôt au très évident phénomène que j'ai devant moi.

— C'est-à-dire ?

— Oh, il fait son timide ! Sa sainte-nitouche ! Et il rougit, en plus !

— J'ignore complètement où tu veux en venir, ai-je menti tout en essayant de réprimer le sourire idiot qui me venait aux lèvres.

— Comment elle s'appelle, bon sang ?

— Petra.

— Ah, ah, une Allemande…

— Exact.

— Et c'est le grand amour, n'est-ce pas ?

— C'est visible à ce point ?

— Mon cher enfant, tu es aussi transparent que de l'eau de roche. Dès que tu es entré dans cette foutue chambre, je me suis dit : Le petit salaud, ça vient de lui arriver ! Bon, j'arrête avec les questions mais laisse-moi ajouter une chose, et là, c'est l'expérience qui s'exprime : ce qui te tombe dessus maintenant, chéris-le et protège-le de toutes tes forces, parce que... ça n'arrive qu'une ou deux fois dans une vie.

— Tu penses à Frederick, en disant ça ?

— Quoi, tu t'es souvenu de son prénom ?

— Bien sûr.

— Ne revenons pas là-dessus, ou je risque de faire le mur cette nuit et de m'envoyer la première dose d'héro que je trouverai. À l'avenir, j'entends me préserver de tout ce qui est carrément intolérable, et cette histoire en fait partie.

Quand il a détourné son visage vers la fenêtre, la lumière froide du dehors a illuminé ses traits, rendant plus lisible une tristesse tempérée par une certaine exaltation, comme si ce que j'étais en train de vivre avait soudain réveillé en lui le souvenir d'une félicité comparable, d'un moment de l'existence où, encouragé par la passion, on se croit capable de surmonter tous les obstacles.

— Compris, ai-je acquiescé.

— Mais tu repasseras demain, non ?

— Évidemment.

— Des nouvelles de Mehmet ?

— Il avait un autre chantier, aujourd'hui, mais mis à part la dernière couche de vernis ton atelier est prêt et il n'a jamais été aussi impeccable.

— Oui, et quand on me libérera de cette prison je vais leur montrer à quel point j'ai la peau dure, à tous. Tout le travail que ce branleur envieux a saccagé, je suis capable de le refaire en quelques jours !

— Je n'en doute pas.

— Bon, alors avant de te tirer d'ici, parce que tu as mieux à faire, j'insiste : profite de ta chance. Tu as été servi d'un carré d'as, mon ami, alors joue gros.

Tandis que je rentrais chez moi à petites foulées, les paroles d'Alastair résonnaient toujours dans ma tête. À condition de savoir l'accueillir et de lui donner assez d'espace pour qu'il s'applique, un conseil avisé ne reste jamais totalement ignoré. Surtout quand, pour la première fois de sa vie, on commence à avoir confiance en son instinct.

Après une douche, j'ai changé les draps. J'en ai fait un baluchon que j'ai emporté à la laverie proche de l'appartement, puis j'ai acheté un poulet dans une boucherie et, chez le turc d'à côté, des pommes de terre, des haricots verts et deux autres bouteilles du pinot grigio que nous avions bu si volontiers la veille. Ensuite, j'ai mis le dîner à cuire pendant que j'astiquais chaque surface du studio, sortais des serviettes propres, veillais à ce que tout soit impeccable. Bien avant six heures, j'ai commencé à regarder ma montre toutes les cinq minutes, fébrile. Entendant la clé tourner dans la serrure de l'entrée, j'ai bondi en bas juste à temps pour voir Petra entrer, son béret luisant de neige fondue, une valise dans une main, un sac de provisions dans l'autre. Avant tous ces détails, toutefois, ce que j'ai vu a été son sourire resplendissant, l'étincelle dans ses yeux et sa hâte à se débarrasser de son fardeau pour se jeter dans mes bras. Elle a pris mon visage dans ses mains et nous avons échangé un baiser fougueux, pressés l'un contre l'autre. Elle a reculé pour me regarder, et elle s'est écriée :

— Tu es là, alors…

— Mais oui !

— Toute la journée, j'ai eu peur que quelque chose nous sépare, t'éloigne de moi…

— J'ai senti ça, moi aussi, mais maintenant…

— Emmène-moi en haut, a-t-elle murmuré.

Tombés sur le lit, nous nous sommes arraché nos habits et une fois encore Petra m'a pris en elle tout de suite, laissant échapper un gémissement éperdu, plantant ses doigts dans mon dos, bredouillant des mots d'amour, en une étreinte débridée. Quand je suis revenu à moi, je ne savais plus ni la date ni l'heure.

— Je veux que dans vingt ans on fasse l'amour comme aujourd'hui, m'a-t-elle chuchoté au creux de l'oreille.

— Je veux qu'on fasse l'amour comme aujourd'hui quand on décidera d'avoir un enfant.

Elle m'a dévisagé, stupéfaite.

— Tu le penses vraiment ?

— Quoi, je vais encore trop vite en besogne ?

— Non, non…

— Je n'ai pas dit la semaine prochaine, mais…

Je me suis interrompu, conscient de m'engager sur un terrain sensible.

— Continue, m'a-t-elle encouragé en me caressant la joue.

— Lorsqu'on aime quelqu'un pour de bon, on finit par vouloir avoir un enfant avec… et je n'arrive pas à croire que ce soit moi qui dise ça, parce que jusqu'ici je n'avais jamais vu la chose de cette manière.

— Et si je te dis que tu es le premier homme avec qui je voudrais en avoir un. J'espère que tu ne

325

paniqueras pas au point de courir t'engager dans la Légion étrangère !

— Je ne courrai nulle part loin de toi. Je veux que tout soit possible entre nous. Tout.

— Moi aussi. Et c'est pour cette raison qu'il faut que tu saches que je ne t'empêcherai jamais de voyager de par le monde pour ton travail… à condition que tu me reviennes.

— L'idée de voyager, depuis ces derniers jours, m'est complètement sortie de la tête.

— Mais c'est ce qui t'occupe et te passionne, Thomas. Je n'ai pas la prétention de te changer. Je veux faire partie de ta vie, c'est tout.

— De « notre » vie. Ce qui signifie qu'on pourrait voyager ensemble, par exemple.

— Mais je serais un poids pour toi…

— Jamais. En aucun cas.

— Tu sais, toutes ces heures loin de toi aujourd'hui, ç'a été… je dirais presque insupportable. Je ne tenais plus en place, j'ai quitté la radio plus tôt que d'habitude pour aller chez moi et rapporter quelques vêtements ici.

— Oui… quand j'ai vu ta valise, mon cœur a fait un bond…

— Et tu vois, c'est comme ça que je suis faite, mais je le voyais tout différemment, moi : en préparant mes affaires, je me suis dit que la simple vue de cette valise allait te faire changer d'avis, que tu trouverais que je débarquais beaucoup trop vite dans ta vie.

— Et moi, j'ai eu peur toute la journée que tu t'enfuies encore, comme l'autre nuit.

Nous ne voulions plus quitter le lit, seulement sentir la chaleur de nos corps réunis, et parler, parler à cœur ouvert. Petra semblait songeuse.

— Tu connais le poème de Rilke dont le premier vers est : « *Devance tous les adieux, comme s'ils étaient derrière toi...* »

— Hmm, pas très encourageant...

— Mais quand tu le lis dans le contexte, celui de l'un de ses *Sonnets à Orphée*, tu comprends que le grand thème qu'il traite, c'est la nécessité d'accepter que tout est éphémère.

— Pas notre amour, non.

— C'est très beau de dire ça, Thomas, mais nous sommes mortels, toi et moi. Que ça te plaise ou non, dans quatre-vingts ans, nous ne serons plus là, ni l'un ni l'autre. C'est justement tout le propos de Rilke : il nous invite à célébrer précisément ce qui nous effraie et que nous combattons, le caractère temporaire de toute chose. Et pour nous qui ne croyons pas à l'au-delà, le poème se termine par des vers qui m'ont toujours inspirée depuis que je les ai lus.

— Tu t'en souviens ?

Sans cesser de me regarder, ses doigts entrecroisés avec les miens, elle a récité d'une voix basse mais merveilleusement claire :

— « *Sois, et connais en même temps la condition du non-être,*

L'infinie profondeur de ta vibration intime,

c'est qu'en une seule fois tu l'accomplisses toute. »

— « *... En une seule fois tu l'accomplisses toute* », ai-je répété pensivement. Comme c'est vrai...

— Oui. C'est reconnaître le fait qu'il faut savoir vivre sa vie, si éphémère soit-elle.

— Et c'est ce que nous ferons ensemble, toujours.

— Rappelle-le-moi, si tu me vois douter devant les difficultés.

La faim nous a finalement tirés du lit. Après avoir surveillé le poulet dans le four, j'ai aidé Petra à déballer ses courses, puis je lui ai montré l'espace de la penderie que j'avais libéré pour elle. Elle avait apporté deux jupes, une robe de style hippie, son blouson en cuir et sa veste en tweed. Quelle émotion, de voir ses affaires pendues à côté des miennes, deux de ses pulls et ses sous-vêtements sur l'étagère du dessus, sa trousse de toilette dans la salle de bains… Elle s'installait avec moi. Notre histoire commençait pour de bon.

À table, elle a fait remarquer :

— C'est une question que je n'avais encore jamais posée à un homme, mais où as-tu appris à rôtir un poulet aussi bien ?

— Presque tous les garçons américains apprennent à se débrouiller en cuisine. Mon père, qui par ailleurs préférait son travail et les bars à la vie domestique, était un bon cuisinier, quand il voulait.

— Et ta mère ?

— La vraie princesse. Elle ne s'approchait presque pas des fourneaux. Mon bijoutier de grand-père était assez prospère pour avoir une gouvernante, ce qui était aussi bien puisque ma grand-mère passait son temps à jouer au bridge, à se plaindre de son sort et à répéter à sa fille qu'elle n'était bonne à rien.

— Et ta mère a fini par la croire, c'est ça ?

— Complètement, et ç'a eu un effet gravissime sur le reste de sa vie. Elle était allée dans les meilleures écoles, elle était cultivée, loin d'être bête, mais elle a épousé un homme qui ne lui convenait pas juste pour se rebeller contre sa famille. Ensuite elle a regretté sans cesse de ne plus vivre dans le confort auquel elle était habituée… même si j'ai conscience du ridicule qu'il y a à te raconter ça, après la manière dont tu as dû vivre à Berlin-Est.

— Tu sais, Thomas, il ne faut pas que tu relativises le fait que tu as eu une enfance malheureuse à cause de l'idée que tu te fais de la vie en RDA. Certaines de mes amies ont été des enfants comblées, épanouies. La générosité et la cruauté, le bonheur et le malheur, tout ça ne connaît pas les frontières, tu ne crois pas ? L'important, c'est comment ton enfance modèle l'image que tu as de toi-même. Sera-t-on toujours en colère contre le monde entier, ou capable de tenir le coup devant tous les défis qu'il apporte ? Pensera-t-on qu'on « mérite » d'être heureux, ou fera-t-on tout pour s'empêcher d'approcher du bonheur ? D'après ce que tu dis, ton enfance a été difficile, sombre, mais…

— Mais je crois quand même que le bonheur est possible.

Elle a posé sa main sur la mienne.

— Moi aussi, ou en tout cas je le crois depuis que tu es entré dans ma vie. Tu vois, on a sa petite routine, on se persuade que ce sera ainsi et pas autrement, et puis on se retrouve un jour dans un bureau et il y a… toi. Le plus dur, je pense, ç'a été de ne pas savoir si tu avais ressenti la même chose.

— Tu veux dire que, toi aussi, tu as été certaine tout de suite ?

— Tu as l'air surpris.

— Oui. Tu étais tellement réservée, tellement distante…

— À cause de la nervosité. De la peur que ça ne marche pas, ou que je ne m'enfuie parce que je me mettrais en tête que notre histoire ne pouvait pas marcher… ce qui s'est passé au restaurant !

— Mais tu es revenue. Tu as choisi le bonheur.

— Oui, a-t-elle murmuré. Et maintenant, retournons au lit.

Nous étions insatiables, je l'ai dit. L'attirance physique était mutuelle et complète, notre fusion sexuelle totale. C'était donc ça, ce « grand amour » dont j'avais tant entendu parler…

Nous nous sommes endormis relativement tôt, cette nuit-là, et à mon réveil la cuisine était rangée, la vaisselle lavée, le petit déjeuner prêt sur la table et Bill Evans passait en sourdine sur le tourne-disque.

— Tu n'aurais pas dû tout faire, ai-je protesté d'une voix encore ensommeillée en allant vers Petra pour l'embrasser.

— Mais si. Et tout à l'heure, je passerai chez moi pour prendre quelques disques et comme ça, demain, tu te réveilleras avec *Stop Making Sense* dans les oreilles !

Nous avons parlé de notre programme de la journée, de la traduction d'un essai universitaire sur Heinrich Böll sur laquelle elle s'escrimait à cause d'un texte plein de longueurs et d'une sécheresse affligeante. Pour reprendre les termes de Petra, « dans la vision de ce petit professeur britannique, *L'Honneur perdu de*

Katharina Blum devient plus ou moins les sept stations du chemin de Croix ».

— C'est une œuvre intéressante à traiter sur Radio Liberty, ai-je dit, avec son approche très critique de la RFA et notamment de ses services de renseignements.

— Sans doute est-ce pour ça que Wellmann a demandé ce texte, pour montrer comment vous, à l'Ouest… – Elle a soudain tiqué, s'est reprise : – Je veux dire « nous ».

— Tu n'as pas à rectifier. Tu es une exilée, ici.

— Qui sait si un jour je ne me sentirai pas vraiment d'ici.

— Ou d'autre part.

— Tu crois que j'aimerais l'Amérique ? Que je pourrais m'y sentir bien ?

— Bon, si on parle d'une petite ville de l'Indiana ou du Nebraska, je pense que le choc culturel serait énorme, mais toi à Manhattan ? Ce serait le coup de foudre assuré.

— J'adore tes certitudes, Thomas.

— Je t'emmènerai à New York.

— On peut partir aujourd'hui ?

— Absolument.

— Tu le ferais comme ça, tout de suite ?

— Il suffit que tu le demandes et je téléphone pour réserver deux places d'avion.

— Ah, je suis gênée, maintenant…

— Pourquoi ?

— Même si je le voulais, je ne pourrais pas quitter Berlin. Mon contrat avec Radio Liberty dure encore au moins un an. C'est la direction administrative à l'intégration des citoyens est-allemands en RFA qui m'a trouvé ce travail, et ma chambre à Kreuzberg, et ils m'ont même accordé une aide d'urgence de trois mille marks – une vraie fortune, pour quelqu'un comme moi – à mon arrivée, de quoi m'acheter des vêtements, du linge de maison, me permettre de faire la transition. Rompre mon contrat maintenant, ce serait plutôt ingrat, non ?

— Bah, ils n'en mourraient pas. De toute façon, j'ai plusieurs mois de travail à Berlin en perspective, avec mon livre, donc Manhattan peut attendre pour avoir le plaisir de t'accueillir.

— D'accord, mais pas trop longtemps ! – Elle s'est levée, m'a donné un baiser et s'est mise à débarrasser la table. – Bon, après ça il faut que je pense sérieusement à aller au travail, moi aussi.

— Ne te mets pas en retard. Je me charge de ranger.

— Un homme qui fait les courses, la cuisine, la vaisselle…

— Ce n'est quand même pas si rare !

— Tu sais, mon mari était plutôt du genre « traditionnel », sur le plan domestique. C'était un auteur dramatique, ses pièces étaient rarement jouées et l'une d'elles lui a même apporté de sérieux ennuis. Mais bon, c'est une autre histoire. En tout cas malgré ses grands discours sur la *Kameradschaft*, la solidarité entre opprimés et tout, il était très conservateur dès qu'il était question des rôles spécifiques de chaque sexe. J'étais sa femme, donc j'étais censée faire le ménage, préparer les repas et m'occuper de la lessive. Et ce n'est pas parce qu'il était débordé de travail, puisque ses pièces n'étaient plus montées nulle part et qu'ils lui avaient même interdit officiellement… – Elle s'est arrêtée abruptement. – Enfin, je n'ai pas envie d'ajouter quoi que ce soit sur ce sujet, d'accord ? – Surprise par l'hostilité de son propre ton, elle s'est reprise aussitôt : – Incroyable ! C'est moi qui bavarde comme une pie et c'est contre toi que je me fâche.

— Tu ne t'es pas vraiment fâchée, tu…

— Il faut que tu arrêtes d'être aussi conciliant et raisonnable avec moi, Thomas. Tu peux me reprendre quand je deviens pénible, ce qui m'arrive de temps en temps.

— Écoute, Petra, ta vie d'avant m'importe, évidemment, mais je ne te poserai jamais de questions dessus. Je veux que tu saches que tu as tout ton temps, si tu veux m'en parler un jour. Et qu'il n'y a aucune obligation.

— Sauf aller au boulot. Et toi, qu'est-ce que tu vas faire, aujourd'hui ?

Des bruits de meubles déplacés nous sont parvenus d'en bas.

— Ah, on dirait que Mehmet a déjà commencé tout seul, ai-je constaté. Je vais l'aider ce matin, alors, et ensuite je continuerai à renifler la ville. Il est bien possible que je retourne faire un tour à Tempelhof.

— Bonté divine ! J'y suis allée une seule fois et ça m'a fichu une de ces angoisses…

— Ce n'est qu'un aéroport. À l'esthétique furieusement nazie, certes, mais architecturalement parlant, c'est assez fascinant.

— Pour moi, c'est surtout le symbole d'une horreur nationale dont on nous a appris, à nous, les enfants de RDA, qu'elle avait été perpétrée par l'« autre Allemagne ». Oui, on nous parlait de Hitler et des camps d'extermination à l'école, mais d'après l'enseignement officiel il n'y avait pas eu de nazis dans la partie orientale du pays, ou à la limite ils avaient été annihilés par les frères communistes dans les dernières semaines de la guerre, quand les troupes soviétiques avaient héroïquement éliminé les dernières traces de national-socialisme. J'ai beaucoup lu là-dessus, depuis que je suis à Berlin-Ouest, et il est clair que nous sommes tous coupables, que les monstruosités commises en notre nom dépassent l'imagination, mais ce qui m'a le plus secouée, c'est de découvrir ce que nous, *das Deutsche Volk*, la nation dans sa grande majorité, avons laissé faire. La division de l'Allemagne, le fait que plus de quinze millions de citoyens aient fini emprisonnés dans un système totalitaire, ça vient précisément de là : de notre approbation du nazisme, à l'époque. C'est étrange, je trouve, qu'un cauchemar soit détruit et que tout de suite un autre le remplace. Ça en dit long sur nous, les humains : nous créons nos propres cauchemars et souvent, trop souvent, nous entraînons les autres dedans.

C'est ça qui t'est arrivé, à toi ? mourais-je d'envie de lui demander, et je sentais qu'une partie d'elle-même était prête à révéler son histoire mais craignait peut-être ma réaction, alors mon instinct m'a une nouvelle fois convaincu de ne pas la pousser dans ses retranchements. La prenant par les deux mains, je lui ai dit, sans chercher à cacher mon émotion :

— Sache au moins une chose : à partir de maintenant, la vie sera meilleure. En tout cas, c'est ce que je veux pour toi, pour nous.

Elle m'a attiré à elle, m'a serré dans ses bras, puis elle a pris mon visage entre ses mains et m'a embrassé.

— Encore neuf heures sans toi, a-t-elle murmuré. C'est dur…

— Je serai là à ton retour. On pourrait aller au concert de dix heures au *Kunsthaus*, si ça te dit.

C'était un club de jazz très couru à quelques rues de l'appartement.

— Seulement si tu me laisses préparer le dîner, cette fois.

— Mais oui. Fais-moi une liste de ce dont tu as besoin et je me charge des courses, cet après-midi.

— La moitié du plaisir de faire la cuisine consiste à trouver les ingrédients. Mais sois bien ici à six heures, entendu ?

— Comment je pourrais être ailleurs ?

Le baiser suivant a été si passionné qu'il nous a entraînés vers le lit et qu'en un clin d'œil nous étions à nouveau nus. Qu'y a-t-il de plus extraordinaire que les premiers mois d'une histoire d'amour ? Les grincheux parmi nous – et nous sommes tous plus ou moins des grincheux, il faut l'admettre – se plaisent à souligner que la passion s'affadit, que l'ardeur incroyable du début se transforme peu à peu en quelque chose de plus atténué, de plus routinier, mais lorsqu'on évolue dans cet amour tout neuf, comment penser à ce qui adviendra dans cinq ans, quand on sera éveillé à l'aube par les pleurs d'un nourrisson affligé de coliques, quand on aura passé des nuits blanches à le veiller, quand on ne fera plus l'amour qu'une fois par semaine, au mieux, quand la parfaite harmonie initiale aura été mise à l'épreuve par l'exercice d'équilibre permanent entre vie professionnelle et familiale, et par les « Tu ne pourrais pas t'occuper un peu plus du bébé » ?

À ce moment, pourtant, je n'avais qu'une idée : l'amour était possible, et je le devais à la femme exceptionnelle qui était dans mes bras. Et Petra devait se faire la même réflexion car, alors qu'elle s'accordait cinq minutes de répit avant de se rhabiller en hâte et de courir à la radio, elle a soupiré :

— Je viens juste de me rendre compte de quelque chose.

— De quoi, mon amour ?

— Le bonheur, ça existe.

Mehmet était en bas et vernissait la dernière portion de parquet. En nous voyant descendre, il s'est redressé et il a adressé un sourire timide à Petra, que je lui ai présentée.

— On s'est déjà rencontrés l'autre matin, lui a-t-elle rappelé, provoquant un hochement de tête de Mehmet, qui semblait encore plus réservé que d'habitude en sa présence. Vous avez fait un travail splendide, ici, a-t-elle poursuivi en montrant d'un geste l'atelier, dont la rénovation était en effet impeccable.

— C'est celui de Thomas aussi, a-t-il précisé.

— Il a plein de talents, cet homme-là ! – Elle m'a pris par le bras, puis elle a glissé sa main dans la mienne. – Bon, il faut vraiment que j'y aille. Ravie d'avoir fait votre connaissance, Mehmet. Je suis sûre qu'on aura l'occasion de se revoir.

— Je reviens dans une minute, ai-je dit à mon camarade de chantier en suivant Petra vers la porte, et lorsque nous avons été tous les deux sur le palier, je lui ai murmuré : Je voudrais te ramener dans notre chambre tout de suite…

— Si je n'avais pas déjà une demi-heure de retard, j'adorerais. Cela étant, un peu de *Vorfreude* est une bonne chose, tu sais.

— Voilà un mot que je n'ai jamais entendu.

— Ça veut dire l'« anticipation de la joie ».

— Très allemand, comme concept.

— N'est-ce pas ? Mais dans notre cas, ce ne sera *Vorfreude* que jusqu'à ce soir.

À nouveau, nous avons eu le plus grand mal à nous séparer, à interrompre nos baisers et nos mots d'amour. Après avoir descendu quelques marches, elle s'est retournée et elle avait un sourire tellement resplendissant de joie que j'ai encore une fois été frappé par le pouvoir imprévisible du destin : si Petra n'était pas entrée dans ce bureau de Radio Liberty au moment où je m'y trouvais, toute la trajectoire de ma vie aurait été différente.

De retour dans l'atelier, j'ai proposé à Mehmet de l'aider à finir le vernissage après m'être changé et j'ai ajouté :

— Quand on aura fini, si vous veniez avec moi voir Alastair à l'hôpital ?

Ses traits se sont aussitôt crispés.

— Tout le monde va s'apercevoir…

— Tout le monde verra deux quidams venant rendre visite à un ami hospitalisé, rien d'autre. Je sais qu'il veut vous voir et je crois que vous le voulez aussi. En plus, son lit est entouré de paravents dans la salle commune, vous n'avez aucun risque d'être vu par qui que ce soit.

— Le monde est très petit, des fois.

— Et très grand, aussi. Mais admettons que vous rencontriez quelqu'un que vous connaissez plus ou moins, et alors ? Le type qui vous a chargé de refaire son atelier vous a demandé de passer à son chevet pour discuter des travaux, point final.

— On ne me croirait jamais…

— Pourquoi ça ?

— À cause de la honte dans mes yeux.

— Il suffit de ne pas la laisser apparaître. – Il a fait non de la tête, pas du tout convaincu. – Vous voulez le voir, oui ou non ?

— Bien sûr que oui !

— Alors, on y va dès qu'on a fini.

— S'il vous plaît… Vous ne connaissez pas ma famille, la famille de ma femme !

Il s'est mis à faire les cent pas en marmonnant tout seul. Son comportement ne m'a pas inquiété outre mesure, parce que parler tout seul est un tic courant chez ceux qui écrivent, et qu'il était clair que ce monologue à voix basse avait pour but de l'aider à se calmer. Au bout d'une minute, il semblait en effet apaisé.

— On termine ce vernis.

Après avoir passé un vieux tee-shirt et mon jean le moins présentable, je l'ai rejoint dans le coin de la grande pièce où il passait l'aspirateur sur les lattes pour assurer une dernière couche sans défaut. Il a éteint l'appareil, s'est redressé.

— D'accord, j'irai avec vous.

Deux heures plus tard, nous prenions le métro en direction de la station du zoo. Dans le wagon fumeurs, Mehmet a terminé en quelques avides bouffées une Lucky Strike sans filtre avant d'en allumer une autre.

Me rendant compte qu'il frissonnait, j'ai passé un bras autour de ses épaules en disant :

— Courage !

Il a acquiescé de la tête plusieurs fois, tirant de plus belle sur sa clope.

— C'est impossible. Tout est impossible.

Bien sûr, il est facile de raisonner : « Mais non, ce n'est pas impossible. Il suffit de choisir la voie qui vous convient le mieux et de laisser derrière vous la vie dont vous ne voulez pas. » Sauf que ce discours ne tient pas compte des énormes conséquences sociales et personnelles d'un tel choix, de même qu'il nie notre tendance à nous persuader de rester dans une existence qui nous est pénible mais à laquelle nous nous résignons par simple peur du changement. Après tout, même si Mehmet n'arriverait sans doute jamais à échapper au rôle que ses origines et sa culture lui avaient assigné, il retrouvait Alastair trois fois par semaine. Ce défi impressionnant lancé aux conventions prouvait une rare force de caractère, tout comme celle dont Petra avait fait preuve en traversant une frontière politique et idéologique inexorable.

Certes, je ne connaissais pas tous les détails de sa fuite à l'Ouest mais je savais qu'elle avait payé un prix psychologique très lourd en quittant son pays. Le courage qu'elle avait manifesté ne signifiait pas qu'elle n'était pas en proie à la nostalgie, voire aux regrets, et à une tristesse infinie. Parce que le changement, cette « nouvelle vie » que nous espérons et redoutons à la fois, est toujours une forme de cataclysme.

Quand nous sommes revenus dans la pâle lumière de la rue, Mehmet a sorti de nouveau son paquet de cigarettes et m'en a offert une.

— Vous devriez vous marier avec cette fille, a-t-il déclaré à brûle-pourpoint.

— Qu'est-ce qui vous fait penser ça ?

Il m'a regardé, son visage à nouveau figé dans l'expression réservée et grave qui lui était habituelle.

— Vous avez l'air heureux ensemble.

Quand nous avons remonté les couloirs de l'hôpital, dix minutes plus tard, Mehmet rasait les murs comme s'il s'attendait à tomber sur quelqu'un de la police secrète turque et il paraissait tellement nerveux que je lui ai demandé de se ressaisir, pour le bien d'Alastair. Lorsqu'il m'a fait signe qu'il se sentait mieux, je l'ai conduit jusqu'au paravent derrière lequel était couché notre ami. En passant la tête sur le côté, je l'ai surpris plongé dans la lecture du *New Yorker*. Il a lâché le magazine dès qu'il a remarqué ma présence et, affectant une voix bourrue :

— Encore toi ? Tu as vraiment des tendances maso !

— Tu peux le dire. Mais je ne fais que passer. Je t'ai amené un visiteur.

Tendant le bras en arrière, j'ai dû littéralement pousser Mehmet vers le lit d'Alastair, qui a eu l'air stupéfait en le voyant apparaître devant lui. Je me suis hâté d'annoncer que je serais de retour dans une heure et j'ai pris le chemin de la sortie sans laisser à Mehmet le temps de soulever des objections. Tout près de l'hôpital, je suis entré dans un café italien où j'ai bu deux espressos en prenant des notes sur tout ce qui était arrivé au cours des dernières vingt-quatre heures. Le commentaire inattendu de Mehmet – « Vous devriez vous marier avec cette fille » – résonnant encore à mes oreilles, je me suis levé, je suis allé au comptoir et j'ai demandé au barman si je pouvais utiliser leur téléphone.

— Un mark pour dix minutes, a-t-il édicté en posant l'appareil sur le bar.

— C'est cher, dites donc !

— Non, c'est le prix.

Sans plus discuter, j'ai composé le numéro de Radio Liberty, demandé à la standardiste le poste de Petra et attendu un temps interminable avant qu'elle ne décroche au moment où j'allais perdre espoir de lui parler.

— Dussmann, a-t-elle annoncé, essoufflée.

— Tu as dû courir pour répondre ?

— Oui.

— J'espère que ça ne te gêne pas que je t'appelle au travail.

— C'est génial de t'entendre, a-t-elle répondu à voix basse, mais ne t'inquiète pas, si je donne l'impression de me cacher… Pavel traîne encore par ici.

— Pas de problème. J'étais juste incapable d'attendre ce soir pour entendre ta voix.

— Je t'aime, a-t-elle murmuré. Si je pouvais m'échapper de ce fichu bureau et me jeter dans tes bras, tout de suite…

— Et si je t'attendais à la sortie de Wedding dans un quart d'heure ?

— J'ai un déjeuner de travail avec deux producteurs dans, voyons… vingt-cinq minutes.

— Ça nous en laisse au moins cinq rien que pour nous.

— D'accord, je te retrouve là-bas.

Il m'a fallu exactement dix-huit minutes pour y aller. En me voyant grimper l'escalier, elle l'a dévalé pour me rejoindre à mi-course, m'a enlacé, m'a poussé contre le mur et m'a furieusement embrassé sur la bouche. Mettant fin à ce long et fabuleux baiser, elle a bredouillé :

— Oh, toi, toi… Et il faut déjà que je reparte !

— Oui, ne te mets pas en retard.

— Que tu aies fait tout ce déplacement juste pour trois minutes avec moi…

— Je peux faire ça tous les jours, si tu veux.

— Dis-moi que tu m'aimes.

— Je t'aime.

— Et je t'aime !

Nous nous sommes encore embrassés, puis elle a remonté quelques marches en continuant à me regarder, elle s'est retournée et s'est élancée vers la sortie. Je me suis laissé aller contre le mur. J'avais l'impression d'être l'un de ces personnages de bande dessinée qui échange enfin un baiser avec la fille de ses rêves sous un tourbillon d'étoiles et de points d'exclamation explosant au-dessus de sa tête. C'est avec un sourire béat que j'ai repris le métro et regagné l'hôpital à grandes foulées. Je suis arrivé au chevet d'Alastair une quinzaine de minutes avant la fin des visites. Mehmet n'était plus là et Alastair, adossé à ses coussins, les mains croisées sur la nuque, contemplait le plafond.

— Ah, revoilà notre bourreau des cœurs ! a-t-il persiflé. Attends que je devine : tu avais rendez-vous avec elle dans une chambre sordide pour brouiller les pistes à cause de son dictateur de mari, un Iranien irascible qui est chauffeur de taxi le jour et catcheur professionnel le soir.

— Tu devrais vraiment écrire des romans, Alastair.

— Donc, tu avais bien un rendez-vous !

— Pas exactement, mais…

— Ah, je vois ! Un petit câlin rapide dans les fourrés d'un parc. Elle s'est échappée de son travail et pendant quelques minutes tu as été au septième ciel… – Je me suis senti rougir et son sourire s'est élargi. – Dans le mille ! Racontez-moi tout sur elle, jeune homme !

— Tu la rencontreras un jour ou l'autre.

— D'après Mehmet, elle est charmante. Très grande, paraît-il, ce qui pour Mehmet signifie qu'elle est plus grande que lui. Et c'est une beauté. Avec des yeux tristes, il a précisé. Est-ce qu'elle est triste, ta dulcinée ?

— On l'est tous plus ou moins, tu ne crois pas ?

— Ah, j'ai un prince de la philosophie pour colocataire ! Mais tu esquives, tu esquives… Mehmet, qui entre parenthèses est tout le temps triste, lui aussi, m'a informé que vous aviez l'air complètement enamourés, tous les deux.

— C'est exact.

— Félicitations !

— Tu n'as pas l'air particulièrement abattu et privé d'amour, ce soir…

— Peut-être parce qu'un certain globe-trotter américain m'a arrangé une visite inattendue. Merci.

— Mehmet t'aime sincèrement.

— Affirmation assez présomptueuse.

— C'est la vérité.

— En amour, il n'y a pas de vérité, seulement des réalités successives et momentanées. Tout peut changer du jour au lendemain, surtout compte tenu de la difficulté de la situation de Mehmet.

— Il ne tient qu'à toi que ça devienne de l'ordre du possible. Si tu l'avais vu se débattre entre ce que son cœur désirait et ce que sa raison lui dictait, aujourd'hui, et prendre finalement la décision de venir te voir, tu aurais été impressionné. La question, maintenant, c'est de…

— Tu pourrais la fermer un peu ?

Il a détourné la tête, se mordant la lèvre.

— Pardon si je suis allé trop loin.

— Non, c'est que tu vois de trop près, Thomas. Et tu oublies que nous sommes quelques-uns dans ce monde à ne pas avoir envie d'être observés et percés à jour. En fait, c'est le cas de la vaste majorité. Toi qui raisonnes tout le temps en termes de narration, d'histoires qui peuvent composer un livre, tu as peut-être besoin de clarté, de solutions très nettes, or l'existence est tout sauf nette.

— Je n'ai jamais dit qu'elle l'était.

— Mais tu ne veux pas vivre heureux avec l'adorable Petra jusqu'à la fin de tes jours ?

— Bien sûr que si. Qui ne poursuit pas ce genre de rêve ? Toi-même, ce n'est pas ce que tu voudrais avec Mehmet ?

Il a fermé les yeux.

— Tout ce que je veux, c'est une cigarette. Dès que tu auras déguerpi d'ici et cessé de me harceler avec ton interrogatoire, je vais me traîner jusqu'à la pièce qu'ils ont réservée à nous autres, les camés à la nicotine. Et ensuite, ce sera l'heure de mon fix sous contrôle médical, le grand moment de mes journées ici.

— Comment ça se passe, le traitement ?

— Le toubib et le psy auquel on m'a confié sont très satisfaits. Ils disent que mes « progrès » sont remarquables. D'après eux, je suis presque prêt à être de nouveau lâché dans le vaste monde.

— Super !

— À moins qu'on ne voie le vaste monde comme une menace et un tissu d'abjections.

— Tu vas te remettre à la peinture.

— Et puis Mehmet va se faire pincer par sa famille et moi je finirai par me faire encore charcuter par un déséquilibré. Excepté que, cette fois, je terminerai à la morgue et non dans un lit d'hôpital.

— Tu es toujours tellement dramatique, Alastair…

— On ne se refait pas. Mais une bonne nouvelle, pour changer : les flics viennent enfin de mettre la main sur celui qui m'a truffé de coups de couteau et qui a lacéré mes tableaux. Il était en cavale à Munich, les experts ont jugé qu'il était schizophrène et il a été bouclé dans un asile de haute sécurité en compagnie de chrétiens-démocrates bavarois aussi siphonnés que lui. Donc, quand je vais sortir d'ici, je pourrai flâner dans les rues de Kreuzberg sans craindre de tomber nez à nez avec cette brute furieusement jalouse du talent des autres. À propos d'avenir, est-ce que tu me présenteras bientôt ton grand amour ?

346

— Tu feras sa connaissance dès que tu seras de retour chez toi. Au fait, ton atelier est plus beau que jamais.

— C'est ce que Mehmet m'a dit. Tu penseras à me donner ta facture ?

— Tout ce que je demande en retour, c'est que tu promettes d'essayer de ne plus toucher à la came quand tu seras sorti d'ici.

— Qu'est-ce que ça peut te faire, que je redevienne un junkie ?

— Tu vois, je suis assez idiot pour bien t'aimer, et je trouverais le monde beaucoup moins intéressant si tu n'en faisais plus partie.

— Mièvreries, a-t-il coupé péremptoirement. – La sonnerie annonçant la fin des visites a retenti et ses yeux se sont clos une nouvelle fois. – Et maintenant, file d'ici avant que je me mette à larmoyer, moi aussi. Mais tu feras un saut demain, non ?

— Je n'ai pas trop le choix, j'imagine.

— Dans ce cas, viens en début d'après-midi, parce que Mehmet va passer à onze heures.

— Non, c'est vrai ?

— Peut-être que toi et moi sommes entrés dans l'une des rares périodes où toutes les putains de planètes sont dans le bon alignement pour nous apporter un petit peu de chance…

Un peu plus tard, alors que je venais de retrouver Petra à l'appartement, j'ai repensé à la réflexion d'Alastair et je me suis dit que, oui, ces moments d'exception où tout semble trouver soudain sa place et sa cohérence existent, où les dieux, les étoiles, la main du destin, le caprice du hasard, toutes ces forces non empiriques qu'il nous arrive de mentionner ou d'invoquer lorsque nous tentons de comprendre le cours de notre vie, sont de notre côté. Et il est certain qu'en repensant aux trois mois et quelques qui ont suivi cette conversation avec Alastair à l'hôpital, je me suis dit que notre situation était selon toute apparence idéale. Être amoureux comme je l'étais, et être aimé en retour, constituait un état d'émerveillement permanent, total. Pendant cette période de découverte, tout se passait entre Petra et moi comme si nous étions dans un « ailleurs » exaltant, comme si nous avions créé un univers à part qui nous protégeait du reste du monde. Nous étions inséparables, et profondément impliqués dans l'art de vivre ensemble.

Pour moi, l'expérience était sans précédent. Jusqu'alors, j'avais toujours expliqué à ma petite amie du moment que j'avais besoin de mon espace, d'une certaine distance qui me permettait de me concentrer sur mon travail ; et là, brusquement, j'étais incapable d'imaginer passer un seul soir loin de Petra, je veillais à ce que tout le labeur de la journée soit terminé avant son retour. Le plus grand respect existait entre nous, une harmonie naturelle qui faisait que nous étions l'un et l'autre ponctuels à nos rendez-vous, que nous nous facilitions la vie mutuellement sans même avoir besoin d'en parler, que nous partagions les mêmes inclinations quotidiennes, par exemple le goût de l'ordre et de la propreté dans notre nid d'amour. Pour la première fois de ma vie, je vivais réellement avec quelqu'un, quelqu'un dont le retour à la maison était une fête renouvelée chaque soir, quelqu'un dont la présence à mes côtés, au lit, à la table d'un petit restaurant, à un concert ou dans l'obscurité magique d'une salle de cinéma suffisait à me rendre heureux.

Lorsque Alastair a enfin été autorisé à reprendre sa vie normale, il a lui-même ressenti l'aura que cette félicité sans faille devait dégager, notant aussitôt que l'« ambiance » de l'appartement avait changé. C'était un samedi, je m'en souviens. Nous étions convenus d'aller le chercher à l'hôpital ensemble, Mehmet et moi. Il avait raconté à sa famille qu'il avait un chantier, ce matin-là, et il m'a prié de veiller à ce qu'il n'ait pas à parler avec les médecins, exigeant d'être présenté comme le chauffeur du taxi que j'avais réservé pour ramener Alastair au bercail. C'est donc un tête-à-tête d'une demi-heure que j'ai eu, à sa demande, avec le Dr Schroeder, qui avait conçu et supervisé la cure de désintoxication. Allant droit au but, celui-ci m'a expliqué qu'Alastair devait continuer à suivre stricte-ment le traitement à la méthadone auquel il avait été soumis pendant ces trois dernières semaines. Les sachets à diluer dans de l'eau et à prendre avant chaque repas ne lui seraient confiés qu'au fur et à mesure, chaque lundi matin à neuf heures, quand il se présente-rait à l'hôpital pour une analyse de sang destinée à prouver qu'il n'était pas retombé dans son addiction à l'héroïne.

— Vous n'êtes pas son tuteur, a-t-il tenu à me préciser, vous n'avez aucune capacité légale dans ce processus, donc votre responsabilité ne serait pas engagée si Herr Fitzsimons-Ross renouait avec ses regrettables habitudes. Mais comme vous partagez son domicile, et que vous semblez réellement soucieux de son bien-être, vous serez le mieux placé pour vous rendre compte s'il a replongé. Et, dans ce cas, vous devrez me téléphoner sans délai.

— Je n'aime pas du tout l'idée de jouer les Big Brothers, ai-je avoué, d'autant que cela pourrait avoir des conséquences judiciaires fâcheuses pour lui.

— Mais vous lui sauveriez la vie, aussi. S'il plonge à nouveau dans l'héroïne, il n'ira pas en prison, je vous l'assure, mais dans un centre spécialisé où l'on procédera de nouveau à une désintoxication par méthadone, et dont il ne sortira que si l'avis médical conclut à une réussite complète.

— Il serait tout de même enfermé pendant des mois, contre sa volonté…

— Mais il serait enfin débarrassé de l'héroïne. Enfin, comme je vous l'ai dit, il ne devrait y avoir aucun problème s'il suit le programme établi pour lui. Voici ma carte de visite. Je sais que c'est un cas de conscience pour vous, mais si Herr Fitzsimons-Ross est réellement votre ami, vous lui rendrez un grand service en nous alertant avant qu'il soit trop tard. Compris ?

J'ai accepté sa carte à contrecœur. Le dilemme éthique devant lequel il me plaçait était considérable. Alastair avait été un camé peu commun, sa dépendance ne semblait jamais avoir nui à ses ressources créatrices et il ne s'était retrouvé à l'hôpital que pour avoir mal choisi un partenaire d'une nuit. Le non-conformiste en moi protestait déjà : Eh, Alastair est un grand garçon, il sait ce qu'il fait et toi, tu ne vas pas jouer les indics dans son dos…

En route vers l'appartement, Alastair a pris l'initiative d'aborder lui-même le sujet. En anglais, car il ne voulait pas que Mehmet, notre « chauffeur » au volant de sa camionnette, comprenne ce qu'il racontait.

— Alors, je parie que Herr Doktor t'a dit que j'étais encore très fragile, « entre la guérison et la régression », et qu'il t'a enjoint de te transformer en agent de la Stasi antidrogue ? Non ? Et il t'a demandé de le prévenir dès que je recommencerais à me piquer, ou je me trompe ?

— Tu ne te trompes pas du tout.

— Et toi, tu en penses quoi ?

— C'est très simple : ce serait mieux que tu restes clean mais si tu décides le contraire, ça ne me regarde pas.

— Merci. Je comprends que je suis déjà sous surveillance. Si je rate un examen lundi matin, ou si l'analyse sanguine est positive, ils peuvent me boucler aussi longtemps que ça leur chantera. Et ils ont gardé mon passeport, ces salauds !

— Il va falloir que tu te plies à leurs règles, on dirait.

— Je déteste respecter les règles des autres.

— Considère le problème autrement : tous les camés meurent jeunes, donc si tu arrives à t'en sortir maintenant, tu...

— Je crèverai d'ennui et de trop de clopes. Le toubib a mentionné un détail qui compte : puisque c'est l'État qui paie la méthadone, je vais économiser trois cents deutschemarks par semaine. Par ailleurs, ma galerie de Londres commence à pleurnicher pour avoir les trois grands tableaux qu'ils m'avaient commandés. J'avais une lettre du directeur dans le tas de courrier déprimant que tu m'as apporté l'autre jour.

— Tu leur as dit ce qui est arrivé ?

— Tu plaisantes ? Avouer que le travail de plusieurs mois a été bousillé, ce serait perdre la commande à coup sûr. Principe numéro un de la vie d'artiste, mon cher Thomas : ne jamais dire à ceux qui tiennent le cordon de la bourse combien de temps il te faut pour peindre ou écrire quoi que ce soit. Je leur ai répondu que ce serait plus long que prévu parce que j'avais été hospitalisé pour surmenage. Une petite allusion à la souffrance inhérente au processus créatif, rien de mieux pour obtenir un délai. De toute façon, il faut que je m'active sérieusement. J'ai des factures à payer, moi.

— Donc, tu vas te remettre tout de suite au travail ?

— Tu me laisses l'après-midi pour retrouver mes marques, quand même ? Demain, j'irai voir mon fournisseur à Berlin, il me livrera tout le matériel dont j'ai besoin en deux jours et après, oui, au turbin ! Quoique la perspective de recommencer ces peintures à zéro, et sans la dope, me désespère un peu, c'est le moins qu'on puisse dire.

À l'appartement, Alastair a longuement regardé son atelier aux murs lumineux, le parquet refait à neuf, et j'ai vu qu'il avait du mal à contenir son émotion. D'une voix mal assurée, il a fini par murmurer :

— Je ne mérite pas autant de gentillesse…

Mehmet a froncé les sourcils, signe qu'il n'avait que trop entendu son amant se laisser aller à ce genre d'apitoiement. Je suis intervenu :

— Tu as raison, tu ne mérites rien du tout, mais nous sommes tellement stupides, Mehmet et moi, que nous avons pensé que…

— D'accord, d'accord, je vais la fermer. Mais pas avant de vous avoir dit merci, à tous les deux.

À cet instant, l'escalier a craqué sous des pas légers. Petra est apparue, merveilleusement belle, simplement vêtue d'un jean et d'une de mes chemises en jean d'un bleu délavé.

— Bienvenue chez vous, a-t-elle dit à Alastair.

— Petra, quel plaisir de vous rencontrer enfin !

— Vous connaissez mon prénom ?

— Par Thomas, oui. Qui a aussi laissé entendre qu'il était l'homme le plus heureux de la planète.

J'ai levé les yeux au ciel, effaré par son toupet, mais Petra est venue à moi et, passant son bras autour de ma taille, elle a déclaré :

— Et moi, je suis la femme la plus heureuse de la terre, grâce à lui.

— Eh bien, remercions le ciel que nous vivions à deux étages différents, a répliqué Alastair. Le spectacle d'un tel bonheur serait trop difficile à supporter pour moi. Voyez-vous, j'ai besoin d'ondes négatives, de mélancolie, de sombre solitude pour arriver à…

— Assez ! l'a brusquement coupé Mehmet d'un ton définitif.

Nous avons tous été stupéfaits, à commencer par Alastair qui est resté muet de surprise avant de concéder :

— Ah, j'ai dû dire quelque chose qu'il ne fallait pas…

— Exactement, a fait Mehmet, et j'ai compris alors que l'équilibre des forces dans leur relation avait radicalement changé.

353

— Bien reçu, a dit Alastair tranquillement. Comme vous allez vite vous en rendre compte, Petra, je dis sans arrêt des conneries.

— Pas de gros mots, a ordonné Mehmet.

— Ah, il semble que mon partenaire ait décidé de me reprendre en main, aujourd'hui…

— Je dois y aller, a annoncé Mehmet.

— Quoi, vous ne restez pas déjeuner ? s'est enquise Petra. J'ai une sauce tomate sur le feu pour des spaghettis, là-haut.

— Magnifique, ai-je approuvé.

— J'avais pensé que ce serait bien de déjeuner tous ensemble ici, pour le retour d'Alastair.

— Je vous aime de plus en plus chaque minute, a déclaré l'intéressé.

— Bon, alors je vais mettre les pâtes à bouillir. Alastair, vous verrez aussi dans votre cuisine que je vous ai pris du pain, du fromage, du lait et du café.

Il s'est tourné vers moi.

— Épouse cette fille.

— Je le ferai probablement, ai-je répondu en regardant Petra gravir les marches. Bon, je vais aller l'aider un peu. Vous pourrez rester déjeuner avec nous, Mehmet ?

— Pas possible.

— J'espère que tu ne lui as pas demandé de faire la cuisine en mon honneur, m'a lancé Alastair.

— Certaines personnes agissent simplement par gentillesse, ai-je répondu en jetant un coup d'œil à Mehmet, plus renfrogné que jamais.

— J'en suis conscient, a-t-il admis. Et parmi elles, il y en a qui sont assez folles pour choisir quelqu'un qui ne mérite pas leur prévenance.

Pour toute réponse, Mehmet a secoué la tête plusieurs fois et, les yeux au sol, s'est dirigé en hâte vers la porte. Alastair s'est élancé derrière lui. En montant l'escalier, j'ai surpris une scène plutôt inhabituelle : venues du palier, la voix irritée de Mehmet et celle d'Alastair, conciliante et contrite. Dans notre cuisine, Petra était debout devant la grande marmite d'eau bouillante et une délicieuse odeur montait d'une petite casserole. Elle est venue à moi, a noué ses deux bras autour de mon cou.

— Alastair a dit ce qu'il ne fallait pas, visiblement.

— C'est sûr.

— Nous, nous ne nous ferons jamais ça, pas vrai ?

— Bien sûr que si. Mais ensuite nous nous présenterons de plates excuses, et puis nous ferons l'amour pour nous réconcilier et…

Elle a posé ses lèvres sur les miennes, pressé son ventre contre moi et, plongeant une main dans mon jean, elle a chuchoté :

— S'il n'y avait pas les spaghettis, je te ferais l'amour tout de suite, là…

— Au diable les spaghettis, ai-je répondu, la voix rauque de désir.

— Mais Alastair va nous rejoindre d'une minute à l'autre.

— Au diable Alastair.

Alors que nous chancelions vers la chambre, toujours enlacés, on a frappé discrètement à la porte.

— *Scheisse !* a râlé Petra.

Elle a reboutonné sa chemise et s'est précipitée vers la marmite près de déborder, tandis que j'allais ouvrir après avoir remis de l'ordre dans mes vêtements. Bien qu'il tente de sourire, Alastair avait les yeux rouges.

— Ça va ?

— Non, a-t-il rétorqué en entrant dans le studio. Pour tout esquinter cinq minutes après avoir retrouvé la liberté, personne n'est aussi fort que moi.

— Qu'est-ce qui s'est passé ? l'a interrogé Petra.

— Il s'est passé que j'ai poussé Mehmet à bout. Il est parti très en colère et malgré tout ce que j'ai pu dire il a juré qu'il ne reviendrait pas.

— C'est peut-être momentané, ai-je voulu rassurer Alastair.

— Non. Ça couvait depuis longtemps.

— Il va se calmer et il sera là demain.

— Tu parles. Je l'ai perdu, c'est tout.

— Bon, un verre ne te fera pas de mal.

Je ne l'avais encore jamais vu aussi ouvertement triste et vulnérable, dépouillé de sa façade sardonique.

— Vingt verres, même.

J'ai débouché le petit blanc italien, qui était devenu notre vin de prédilection, à Petra et à moi. Alastair a rapidement vidé deux verres accompagnés de deux cigarettes et, comme si l'alcool et le tabac avaient provoqué un déclic dans son cerveau, il a laissé l'affliction derrière lui, nous gratifiant d'une conversation animée pendant tout le repas, enchaînant les anecdotes amusantes sur le monde de l'art, interrogeant Petra sur ses amis peintres de Prenzlauer Berg et impressionnant la jeune femme par sa connaissance de la vie artistique à

Berlin-Est. Après avoir terminé une bouteille de vin à lui tout seul, il s'est exclamé brusquement :

— Merde, j'ai oublié ma foutue méthadone !

Et il s'est jeté dans l'escalier, visiblement soûl.

— Spécial, a commenté Petra.

— Oui, il peut être assez extrême.

— Non, je voulais dire que c'est la première fois que je déjeune avec quelqu'un qui doit quitter précipitamment la table pour aller prendre sa dose de méthadone.

— Au moins, il ne se pique plus.

— Je l'aime bien, en fait. Il est fou et charmant, il a terriblement besoin d'amour mais a l'air incapable de l'accepter.

— Le portrait est très juste. C'est hallucinant que tu aies vu tout ça en si peu de temps.

— J'ai été mariée à un homme dans son genre. Pas homosexuel, non, la vie était déjà assez compliquée entre nous, mais quelqu'un qui, comme Alastair, avait sans cesse besoin de se donner en spectacle. Quelqu'un qui doit capter l'attention générale dès qu'il entre dans une pièce, qui se croit obligé de provoquer tout le temps et de dire aux gens ce qu'il pense d'eux sans se soucier de les choquer ou de les blesser. Tu m'as bien dit qu'Alastair avait beaucoup de discipline, que même sa façon de se droguer était très contrôlée. Jürgen, au contraire… Brillant lui aussi, plein d'imagination, très amusant quand il le voulait, très séduisant vu de l'extérieur, mais dès que nous avons commencé à vivre ensemble il s'est révélé impossible. Il était aussi talentueux qu'indiscipliné, et fondamentalement incapable de nuancer les choses, surtout en matière de politique.

» Une des règles de l'existence dans un pays comme la RDA, c'est de trouver une sorte de compromis vis-à-vis du système : ne pas faire de vagues, si tu veux, tout en se créant un univers personnel que les autorités ne peuvent pénétrer, même si elles font tout pour. Je crois qu'on y était parvenus, à Prenzlauer Berg. Je t'ai déjà raconté que c'était un peu notre version du Village new-yorkais avec le seul avantage d'un régime communiste, celui de ne pratiquement pas payer de loyer, d'être assez libres matériellement parlant et d'ignorer l'État, qui lui-même fermait les yeux sur notre vie de bohème tant que nous ne contestions pas ouvertement ses principes.

» Jürgen, lui, ne pouvait pas se satisfaire de ce modus vivendi, il fallait qu'il provoque en permanence. Il n'était pas vraiment contre le système, mais le fait que l'on ait interdit l'une de ses pièces, essentiellement à cause de la fureur extrême qu'elle exprimait, l'a entraîné dans une spirale. Je lui disais souvent : « Écris quelque chose de fort mais qui puisse aussi être représenté sur une scène. Tu es assez intelligent pour exprimer ce que tu veux dire sans t'attirer de nouveaux ennuis. » Il ne m'a jamais écoutée. J'ai même prié les quelques amis qui lui restaient de plaider dans ce sens mais il était d'un entêtement presque maniaque. Un pianiste de jazz que nous fréquentions, et qui avait bien connu le frère aîné de Jürgen, m'a dit un jour que mon mari s'était transformé en une sorte de kamikaze, décidé à périr et à entraîner dans sa perte tous ses proches.

Alors qu'elle s'interrompait pour allumer une cigarette, j'ai demandé :

— Et c'est ce qu'il a fini par faire ?

— Oui. Et il m'a entraînée dans sa chute, même si je n'étais pas du tout convaincue par les provocations pseudo-politiques auxquelles il s'adonnait de plus en plus. Ça ne m'a rien apporté : en Allemagne de l'Est, on peut être jugé coupable par simple association, surtout quand on partage le lit de celui qui est pénalisé.

— Il a été arrêté ?

— D'après toi ?

— Et toi aussi ?

— C'est une autre histoire… – Elle s'est tue, frissonnante, puis elle est allée s'asseoir sur le canapé et m'a dit : – Viens, prends-moi dans tes bras.

Nous sommes restés enlacés un long moment, sans un mot. Elle a fini par rompre le silence :

— Je déteste parler du passé.

— Mais le passé nous définit, Petra. Et je veux tout savoir de toi.

— Et moi, je veux oublier tout ce qui concerne la dernière année que j'ai passée là-bas. L'effacer de ma mémoire pour toujours.

— Ç'a été vraiment horrible, alors…

Elle a haussé les épaules, réfléchissant quelques secondes.

— Tu connais l'autobiographie de Robert Graves, *Adieu à tout cela* ? Eh bien, je pense souvent que je devrais faire comme lui : refermer la porte sur cette période de ma vie et ne plus jamais regarder en arrière. C'est pour ça que tu es si important pour moi : c'est la première fois que je peux entrevoir un avenir qui ne soit pas tragique.

Si le sujet de son mari ou des épreuves qu'elle avait eues à subir avant de gagner l'Ouest n'a plus été abordé au cours des semaines suivantes, ce n'est pas parce que nous l'évitions, non, plutôt parce que Petra semblait heureuse et ne basculait plus dans la sombre humeur qu'elle traversait dès qu'elle évoquait cet aspect de son passé. Elle avait visiblement réussi à repousser ces souvenirs accablants, et notre vie commune avait atteint la plénitude.

En vue de préparer mon livre, je passais mes journées à explorer la ville. Grâce à une lettre de recommandation de mon éditrice de New York, j'ai pu passer toute une journée avec les soldats américains de garde à Checkpoint Charlie. J'ai aussi eu le privilège de m'entretenir longuement avec un historien de l'architecture d'origine suisse qui a bien voulu m'accompagner à l'aéroport de Tempelhof, qui ne cessait de me fasciner après plusieurs visites, pour me parler de l'œuvre d'Albert Speer et de son impact sur l'esthétique allemande du XXe siècle, tout en me confiant que son épouse venait de le quitter pour un poète bulgare émigré qui écrivait « des élucubrations modernistes est-européennes absolument illisibles ». Une touche personnelle, comme les confidences de l'un des soldats de Checkpoint Charlie, bien décidé à ne jamais revoir la femme et le bébé qu'il avait laissés dans quelque bled perdu du Kentucky, et celles de Bobby Blakely, un vieux pianiste de jazz que j'avais écouté avec plaisir au bar de l'hôtel *Kempinski*. Ce Noir américain expatrié habitait toujours le même petit studio de Spandau depuis son arrivée à Berlin à la fin des années 50. Il menait une existence presque solitaire et n'avait jamais failli depuis 1962 à ses prestations, six soirs par semaine, lors desquels il interprétait les grands standards pour la clientèle de l'hôtel.

Si ces histoires personnelles m'intéressaient autant, ce n'est pas seulement parce que toute vie est – plus ou moins – un roman mais aussi parce que je commençais à comprendre que le portrait de Berlin que j'avais en tête serait composé des multiples trajectoires individuelles que je rencontrais. De la même manière, j'allais incorporer Omar et son boui-boui, ainsi qu'Alastair, quoique modifié pour préserver sa vie privée : peut-être en ferais-je un artiste londonien vivant dans une autre partie de Kreuzberg – celle où Petra avait habité ? –, et Mehmet serait iranien et non turc…

Que j'aie également pris de nombreuses notes sur ce que je vivais avec Petra signifiait-il qu'à un certain niveau je considérais notre histoire d'amour comme de la substance littéraire potentielle ? À l'époque, j'estimais avoir besoin de garder un compte rendu aussi précis que possible de la transformation qui s'opérait en moi. La vérité est sans doute plus prosaïque : quand on écrit, tout devient « matériau ». Et puis, il y avait certainement une autre pulsion à l'œuvre, celle de me convaincre que tout cela était bien réel en le couchant sur le papier, que j'avais rencontré l'amour de ma vie et que mes notes quotidiennes prouvaient qu'il ne s'agissait pas d'un rêve éveillé.

Chaque matin, j'éprouvais le même enchantement à la découvrir encore endormie à côté de moi, à lire le même émerveillement lorsqu'elle ouvrait ses yeux et les posait sur moi. Quand elle partait au travail, je planifiais la route que j'allais prendre à travers la ville, et ensuite je rejoignais Alastair pour un rapide déjeuner à l'*Istanbul Café*, une habitude que nous avions prise depuis son retour. Il s'était sérieusement remis à la tâche, lui aussi, d'abord en composant les teintes de bleu dont il avait besoin. Dès le troisième jour, je l'avais vu campé devant l'une des trois grandes toiles qui lui avaient été livrées, ses écouteurs sur la tête, pareil à un matador qui défie le taureau, et puis il avait lancé son bras en avant et un éclair de bleu cobalt était venu animer le vide blanc qui lui faisait face. En observant à son insu ce déploiement de couleurs tantôt féroce, tantôt méditatif, je m'étais dit qu'il avait plus de courage que la plupart des hommes que je connaissais. On ne mesure l'étendue de sa résistance aux épreuves que lorsqu'on est capable de la convoquer et de la laisser s'exprimer dans toute sa force.

— Si ça ne me coûtait pas trois cents foutus marks par mois, je replongerais dans la dope dès demain, a-t-il proclamé un midi au café, sans se soucier que tout le monde puisse l'entendre.

— Tu devrais le crier encore plus fort, je suis sûr que ça intéresserait le flic planté sur le trottoir.

— On ne va pas encore en taule simplement pour avoir exprimé un désir illégal, que je sache. Par ailleurs, les édiles berlinois pensent que les junkies donnent à la ville un cachet excitant. En fait, ils devraient nous payer pour qu'on se shoote dans des endroits touristiques. Bon, c'est l'un des effets secondaires de la méthadone, ce besoin de déblatérer sur n'importe quoi, n'importe quand. Et toi, quel effet ça te fait, d'être amoureux de façon aussi indécente ?

— C'est merveilleusement indécent.

— Je vois ça. Et je dois te mettre en garde, mon cher : trop de bonheur tue la créativité. Nous autres, nous fonctionnons dans la privation des sens, dans les affres du doute, dans…

— Des théories bidon, et tu le sais parfaitement.

— Tu connais combien de gens qui sont réellement « créatifs » et heureux en même temps ?

J'ai soupesé sa question un instant avant de concéder :

— Aucun.

— Ah, tu vois ?

— Cela étant, tu connais combien de gens qui sont réellement heureux, quelle que soit leur activité ?

— Aucun, a répondu Alastair sans hésiter. Regarde-toi : tout amoureux comblé que tu sois, tu continues à trimballer la merde accumulée pendant ton enfance malheureuse.

— Je suis sûr que ça disparaîtra, avec le temps.

— Surtout pas ! Reste en colère contre le monde, reste un écorché vif ! Ça sera le juste contrepoids à ta félicité idyllique avec Fraülein Dussmann. D'après le peu que j'ai pu voir d'elle ces dernières semaines, elle n'a pas l'air d'avoir toujours eu la vie facile, non ?

— Qui l'a jamais eue ?

— OK, je m'arrête là.

— Très bien, ai-je approuvé, soulagé.

À moins qu'une relation amoureuse ne soit sur le point de se désintégrer et que l'on ait besoin de se confier à un ami ou à une amie, en effet, l'une des conditions cardinales de l'amour est de ne jamais évoquer devant un tiers les angoisses, les peurs et les hésitations de celle ou celui que l'on adore ; ce serait trahir la confiance mutuelle, mais aussi porter atteinte à une ressource vitale de tout amour véritable : la capacité à édifier ensemble un rempart contre la malveillance intrinsèque du reste du monde, ou du moins l'espoir romantique de parvenir à protéger ainsi la passion partagée.

Dans notre existence, Petra et moi transformions cet espoir en réalité. Dès qu'elle rentrait du travail, je lui tendais un verre de vin, nous nous mettions à bavarder et elle oubliait vite les frustrations et les difficultés rencontrées pendant sa journée à la radio. Pareillement, si j'estimais sans intérêt les observations que je venais de glaner et si je me mettais à penser que mon projet de livre n'allait nulle part, elle me tirait de mon cafard sitôt qu'elle apparaissait dans le studio et je retrouvais rapidement une approche optimiste de mon travail, sa seule présence me rappelant que la vie est pleine de fabuleuses possibilités.

Petra supportait difficilement les cancans et la petitesse générale que génère presque tout travail en groupe, et elle mentionnait souvent l'attitude désagréable de Pavel, insistant pour que le petit monde de Radio Liberty soit tenu dans l'ignorance de notre relation. Quand je me rendais à la rédaction pour une réunion ou une séance d'enregistrement avec Pavel, nous nous contentions donc d'un salut amical s'il nous arrivait de nous rencontrer dans un couloir ou un bureau.

— Les gens ont si peu de choses à se dire, a-t-elle remarqué un jour, qu'ils sauteraient sur l'occasion de médire sur notre compte, s'ils apprenaient que je vis avec toi.

— À moins que l'un d'entre eux ne nous voie nous embrasser dans la rue, ça n'a aucune chance de se produire, l'ai-je rassurée.

C'est exactement ce qui est arrivé, pourtant. Un soir où nous venions de voir *La Garçonnière*, de Billy Wilder, nous échangions un baiser sur le trottoir quand j'ai entendu une voix goguenarde dans mon dos :

— Comme c'est charmant !

C'était Pavel, qui s'apprêtait à entrer dans le même cinéma que nous. Nous nous sommes écartés l'un de l'autre, Petra et moi. Sa stupéfaction initiale surmontée, elle a paru terriblement gênée car il restait là à nous scruter avec un sourire baveux, très visiblement éméché.

— Très intéressant ! s'est-il exclamé d'une voix avinée. Moi qui pensais que les dissidents étaient des amateurs en matière de clandestinité…

— Ça suffit, suis-je intervenu.

— Ah, le macho américain qui vole au secours de la pauvre émigrée !

— Partons d'ici, ai-je dit à Petra.

— Oui, « partons d'ici », a répété le fâcheux en imitant mon accent. Le journaliste à la petite semaine qui se prend très au sérieux a parlé !

— Vous êtes répugnant ! a lancé Petra.

— Et vous, vous êtes une médiocre intrigante qui se croit…

Mon poing est parti tout seul. Je l'ai atteint en plein ventre. Abasourdi – c'était la première fois que je frappais quelqu'un –, je l'ai vu se plier en deux et vomir tout l'alcool qu'il avait ingurgité pendant la soirée, mais déjà Petra m'entraînait en hâte vers la station de métro.

C'est seulement une fois assis dans la rame que j'ai recouvré l'usage de la parole :

— Je n'arrive pas à croire ce qui vient d'arriver…

— Tu as un bon direct du droit, a commenté Petra.

— J'espère qu'il n'est pas trop mal en point.

— Il ne l'a pas volé.

— Je suis encore un peu sous le choc.

— C'est un sale petit tyran et je te remercie de l'avoir corrigé pour moi.

— Mais tu penses qu'il va essayer de…

— De me faire virer ? Ça m'étonnerait. Wellmann sait très bien qu'il n'a pas cessé de me tourner autour et qu'il m'en veut à mort parce que je l'ai ignoré. Il a même dû demander à cette ordure d'arrêter de m'importuner. Contre moi, il n'osera rien. Contre toi, c'est différent.

— Je n'ai pas besoin de Radio Liberty pour vivre.

— Exactement. Mais si ce saligaud intrigue pour qu'ils ne fassent plus appel à toi, je parlerai à Wellmann. Tu m'as défendue et c'est la première fois qu'un homme fait ça pour moi, alors je te défendrai à ma façon. Évidemment, ils ne vont plus parler que de nous, au bureau…

— C'est vraiment un problème ?

— Plus maintenant. Si on me pose la question, je dirai la vérité : je t'aime, et voilà tout.

Il se trouve qu'elle n'a jamais eu besoin de revendiquer son amour devant ses collègues, puisque Pavel a disparu de la rédaction pendant plusieurs jours après cet incident, prenant un congé-maladie, et qu'à son retour il s'est montré strictement professionnel avec Petra, lui présentant un script d'émission à traduire, marmonnant que son absence avait été due à une « grippe intestinale virulente », et lui manifestant une déférence à laquelle il ne l'avait pas habituée. Ce même jour, il m'a laissé un message au café. Là encore, aucune mention de ce qui s'était produit quand je l'ai rappelé, mais une proposition de travail : un billet sur le rôle de Karajan à la tête de l'orchestre philharmonique de Berlin. J'avais trois jours pour le rédiger et il m'offrait deux mille deutsche-marks, soit trois fois le tarif habituel.

— C'est une somme très généreuse.

— Je pense que vous la méritez, a-t-il répondu avec son aplomb coutumier. Vous êtes un collaborateur comme il y en a peu.

J'ai écrit le papier, bien sûr, et Petra l'a traduit. Quand je suis allé l'enregistrer et que Pavel et moi avons croisé Petra, nous avons eu un échange des plus courtois. Le soir, à la maison, elle m'a dit :

— Ce coup de poing a été la meilleure chose qui soit arrivée à Pavel, tu sais ? Personne n'est au courant des raisons, mais à la radio tout le monde trouve qu'il a beaucoup changé, qu'il est devenu remarquablement poli… pour le moment, en tout cas.

— Très bien. Et quand ces deux mille marks vont tomber, que dirais-tu si nous nous offrions un voyage à Paris ?

— Tu parles sérieusement ?

— Mais oui ! Aujourd'hui, cela fait trois mois que nous sommes ensemble. Il faut fêter ça.

— Ce serait génial d'avoir au moins quatre ou cinq jours là-bas. Je pourrais poser un congé d'ici à deux semaines, je pense.

— Entendu. Tu me dis simplement quand et je m'en occupe.

— Paris… Je n'arrive pas à y croire.

Le lendemain, elle était debout de bonne heure, même si on était dimanche. À mon réveil, le ménage était fait, alors que d'habitude nous nous en chargions ensemble. Revenue de la laverie avec le linge que j'avais déposé la veille, elle était occupée à repasser notre paire de draps de rechange. Me voyant m'étirer, elle m'a aussitôt apporté une tasse de café bien chaud.

— Tu n'avais pas à faire tout ça.

— Je n'arrivais pas à dormir et il fallait que je m'occupe.

J'ai pris sa main et elle s'est assise au bord du lit sans que son regard croise le mien.

— Quelque chose ne va pas ? lui ai-je demandé.

— Comment ? Non, rien, rien… Une traduction qui me tracasse, c'est tout.

Elle a pris une cigarette dans la poche de sa chemise, l'a allumée nerveusement.

— Petra ? Ce n'est pas à cause du travail, je le sens.

— Non… C'est quelque chose dont j'aurais dû te parler il y a des semaines, mais j'avais trop peur.

— Peur ? Pourquoi ?

— Peur de ta réaction en apprenant que…

— En apprenant quoi ?

Elle s'est levée, a traversé la pièce et s'est laissée tomber sur le canapé. Ses yeux étaient noyés de larmes. Elle a secoué la tête plusieurs fois, comme pour repousser les sanglots qui lui montaient dans la gorge. En deux secondes, j'ai été près d'elle et je l'ai prise dans mes bras, la berçant doucement.

— Pardon, a-t-elle murmuré d'une voix tremblante. Je suis désolée, je suis…

— Désolée de quoi, Petra ?

— Si c'est tellement dur pour moi ce matin, c'est parce que…

— Oui ?

— C'est son anniversaire.

— L'anniversaire de qui ?

Elle s'est dégagée de mon étreinte, détournant la tête.

— Celui de Johannes, mon fils. Il a trois ans, aujourd'hui.

7

Poignant, terrible, son récit s'est déversé en un flot presque ininterrompu qui s'est prolongé plus d'une heure.

— Il faut que je te parle d'abord de Jürgen et moi, a commencé Petra. Mon mari, oui. Nous avons vécu ensemble cinq ans. J'étais très jeune quand je l'ai rencontré. Avant lui, j'avais eu une liaison avec un homme beaucoup plus âgé que moi, Kurt, qui s'occupait de la programmation au Berliner Radio Symphoniker. Très calme, très cultivé et très marié. J'avais commencé mon travail de traductrice pour la maison d'édition d'État, je vivais dans un minuscule appartement à Mitte. Un mouchoir de poche mais c'était mon premier chez-moi et j'avais même décoré toute seule l'un des murs, une fresque dans le genre *Alice au pays des merveilles*. C'est là que Kurt venait me retrouver trois soirs par semaine, de six à huit. Il était remarquable, il aurait pu être pianiste de concert mais ses professeurs ne l'avaient pas trouvé « suffisamment doué » quand il avait été envoyé au conservatoire de Moscou, alors il s'était rabattu sur un travail administratif et se contentait de jouer de temps en temps dans des salles de province. Il était marié à une femme autoritaire, Hildegarde, avec qui il avait trois enfants. Ils vivaient dans un trois-pièces près de Pankow. Je l'avais rencontré quand mon éditeur lui avait demandé de superviser l'adaptation d'un livre écrit par un musicologue canadien.

» C'était ma première relation sérieuse avec un homme mais c'était également une impasse. Kurt, au fond de lui, n'a jamais vraiment cru possible de se dégager d'une vie conjugale qui l'accablait, ni de ses illusions perdues sur son avenir, sa carrière de concertiste. J'en étais venue à me demander si je sortirais un jour de cette existence tellement limitée, de mon appartement-cellule, de ce ménage à trois où j'avais évidemment le mauvais rôle, quand j'ai fait la connaissance de Jürgen à un vernissage chez un peintre de Prenzlauer Berg. Ce n'était pas un « beau gosse », loin de là. Il avait une grosse barbe, un solide coup de fourchette et il fumait comme une cheminée, mais il était déjà considéré comme un grand espoir de l'art dramatique de la RDA et j'avais lu un article dans la *Neues Deutschland* à propos de sa première pièce mise en scène, *Die Wahl* (Le Choix), l'histoire d'une usine d'explosifs où plusieurs travailleurs meurent dans un accident à cause de la négligence criminelle du directeur en matière de sécurité. Ce n'était pas directement un pamphlet politique mais Jürgen montrait déjà qu'il voulait s'attaquer à la mentalité bureaucratique, à l'obsession de remplir les objectifs du « Plan de cinq ans » quel que soit le coût humain…

» Bref, il était très lancé dans la mouvance contesta-
taire, et il avait toutes les filles qu'il voulait. J'ai été
plutôt surprise qu'il s'intéresse à moi. Nous avons
commencé à sortir ensemble. Il habitait un appartement
immense, selon les critères est-allemands – soixante
mètres carrés à Jablonskistrasse pour lui tout seul ! –, où
régnait un désordre indescriptible, mais après mon trou
à rats de Mitte, c'était un vrai palais. Et puis il avait ce
réseau d'amis et brusquement je me suis retrouvée à
faire partie d'une communauté, une sorte d'État dans
l'État où nous suivions nos propres règles tout en
sachant que nous étions surveillés et en nous demandant
parfois qui parmi nous pouvait être une balance pour la
Stasi, parce qu'il y en avait forcément une ou plusieurs,
ça faisait partie de la vie…

» J'adorais cette nouvelle existence, même si, en
vérité, je n'ai jamais vraiment aimé Jürgen. Et lui non
plus ne m'a jamais vraiment aimée, je crois, en tout cas
il ne m'a plus trop aimée dès que nous avons vécu
ensemble. Nous dormions dans le même lit, nous
faisions l'amour les rares nuits où il n'était pas complètement ivre, mais à part ça c'est vite devenu un arrangement, entre nous. Le fait est que, dans l'ambiance
décalée de Prenzlauer Berg, on ne s'ennuyait jamais.

» Et puis je me suis retrouvée enceinte. Un pur accident. Mon diaphragme avait un défaut que je n'avais
jamais remarqué. Quand je l'ai dit à Jürgen, sa réaction
a été : « Il a dû être fabriqué à Halle, certainement…
Bon, si tu veux garder l'enfant, libre à toi, mais ce sera
ton problème, pas le mien. »

» L'avortement était courant, en RDA. C'était ce qui
remplaçait la contraception, le plus souvent. Mais,

même si sa réponse m'avait énormément blessée, j'ai pris ma décision très vite : je voulais être mère. Les mois suivants, j'ai compris qu'il n'avait pas parlé à la légère. Toutes les petites misères et les grandes joies de la grossesse, je les ai vécues seule. Même quand notre fils a dû passer cinq jours sous respirateur après un accouchement difficile, Jürgen n'a manifesté aucun intérêt, n'a eu aucun geste de soutien ou même de tendresse. Il attendait que je continue à préparer ses dîners, à m'occuper de son linge, et rien d'autre. Au troisième mois de grossesse, nous sommes allés au bureau de l'état civil d'Unter den Linden et nous nous sommes mariés devant presque tous nos amis de Prenzlauer Berg. Pourquoi cette comédie, alors qu'il y avait si peu entre nous ? J'y tenais, le statut de femme mariée supposant des avantages sociaux pour l'enfant et moi qui m'auraient été refusés si j'avais été une mère célibataire. De plus, cela me garantissait le droit de résidence dans l'appartement que nous partagions.

» Après la signature de l'acte, Judit, une artiste très douée qui n'a jamais été appréciée par les autorités – ses sculptures étaient « trop abstraites », paraît-il… –, a donné une fête en notre honneur. Comme pendant la signature de l'acte de mariage, j'ai essayé de faire bonne figure, de sourire, même si Jürgen avait tellement bu qu'il s'est effondré sur un canapé et que deux de nos amis, des romanciers qui n'étaient plus publiés en RDA, ont été obligés de le ramener à la maison en le traînant littéralement. En chemin, Jürgen s'est débattu, il a beuglé des chansons obscènes, et à un moment il a hurlé dans la rue déserte, je m'en souviendrai toujours : « Je suis trop jeune pour être condamné à la paternité ! »

Nos copains étaient outrés pour moi, ils ont essayé de me consoler en disant qu'il était seulement ivre comme un porc, mais moi, je savais que Jürgen pensait ce qu'il venait de crier. Après avoir réussi à le coucher, je suis allée me blottir dans un fauteuil et j'ai pleuré pendant plus d'une heure. Je me rendais compte que j'étais plus seule que jamais, seule dans une caricature de mariage et une caricature de pays où les dirigeants emprisonnaient les citoyens parce qu'ils savaient que tout ça était une supercherie monumentale, un mensonge permanent.

» Mes parents n'avaient pas jugé nécessaire de venir à mon mariage. Mon père était pris par son travail, et ma mère passait le week-end avec son amant pendant que femme et enfant étaient à un camp de vacances, organisé par le syndicat, au bord de la mer Noire. Je n'ai même pas discuté leur choix, j'ai accepté leur indifférence, tout comme j'acceptais l'insensibilité de Jürgen. Je me résignais à mon sort, et c'était très troublant parce que je savais pertinemment que tous mes choix allaient à l'encontre du bonheur, d'un horizon ouvert. Bien sûr que la vie en Allemagne de l'Est se heurtait à toutes sortes de limites, mais je connaissais des gens heureux en amour, avec des relations épanouissantes. Et moi, j'avais choisi quoi ? Le dédain, l'apathie, la froideur, tout ça pour soixante mètres carrés dans ce quartier…

» Judit m'a sauvée. C'est grâce à elle que j'ai survécu à ma grossesse. Elle a su me consoler. Elle est allée jusqu'à reprocher son attitude à Jürgen, l'a forcé à faire les courses quelques fois, ou à aller me chercher à l'hôpital après un examen médical. La nuit où Johannes est venu au monde, son père était à Dresde pour la première de sa pièce mais Judit était à mes côtés.

» Je t'ai dit qu'il y avait eu des complications durant l'accouchement, et j'étais tellement abrutie par les anesthésiants que je ne me rappelle pas le moment de la naissance. Quand j'ai repris connaissance, j'ai paniqué en ne voyant pas mon bébé près de moi. Une des infirmières m'a expliqué que le cordon ombilical s'était enroulé autour du cou de mon fils et qu'il devait rester sous respirateur. Il était très tard, Judit était rentrée chez elle. J'ai tenu à aller voir le bébé et je suis restée près de cette machine affreuse qui le maintenait en vie. Quand l'infirmière en chef m'a ordonné d'aller me recoucher, j'ai refusé, le ton est monté, elle m'a menacée de me dénoncer pour « comportement antisocial », j'ai répondu qu'elle pouvait appeler les salauds de la Stasi si elle voulait. Heureusement, un jeune médecin est intervenu en ma faveur ; il a dit à la harpie que son attitude était « réactionnaire », qu'il saisirait le syndicat si elle n'arrêtait pas, et il a fait apporter un lit d'appoint pour que je puisse rester près du bébé.

» Cinq jours plus tard, nous sommes rentrés à la maison, et là encore Judit s'est occupée de tout : elle a trouvé un berceau, elle a arrangé une petite alcôve de l'appartement pour le bébé. Jürgen n'est réapparu que trois jours après, pas rasé, sale, l'air d'avoir bu et traîné avec d'autres femmes pendant une semaine. Il était épuisé, ce qui explique peut-être sa réaction lorsqu'il a pris Johannes dans ses bras : il a fondu en larmes et sangloté très longtemps et je l'ai laissé se calmer. Après, il me l'a rendu, il m'a embrassée sur le front, il m'a juré qu'il allait changer d'attitude, qu'il s'en voulait terriblement, et puis il s'est jeté sur le lit et il a ronflé douze heures d'affilée.

» Il s'est réveillé à cinq heures du matin. J'étais déjà debout depuis longtemps, parce que Johannes avait la colique et pleurait beaucoup. Jürgen m'a obligée à aller me recoucher en me disant qu'il veillerait sur le bébé. J'ai dormi quatre heures, le plus long somme que j'avais fait depuis l'hôpital, et en me levant j'ai vu Jürgen endormi sur le sofa, Johannes blotti dans ses bras, tout tranquille. Ce tableau d'un père avec son fils m'a bouleversée. J'ai voulu espérer que la paternité le rendrait responsable, enfin, pour que nous puissions devenir un couple, une famille digne de ce nom. Et si ses larmes prouvaient qu'il m'aimait, à sa manière ? Ça, c'est le rêve le plus dangereux qu'on puisse former lorsqu'on est enfermé dans une relation que l'on sait condamnée, cette chimère qu'on « finira par s'aimer ». C'est dangereux et destructeur ; on se raccroche à un espoir en sachant, au fond, que c'est une illusion.

» Mais bon, j'ai voulu y croire. Pendant quelque temps, Jürgen a donné des signes positifs, il a réduit la boisson, il s'est mis à faire de l'exercice et même à ranger un peu ; il semblait prendre plaisir à aller promener notre fils dans son landau. Nous avons recommencé à faire l'amour, bien que le sexe avec lui n'ait jamais été très satisfaisant ; Jürgen était dépourvu de tendresse et de sensualité, il continuait de sentir l'alcool même s'il buvait moins. Enfin, tout ça, je le savais depuis la première nuit passée avec lui, et pourtant j'ai décidé de rester. C'est étrange, tu ne trouves pas ? Pourquoi refuse-t-on si souvent d'écouter son instinct et se met-on délibérément dans des situations impossibles, sans issue ? Sauf qu'avoir un bébé, un enfant qui t'inspire un amour comme tu n'en as jamais connu, qui donne un nouveau sens à ta vie… eh bien, ça te fait passer sur les défauts du père. Pendant un mois et quelques, j'ai vraiment cru que nous pourrions former une vraie famille.

» Et puis, le film dont Jürgen avait écrit le scénario pour la DEFA, les studios d'État, a été brusquement annulé quinze jours avant le début du tournage. C'était une histoire très intéressante et hautement subversive, celle d'un écrivain socialiste emprisonné à la fin de l'époque nazie qui tombe dans le coma après avoir été brutalement battu par deux SS, se réveille quelques années plus tard dans un nouveau pays, la RDA, et découvre que le paradis socialiste de ses rêves est tout sauf paradisiaque. J'avais lu le scénario avant la naissance de Johannes et j'avais dit à Jürgen que je ne voyais pas comment les bureaucrates de la DEFA l'accepteraient, mais on était en 1981, dans une période de relatif « assouplissement » où les autorités semblaient encourager les écrivains et les réalisateurs à se montrer un peu critiques – Jürgen croyait dur comme fer que le film se ferait. Tout était prêt pour le tournage quand le scénario est arrivé sous les yeux d'un ponte du ministère de la Propagande ; aussitôt, le directeur de la DEFA a été convoqué et s'est fait remonter les bretelles à cause de ce projet « antidémocratique ».

» La Stasi a été mise sur l'affaire et Jürgen a disparu. Pendant six jours. J'étais folle d'angoisse. J'ai craint un accident, ou qu'il ne soit reparti dans une de ses virées autodestructrices, mais il a surgi un matin à l'aube et m'a expliqué qu'il avait été détenu tout ce temps dans ce qu'il pensait être la tristement célèbre prison de la police secrète, Hohenschönhausen. Il ne pouvait en être sûr, parce que avant de l'incarcérer ils l'avaient mis dans un fourgon qui avait roulé pendant des heures pour l'empêcher de se repérer, un stratagème dont nous avions déjà entendu parler. Ensuite, il avait été interrogé deux fois par jour – jamais la nuit, les flics est-allemands se targuant d'être « humains » –, enfermé dans une cellule sans rien à lire, ni rien pour écrire. Lorsque je lui ai demandé à propos de quoi ils l'avaient interrogé, il a refusé de répondre. Tout le monde savait que si la Stasi relâchait un détenu aussi rapidement, c'était qu'il avait dénoncé quelqu'un d'autre. Jürgen m'a fait promettre que je ne parlerais à personne de son arrestation, et en fait j'ai vu qu'il regrettait de m'en avoir informée. J'ai compris qu'il avait donné des noms, même s'il n'en avait aucun à donner, et il est devenu tellement agité, tellement paranoïaque que je n'ai pas cherché à discuter.

» Au cours de l'année suivante, de jeune auteur dramatique le plus en vogue de la RDA, Jürgen est devenu quelqu'un dont le travail était refusé partout. Plusieurs théâtres ont annulé des commandes passées après le succès de sa première pièce, dont le titre paraissait maintenant prémonitoire. Aucun producteur de radio ou de télévision ne le contactait plus. Son succès professionnel, son écriture, tout ce qui avait garanti son fragile équilibre psychologique lui échappait. D'abord, il a pris sur lui – il lui arrivait de ne pas prononcer un mot pendant des jours –, et puis il s'est éclipsé à nouveau, deux semaines d'errance sans donner de nouvelles pour revenir épuisé, sale, encore ivre. Cette fois, pourtant, il m'a assuré qu'il avait eu la révélation sur un quai de la gare de Frankfurt an der Oder, juste à la frontière polonaise : il allait écrire son *Anneau du Nibelung* à lui, un cycle épique consacré à l'histoire de la RDA, une série de quatre pièces d'une durée de quatre heures chaque soir, avec une troupe de plus de cent acteurs. Il s'est lancé dans une description détaillée de sa vision, avec une passion telle qu'on l'aurait cru en transe. Les jours suivants, il a continué à me parler chaque fois qu'il pouvait de ce chef-d'œuvre absolu, la saga est-allemande par excellence, mais ses monologues ont pris un tour si excessif que j'en suis venue à craindre pour sa santé mentale.

» C'est à cette période que nous avons fêté le premier anniversaire de Johannes. Comme j'avais repris mon travail, je le laissais à la crèche toute la journée : Jürgen n'était d'aucune aide. Il écrivait toute la nuit en vidant une bouteille de vodka – le tord-boyaux n'était pas cher, à Berlin-Est –, dormait et mangeait le reste du temps, devenant de plus en plus gros et ne sortant pratiquement jamais. Il s'était détaché de la réalité au point de ne même plus se rendre compte qu'il avait une femme et un enfant. Je lui ai installé un lit pliant dans la petite alcôve qui lui servait maintenant de bureau et petit à petit j'ai bâti mon propre mur entre nous. Je lui préparais ses repas, je lavais son linge, je m'efforçais de nettoyer son antre une fois par semaine, mais pour le reste ma vie était avec Johannes. Qu'il soit béni : c'est grâce à lui que je n'ai pas perdu la raison, cette année-là. C'était un bébé très calme, comme absent parfois, mais dès que je le prenais dans mes bras il souriait, roucoulait. J'étais contente d'avoir son berceau dans la chambre à coucher et je jouais souvent sur le lit avec lui. Judit le prenait parfois le soir chez elle pour me permettre d'aller au théâtre ou au cinéma, et continuait à m'épauler autant qu'elle le pouvait.

» Mon mari s'était transformé en une sorte de Sisyphe berlinois, et il n'arriverait pas à bout d'un projet aussi mégalomaniaque, « l'œuvre théâtrale allemande la plus importante depuis le *Faust* de Goethe », comme il l'avait proclamé un soir où il était relativement sobre, ce qui rendait cette déclaration encore plus inquiétante. Dans notre groupe de Prenzlauer Berg, les gens s'étaient mis à l'éviter. Pour tout le monde, il était sur la liste noire du régime et, à moins qu'il ne fasse son autocritique publique et qu'il ne lèche les bottes des dignitaires du Parti, sa carrière était finie. J'avais l'impression qu'il le savait aussi, mais que comme tant d'entre nous il se réfugiait dans une fiction qui lui permettait de survivre au quotidien. « Oui, ce sera un chef-d'œuvre ! Tous les théâtres du pays se l'arracheront ! Je serai tenu pour un génie, j'aurai le prix Lénine de littérature, je serai réhabilité, adulé… »

» Un matin de janvier, avant l'aube – il y a un an et trois mois, donc –, Johannes et moi avons été réveillés par des cris de joie, des hourras qui se sont mués en sanglots hystériques. Jürgen venait de mettre le point final à la quatrième et dernière partie de son cycle. Il avait été d'une productivité incroyable, chaque volume représentant plus de deux cent cinquante pages de manuscrit. Pleurant et riant tout à la fois, il est venu dans la chambre me dire que nous étions sauvés, que notre vie allait changer, que nous nous installerions bientôt dans l'une des grandes datchas au bord du lac

Müggelsee que le régime accordait aux artistes « officiels ». Le lendemain soir, devant quelques amis venus à la maison, il a martelé : « Je vais être le premier Allemand de l'Est à avoir le prix Nobel de littérature ! Vous vous vanterez tous de m'avoir connu ! »

» Ce que j'avais redouté s'est produit : Jürgen s'est effondré peu à peu. Dans les trois mois suivants, il a reçu refus sur refus et, pire, plusieurs directeurs de théâtre qui avaient lu sa pièce ont alerté la Stasi sur son caractère « scabreusement antisocial » – c'est ce que lui a rapporté le premier inspecteur venu l'interroger. Cette fois, il a été invité à aller s'entretenir avec la police, et on lui a seulement conseillé de détruire le manuscrit et de « se chercher une autre profession ».

» Quand il est revenu à la maison, il a vidé une bouteille de vodka presque d'un trait puis, sa grosse pile de feuillets sous le bras, il a pris le tramway et le métro jusqu'au Berliner Ensemble, le théâtre fondé par Brecht. Il s'y jouait la première d'une pièce de Heiner Müller, si bien que tout le gratin bureaucratique était présent, y compris le ministre de la Culture et plusieurs ambassadeurs des pays frères. Susanne et Horst, un couple de voisins qui étaient acteurs de l'Ensemble mais ne jouaient pas ce soir-là, m'ont raconté par la suite que Jürgen s'était juché sur une caisse en bois devant l'entrée du théâtre et s'était mis à hurler : « Je suis un grand auteur allemand ! J'ai écrit une œuvre géniale ! Je suis censuré par la Stasi ! » Horst a tenté de le raisonner, il lui a dit que c'était un suicide à la fois professionnel et personnel, mais Jürgen a répondu qu'il allait déclamer sa pièce jusqu'à ce que le Berliner Ensemble accepte de la représenter. Peu après, une grosse voiture noire est arrivée en trombe, suivie de deux véhicules de police, et le ministre de la Culture est sorti voir ce qui se passait. Jürgen a ouvert sa braguette et s'est mis à uriner sur le perron en criant : « Je suis un grand écrivain allemand et je pisse sur le bâtiment que Brecht a construit ! » Il s'est tourné et il a aspergé le ministre. Alors des flics se sont jetés sur lui et l'ont roué de coups devant tout le monde.

» Susanne et Horst sont venus immédiatement me mettre au courant. Ils voulaient que je prenne leur auto – ils faisaient partie des rares privilégiés qui avaient une Trabant – et que je parte tout de suite avec Johannes pour la maison de vacances qu'ils avaient au bord de la Baltique, dans la province de Mecklenburg-Vorpommern. Nous savions que la Stasi allait débarquer avant l'aube et rafler les proches de celui qui avait été arrêté pour « crime contre l'État ». J'ai expliqué à mes amis que la police me retrouverait de toute façon et que je ferais mieux de rester pour répondre aux questions. À ce stade, j'étais prête à avouer que mon mariage avec Jürgen n'existait que sur le papier, qu'il n'était plus responsable de ses actes et qu'il avait besoin d'une assistance médicale et psychologique. En m'enfuyant pour me réfugier dans la maison de mes amis, je les compromettrais terriblement. Et puis j'avais mené une existence irréprochable, jusqu'ici, je n'avais jamais cherché à quitter le pays, et je présumais que les autorités en tiendraient compte.

» J'étais horrifiée par ce que Jürgen avait fait, évidemment, mais en même temps je m'y attendais et il m'arrivait de me reprocher de ne pas avoir alerté le médecin du quartier plus tôt, lorsqu'il avait présenté tous les symptômes avant-coureurs d'une grave dépression nerveuse. D'un autre côté, je ne voulais pas l'entraîner dans quelque chose qui aurait forcément à voir avec les autorités, un contrôle encore plus strict. Je le regrettais à présent, car ce qui l'attendait, après ce scandale public, ce serait au mieux l'un de ces monstrueux « asiles » où ils enfermaient les dissidents extrémistes.

» La Stasi n'a pas débarqué, cette nuit-là. Après quelques heures d'un mauvais sommeil, je me suis préparée pour aller au travail, comme d'habitude, j'ai habillé Johannes, je lui ai donné son petit déjeuner et je l'ai emmené à la crèche. Rien de suspect dans la rue. La responsable du jardin d'enfants, Frau Schmidt, m'a accueillie comme chaque matin. Je repartais vers la station de tramway de Prenzlauer lorsqu'une fourgonnette grise s'est arrêtée brusquement à mon niveau ; deux hommes en costume-cravate en sont sortis, m'ont demandé mes papiers. Pour quelle raison ? ai-je voulu savoir. « Crime contre la République, et ne protestez pas, Frau Dussmann. » Sache que grâce aux lois « égalitaires » est-allemandes j'avais gardé mon nom de jeune fille ; c'était aussi celui de Johannes. Ils m'ont fait monter de force dans le véhicule. À l'arrière, il y avait deux cellules au plafond très bas. J'ai crié que j'étais innocente, que j'étais une honnête citoyenne et l'un d'eux, après avoir ricané « Honnête citoyenne, après ce que tu as fait ? », m'a poussée si brutalement dans une sorte de cage que je me suis foulé la cheville en trébuchant. Sans prêter attention à mes cris de douleur, il a cadenassé la porte et m'a lancé :

« Maintenant, tu vas voir comment on traite les crapules qui trahissent la République. »

Petra a allumé une cigarette et a réfléchi un moment avant de poursuivre son récit, qui arrivait visiblement à la partie la plus dramatique.

— Ils ne m'avaient pas encore pris ma montre, donc j'ai pu faire un rapide calcul : pendant onze heures, la fourgonnette avait roulé, s'arrêtant brièvement pour repartir dans un périple d'autant plus déstabilisant que j'étais plongée dans l'obscurité. Pas de toilettes, pas d'eau, rien. Où m'emmenait-on ? Je me rappelais ce que Jürgen m'avait raconté et je me doutais qu'ils allaient me déposer dans une prison en pleine nuit, mais laquelle ? Était-on toujours à Berlin, ou bien roulions-nous vers le sud, la Saxe, où j'avais entendu dire que la Stasi avait un centre de détention pour femmes ? La question la plus terrible concernait mon fils : qui allait prendre soin de lui, ce soir ? La crèche allait fermer et personne ne viendrait le chercher. J'ai crié dans l'obscurité qu'ils devaient prévenir mes voisines, Susanne ou Judit, crié encore, n'obtenant aucune réponse.

» Je me suis résignée à faire pipi dans un seau, je n'en pouvais plus. Soudain, il y a eu un cahot et le seau s'est renversé, projetant de l'urine partout. C'est là que je me suis mise à pleurer. Si j'étais déjà traitée comme ça, qu'allait être la prison ? Malgré mon angoisse, je gardais toujours un espoir insensé dans un coin de ma tête, celui qu'ils finiraient par me laisser devant notre appartement après cette torture psychologique, m'annonçant qu'ils avaient seulement voulu me donner une leçon. J'ai lu quelque part que les condamnés à mort essaient de se rassurer ainsi, même quand ils marchent vers la chaise électrique…

» La fourgonnette s'est enfin immobilisée pour de bon, le hayon s'est ouvert et un flot de lumière jaune m'a agressé les yeux. Je puais l'urine, j'étais complètement déshydratée et j'étais folle d'inquiétude au sujet de Johannes. Dès que deux gardiennes au visage dur ont ouvert la cellule et m'ont tirée dehors, j'ai commencé à hurler, à me débattre. L'une d'elles m'a immobilisé les bras dans le dos et l'autre m'a giflée en m'ordonnant de me taire. J'ai obéi comme un automate, serrant les dents.

» Dans une sorte de hall d'entrée, les gardiennes m'ont demandé de leur remettre ma montre et mon alliance, puis elles m'ont tendu un paquet de vêtements rêches, l'uniforme de la prison. Elles m'ont dit que je n'y resterais pas longtemps si je me montrais « raisonnable ». Ensuite, j'ai été conduite à une salle de douche. Une nouvelle crise d'angoisse m'a assaillie : j'ai crié de toutes mes forces, appelé Johannes. À nouveau, elles m'ont enjoint de me taire, me menaçant de représailles beaucoup plus sévères qu'une gifle. Je me suis séchée, j'ai enfilé l'uniforme qui m'a gratté la peau comme du papier de verre, et elles m'ont poussée dans ma cellule. Deux mètres carrés maximum, un matelas sur un banc en ciment, une couverture et un oreiller, un lavabo et des W.-C., une ampoule nue qui ne s'éteignait jamais. Les gardiennes m'ont ordonné de dormir mais je n'ai pu fermer l'œil, faisant les cent pas dans cet espace minuscule, me demandant où était mon fils, tiraillée entre l'anéantissement et un fol espoir : ils ne pouvaient pas être aussi inhumains, dès que l'on m'interrogerait, ils allaient revenir à la raison, et je serais rendue à mon fils…

» Le lendemain, deux autres gardiennes m'ont conduite à l'interrogatoire. Il fallait emprunter d'interminables couloirs, fermés par des portes devant lesquelles on s'arrêtait chaque fois. Là, elles tiraient sur une corde munie d'une petite cloche et attendaient que quelqu'un de l'autre côté réponde de la même façon. Il m'a fallu deux ou trois jours pour comprendre que ce système de communication rudimentaire leur servait à s'assurer qu'il n'y avait pas d'autre prisonnière dans la prochaine portion de couloir. Le principe de cette prison reposait sur l'isolement absolu, le mystère.

» C'est un certain colonel Stenhammer qui m'a interrogée. Pas encore la quarantaine, les cheveux gominés, rasé de près, l'uniforme impeccable, des bottes toujours parfaitement cirées. Et il fumait des Marlboro ! Qu'il prenait dans un porte-cigarettes en or qui devait lui venir de son père ou de son grand-père. Les gardiennes m'ont fait asseoir sur une chaise à deux mètres de sa table dans ce qu'elles appelaient son « bureau » – en réalité une salle d'interrogatoire. Il a d'abord vérifié mon identité, m'a questionnée sur les moindres détails de mon passé, vérifiant chacune de mes réponses dans un gros dossier posé devant lui. Dès que j'ai pu, je lui ai dit que je me faisais énormément de souci pour mon fils et il a répliqué d'un ton glacial : « Vous pensez sérieusement que la République des travailleurs laisserait à l'abandon un enfant de treize mois ? Même si sa mère est soupçonnée d'espionnage et de trahison ? »

» J'ai protesté et il m'a fait taire d'une voix cinglante, me menaçant de cinq jours de confinement total si je l'interrompais encore. Incapable de me maîtriser, j'ai fondu en larmes, bredouillé des excuses. Finalement, j'ai réussi à relever la tête et à soutenir son regard impassible. Soudain, il m'a prise de court en me demandant avec un sourire très aimable si j'aimerais un café et une cigarette. J'ai accepté, surtout par peur de le contrarier. Il avait une machine à café occidentale dans un placard. Il m'a apporté une tasse, m'a offert une Marlboro en me priant avec un clin d'œil de ne raconter à personne qu'il fumait des cigarettes américaines. Ce café était un vrai nectar, je t'assure, comme je n'en avais jamais bu, et bien sûr nous n'avions pas les moyens de nous procurer du tabac occidental au marché noir. Je voyais bien que toutes ces prévenances avaient pour but de me faire baisser ma garde, mais je l'ai tout de même remercié.

» — Et maintenant, parlez-moi de votre vie conjugale, a-t-il dit.

» Il a mis en marche le magnétophone posé sur sa table. J'avais déjà remarqué un petit micro fixé au mur non loin de ma chaise. J'ai pris ma respiration et j'ai tracé un tableau aussi honnête que possible de ma vie avec Jürgen, en insistant sur l'aspect pathologique de sa révolte et en soulignant que ni lui ni moi n'avions été mêlés à des activités de dissidence organisée.

» — Donc, votre mariage a été essentiellement une erreur, d'après ce que vous me dites, a-t-il conclu.

» — Avec quand même une conséquence merveilleuse : mon enfant.

» — Oui. Et vous avez commencé à œuvrer comme une espionne de l'Amérique à partir de quand, exactement ?

» Il n'avait pas du tout changé de ton pour poser cette question inouïe, qui m'a complètement désarçonnée. Refoulant un sanglot, j'ai répondu que je n'avais jamais rencontré un seul Américain de ma vie, encore moins eu le moindre contact avec leurs services de renseignements, que j'étais une citoyenne loyale, que je n'avais jamais rien fait de mal…

» — Et vous n'avez jamais adhéré au Parti socialiste des travailleurs, non plus, a-t-il relevé, ce que les citoyens « loyaux » trouvent normal de faire. Quant à vos parents, d'après les informations que mes collègues de Halle m'ont transmises, le fait d'appartenir au Parti ne les a pas empêchés de mener une vie privée très éloignée des principes socialistes. Diriez-vous que c'est à cause de leur influence que vous avez développé une conception plus que discutable de la loyauté envers votre pays ?

» J'ai senti le sol se dérober sous mes pieds. Cette ordure essayait de m'amener à dénoncer mes parents comme des asociaux. J'ai cherché les mots les plus adéquats pour répondre à cette perfidie sans m'attirer son hostilité.

» — Je pense qu'ils auraient pu se montrer plus positifs devant les acquis et la réussite de notre système socialiste, colonel.

» — Et moi, je pense que vous ne croyez pas du tout ce que vous venez de dire.

» — J'aime mes parents.

» — Malgré leur comportement ? Malgré la liaison amorale que votre mère a entretenue avec un citoyen de Halle très connu ? Quoi, vous n'êtes pas au courant ? Pourquoi mentir ? – Il a fouillé dans le dossier, en a sorti une photo, puis une autre. – Pour des raisons liées à la sûreté nationale, il se trouve qu'ils ont été placés sous surveillance et photographiés…

» Sous mes yeux horrifiés, il a brandi une photo assez floue de ma mère embrassant un homme dans une voiture, puis celle d'une adolescente regardant de loin la scène. Moi. J'étais sidérée. Alors, ils savent tout, vraiment tout ! me suis-je dit. Et j'ai compris que Stenhammer venait de marquer un point crucial contre moi : désormais, il pourrait facilement m'accuser de dissimuler la vérité. Des larmes ont à nouveau perlé entre mes cils, et j'ai plaidé à voix basse le fait que j'avais simplement cherché à protéger ma famille, ce qu'il pouvait comprendre…

» — Non, je ne peux pas « comprendre », a-t-il rétorqué. Vous êtes ici pour répondre d'activités hostiles à la République qui vous a nourrie, éduquée et choyée bien mieux que vos parents, occupés qu'ils étaient par leurs mœurs crypto-bourgeoises. Cette propension à la trahison – conjugale ou politique –, ces tendances réactionnaires, cette fascination pour les valeurs bourgeoises, on les retrouve chez leur fille. N'avez-vous pas admis vous-même que vous aviez décidé de cohabiter avec un écrivaillon autodestructeur et furieusement narcissique juste pour jouir du confort de son grand appartement ? Et vous n'avez pas bronché tandis qu'il jetait sur le papier toutes ses élucubrations antisocialistes. Une citoyenne digne de ce nom aurait naturellement alerté qui de droit mais vous, non, vous vous êtes tue et vous l'avez laissé poursuivre sa délirante entreprise.

» — Mais il s'était tellement enfermé en lui-même que je ne savais rien, ai-je protesté, je vous assure ! Il vivait dans son monde, il…

» — Faux. Chaque jour, il retrouvait trois ou quatre amis dans un bar de Prenzlauer Allee. J'ai leurs noms ici. Ils font partie du cercle de parasites aux prétentions « artistiques » que vous fréquentiez assidûment, votre mari et vous.

» Il a repris une cigarette mais ne m'en a pas offert, cette fois. Le temps des amabilités était passé, et celui de m'assener le coup suivant est arrivé :

» — À vous entendre, votre mari ne serait qu'un déséquilibré inoffensif, malgré la provocation à laquelle il s'est livré devant le Berliner Ensemble, et malgré le fait qu'il a reconnu lui-même, devant nous, être un espion à la solde des Américains. – Accueillant mon expression stupéfaite par un sourire entendu, il a continué : – Pendant que vous vous laissiez soi-disant abuser par son comportement erratique, nous savons qu'il a été en contact avec des membres du Service d'information de l'ambassade des États-Unis à Berlin, service qui n'est qu'un paravent de la CIA impérialiste, et qu'ils se sont rencontrés deux ou trois fois à un endroit de Friedrichshain qu'ils croyaient secret…

» Cette fois, j'ai levé la main pour demander la parole, ne voulant pas qu'il me reproche encore de l'interrompre, et j'ai objecté qu'il n'aurait pu avoir aucune information significative à leur donner, puisqu'il ne quittait presque jamais notre quartier. Mais le colonel a aussitôt contré :

» — Faux encore, car il a sillonné le pays à plusieurs reprises ; de toute façon, ce qui importe, c'est qu'il a été en relation avec des agents d'une puissance étrangère hostile à notre République et aux pays frères. Il a été photographié en leur compagnie ici même, à Berlin. Cela suffit à prouver qu'il s'est livré à des activités d'espionnage et qu'il a trahi sa patrie. Et plus encore… – Il a marqué une pause, savourant son effet en même temps que sa cigarette. – … plus encore, je ne crois pas à votre surprise, d'autant que votre mari nous a donné hier, de son plein gré, une autre information très intéressante.

» — Laquelle ?

» — Que vous êtes vous aussi une espionne américaine.

» Je me suis sentie frissonner de la tête aux pieds et j'ai bredouillé :

» — Mais c'est un mensonge, un mensonge ignoble !

» — Vous m'accusez de mentir, maintenant ? a-t-il répliqué d'un ton tout à fait calme, ce qui le rendait encore plus menaçant.

» J'ai voulu rectifier, dire que c'était de mon mari que je parlais, mais j'étais tellement affolée que mes protestations devenaient incohérentes, et il a brutalement mis fin à l'interrogatoire. Désespérée, j'ai essayé d'obtenir des nouvelles de Johannes. Stenhammer s'est contenté de dire que mon fils était « sous la protection de l'État » et qu'il le resterait jusqu'à ce que je fasse des aveux complets sur ma collaboration avec les

Américains. Tandis que je hurlais que tout cela était une invention et de la diffamation, il a fait entrer une matonne qui m'a entraînée de force hors de la pièce avant de me gifler.

» Elle m'a poussée dans un escalier, puis dans une petite salle où il y avait un tabouret en bois devant un rideau gris et, face à lui, un vieil appareil photo à soufflet monté sur un trépied. Ils voulaient prendre une photo officielle de moi, m'a dit l'opérateur. Quand il a appuyé sur la poire, j'ai sursauté, non à cause du flash mais parce que j'ai ressenti une vague de chaleur inattendue et inexplicable dans mon dos ; pour le profil, même chose, sinon que cette sensation, une brûlure presque, a affecté le côté de mon corps qui était tourné vers le rideau. Une fois dans ma cellule, j'ai soulevé le haut de mon uniforme et j'ai découvert des taches rouges sur mes flancs. Je me suis dévissé le cou pour inspecter mon dos, où j'ai fait la même découverte.

» Cette séance photo était déjà effrayante en soi, mais mon esprit était surtout accaparé par ce que je venais d'apprendre, et notamment que Jürgen en soit venu à me désigner comme sa complice. Était-ce une sorte de vengeance ignoble, ou une nouvelle preuve qu'il avait perdu la raison ? Stenhammer, à l'évidence, ne me laisserait pas en paix tant qu'il n'aurait pas obtenu ce qu'il voulait, certainement le nom des « agents américains » qui avaient été nos contacts, selon Jürgen. J'étais bien sûr incapable de lui donner la moindre indication à ce sujet, puisque tout était un tissu de mensonges, mais je me doutais également qu'ils vérifieraient soigneusement ce que je pourrais improviser dans ce sens, et s'en serviraient comme une preuve de plus de ma trahison. Et ils continueraient à nous maintenir séparés, Johannes et moi. Ils devaient savoir que je n'avais jamais été en relation avec des agents américains mais, compte tenu des aveux de Jürgen, j'étais coupable. C'était la logique de la Stasi, même innocent, on était coupable. La machine s'était mise en route et ils étaient bien décidés à démolir ma vie.

» Que Stenhammer ait résolu de briser ma résistance a été évident dès ce premier interrogatoire, puisque j'ai été confinée dans ma cellule trois jours de suite, avec une heure quotidienne d'exercice qui consistait à arpenter seule une courette murée et surplombée de barbelés. Entièrement livrée à mes sombres pensées, privée de toute distraction, j'ai conçu des manières d'occuper mon esprit pour ne pas sombrer dans le désespoir absolu. Par exemple, je repassais dans ma tête des films que j'avais vus en tentant de les reconstituer scène par scène, plan par plan, ou bien je faisais la liste de tout le vocabulaire anglais que j'avais appris à la faculté…

» Et puis il y avait Johannes, sans cesse. Tu ne peux pas imaginer, Thomas, ce qu'endure une mère privée de l'enfant qui est au centre de son univers. L'impossibilité de le contempler, de le protéger, de sentir cette odeur de bébé tellement innocente et fraîche, de l'entendre gazouiller, de le mettre dans le lit avec moi quand il pleurait la nuit… C'était la pire punition qui puisse exister.

» À la fin des trois jours, quand ils m'ont ramenée à la salle d'interrogatoire, j'étais très mal en point sur le plan psychologique, épuisée par le manque de sommeil et l'enfermement, et prête à tout pour me sortir de là et retrouver mon fils. Après avoir accepté une délicieuse cigarette du colonel et une tasse de son incroyable café, j'ai annoncé que j'étais prête à passer aux aveux. Il a immédiatement mis son magnétophone en marche et je me suis lancée dans l'histoire que j'avais mise au point dans ma tête, celle d'un inconnu, nommé Smith, qui m'avait abordée dans une librairie d'Unter den Linden et m'avait offert cinquante dollars par semaine en échange d'informations. Sauf que, dès que j'ai commencé, je me suis aperçue à quel point c'était ridiculement tiré par les cheveux. Au bout de cinq minutes, Stenhammer a dit tranquillement « Ça suffit », il a arrêté le magnéto et il m'a demandé avec un sourire :

» — Vous voulez revoir votre fils, n'est-ce pas ?

» — Plus que tout au monde.

» — Alors, il faut me dire la vérité.

» — Mais vous la connaissez déjà, colonel.

» — Vraiment ?

» — Je crois, oui. Et la vérité, c'est que je n'ai jamais eu de contacts avec le moindre Américain.

» — Dans ce cas, vous retournez dans votre cellule.

» J'ai protesté mais j'étais brisée, je n'avais plus la force de pleurer. J'ai passé trois jours en isolement total. J'ai pensé me supprimer, me rappelant avoir lu dans un roman qu'un drap mouillé peut être utilisé comme corde pour se pendre. La Stasi a dû lire dans mes pensées, parce que le lendemain la gardienne m'a retiré mon drap. Ensuite, à nouveau Stenhammer et son sourire mielleux, son café, sa cigarette et, cette fois, devant mes questions pressantes, la nouvelle que mon fils avait été confié à « une famille hautement recommandable ». Il n'a pas voulu me dire qui c'était, précisant juste qu'il les connaissait personnellement, ce qui m'a fait frissonner : une famille de la Stasi, donc, des gens qui obéissaient aux ordres les plus monstrueux… Là, j'ai fondu en larmes et il m'a observée avec un faux air de commisération.

» — Je… je ne le reverrai plus jamais, ai-je sangloté.

» — Voyons, je n'ai jamais dit une chose pareille…

» — Mais si ! C'est une famille à votre botte, c'est…

» — Modérez-vous, je vous prie.

» — Quoi que je dise, vous le séparerez de moi ! ai-je crié sans me soucier des conséquences. Mon mari est un traître et vous avez décidé sans aucune preuve que j'étais pareille. Vous privez une femme innocente de son enfant juste parce qu'elle a eu le malheur de se marier à un déséquilibré, vous…

» — Suffit ! a répété Stenhammer, cette fois d'un ton irrité.

» — Vous refusez d'admettre la vérité ! Comment pouvez-vous trouver le sommeil en sachant ce que vous faites à une mère et à son enfant…

» Là, il a perdu le calme qui le caractérisait jusqu'alors. Il a bondi sur moi et m'a frappée au visage, avec une violence et une expression tellement haineuse que j'ai caché ma tête entre mes bras, trop effrayée pour crier. Visiblement secoué par son accès de colère, Stenhammer m'a tourné le dos en respirant bruyamment, puis il a pris une Marlboro, l'a allumée, et il a dit d'une voix qui avait recouvré sa tranquillité coutumière :

» — Vous venez de dépasser les bornes, Frau Dussmann. C'est exact : compte tenu de votre instabilité psychologique, de votre personnalité négative et de votre mentalité d'ennemie de la République, il est impossible que notre État laisse l'un de ses enfants à la merci de quelqu'un comme vous. Donc, vous n'aurez plus de contacts avec votre fils, en effet. En raison de votre collaboration avec les agents impérialistes, vous resterez en isolement complet, sous le régime que vous connaissez déjà, et cela tant que vous ne m'aurez pas procuré des informations plausibles sur le cercle de bohémiens subversifs dont vous avez fait partie.

» — Ce ne sont pas des subversifs ! Et je ne trahirai pas mes amis !

» — Alors, allez pourrir dans votre cellule.

» — Pourquoi ne pas me tirer une balle dans la tête ? ai-je demandé, presque suppliante. Vous épargne-riez à la République le coût de mon emprisonnement.

» — Ce serait une issue trop facile pour vous.

» Je n'ai plus jamais revu le colonel, mais il a mis ses menaces à exécution. J'ai souffert les trois plus longues semaines de ma vie. Bouclée en permanence, avec cette ampoule allumée jour et nuit au-dessus de ma tête. Bientôt, je n'ai plus été capable de me livrer à la gymnastique mentale qui m'avait aidée au début. Quand ils m'emmenaient à la cour pour l'heure quoti-dienne d'exercice, je restais prostrée dans un coin ; un jeune gardien, moins impitoyable que ses collègues femmes, me tendait son paquet de f6 et je fumais autant de cigarettes que je pouvais pendant cette heure. Je ne réagissais plus à rien, seule la pensée que je reverrais forcément mon fils me tenait en vie. J'ai maigri terrible-ment mais je m'en fichais, j'étais satisfaite de m'étioler comme ça.

» Et puis, un soir, deux hommes en civil sont entrés dans ma cellule, flanqués de deux matonnes. Ils m'ont demandé de les suivre, je me suis contentée de secouer la tête, les gardiennes ont bondi sur moi mais les deux officiels leur ont ordonné de me traiter « gentiment ». Elles m'ont soutenue jusqu'à la douche, m'ont donné un bout de savon et une bouteille de shampooing occidental. J'étais tellement faible que j'ai dû m'appuyer contre le mur pour arriver à me laver les cheveux. Ensuite, elles m'ont rendu les vêtements que je portais à mon arrivée à la prison, lavés et repassés mais maintenant beaucoup trop grands pour moi, au point qu'une des gardiennes a dû percer un trou supplémentaire dans ma ceinture. Je me suis habillée machinalement, essayant de comprendre ce qui m'arrivait, interrogeant sans succès les deux surveillantes. Elles m'ont conduite dans une pièce d'aspect normal. On m'a servi une omelette faite avec de vrais œufs – un luxe en RDA, où nous devions le plus souvent nous contenter d'œufs en poudre –, du pain frais, du café, et j'ai eu droit à une f6 après ce festin, la première nourriture solide que j'ingurgitais depuis des semaines. L'un des deux hommes est revenu et il m'a dit :

» — C'est l'heure.

» — L'heure de quoi ?

» — Vous verrez.

» Cinq minutes plus tard, j'étais dans un garage en sous-sol et je montais dans une fourgonnette aménagée semblable à celle dans laquelle j'avais été enlevée. Nous avons roulé pendant une heure, et quand nous avons fait halte j'ai entendu des voitures s'arrêter autour de nous, des portières claquer, des voix dont je

397

n'arrivais pas à distinguer les paroles parce que le vent sifflait contre les parois du fourgon. La portière s'est ouverte, j'ai été éblouie par les phares d'une auto dirigés sur la fourgonnette. L'un des deux hommes en civil m'a aidée à descendre. Malgré l'obscurité et les rafales de neige, j'ai eu l'impression que nous étions au milieu d'un pont. Le type m'a soutenue en m'entraînant vers un groupe de silhouettes qui se découpaient dans le faisceau des phares. Une femme dont je n'ai pu apercevoir les traits m'a passé un bras autour des épaules.

» — Petra Dussmann, je suis Marta Jochum, du Bundesnachrichtendienst... – Les services de renseignements ouest-allemands ! – Bienvenue en République fédérale d'Allemagne.

» J'étais abasourdie. Elle m'a entraînée vers une grosse voiture noire. Un policier en uniforme a ouvert la portière et, touchant sa casquette de sa main gantée, il a prononcé encore ce mot, bienvenue, *Willkommen*... Frau Jochum s'est assise à côté de moi, un autre policier était au volant, avec un homme d'une trentaine d'années près de lui. L'homme était très beau, je m'en souviens. Il m'a souri. La femme nous a présentés : Herr Ullmann, officier consulaire à la représentation consulaire américaine de Berlin-Ouest.

» De plus en plus surprise, je l'ai entendu dire que les Américains avaient « suivi mon cas depuis plusieurs semaines ». Frau Jochum m'a promis que tout me serait expliqué le lendemain, après une bonne nuit de sommeil et un petit déjeuner correct.

» — Mais pourquoi suis-je ici ? ai-je demandé. Je n'ai rien d'intéressant pour vous, je ne suis rien du tout...

» — Ne dites pas ça, m'a reprise Ullmann. Vous êtes exactement le genre de personne que nous essayons de faire sortir.

» — Moi ? Je ne suis pas une dissidente, je n'ai jamais fait de politique, je…

» — Nous savons tout cela, Petra, est intervenue Frau Jochum d'un ton apaisant.

» — Et nous savons avec quelle cruauté vous avez été séparée de votre fils, a ajouté Ullmann.

» — Ils l'ont placé dans une famille, je n'ai aucune nouvelle ! Tout ça parce que mon mari, qui n'a plus sa raison, a certifié à la Stasi que nous étions des espions américains !

» — Justement, il faut que nous vous parlions de votre mari, a dit l'homme assis devant moi.

» — Quoi ? Il est arrivé quelque chose à Jürgen ? Dites-le-moi !

» — Demain, Petra, a insisté Marta Jochum. Pour l'instant, nous vous conduisons à l'appartement confortable qui sera le vôtre pendant le mois prochain, le temps que vous repreniez des forces et que vous vous habituiez à votre nouvelle vie.

» — Je veux savoir s'il est arrivé quelque chose à mon mari !

» Ils se sont consultés du regard, Ullmann a hoché la tête d'un air grave et Frau Jochum m'a pris la main. J'ai tout de suite compris.

» — Votre époux s'est pendu dans sa cellule il y a quelques jours, a-t-elle annoncé.

» La nouvelle, si terrible soit-elle, ne m'a pas étonnée. C'était quelqu'un de très fragile et son esprit déjà dérangé n'aurait pas pu supporter longtemps les

399

conditions épouvantables de la prison. En même temps que la tristesse, j'ai aussi éprouvé un immense désespoir ; maintenant que son père était mort et que sa mère avait été expulsée de RDA, Johannes allait devenir un pupille de l'État, sans autres parents que ceux que les autorités lui avaient choisis… Mais j'avais une question pressante :

» — Est-ce que j'ai été expulsée de RDA à cause de la mort de Jürgen ?

» — Jürgen n'a jamais travaillé pour nous, m'a assuré Ullmann, quoiqu'il ait pris contact avec certaines personnes que nous avons sur le terrain à Berlin-Est. Je serai franc : nous ne l'avions pas jugé assez solide psychologiquement. Et nous étions au courant qu'il vous avait injustement incriminée.

» — Au courant ? Comment ?

» — Nous avons nos sources d'information au sein même de la Stasi. Fondamentalement, ils savaient que vous n'aviez eu aucune relation avec nous mais ils voulaient se servir de vous comme moyen de pression sur Jürgen, tout comme ils se sont servis de votre enfant pour essayer de vous briser.

» Une idée bizarre m'a soudain traversé la tête : et si leur taupe à l'intérieur de la Stasi était le colonel Stenhammer ? Informait-il les Américains chaque fois qu'il nous interrogeait, Jürgen et moi ? Il n'y avait pas eu d'amour, entre mon mari et moi, mais apprendre ainsi sa mort dans une cellule de prison, après le cauchemar dans lequel il nous avait entraînés tous les trois… J'étais à la fois furieuse contre lui d'avoir détruit nos vies, et dévastée par le sort affreux d'un homme bourré de talent, trop complexe, trop égoïste, excessif en tout, mais qui avait aussi été le père de mon fils. Et Johannes, à qui on allait apprendre que sa mère de substitution était sa vraie mère, qui ne saurait jamais que j'existais… Mon enfant perdu pour toujours. J'ai baissé la tête et je me suis mise à pleurer. Frau Jochum a serré ma main plus fort.

» — Je sais que c'est très dur, Petra. C'est pour cela que je voulais attendre demain matin.

» Je me suis redressée et, à travers mes larmes, je me suis écriée :

» — Vous m'avez fait sortir ; maintenant, vous devez me ramener mon fils… Je vous en prie !

» — Nous en parlerons demain, Petra.

» — Il n'y a donc pas d'espoir ? ai-je murmuré.

» — Nous tenterons l'impossible, m'a certifié Ullmann.

» — Ils ne me le rendront jamais, c'est ça ?

» — Nous ferons de notre mieux, Petra, a-t-il poursuivi, mais nous devons compter avec certaines réalités, et la plus difficile est que ces gens n'ont pas les mêmes valeurs que nous.

» Nous sommes arrivés dans une résidence située à l'ouest de la ville. L'appartement était d'un confort et d'un luxe inimaginables. Marta Jochum m'a confiée à une femme qui nous attendait, Frau Ludwig, et m'a dit qu'elle allait veiller sur moi au cours des semaines à venir, que je pourrais lui demander tout ce dont j'aurais besoin. Je devais passer une visite médicale le lendemain matin, et Frau Jochum reviendrait en fin d'après-midi avec Ullmann pour un entretien approfondi. Frau Ludwig m'a demandé mes mensurations afin de m'acheter de nouveaux habits. J'ai passé une heure dans un bain moussant, puis je me suis couchée dans un lit incroyablement moelleux, grand comme ceux des hôtels des films occidentaux que j'avais pu voir, cependant, je n'ai pas pu m'endormir avant longtemps, tourmentée par des dizaines de questions et par la plus douloureuse de toutes : Reverrai-je un jour Johannes ?

» Le lendemain, Frau Ludwig m'a apporté plusieurs tenues. J'ai été impressionnée par la qualité de ces vêtements « capitalistes » et par la générosité de mes bienfaiteurs, tout en me demandant pour quelle raison j'avais droit à de pareils égards. Après le petit déjeuner, nous avons traversé un petit parc bien entretenu, et nous sommes entrées dans un cabinet médical. Le médecin était très aimable. Il m'a examinée avec soin et m'a fourni une explication quant aux taches rouges apparues sur ma peau après la séance photo en prison. D'après lui, il s'agissait de brûlures provoquées par irradiation, qu'il avait déjà constatées sur plusieurs transfuges de la RDA. Dans quel but faisaient-ils cela ? Il m'a expliqué prudemment que les Occidentaux en avaient conclu que c'était un moyen pour la Stasi de « marquer » les dissidents, afin de pouvoir les retrouver par la suite. Ou de les tuer à petit feu… Là encore, il s'est montré circonspect, soulignant que le taux de radiation était très faible et que des séquelles éventuelles ne seraient discernables qu'après plusieurs années. Quant aux taches elles-mêmes, il m'a assuré qu'elles allaient disparaître en quelques mois.

» Durant la discussion que j'ai eue le soir avec Ullmann et Marta Jochum, j'ai appris qu'ils avaient eu deux motifs pour vouloir « m'extraire » de RDA, en échange de deux espions est-allemands emprisonnés par la Bundesrepublik depuis plusieurs mois. D'abord, ils s'intéressaient énormément au colonel Stenhammer. La Stasi sachant que je ne possédais aucun secret d'État à partager avec l'autre côté, ils avaient pensé qu'elle accepterait facilement de m'échanger. Frau Jochum m'a indiqué qu'ils souhaitaient recueillir un maximum d'indications sur le compte de Stenhammer, qui avait dirigé les interrogatoires de nombreux dissidents. C'était la première fois qu'ils arrivaient à faire sortir quelqu'un ayant eu affaire à lui. J'ai accepté, bien sûr, car il était normal qu'ils attendent quelque chose en retour de leur aide. De plus, mes deux interlocuteurs étaient mon seul espoir de revoir Johannes un jour.

» — Il y a un autre point sur lequel nous voudrions vous poser des questions, a poursuivi Ullmann. Dans votre cercle de Prenzlauer Berg, il y avait un indicateur, ou plutôt une indicatrice. Elle vous a causé un tort considérable, à Jürgen et à vous, parce qu'elle leur répétait toutes vos conversations, et comme vous lui faisiez entièrement confiance, qu'elle était votre confidente…

» Je me suis soudain sentie glacée. Atterrée mais aussi incrédule. « Elle » ne pouvait pas m'avoir fait une chose pareille… Mais il l'a nommée dans la foulée, affirmant que Judit Fleischmann travaillait depuis longtemps pour la Stasi. Marta m'a vue pâlir encore et elle m'a prise par l'épaule.

» — C'est encore un coup dur, Petra, mais n'oubliez pas que plus vous donnerez d'informations sur elle, mieux nous serons préparés pour négocier la libération de votre fils.

» — Il est dans une famille contrôlée par la Stasi, n'est-ce pas ?

» À nouveau, ils se sont consultés du regard avant qu'Ullmann réponde :

» — Nous avons des raisons de le croire, oui.

» — Vous avez leur nom ?

» Marta Jochum m'a mise en garde :

» — Si vous essayez de les contacter, vous risquez de ruiner tous nos efforts pour…

» — Je veux simplement connaître leur nom.

» — Bon… C'est Klaus. Stefan et Effi Klaus.

» — Où vivent-ils ?

» — Nous ignorons l'adresse exacte. Quelque part à Friedrichshain.

» — Ah… Et Judit, a-t-elle été récompensée pour avoir trahi sa meilleure amie de façon si « patriotique » ?

» — Nous avons appris qu'elle avait été envoyée dans un hôpital psychiatrique après votre arrestation et le placement de Johannes en famille d'accueil. Nous comprenons l'hostilité qu'elle vous inspire mais vous devez savoir que la Stasi la faisait chanter depuis des années. Toujours d'après nos sources, elle avait une relation homosexuelle suivie et ils l'ont menacée de la dénoncer à son mari et à ses proches si elle ne coopérait pas. Sa dépression à la suite de votre incarcération n'était pas de la simulation, apparemment.

» J'avais la tête qui tournait : Jürgen mort, Judit internée dans l'un de ces horribles asiles qui transforment en zombies la plupart de leurs patients, l'idée que celle qui avait été ma grande amie avait été contrainte de me trahir… Mais il y avait surtout la confirmation que Johannes serait adopté par un couple farouchement fidèle au régime et donc aucunement disposé à rendre son enfant à une mère rejetée par la « démocratie des travailleurs ». Lisant dans mes pensées, Marta Jochum a cherché une nouvelle fois à me rassurer :

» — Ce sera long, Petra, mais je vous jure que nous remuerons des montagnes pour que Johannes vous soit rendu.

» — Ce n'est pas des montagnes qu'il faudra bouger, c'est le Mur, ai-je murmuré, accablée par l'énormité du défi.

» Les semaines suivantes, j'ai répondu scrupuleusement à toutes leurs questions et ils m'ont aidée à trouver le studio à Kreuzberg, le poste de traductrice à Radio Liberty. Quand ils m'ont remis trois mille marks pour acheter des meubles et d'autres vêtements, je n'ai pas refusé. Frau Ludwig était devenue une sorte de grande sœur qui me guidait dans mes courses, me donnait des repères à Berlin-Ouest, s'assurait que je m'alimentais convenablement et que je ne sombrais pas dans le désespoir. Pour surmonter toute cette tristesse et cette angoisse, il n'existait qu'un moyen : apprendre à vivre au jour le jour dans un nouvel univers. Tourner la page était impossible, mais il fallait au moins ne pas se laisser détruire par le passé. Frau Ludwig a d'ailleurs manifesté sa préoccupation quand elle a appris que je voulais habiter si près du Mur, parce qu'elle avait deviné ma motivation sans que j'aie eu besoin de l'exprimer.

» — Oui, il faut que je reste près de Johannes, lui ai-je avoué.

» — Mais est-ce que ça ne risque pas de laisser la blessure ouverte ?

» — Ce n'est pas une blessure qui peut se guérir.

» — En tant que mère, je vous comprends, évidemment, mais je me fais du souci pour vous, j'aimerais tellement que vous trouviez un moyen de surmonter ça…

» — C'est impossible, ai-je répondu.

» Et voilà, un an après la blessure est toujours là, autant à vif qu'avant. Alors, comment te dire, Thomas ? L'amour que j'ai pour toi, celui que tu m'as donné, celui que nous partageons… a changé ma vie. J'ai réappris à connaître le bonheur. Mais le seul bonheur que j'aie eu avant toi, c'était Johannes, et j'ai beau essayer de me raisonner, de me répéter qu'on ne me le rendra jamais, qu'il ne fera plus partie de ma vie, c'est une réalité qui reste inacceptable. Elle domine tout ce que je fais, tout ce que je ressens. Je sais qu'il en sera toujours ainsi, et c'est pour ça que je dois te dire… je suis obligée de te dire qu'il vaut mieux pour toi que tu t'éloignes de moi. C'est pour ton bien, Thomas. Tant que mon fils grandira de l'autre côté de cette aberration de Mur, tant qu'il vivra avec des gens qui ont reçu ce magnifique enfant en récompense du sale boulot qu'ils ont exécuté pour le régime, il y aura en moi quelque chose de tellement douloureux, de tellement abîmé que vivre ensemble sera impossible.

» C'est pour ça, Thomas. C'est pour çà que je te le dis encore : pars, éloigne-toi de tout ça. Protège-toi de ce malheur. Protège-toi de moi.

8

Dès que Petra s'est tue, je me suis levé pour la prendre dans mes bras, mais elle n'a pas réagi, elle est restée inerte comme si ce long et terrible récit l'avait vidée de ses dernières forces. Je l'ai serrée contre moi.

— La première fois que tu es venue ici, la première nuit que nous avons passée ensemble, tu m'as demandé de ne jamais te laisser partir, tu te rappelles ? Et je te l'ai promis. Et je te le promets de nouveau, encore plus après ce que tu viens de me raconter.

— Tu es sincère, vraiment ?

— Tu le sais bien, Petra. Comme tu sais que je ferais tout pour toi, pour nous.

— « Nous », a-t-elle répété en prononçant le mot comme s'il lui était inconnu – ou, pis, interdit – jusqu'ici. C'est ce que je voudrais tellement, mais…

— Pas de « mais ». Ce que tu as traversé et surmonté aurait brisé bien des gens. Toi, tu as résisté. Et maintenant, nous pouvons atteindre le bonheur, ensemble.

— Je te l'ai dit, Thomas : comment pourrais-je être heureuse tant que Johannes sera là-bas ?

— Tu peux avoir un autre enfant. Avec moi.

— Ça n'empêchera pas qu'il y aura encore le Mur entre mon fils et moi. Ça ne guérira pas cette blessure.

— Oui, mais tu seras mère, à nouveau.

— Est-ce vraiment ce que tu désires, Thomas ? Toi qui aimes tant être libre, aller où tu veux, parcourir le monde… Es-tu prêt à poser ton sac, à assumer un quotidien fait de biberons et de couches à changer, à…

— Je suis prêt à tout pour toi, pour nous. Et, oui, je veux un enfant de toi.

— Tu dis ça seulement pour me consoler.

— Non, je le pense. Et je ferai tout ce qui est possible pour te ramener Johannes.

— Tu es beaucoup trop romantique, Thomas. Ullmann m'a prévenue il y a déjà un an et il avait raison : avec ces gens-là, on ne peut pas négocier.

— Ils ont bien réussi à te faire sortir, toi.

— Grâce à un atout : Klaus Mettel, un cadre des services de renseignements ouest-allemands qui travaillait aussi pour la Stasi, un agent double tellement important pour la RDA qu'ils l'ont échangé contre trois dissidents plus moi. Ils ne s'intéressaient à moi que pour en apprendre davantage sur les techniques d'interrogatoire de Stenhammer. Le colonel avait fait parler plusieurs de leurs contacts en RDA, ils voulaient savoir comment il s'y prenait pour casser des personnalités apparemment très solides. Je leur ai raconté.

— Mais il n'a pas réussi, avec toi.

— Il n'est pas arrivé à me faire raconter n'importe quoi, mais d'une certaine façon il m'a « cassée », moi aussi. Et Judit également.

— Celle qui t'a trahie…

— J'ai reçu une lettre d'elle il y a cinq mois. Une cousine à elle, qui enseigne à Tübingen et qui lui a rendu visite, me l'a rapportée. Elle m'écrit qu'elle a subi des électrochocs pendant plusieurs semaines à l'hôpital psychiatrique, et que ce traitement a eu pour effet, entre autres, de neutraliser l'affreuse culpabilité qui la ronge depuis mon arrestation. Elle me confie que la « dépression nerveuse » invoquée officiellement était une tentative de suicide, parce que, bien sûr, personne ne songerait à se supprimer, au paradis des travailleurs… Elle m'y explique ce que je savais déjà, qu'ils avaient exercé un chantage constant sur elle, qu'ils auraient ruiné sa vie en exposant sa liaison homosexuelle, qu'elle aurait été renvoyée du lycée où elle enseignait… Elle ne me demande pas de lui pardonner, ce qu'elle a fait étant impardonnable, mais m'informe qu'elle était allée chez nous pour emporter des albums de photos et des lettres avant que la Stasi ne vienne perquisitionner. Ces papiers, je peux les récupérer, si je trouve le moyen de les faire sortir de RDA. Ce qui compte le plus pour moi, ce sont les photos que j'ai prises de Johannes pendant sa première année, la seule où nous avons été ensemble…

— Judit a retrouvé son travail ?

— Non. Dans sa lettre, elle dit être en congé-maladie longue durée. D'après ce que j'ai compris, elle passe le plus clair de son temps enfermée chez elle, seule. Son mari l'a quittée.

— Donc, je pourrais facilement sonner à sa porte et dire que je viens chercher les photos ?

Petra m'a dévisagé.

— Mais tu risques d'être arrêté, mis en prison.

— Pour quelle raison ? À cause de quelques albums de photos ?

— Ils trouveront la raison qui leur convient. Non, c'est trop dangereux, Thomas.

— J'irai demain.

— Ce n'est pas nécessaire, je t'assure…

— Au moins, as-tu une photo de Johannes ici, avec toi ?

— Non. J'en avais une dans mon portefeuille mais ils l'ont gardée quand j'ai été expulsée.

— Demain soir, tu en auras plusieurs.

— Ah, comme je voudrais te dire : « Oui, s'il te plaît, vas-y », mais s'il t'arrivait quoi que ce soit…

— À ton avis, Judit est toujours placée sous surveillance ?

— Étant donné que sa vie a été démolie et que je ne suis plus là-bas, ça m'étonnerait.

— Alors, je passerai Checkpoint Charlie à huit heures demain matin. Et ensuite, le plus simple, c'est quoi ? Le U-Bahn ?

— Oui. La station de Stadtmitte, la première en arrivant à Berlin-Est, et ensuite tu descends à Alexanderplatz, tu prends le tramway en direction de Danziger Strasse. Tu suis deux pâtés de maisons jusqu'à Rykestrasse. C'est sa rue. Elle est au 33 et son nom, Fleischmann, est sur la sonnette. Je vais lui écrire un mot pour la prévenir. Mais il ne faut pas qu'on sache que tu les rapportes ici.

— Je prendrai un sac assez grand pour mettre les albums.

— Et si on te fouille ?

— Le pire qui puisse arriver, c'est qu'ils les confisquent.

— Non, ils peuvent faire bien davantage.

— Je suis un citoyen américain, Petra.

— Oui, et comme tous les Américains, tu te crois invulnérable.

— Absolument ! Parce que si je ne suis pas de retour avant la nuit, quelqu'un préviendra l'ambassade et ils enverront les marines, ai-je ajouté avec un sourire.

Comprenant enfin le chagrin qui pesait chaque jour sur Petra, mon admiration pour elle et sa force de caractère était sans borne, de même que ma volonté de l'aider dans la faible mesure de mes moyens. Plus tard, alors que nous étions dans les bras l'un de l'autre, je l'ai rassurée :

— Tout ira bien. Il faudra des mois, peut-être quelques années, mais ils finiront par te rendre Johannes.

— Je t'en prie, ne parlons plus de ça maintenant, a-t-elle répondu d'une voix pressante. Tout cet optimisme, cet espoir… ç'a juste l'effet contraire, sur moi. La situation m'apparaît encore plus désespérée. Et s'il t'arrive quoi que ce soit demain, alors je…

— Rien de grave n'arrivera, je t'assure.

J'ai réglé le réveil à six heures et demie, expliquant à Petra que je voulais franchir le point de passage au plus tôt.

— Est-ce que Judit fume ? lui ai-je demandé.

— Tous les Allemands de l'Est de plus de treize ans fument, à part les sportifs que les autorités forment et enferment dans leurs centres spécialisés. Un ou deux paquets de Camel et tu l'amadoueras assez facilement, je crois.

— Et le mot ?

— Il sera prêt quand tu te lèveras.

— Je t'aime, Petra.

— Je t'aime, Thomas.

Nous nous sommes embrassés tendrement, puis j'ai cédé au sommeil. J'ai rouvert les yeux huit heures plus tard, quand le réveil a sonné. Une odeur de cigarette venait de la cuisine.

— Tu veux du café ? m'a demandé Petra.

— Tu es levée depuis quand ?

— Je ne me suis pas couchée.

— Pourquoi ?

— L'inquiétude, c'est tout.

— À cause de ma petite expédition ?

Elle a haussé les épaules, acquiescé de la tête avec hésitation, et soudain elle a détourné son visage, les yeux remplis de larmes. Quand j'ai sauté du lit pour la prendre dans mes bras, elle s'est écartée et, attrapant son manteau, elle a dit d'un ton décidé :

— Je crois que je ferais mieux de retourner à mon studio.

— Pourquoi, Petra ? Qu'est-ce que tu...

— Je suis incapable d'attendre ici tout seule.

— Tout ira bien, tranquillise-toi.

— Je ne veux pas que tu y ailles ! Je n'ai pas besoin de ces photos, pas besoin de quoi que ce soit qui me rappelle...

— Tu as écrit un mot à Judit ?

Elle a désigné du doigt une enveloppe posée sur la table, avec le nom « Judit Fleischmann » dessus, et à

412

côté un bout de papier couvert de son écriture élégante et précise.

— Je t'ai noté l'adresse de Judit et les indications pour arriver chez elle. Quand tu reviendras, le dîner sera prêt. Essaie d'être revenu avant six heures, s'il te plaît, parce que autrement je vais…

— Je serai là à six heures, Petra.

— Je n'aurai la tête à rien d'autre, d'ici là.

Elle m'a embrassé avec force, s'est détournée et s'est dirigée vers l'escalier. J'ai failli lui courir après afin de la prendre dans mes bras et de la rassurer à nouveau, mais je savais aussi qu'en de pareils moments, quand le chagrin et l'inquiétude l'envahissaient entièrement, la discrétion était préférable. S'il n'y a rien de pire que la mort de son enfant, vivre avec l'idée qu'il vous a été arraché pour être confié à des inconnus doit être une épreuve inimaginable, surtout en étant conscient que vous ne le reverrez probablement jamais. Ajoutez à cela que chaque jour, chaque semaine, chaque mois, ce jeune être s'attachera plus profondément à ses parents adoptifs, qu'il n'aura aucun souvenir de la femme qui lui a donné le jour, celle dont toute la vie a été centrée sur lui. Il n'existe pas de mots pour décrire la rage et la douleur devant une punition tellement insensée.

Croyais-je soulager les souffrances de Petra en lui rapportant des photographies de son fils ? Non, et pourtant il « fallait » que j'y aille : avec ma mentalité tout américaine, je voulais essayer de lui faire du bien, de compenser à ma modeste manière les injustices dont le passé l'avait accablée. Et, déjà, des scénarios dans lesquels j'arrivais d'une façon ou d'une autre à lui rendre son fils se formaient dans mon esprit.

Tout en m'habillant, je me suis rendu compte que nous n'avions pas du tout envisagé ce que Petra devrait faire si j'étais arrêté par les autorités est-allemandes. Judit était-elle encore placée sous surveillance, ce qui me rendrait suspect dès que je sonnerais à sa porte ? Et si j'étais fouillé au retour, n'allait-on pas m'interroger sur la provenance de ces photos ? Je ne pourrais pas prétendre en être le propriétaire puisqu'il serait évident qu'elles n'avaient pas été développées en Amérique. En ne me voyant pas revenir, Petra paniquerait à coup sûr, et même si elle appelait l'ambassade, que lui répondrait-on ? J'étais sur le point de lui laisser un mot pour lui expliquer la marche à suivre en cas de problème lorsque mon attention a soudain été attirée par un tintamarre venu d'en bas, sans doute une poêle à frire tombée par terre, suivi d'un « Oh, merde ! » énergique. Alastair… Malgré tous ses excès et toutes ses rebuffades, c'était quelqu'un d'une droiture rare, en qui je pouvais placer ma confiance.

Après avoir réuni mon sac, mon passeport, l'enveloppe et les instructions laissées par Petra, je suis descendu et je l'ai découvert agenouillé sur le sol de la cuisine, en train de ramasser les débris d'une omelette éparpillés devant la gazinière.

— Foutu maladroit que je suis ! a-t-il grondé. J'étais moins nerveux sous héro.

— Ça n'a pas l'air de t'empêcher de travailler, lui ai-je fait remarquer en montrant du menton les trois grandes toiles à moitié achevées qui étaient posées le long d'un mur de l'atelier.

Ces études de bleus géométriques n'étaient pas la réplique des tableaux qui avaient été si sauvagement détruits, mais des œuvres nouvelles dont la fluidité, la complexité et l'audace exprimaient une approche différente de son art, sans doute plus dérangeante mais empreinte d'une confiance inédite, comme si sa quête de l'abstraction avait atteint un niveau supérieur dans la maîtrise des formes et des tonalités. Il s'est aperçu que mon regard restait fixé sur les toiles, ou plutôt qu'elles l'aimantaient, tant l'effet qu'elles exerçaient sur moi était puissant.

— Ça te plaît ?

— Énormément.

— Café ?

— Avec plaisir.

— J'ai entendu Petra s'en aller. Rien de grave entre vous ?

— Un café et une cigarette, d'abord.

— Sans problème.

Après avoir accepté l'une de ses Gauloises, j'ai dit :

— Tu es debout très tôt, aujourd'hui.

— J'ai bossé toute la nuit. Ça fait quelques jours que je m'active comme un cinglé. Ce qui est en partie une réaction à quelque petit changement dans ma vie…

— Quelque chose de sérieux ?

— Ah ! Une question pour notre observateur des mœurs européennes venu d'Amérique : Est-ce qu'on peut taxer de « sérieux » la fin d'un accommodement pratique ?

— Quoi… Mehmet et toi ?

— Eh oui.

— Mais je croyais que ça s'était arrangé, depuis la dernière petite crise…

— En effet. Sauf que sa femme s'est retrouvée « dans une position intéressante », comme disaient les plus prudes de nos parents, et devant la perspective de la paternité il a conclu qu'il ne pouvait plus prendre le risque de me revoir.

— Quand te l'a-t-il annoncé ?

— Il y a deux jours.

— Et tu n'as pas réagi ?

— Tu veux dire enfreindre le code de stoïcisme des Fitzsimons-Ross, transmis de génération en génération par des protestants adeptes de la douche glacée et de la selle d'équitation non rembourrée ? Je savais que ça devait arriver un jour ou l'autre, mais comme toujours dans ces cas-là j'ai préféré ne pas trop y penser. Même quand il est revenu après sa mini-explosion à mon retour ici, j'avais conscience que notre temps était compté. Maintenant, si jamais tu me demandes comment je me sens, je ne reculerai pas devant l'homicide volontaire.

— Ça va si mal que ça, alors ?

— On ne peut jamais connaître ses véritables sentiments envers quelqu'un tant que ce quelqu'un ne disparaît pas de sa vie. Pense aux gens qui restent dans un mariage destructeur pendant quarante ans, qui se sentent piégés en permanence ou presque, et puis la moitié détestée meurt et ils se sentent perdus.

— Ou ceux qui laissent partir l'autre avant de se rendre compte qu'ils ont rejeté l'amour de leur vie…

— Je n'ai pas laissé partir Mehmet.

— Je le sais.

— Ça m'embête foutrement plus que je ne voudrais, mais… – Ses yeux se sont brouillés et il s'est hâté de se lever pour aller chercher la cafetière, se passant sur le visage sa manche constellée de vieilles taches de peinture. Il a repris sa respiration : – Et maintenant, on change de putain de sujet !

J'ai approuvé d'un signe de tête tout en jetant un coup d'œil à ma montre. Il était sept heures passées.

— Tu es attendu quelque part ? s'est-il étonné.

— Je peux te confier quelque chose, Alastair ? Quelque chose qui doit rester strictement entre nous ?

— Bien sûr, a-t-il répondu aussitôt d'un ton résolu.

Je lui ai raconté la raison de ma visite prochaine à Berlin-Est en lui faisant un résumé de l'histoire de Petra et de son fils. Après m'avoir écouté sans broncher, il a allumé une cigarette en laissant son regard planer dans le vide.

— On ne connaît jamais les blessures que les autres gardent en eux, hein ? J'ai bien vu que Petra était triste, ce que j'ai mis sur le compte d'une ancienne histoire d'amour qui avait mal tourné, ou sur la déception que les émigrés passés à l'Ouest éprouvent souvent, mais un cauchemar pareil… C'est impensable. T'inquiète, je n'en dirai pas un mot, même pas à elle. Et merci de ta confiance.

— Je n'ai aucun contact à l'ambassade américaine et je ne veux surtout pas que les gens de Radio Liberty soient mis au courant, parce que ça pourrait compromettre sa position là-bas, mais si je ne suis pas rentré ce soir à huit heures, au plus tard…

— Je serai là pour rassurer Petra. Et je veillerai à ce que le diplomate de permanence au consulat américain soit informé de toute l'affaire. Enfin, essaie de revenir entier... et avec les photos.

Une demi-heure après, j'étais devant la barrière basculante de Checkpoint Charlie, que le garde a levée pour moi. J'étais le seul candidat au passage devant la guérite de la « police du peuple », dont l'occupant m'a posé les questions habituelles et m'a rappelé les consignes d'usage – retour obligatoire par le même point, avant vingt-trois heures cinquante-neuf – avant de percevoir les trente deutschemarks du visa d'un jour et de me rendre trente ostmarks, des billets sur lesquels le menton proéminent de Lénine occupait la moitié de la surface. Une ultime question : « Transportez-vous des biens que vous avez l'intention de laisser en République démocratique allemande ? » J'ai décidé de prendre le risque de répondre par la négative, même si j'avais cinq paquets de Camel et six tablettes de chocolat Ritter dans mon sac. Le douanier n'a pas insisté et m'a fait signe d'avancer jusqu'au contrôle suivant, où mon passeport a été une nouvelle fois vérifié.

Bientôt, je remontais une Friedrichstrasse presque vide en direction de la station de métro de Stadtmitte. Le soleil brillait, il faisait presque chaud. J'ai abandonné le jour éclatant pour la pénombre des couloirs souterrains où flottait une forte odeur de désinfectant. Après avoir acheté un billet, j'ai attendu la rame pour Alexander-platz. À l'exception d'un jeune couple d'amoureux qui se tenaient timidement par la main et se souriaient rapidement lorsque leurs regards se croisaient, le quai était vide. Venaient-ils de passer leur première nuit ensemble ? S'interrogeaient-ils en silence sur ce qu'allait leur réserver leur amour tout neuf ? Ils portaient tous les deux des vêtements en nylon aux couleurs ternes, lui avait les cheveux assez longs et une moustache qui était à peine plus que du duvet, elle présentait un joli visage mais une silhouette déjà un peu lourde. Pendant les cinq minutes d'attente, ils ont communiqué entre eux par ces regards à la fois gênés et complices, sans échanger un mot. Deux tourtereaux dans le monde des ténèbres du métro est-allemand.

Alors que j'avançais vers le bord du quai en entendant le grondement de la rame en approche, j'ai aperçu un homme en costume d'un bleu luisant qui, à moitié dissimulé par l'un des piliers, se tenait debout avec la dernière édition de la *Neues Deutschland* ouverte entre les mains. Sous son chapeau en feutre et derrière ses grosses lunettes teintées, il a vu que j'avais remarqué sa présence et s'est aussitôt reculé pour être entièrement masqué par le pilier. Ma première réaction a été de me demander s'il m'avait suivi depuis le poste frontalier. Instinctivement, je me suis éloigné dans l'autre direction pour monter dans l'avant-dernier wagon.

Durant les dix minutes qu'a duré le trajet jusqu'à Alexanderplatz, j'ai cherché du regard celui que j'avais déjà catalogué comme un policier en civil, mais il n'était pas dans le wagon. J'ai grimpé les marches quatre à quatre, émergeant devant l'énorme tour de télévision qui dominait la triste place, et je me suis hâté vers l'arrêt du tramway pour Danziger Strasse, sautant dans celui qui venait juste de s'immobiliser. Les passagers taciturnes m'ont observé d'un air méfiant, m'a-t-il semblé. Étais-je donc si visiblement occidental, en dépit de ma vieille veste militaire élimée ? Mon malaise n'a été que plus vif lorsque j'ai découvert que l'homme aux lunettes teintées et au chapeau en feutre se tenait à l'autre bout du wagon. Était-il en train de me filer, ou s'agissait-il d'une simple coïncidence ? La réponse m'a été donnée quand, suivant les instructions de Petra, je suis descendu à l'arrêt de Marienburger Strasse : le bonhomme a fait de même.

Sans même réfléchir, je me suis mis à courir, non pas en traversant les rails du tramway sur ma gauche mais en me jetant dans une rue dont j'ai aperçu la plaque du coin de l'œil, Heinrich Roller Strasse, et où une église délabrée se dressait. Retrouvant naturellement ma foulée de coureur de fond, j'ai tourné la tête brièvement : l'homme me donnait la chasse, mais il n'avait apparemment pas mon entraînement car j'ai très vite creusé la distance entre nous, prenant une ruelle de traverse et me dissimulant derrière une voiture en stationnement. Deux minutes après, il est passé sur le trottoir d'en face en trottant péniblement, le visage cramoisi, haletant, maugréant des *Scheisse !* entre ses dents serrées et lançant des coups d'œil affolés de toute part. J'ai attendu un moment avant de quitter ma cachette. De retour dans la rue à présent déserte et, certain de l'avoir semé, j'ai couru vers la ligne de tramway, au niveau de la section avec Prenzlauer Allee. Là, j'ai repris un pas normal après avoir vu deux policiers en uniforme à un carrefour, et parce que les rares passants me jetaient des regards étonnés.

Pensant que mon poursuivant s'était peut-être jeté dans une cabine téléphonique pour donner mon signalement, j'ai retiré ma vareuse, que j'ai fourrée dans mon sac à dos et, la tête baissée, j'ai continué à marcher, parvenant bientôt à destination, Rykestrasse, une rue bordée d'immeubles du XIXᵉ siècle aux imposantes proportions, qui auraient toutefois eu besoin d'un sérieux ravalement. À l'autre extrémité, une tour noircie par la suie et la pollution semblait sortie d'un conte des frères Grimm. J'ai pris le papier que Petra m'avait remis. Judit habitait au numéro 33, dont le portail pseudo-gothique avait été défiguré par une vilaine porte en métal. Celle-ci n'était pas verrouillée et je me suis rendu à l'un des appartements du rez-de-chaussée, celui à gauche de l'escalier, comme l'avait précisé Petra. Le couloir aux murs lézardés était baigné d'une lumière bizarrement orangée par deux néons fixés de guingois autour d'une verrière craquelée. Une odeur de graisse brûlée et de chou aigre se mêlait à celle du même désinfectant acide qui avait agressé mes narines dans le métro.

La porte de Judit était en métal, également, mais semblait avoir été soumise à d'insistants coups de marteau ou d'objet contondant. Venus de l'intérieur, le crépitement d'un poste de radio mal réglé et une voix radiodiffusée aux accents monotones se faisaient entendre. J'ai frappé à plusieurs reprises, d'abord sans obtenir de réponse, puis la radio s'est éteinte et la porte s'est entrouverte de quelques centimètres. Deux yeux apeurés me fixaient par cette fente étroite.

— *Ja ?*

— Vous êtes Judit Fleischmann ?

— Qui êtes-vous ? a-t-elle répliqué d'un ton à la fois agressif et un peu effrayé.

— Un ami de Petra Dussmann.

— Je ne connais personne de ce nom-là.

— J'ai une lettre d'elle pour vous.

— Je ne vous crois pas.

— Je m'appelle Thomas Nesbitt, ai-je déclaré en baissant la voix au cas où des voisins écouteraient derrière leur porte. Je vis avec Petra, à Kreuzberg.

— Vous dites la vérité ? a-t-elle murmuré.

J'ai sorti l'enveloppe de ma poche et je l'ai tendue vers la petite main tremblante qu'elle avait avancée à contrecœur. Soudain, la porte s'est refermée en claquant. Je suis resté planté devant, me reprochant de m'être laissé surprendre de cette façon. Au bout de quatre ou cinq minutes, le battant s'est rouvert et je me suis retrouvé devant une petite femme toute menue, aux cheveux courts et grisonnants, dont le visage, qui avait dû être séduisant, était déjà marqué de rides profondes. Vêtue d'un peignoir à fleurs défraîchi, elle tenait une cigarette entre deux doigts aux ongles rongés. Ses traits étaient émaciés et ses cernes bleuâtres révélaient une insomnie chronique. Elle a certainement remarqué que j'avais été surpris par son apparence et elle s'est hâtée de dire, sur un ton gêné :

— Entrez, entrez…

Elle s'est hâtée également de refermer la porte derrière moi. J'étais dans une pièce d'environ quinze mètres carrés, dont le seul aspect positif était le haut plafond, car pour le reste l'ambiance dominante était franchement sordide : du lino jauni au sol, un voilage gris de saleté masquant presque l'unique fenêtre, une couverture constellée de brûlures de cigarette sur le lit dans un coin, un réchaud et un petit frigidaire près de l'évier rempli de vaisselle, des bouteilles de schnaps vides, des cendriers remplis à ras bord, une petite pile de

livres au pied d'une table pliante, des vêtements éparpillés en tous sens… Ce n'est pas l'exiguïté de l'endroit
qui m'a frappé – j'avais l'habitude des studios
étriqués –, ni la pauvreté de l'ameublement, car je
savais que seuls les privilégiés du système avaient droit
au confort domestique, de ce côté du Mur, mais
l'impression dérangeante que l'occupante de ces lieux
avait décidé de tourner le dos à tout ce que la vie pouvait
avoir d'agréable, s'immergeant dans un espace déniant
toute possibilité de satisfaction. Ici régnaient la haine de
soi et le dégoût de vivre, et je ne pouvais que me
demander si ce n'était pas le résultat direct des jours
sombres où elle avait été contrainte de trahir Petra et de
voir son amie cruellement séparée de son jeune enfant.

Elle a rallumé la radio, augmenté le volume.

— C'est pour qu'ils ne puissent pas nous entendre,
a-t-elle murmuré d'une voix cassée par l'excès de tabac.
Depuis que mon mari est parti, je suis tout le temps
seule, ici. Il n'y a que cette radio à écouter, pour eux…
Votre nom, c'est comment, déjà ? Oui, Thomas,
asseyez-vous là. – Elle m'a désigné une chaise pliante.
– Vous voulez du thé ? Je n'ai pas de café, celui qu'on
trouve ici est trop mauvais.

— J'en ai du bon, moi.

J'ai sorti de mon sac deux boîtes de café moulu que
j'avais prises avec mes autres présents. Judit a ouvert de
grands yeux.

— C'est pour moi ?

— Et ça aussi, ai-je continué en lui tendant les cinq
paquets de Camel. Petra m'a dit que vous apprécieriez.

Elle a secoué la tête lentement, plutôt affligée
qu'incrédule.

— Pourquoi… pourquoi vous faites ça ?

— C'est tout naturel. Vous aimez le chocolat, j'espère ?

J'ai posé les tablettes de Ritter à la menthe et aux amandes sur la table.

— Reprenez tout ça. Je… ne le mérite pas.

— Pas question.

— Quoi, Petra ne vous a pas raconté ?

— Si. Tout.

— Tout ?

— Tout.

— Et vous m'avez quand même apporté ces cadeaux ?

— Elle vous a pardonné.

Judit s'est inclinée en avant, tentant de dissimuler ses yeux soudain remplis de larmes.

— Comment pourrait-elle me pardonner ?

— Vous n'avez pas lu sa lettre ?

Avant d'ouvrir l'enveloppe, elle a posé sur son nez une paire de vieilles lunettes dont la monture en fer avait été réparée sommairement avec un bout de sparadrap sur un côté. De ma place, j'ai vu que le mot de Petra était court. Judit l'a lu en silence, ses lèvres formant les mots qu'elle avait sous les yeux. À la fin, elle n'a rien dit mais elle a laissé échapper en silence les sanglots qui s'étaient accumulés dans sa gorge. Mon regard est tombé sur une cafetière antique posée par terre près de l'évier. Je suis allé la prendre, j'ai longuement passé sous l'eau le filtre dans lequel du vieux café s'était solidifié avant de le remplir avec trois mesurettes de celui que j'avais apporté. Ses larmes taries,

Judit s'est redressée et a rougi de confusion en me voyant jouer son rôle d'hôtesse.

— C'est à moi de le faire…

— Mais non.

— Vous êtes trop poli. Est-ce que je peux prendre une cigarette ?

— Elles sont à vous.

— Je me sens si gênée.

— Il ne faut pas.

— Dans sa lettre, Petra dit simplement qu'elle voudrait que je vous donne des photos d'elle et de Johannes. Et aussi qu'elle a appris que j'avais été à l'hôpital psychiatrique, et qu'elle espère que je suis rétablie. Sa dernière phrase, c'est : « Malgré tout ce qui est arrivé, je te considère toujours comme mon amie »… – Elle s'est interrompue, à nouveau au bord des larmes. – Mais moi, moi, je ne peux pas me pardonner !

— Si Petra y arrive…

— Mais ils lui ont volé son fils ! Elle ne pourra jamais surmonter ça.

— Avec le temps, peut-être.

— Vous êtes jeune, vous êtes un homme et vous n'avez sans doute pas d'enfant. Vous ne pouvez qu'imaginer ce qu'elle ressent. Perdre son petit…

— Ça vous est arrivé ?

— Je n'ai jamais voulu avoir d'enfant. À cause de la souffrance qu'ils finissent par vous causer. La souffrance de Petra maintenant. Celle que j'ai provoquée.

— Ce n'est pas à cause de vous qu'elle a été arrêtée.

— Vous ne me connaissez pas et vous essayez d'être gentil, c'est inutile.

— Je devrais être méchant, alors ?

Ma repartie lui a arraché un faible sourire.

— Qu'est-ce que vous faites dans la vie, Thomas ? – Je le lui ai expliqué, m'attirant un commentaire où perçait plus qu'une pointe d'ironie : – Ah, Petra s'est donc trouvé un autre écrivain…

— On dirait, oui.

— Ce n'est pas que j'aie l'intention de vous comparer à Jürgen, bien sûr.

— Tant mieux.

— Oui, tant mieux. Parce que Jürgen… Oui, ç'a été quelqu'un d'exceptionnel, à un moment, *ein Wunderkind*, mais il a eu des revers et il a sombré. Il a perdu la raison, pour dire les choses telles qu'elles sont. Et c'est là que la Stasi a commencé à me tourmenter. Ils savaient que j'étais la grande amie de Petra, et ils savaient… des choses sur moi. Est-ce qu'elle vous a raconté ?

— Oui, ai-je confirmé tout en notant combien sa version des événements paraissait avoir été établie depuis longtemps, dans la recherche éperdue d'une explication rationnelle à cet engrenage infernal. Elle m'a raconté le chantage qu'ils ont exercé sur vous.

— Ah… Vous connaissez mes vilains secrets, alors…

— Je n'y vois rien de « vilain ».

— Mon mari ne pensait pas comme vous, lui. Ce sont les voisins qui lui ont tout raconté et il est parti sans dire un mot. Et ma… la femme à qui j'étais liée, elle n'a plus voulu entendre parler de moi quand les gens de la Stasi lui ont dit qu'ils savaient tout sur nous. Elle était mariée, elle aussi, mais son mari n'a pas réagi comme le mien, ou bien il a préféré faire comme si de rien n'était.

D'après ce que j'ai entendu, ils sont toujours ensemble. Alors que moi, je suis seule, comme vous voyez.

Le café était prêt et j'allais me lever pour le servir mais Judit m'a devancé, tenant à me faire les honneurs de sa triste maison. Elle a apporté deux tasses en porcelaine ébréchées mais très fines, dont les motifs raffinés évoquaient une élégance révolue et d'autant plus touchante dans un contexte aussi sordide. Comme si elle avait elle-même relevé ce contraste, elle m'a expliqué :

— Elles me viennent de ma grand-mère. C'est de la porcelaine de Dresde, la plus belle qui soit, sauf si l'on est français et qu'on ne jure que par celle de Limoges. Grand-mère est morte en 1976, à quatre-vingts ans. Elle avait survécu à la destruction de Dresde, sa ville, pendant la Seconde Guerre mondiale, et en 1960, quand il était encore possible de partir, elle avait refusé de quitter la RDA. Elle s'était accoutumée à l'austérité et à la pénurie socialistes, et jusqu'à la fin de sa vie elle astiquait deux fois par semaine le peu d'argenterie qui lui restait. Ses parents avaient été tués dans les bombardements alliés, avec sa sœur cadette et deux de ses trois enfants qu'elle avait laissés chez leurs grands-parents la pire nuit que la ville ait connue, mais elle avait réussi à retrouver quelques pièces de porcelaine intactes dans les décombres. C'était une forte femme.

— Comment s'appelait-elle ?

— Lotte… Mais c'est à vous de me raconter, maintenant. Pendant que nous buvons ce délicieux café. – Elle a humé l'odeur qui montait de sa tasse, fermant les yeux de ravissement. – Comme c'est bon…

427

Judit a pris délicatement la Camel qu'elle avait oubliée, m'en a offert une. Je lui ai donné du feu avant d'allumer la mienne. Elle a aspiré la première bouffée avec un petit grognement de plaisir, a savouré une gorgée de café et un vrai sourire lui est enfin venu.

— Merci, a-t-elle dit doucement. Cela faisait long-temps que je n'avais pas connu pareilles attentions. Bon, parlez-moi de la vie de Petra « là-bas ».

Je me suis raidi sur-le-champ. Attention, danger ! ai-je pensé. Malgré le sombre tableau qu'elle faisait de sa vie, espérait-elle encore obtenir quelques privilèges en rapportant à la Stasi les informations qu'elle pourrait glaner ? Ou bien étais-je simplement trop méfiant ?

— Petra va bien, ai-je répondu prudemment. Nous sommes très heureux, tous les deux.

— Elle travaille ?

— Oui.

— Dans quoi ?

— Elle fait des traductions.

— Ah, oui, elle a toujours été douée pour ça. C'est pour un organisme officiel ?

— En quoi cela vous intéresse ? ai-je répliqué d'un ton destiné à lui faire comprendre que je n'appréciais pas sa curiosité.

Saisissant le message, elle s'est défendue :

— Je voulais juste savoir si elle aime son travail.

— Oui, elle est contente de son travail.

— Très bien.

Un silence tendu a suivi, que Judit a fini par rompre.

— Vous pensez que j'essaie de vous soutirer des informations, c'est ça ?

— Pas du tout.

— Je n'ai plus rien à voir avec ces… gens. Rien.

— Votre histoire ne me concerne pas.

— Vous avez été suivi, en venant ici ?

— En effet. Mais j'ai réussi à semer le type du côté de Prenzlauer Allee.

— Comment vous avez fait ?

— J'ai couru.

— On a dû vous remarquer.

— Je ne crois pas.

— Ils surveillent sans doute le quartier pour vous retrouver.

— C'est une hypothèse que j'ai envisagée.

— Oui, et vous pensez que je vais les prévenir dès que vous serez sorti d'ici, a-t-elle dit nerveusement.

— Honnêtement, je ne sais pas quoi penser, pour le moment.

— Je vous jure que je ne le ferai pas.

— OK, je vous crois.

— Je vais même vous montrer un petit passage derrière l'immeuble qui vous permettra de partir du côté opposé de celui par lequel vous êtes venu. Il faudra marcher un peu mais en dix minutes vous serez à la station de Schönhauser Allee. Ensuite, vous changerez de ligne à Alexanderplatz et vous retournerez à la frontière en descendant à Stadtmitte.

— Ils ne trouveront pas ça louche, si je repasse le contrôle quelques heures seulement après être entré ?

— Ils s'en moquent.

— Comment en êtes-vous si sûre ?

À nouveau, le défi perçait dans ma voix, mais ma suspicion n'était pas totalement injustifiée. D'où connaissait-elle les réactions probables des gardes est-allemands en poste à Checkpoint Charlie ?

— Ce n'est qu'une supposition de ma part, bien entendu, a-t-elle précisé.

— Bien entendu…

— Ah, cette cigarette, ce café… Petra a de la chance d'avoir trouvé un Américain aussi généreux.

— Comment savez-vous que je suis américain ?

— Je l'ai deviné, voilà tout.

— Vraiment ?

— C'est votre accent en allemand. Un accent américain.

Aussitôt, je suis passé à l'anglais pour demander :

— Et là, j'ai un accent américain, aussi ?

Judit s'est crispée, comme quelqu'un qui s'aperçoit brusquement qu'on le soupçonne de mentir.

— Je ne parle pas anglais, a-t-elle affirmé. Rien que l'allemand. Et je ne suis jamais sortie de RDA. Pardonnez-moi, je vous prie.

— Et quand je vais partir d'ici…

— Il ne se passera rien. Je ne leur suis plus d'aucune utilité.

En mon for intérieur, je me suis dit : Est-ce que quiconque n'a jamais plus aucune utilité, pour « eux » ? C'était tout le problème de se risquer dans les eaux troubles d'une société sous haute surveillance, fonctionnant avant tout sur la peur et la paranoïa : on ne savait jamais vraiment qui croire, ni que croire. La sainte trinité de ce monde à part, c'étaient l'ambiguïté, le doute et la suspicion. Sentant Judit de plus en plus agitée par mon évident scepticisme, j'ai compris qu'il ne fallait pas m'attarder.

— Et ces photographies dont Petra parlait dans sa lettre ? ai-je avancé.

— Mais oui, bien sûr ! – Elle a quitté son siège, sa cigarette encore entre ses lèvres. – Je les cache dans un endroit particulier, donc si vous voulez bien fermer les yeux…

— Pourquoi ça ? me suis-je rebiffé, très proche de la colère maintenant. À qui pourrais-je révéler votre cachette, d'après vous ?

Son visage s'est décomposé et je m'en suis voulu de m'être adressé à elle d'un ton aussi brusque, mais, mais… n'était-ce pas cette femme qui avait espionné sa « meilleure amie » pendant des mois, des années ? Pour me raisonner, je me suis rappelé ce que Petra m'avait dit des pressions psychologiques exercées sur Judit. De toute façon, je n'allais pas me transformer en moralisateur jugeant du haut de son confort et de sa liberté un système auquel j'avais eu la chance de ne jamais avoir à me soumettre. Je me suis donc hâté de l'apaiser :

— Non, je comprends, je comprends. Je n'ai pas besoin de connaître votre cachette. Je vais me retourner, fermer les yeux, et je ne les rouvrirai qu'à votre signal.

Trente secondes plus tard, elle me donnait cette permission d'une voix faible et je me suis alors aperçu qu'elle pleurait.

— Merci d'avoir fait ça, a-t-elle murmuré.

— Si j'ai été un peu sec tout à l'heure, j'en suis désolé, Judit.

— Non, s'il vous plaît, pas d'excuses ! C'est moi qui devrais m'excuser. Pour… tout. Mais tenez. – Elle m'a tendu un petit classeur à couverture grise. – Par une de nos connaissances communes, j'ai pu prévenir Petra

431

après son départ que j'avais réussi à soustraire cet album aux enquêteurs avant qu'ils ne posent les scellés sur son appartement. J'aurais voulu sauver davantage de ses affaires, de ses papiers, mais ils sont arrivés tellement vite, à peine cinq minutes à la suite de mon passage. J'espère que ce sera pour elle un peu de réconfort, de…

Sa voix s'est brisée. J'ai ouvert le classeur : des photos de Petra tenant son bébé sur un lit d'hôpital quelques jours après la naissance ; de Johannes endormi dans son berceau, tétant le sein de sa mère, riant aux éclats pendant qu'elle le chatouillait dans le cou, brandissant fièrement un zèbre en peluche, visiblement émerveillé d'arriver à se tenir debout sans aide ; de la mère et du fils dans un parc – peut-être justement celui de Kollwitzplatz, devant lequel je m'étais arrêté lors de ma première flânerie à Berlin-Est –, ou étendus ensemble au milieu d'un grand lit… C'était un bébé adorable, évidemment, mais quel bébé ne l'est pas ? En feuilletant les pages, cependant, j'ai surtout remarqué qu'il n'y avait aucun cliché de lui avec son père, ni de Petra en compagnie de son mari. Comme si elle avait lu dans mes pensées, Judit a déclaré :

— J'ai enlevé les photos avec Jürgen, parce que je sais que Petra ne voudrait pas les voir.

— Oui ? Eh bien, laissons-la décider, d'accord ? Il vaut mieux que vous me les donniez aussi et ensuite Petra verra si…

— Je ne peux pas vous les donner, m'a-t-elle coupé. Je les ai brûlées. Toutes.

— Mais… pourquoi, enfin ?

— Parce que c'est la folie de Jürgen qui a été la cause de toute cette tragédie.

— Il n'empêche que vous auriez dû laisser Petra choisir.

— Jürgen était comme… comme un cancer qui nous a tous atteints ! Et puis que pouvez-vous savoir de la vie ici, vous ? Rien ! Rien ! – Elle a crié ces derniers mots et, elle-même stupéfaite par son soudain emportement, elle a rougi de confusion. – Oh, mais écoutez-moi, écoutez l'idiote que je suis ! Vous m'apportez de merveilleux cadeaux, vous aimez mon amie, vous me dites qu'elle m'a pardonné, et quelle est ma réponse ? Je me comporte comme une folle, une pauvre, une lamentable folle !

— Calmez-vous, Judit. Je vous remercie de me confier ces photos, et je ne manquerai pas de dire à Petra que…

— Dites-lui que je me déteste pour ce que j'ai fait. C'est ce que je voulais exprimer dans la lettre que je lui ai fait transmettre mais je n'ai pas pu, je n'ai pas trouvé les mots justes, je… Dites-lui également que j'accueille son pardon avec gratitude, mais que je ne le mérite pas.

— D'accord, je lui dirai tout ça. Pouvez-vous me dire plus en détail comment sortir d'ici par l'arrière de l'immeuble ?

Elle m'a expliqué comment me repérer dans le labyrinthe de ruelles de cette partie de la ville et gagner discrètement la station de Schönhauser Allee.

— Merci, ai-je dit en me levant et en plaçant le classeur dans mon sac à dos.

— J'espère que vous pourrez me pardonner, a-t-elle murmuré.

— Pardonner quoi ?

Elle a baissé la tête tel un prévenu qui vient de s'entendre communiquer une lourde sentence.

— Tout…

Dans le couloir, j'ai attendu qu'elle referme la porte pour reprendre l'album, détacher tous les tirages, les ranger dans une enveloppe que j'avais prise avec moi et la glisser à l'arrière de mon pantalon, en replaçant ma chemise dessus. J'ai laissé tomber le classeur dans une poubelle de l'arrière-cour. J'hésitais à suivre l'itinéraire détourné que Judit m'avait conseillé. Il était très possible que la police secrète m'attende à l'entrée du U-Bahn, si elle les avait déjà prévenus. Mais si je gagnais Alexanderplatz en marchant, afin d'éviter l'arrêt du tramway de Marienburger Strasse peut-être placé sous surveillance, n'allait-on pas tout bonnement me pincer à mon retour à Checkpoint Charlie ? Cela me permettrait au moins d'être en mesure de nier farouchement avoir mis les pieds à Prenzlauer Berg, à condition évidemment qu'une voiture de police ne soit pas dès à présent garée devant l'entrée principale de chez Judit…

J'ai lutté contre mon appréhension en me roulant une cigarette, non sans me dire que ce serait la dernière avant longtemps si la Stasi m'appréhendait. Assez d'hésitations ! Je suis revenu au portail, j'ai passé la tête dehors, regardant à droite, puis à gauche. Rykestrasse était vide, à part quelques Trabant garées le long du trottoir. Je me suis mis en route d'un pas égal, la tête dans les épaules, guettant à tout instant un crissement de pneus à côté de moi, des hommes en civil qui se précipiteraient sur moi et m'entraîneraient dans une fourgonnette… Pourtant, j'ai atteint Alexanderplatz sans encombre, et apparemment sans être filé. Il était onze heures du matin. Je n'avais qu'une hâte, regagner le poste-frontière, mais je craignais un assaut de questions quant au fait peu commun de ne venir à Berlin-Est que pour trois petites heures. J'ai donc continué vers le sud. Entré à l'Altes Museum, près de la cathédrale, j'ai tué le temps en regardant la collection d'art réaliste-socialiste, des tableaux affligeants aux titres aussi pesants que *Les Travailleurs se soulevant contre l'oligarchie prussienne* ou *Des enfants de la République démocratique chantent des hymnes pacifiques face à l'oppression capitaliste*. Il s'y tenait aussi une exposition de photographies venues des « pays frères » qui m'a permis d'admirer des paysannes bulgares édifiant des meules de foin ou l'équipe cubaine de base-ball aidant à la récolte de canne à sucre dans une ferme collective à l'est de La Havane.

Au bout de deux heures de ce déferlement de kitsch totalitaire, j'étais pressé d'échapper à l'oppression de la propagande, qui n'essaie pas seulement de soumettre les esprits mais cherche aussi à déguiser de terribles réalités sous des oripeaux bariolés. J'ai donc pris ma décision : Tant pis pour le risque ! Je repasse la frontière illico ! Je me suis mis en route par cet après-midi ensoleillé, descendant Unter den Linden, prenant Friedrichstrasse à gauche et arrivant à Checkpoint Charlie une vingtaine de minutes plus tard. Mais là, qui ai-je vu de loin à côté du garde qui faisait le pied de grue devant la barrière ? Ce costume bleu foncé, ces lunettes teintées, ce chapeau ridicule… Merde, mon poursuivant ! Il avait dû recevoir pour consigne de m'attendre au seul point de passage que j'étais autorisé à emprunter, et il s'est redressé de toute sa taille en m'apercevant, visiblement soulagé de ne pas avoir eu à poireauter jusqu'à minuit moins une.

Il s'est détourné pour parler au policier en uniforme près de lui, lequel a immédiatement posé sa main gauche sur la crosse du revolver qu'il portait à la ceinture. N'en menant pas large, j'ai toutefois continué à avancer, estimant qu'ils n'avaient rien d'assez sérieux pour m'empêcher de franchir la trentaine de mètres qui séparaient leur monde du mien, probablement après m'avoir assailli de questions plus saugrenues les unes que les autres.

La barrière s'est soulevée. Dès que j'ai enjambé la ligne blanche tracée sur le sol, le garde-frontière m'a attrapé par le bras.

— Venez par ici, vous…

Il m'a poussé dans la bicoque en préfabriqué du poste frontalier, où nous ont rejoints le flic en civil et un gradé plus âgé dont la veste militaire était ornée de plusieurs décorations. Pas de siège dans cette petite pièce étouffante, seulement une longue table devant laquelle le garde m'a fait signe de me placer.

— Vos papiers, m'a ordonné l'officier. – Après avoir examiné mon passeport, il s'est tourné vers le type qui m'avait filé : – C'est bien lui qui s'est enfui, tout à l'heure ?

— C'est lui.

— Hmm… Eh bien, Herr Nesbitt, il paraît que vous êtes parti en courant dès que vous êtes descendu du tramway à Marienburger Strasse, ce matin ?

— C'est exact. J'ai couru.

— Et pour quelle raison ?

436

J'ai pris ma respiration, tentant de réprimer la peur qui montait en moi.

— Parce que… parce que je cours tous les matins. Je suis coureur de fond. Pas professionnel, mais j'ai fait de la compétition. Et tout à l'heure, j'ai eu brusquement envie de faire du jogging, ici, à Berlin-Est. L'expérience me semblait intéressante.

Ils m'ont dévisagé comme s'ils pensaient que j'étais fou, ce qui était peut-être le cas.

— Une histoire sans queue ni tête, a fini par aboyer le gradé. Ce témoin ici présent dit que vous aviez une attitude suspecte, dans le tram.

— En quoi est-il autorisé à juger mon attitude ? ai-je répliqué, masquant ma nervosité sous une bonne dose de toupet.

— C'est nous qui posons les questions.

— Je suis simplement effaré que vous m'interrogiez parce que j'ai décidé de courir un peu dans votre ville.

— À Prenzlauer Berg. Et vous n'étiez pas équipé comme quelqu'un qui se prépare à courir.

— Et ça ? ai-je contré en montrant du doigt mes chaussures de sport.

— Vous habitez Berlin-Ouest.

— Oui.

— Vous y faites quoi ?

— Je prépare un livre.

— Quel genre de livre ?

— Un roman.

— Un roman sur quoi ?

— Sur mon premier grand chagrin d'amour.

Il m'a lancé un regard mauvais.

— Pourquoi êtes-vous venu de ce côté, aujourd'hui ?

— Je voulais voir une exposition à l'Altes Museum.

— Pourquoi ?

— Parce qu'elle m'intéressait.

— Même si cette exposition n'a rien à voir avec le roman à l'eau de rose que vous prétendez écrire ?

— Qui a dit qu'il s'agissait d'un roman à l'eau de rose ?

— Si vous alliez à ce musée, pourquoi vous êtes-vous rendu à Prenzlauer Berg ?

— C'est un quartier que j'ai découvert lors d'une visite précédente… il y a quatre mois, comme vos dossiers pourront vous le confirmer. Et je l'ai trouvé très agréable.

— N'était-ce pas plutôt pour aller voir quelqu'un ?

— Pas du tout.

— Vous mentez.

— Vous en avez la preuve ?

J'étais presque certain qu'ils ne m'avaient pas vu entrer dans l'immeuble de Judit et qu'ils n'avaient donc aucune piste sérieuse, à moins qu'elle ne les ait prévenus. Mais pourquoi se serait-elle risquée à de nouveaux ennuis alors qu'elle m'avait donné les photos maintenant dissimulées dans mon jean ?

— Je sais que vous mentez, a insisté l'officier. Et je voudrais contrôler le contenu de votre sac.

J'ai affecté un air dégagé en déposant mon fardeau sur la table. Il en a sorti un bloc-notes vierge, mon paquet de tabac et le papier à rouler, divers crayons et stylos, une édition de poche de *Notre agent à La Havane*, de Graham Greene, et une tablette de chocolat

Ritter à moitié entamée. Après avoir tout examiné, il m'a ordonné de vider mes poches : des clés, des pièces de monnaie et mon portefeuille, dont il a retiré toutes les cartes pour les inspecter.

— Votre veste, maintenant, et votre montre aussi.

Le flic en civil ne me quittait pas des yeux. Je n'en menais pas large, espérant que l'enveloppe dans ma ceinture n'était pas visible, à moins, bien sûr, qu'ils ne me demandent de retirer ma chemise… L'officier a vérifié chaque poche de ma vareuse, tourné et retourné dans sa main l'Omega noire des années 50 que mon grand-père m'avait offerte quand j'étais adolescent. J'ai senti la sueur commencer à couler dans mon dos ; malgré l'aplomb que j'avais affiché jusqu'ici, la perspective d'être retenu plusieurs jours pour tentative d'espionnage, contrebande ou quelque autre prétexte me remplissait de crainte.

— Attendez ici, a déclaré l'officier.

Il a fourré toutes mes affaires dans mon sac et, ainsi chargé, a quitté le poste de contrôle, le flic en civil sur ses talons. Le garde est sorti après eux, verrouillant la porte derrière lui. Je suis resté seul pendant au moins deux heures – une estimation, puisqu'ils avaient aussi emporté ma montre –, assis par terre, perdu dans mes pensées. L'isolement et la privation de toute distraction constituaient une forme de torture psychologique insidieuse qui sapait rapidement le moral. Avec, en plus, l'angoisse lancinante de se demander quel sort ils étaient en train de me réserver, quelle option ils choisiraient. Et dire que Petra avait enduré et surmonté ce traitement pendant des semaines.

439

Soudain, la porte s'est ouverte, me tirant de cette spirale d'incertitude. Le garde-frontière est venu à la table, a laissé tomber mon sac dessus.

— Debout. Voilà vos affaires. Vérifiez qu'il ne manque rien. – J'ai obtempéré, confirmant d'un hochement de tête que tout était là. – Remettez votre veste. Bon. Tenez, votre passeport. Vous pouvez passer.

Une multitude de questions se bousculaient dans mon cerveau : Pourquoi avaient-ils soudain conclu que je n'étais pas suspect ? Pourquoi n'étaient-ils pas allés jusqu'à la fouille au corps, s'ils pensaient que je transportais quelque chose d'important ? Quelle avait été l'attitude de Judit, au final ? Mais le principal était qu'ils m'avaient laissé libre, et je n'en demandais pas plus.

Quelques minutes plus tard, j'étais revenu dans le secteur occidental et je dévalais les escaliers de la station de Kochstrasse. Une fois sur le quai, j'ai retiré l'enveloppe de mon jean et j'ai passé une bonne partie du trajet à la lisser sur mes genoux.

Bientôt, j'étais au pied de notre immeuble et je cherchais la clé de la porte d'en bas, qui s'est ouverte à la volée. Petra s'est jetée dans mes bras.

— Je guettais à la fenêtre depuis un temps fou, morte d'inquiétude, a-t-elle expliqué à voix basse après un premier baiser.

— Hé, j'ai une heure d'avance !

— Tu l'as vue ?

Je lui ai remis la petite liasse de photos.

— L'enveloppe était cachée sur moi, donc elle est un peu froissée…

Allant s'asseoir sur la première marche de l'escalier, Petra s'est mise à regarder les photos une par une, étouffant un cri de ravissement ou un sanglot à chaque nouvelle image de Johannes. À la fin, elle ne retenait plus ses larmes et je suis venu près d'elle pour l'enlacer.

— Je n'aurais pas dû te laisser aller là-bas, a-t-elle articulé entre ses larmes. Il ne fallait pas, mais… je voulais le voir, tellement…

Ses lèvres ont trouvé les miennes, fébriles. Nous sommes montés à l'appartement agrippés l'un à l'autre et, submergés par le désir, nous avons titubé jusqu'au lit. Après l'amour, la tension et la fatigue accumulées ont été comme un coup de massue et j'ai dormi pendant une heure. À mon réveil, Petra était assise dans le lit à côté de moi, une cigarette dans une main et, dans l'autre, une photo de Johannes en train de contempler avec des yeux émerveillés le ballon qu'il tenait par un fil.

— Bonjour ! a-t-elle lancé en se penchant pour m'embrasser.

— Tout va bien ? ai-je demandé, encore un peu hébété.

— Mieux, oui. Mais c'est dur.

— Je comprends.

— Ces photos que tu m'as rapportées, Thomas… C'est tellement important, de les avoir, cette preuve concrète que ce ne sont pas seulement des souvenirs.

— Je comprends, ai-je répété.

Elle a tiré une bouffée de sa cigarette, en a allumé une pour moi et me l'a tendue.

— Et Judit, comment elle a été ?

— Oh, c'est une longue histoire. Comme toute cette journée, d'ailleurs…

— Raconte !

Elle m'a écouté avec la plus grande attention, emprisonnant mes mains dans les siennes lorsque je suis arrivé au moment éprouvant de l'interrogatoire au poste-frontière.

— Pardon, a-t-elle murmuré à la fin de mon récit.

— Mais non. Je connaissais les risques. Quand même, je continue à me demander si Judit a contacté la Stasi dès que je suis parti de chez elle…

Le visage de Petra s'est durci d'un coup.

— Bien sûr qu'elle l'a fait. Et bien sûr qu'elle le niera jusqu'à sa mort. Parce que les indicateurs de la Stasi survivent comme ça : en se racontant qu'ils n'ont pas le choix, que tout ça les dépasse. Ils vivent dans le mensonge permanent. La vérité est simple : ils ont peur, alors ils mouchardent, et plus ils mouchardent, plus ils ont peur. Et une fois que tu es dans cet engrenage, tu n'en sors pas. C'est quelque chose qui te détruit. Complètement.

9

Petra gardait quatre des photos de son fils dans un album de poche qu'elle avait tout le temps sur elle, deux dans son porte-monnaie, deux encore dans la chemise en cuir remplie de feuilles blanches sur lesquelles elle écrivait toujours le premier jet de ses traductions avant de les taper. Les rares fois où nous sommes passés à son studio, qu'elle trouvait déprimant maintenant qu'elle s'était habituée à mon logement plus spacieux, j'en ai vu deux autres fixées sur le panneau en liège situé au-dessus de la table qui lui servait de bureau.

Après mon expédition de l'autre côté du Mur, toutefois, elle n'a plus fait allusion à Johannes, ni à Judit, ni à aucun autre aspect de son passé. Je pouvais voir ces photos quand elle laissait son travail ou son portefeuille ouvert sur la table de la cuisine, mais elle ne les a jamais mentionnées elle-même. Après m'avoir raconté l'impensable sur son emprisonnement et la perte de son fils, elle avait à l'évidence décidé de ne plus m'entraîner sur ce terrain avec elle, souhaitant m'épargner la proximité d'un chagrin aussi immense.

Le lendemain matin de mon retour de Berlin-Est, et juste après le départ de Petra pour la radio, j'ai pris un café avec Alastair, que j'avais brièvement prévenu la veille que tout s'était à peu près bien passé. Cette fois, je lui ai détaillé mes mésaventures à la frontière sans insister sur ma rencontre avec Judit, gardant même sous silence le fait que celle-ci avait jadis dénoncé Petra à la Stasi. Et je lui ai fait promettre de cacher à cette dernière qu'il avait été au courant de ma mission.

— Je te l'ai dit, mon ami : je sais garder un secret, a-t-il affirmé. D'autant que ma confiance a été trahie plus d'une fois, et que je ne connais rien de plus affreux. Mais enfin, la pauvre Petra... Ces photos, un peu modeste, comme réconfort...

Une semaine plus tard, toutefois, alors que nous déjeunions tous les deux dans notre café, il a déclaré :

— Petra a l'air plutôt heureuse, ces derniers temps. Je l'ai croisée dans la rue hier et elle était souriante, épanouie, comme si elle était soulagée d'un poids terrible.

Il avait parfaitement perçu le changement, en effet. Petra semblait s'être dégagée des ombres qui avaient obscurci son horizon, elle ne se renfermait presque plus en elle-même et avait commencé à se montrer ouvertement positive vis-à-vis de l'avenir. Quand j'ai reçu le chèque de deux mille deutschemarks de Radio Liberty et que je lui ai proposé d'aller passer cinq jours à Paris, elle a souri et m'a dit qu'elle allait consulter le chef du service des traductions. Le soir, elle m'a annoncé qu'il lui avait accordé la semaine suivante.

— J'irai à l'agence de voyage demain, alors. Qu'est-ce que tu préfères, le train ou l'avion ?

— Le train passe par la RDA, Thomas. Il ne s'y arrête pas, je sais, et j'ai un passeport de la Bundesrepublik, maintenant, mais je ne pourrai pas supporter l'idée d'être… là-bas, même pour peu de temps.

— OK, ai-je conclu. L'avion, alors.

J'ai réservé deux places sur un vol d'Air France et six nuits dans un petit hôtel abordable de la rue Gay-Lussac, rive gauche.

En embarquant à l'aéroport de Tegel, Petra m'a serré la main et m'a confié qu'elle prenait l'avion pour la première fois. Ensuite, elle ne l'a pas lâchée tandis qu'elle contemplait par le hublot les prés verdoyants du pays dont elle avait été bannie. Nous avons compris que nous avions quitté l'espace aérien est-allemand lorsque l'appareil a brusquement gagné son altitude de croisière et que les turbulences ont cessé. Le reste du vol s'est déroulé tranquillement.

— C'est fou de se dire qu'il y a des frontières même là-haut, dans le ciel ! s'est-elle exclamée à un moment.

— Nous autres, les humains, nous sommes obsédés par les lignes de démarcation. Ç'a toujours été comme ça : délimiter son territoire, interdire aux autres d'y pénétrer…

— Ou, encore pire, empêcher ceux qui le veulent de le quitter. À moins de tout perdre… – Elle a allumé une cigarette. – Mais voilà que j'ai des idées noires alors que je vole vers Paris ! Je ne veux plus penser à des choses tristes.

Et elle y a réussi, car ces six jours ont été un bonheur sans nuage, un rêve d'amoureux. Le matelas à ressorts de notre petite chambre d'hôtel couinait comme un animal blessé quand nous faisions l'amour. L'ambiance était très « Quartier latin louche » : papier peint qui se décollait par endroits, moquette trouée par des brûlures de cigarette, une simple table en bois sur laquelle quelqu'un avait dû essayer de s'ouvrir les veines car la surface était traversée d'une longue tache rouge, un coin douche masqué par un vieux rideau vert, les toilettes au bout d'un couloir mal éclairé, une odeur omniprésente de tabac froid, des éclats de voix incessants montant de la cuisine du rez-de-chaussée et, à la réception, une femme minuscule outrageusement fardée, une cigarette sans filtre allumée en permanence entre ses doigts jaunis, qui ne daignait jamais sourire à ses pensionnaires.

Il n'empêche que nous adorions ce bouge, essentiellement parce que notre chambre abritait nos transports amoureux les plus débridés. Je ne saurais expliquer pourquoi mais un décor d'hôtel minable, surtout à Paris, semblait aiguiser le désir et l'érotisme. Et puis, il y avait la ville tout autour de nous. Le deuxième jour de notre séjour, Petra m'a soudain dit :

— Installons-nous ici. Dès demain !

Nous étions assis à la terrasse d'un café du carrefour de l'Odéon, après avoir vu *Le Grand Sommeil* dans un cinéma tout proche, l'Action Christine. C'était une belle journée du début de l'été et nous sirotions un petit bourgogne tout à fait acceptable, main dans la main, en regardant le spectacle du trottoir, le défilé de tous les styles et de toutes les attitudes imaginables, de l'intello à l'ultra-chic, des frimeurs aux babas cool, cette vie urbaine conçue comme un théâtre permanent. Nous savions que tout nous semblait magique parce que nous étions ensemble et éperdument amoureux, dans une fin d'après-midi où le soleil déclinant teintait la ville d'une couleur d'armagnac, et c'est sous l'influence de cet instant idyllique que j'ai répondu à la proposition de Petra par une autre :

— Je suis partant mais si on se mariait, aussi ?

Surprise, elle a considéré l'idée deux ou trois minutes. D'une voix émue, mais réfléchie, elle a déclaré :

— J'aimerais, Thomas. Plus que tout. Mais tu es sûr ? Moi, je voudrais dire « oui » sur-le-champ, ici…

— Alors, dis-le.

— J'ai seulement peur de…

— De quoi ?

— … de te décevoir.

— Moi aussi, je pourrais te décevoir.

— Non. Pas toi. En tout cas pas autant que moi.

— Mais comment ?

Elle s'est levée et, dans le café, s'est dirigée vers les toilettes. Pendant que je l'attendais, je me suis reproché mon empressement, ma brusquerie. Mais je « savais » que nous étions faits l'un pour l'autre et elle m'avait montré qu'elle partageait la même certitude, alors ? La part d'elle-même qui avait appris à se méfier des autres, pour des raisons entièrement justifiées, allait-elle lui interdire la possibilité d'un bonheur partagé ? Tout comme j'avais cru cette perspective inatteignable, également, jusqu'à ce que… jusqu'à ce que je rencontre Petra. Quand elle est revenue, pourtant, elle m'a souri avec tendresse.

— Excuse-moi, j'ai réagi comme ça parce que… le fait que tu veuilles que je sois ta femme…

— C'est mon souhait le plus cher.

— Et le mien, que tu sois mon mari.

— Alors, qu'est-ce qui nous retient, Petra ?

— Rien, j'imagine, mais…

— Nous nous entendons merveilleusement. Tu veux vivre à Paris, nous le pouvons ; tu veux vivre à New York, c'est facile aussi, surtout que tu auras tout de suite la carte de résident, si nous sommes mariés. Tu veux un enfant, nous pouvons en avoir un. Je te l'ai dit, je veux un enfant de toi, Petra.

— Tout paraît si simple, à t'entendre…

— Mais parce que ça l'est.

— Je sais, je sais… – Elle a marqué une pause, lâchant en un murmure : – Bon, d'accord.

— D'accord !

Nous nous sommes dévisagés, transportés par l'importance de l'instant. J'ai rompu le silence :

— Ça mérite le champagne, je crois.

— Oui, mais la fille d'Allemagne de l'Est que je suis va dire que ce n'est pas raisonnable.

— Mais si ! – J'ai passé la commande, et quand le serveur a apporté le seau à glace, la bouteille et deux flûtes, je lui ai annoncé avec exubérance : – On vient de décider de se marier !

Avec un hochement de tête plein de sagacité, il a eu un seul mot pour commentaire :

— Chapeau !

Entre le deuxième et le troisième verre, j'ai proposé à Petra d'aller aux États-Unis prochainement.

— Tu penses que ton père va bien m'aimer ?

— J'en suis certain. Même si au début, en apprenant qu'on s'est fiancés, il va me gratifier d'une charmante remarque dans le genre : « Quoi, tu renonces à ta liberté à vingt-cinq ans ? »

— Il n'a peut-être pas tort…

— Il a complètement tort ! Et je ne t'ai dit ça que pour te faire comprendre qu'il n'est pas commode, de prime abord. Mais, dès qu'il va te voir, il sera jaloux de moi !

— Tu sais, ce que je t'ai dit quand je parlais de vivre à Paris ou à New York… Je parlais sérieusement, même si je sais que « demain » signifie sans doute dans quelques mois. S'il te plaît, Thomas : emmène-moi loin de Berlin.

— Ce sera avec plaisir.

Pendant la majeure partie de la soirée, à commencer par le dîner dans une brasserie de la rue des Écoles, nous avons discuté de notre avenir commun. Je lui ai expliqué que nous pourrions très bien camper un temps dans mon studio de Manhattan avant de trouver quelque chose d'un peu plus spacieux.

— Pour environ sept cents dollars par mois, je pense qu'on se trouverait facilement un deux-pièces sympa dans le coin de Columbia University.

— Ce ne sera pas trop pour nous ?

— Il faudra que je fasse au moins un article mensuel supplémentaire pour des revues.

— Et si je n'arrive pas à trouver de travail, moi ?

— Tu en trouveras. L'enseignement, la traduction… Je parie que tu convaincras facilement la section de langues vivantes d'une bonne école privée de la ville, ou même la faculté d'allemand de Columbia.

— Mais je n'ai aucun diplôme !

— Tu as ton expérience de traductrice, depuis plusieurs années.

— Ça ne veut pas dire que je peux enseigner.

— Pourquoi non ?

— Ah, toi et ton incurable optimisme !

— Je suis optimiste pour nous deux.

— Mais je ne veux pas être à ta charge, à New York.

— Oui ? Et si dans, disons cinq ans, tu as un poste stable dans une université, ou à l'ONU, et que je n'arrive pas à trouver d'éditeur pour mon prochain livre, qu'est-ce que tu…

— Ça n'arrivera jamais.

— C'est fréquent, pourtant, dans le « monde des lettres ». Tout est magnifique, en apparence, mais il suffit de deux ou trois titres qui se vendent mal, de critiques hostiles ou juste indifférentes, et brusquement plus personne ne te connaît.

— Dans ton cas, ça n'arrivera pas, je te dis.

— Comment en es-tu si sûre ?

— Parce que j'ai lu ton livre, j'ai traduit tes papiers pour la radio et…

— Et tu es également optimiste pour moi.

— C'est mon vieil endoctrinement est-allemand qui remonte. L'optimisme à propos du communisme, c'est obligatoire, mais quant à son propre avenir…

— Tu apprendras vite à être plus indulgente envers toi-même.

— Seulement quand j'aurai enfin quitté Berlin. Je n'y suis restée que pour être près de Johannes, tu le sais, mais maintenant je vois bien que c'est inutile. Je l'ai perdu pour toujours.

— Je pense qu'il faut un courage énorme pour admettre ça.

— Admettre quoi ? Qu'il n'y a plus d'espoir ?

— Eh bien… oui.

Nous nous sommes tus un moment, puis elle a soupiré :

— Paris… Dire que cette ville me paraissait aussi loin que la lune, depuis si longtemps !

Trois jours plus tard, quand nous avons pris l'autobus pour Orly, Petra s'est agrippée à mon bras de toutes ses forces.

— Ça va ? lui ai-je demandé.

— Je ne veux pas retourner là-bas.

— Ce n'est que pour deux ou trois semaines, pas plus. Je vais prendre contact avec le consulat américain dès notre retour, pour voir comment t'avoir la *green card* au plus vite.

— Combien de temps cela prendra, d'après toi ?

— Aucune idée. Je n'ai pas eu toute une série de fiancées étrangères avant toi, tu sais ?

— Pourvu que ça soit rapide !

— Avant que tu changes d'avis, tu veux dire ?

— Je ne ferai jamais ça.

— Et moi non plus, donc tout ira bien.

— J'espère…

De retour à Berlin dans l'après-midi, nous avons trouvé Alastair seul dans son atelier, assis en face du triptyque sur lequel il avait travaillé d'arrache-pied depuis sa sortie de l'hôpital. La richesse des nuances, la tension géométrique et la complémentarité des trois tableaux en faisaient une étude en bleu d'une profondeur infinie.

451

— C'est fini, alors ? l'ai-je interrogé.

— Et comment !

— C'est fantastique, franchement.

— Mouais… Mais je suis peut-être atteint de dépression post-partum.

— Ils sont remarquables, Alastair.

— Et les foutus vautours de Londres diront que c'est du « sous Yves Klein ». Comme si quoi que ce soit pouvait être en dessous de ce putain de Klein ! Pardon, Petra, mais je suis toujours de sale humeur une fois que j'ai franchi la ligne d'arrivée.

— Thomas a raison, Alastair. C'est formidable.

— Disons passable, pour quelqu'un qui a barbouillé ça en plein sevrage de dope.

— Les gens vont être impressionnés, j'en suis sûre.

— Pas les arbitres du goût artistique et autres faiseurs.

— Nous nous sommes fiancés à Paris, ai-je lancé soudain.

La brusquerie de cette annonce a réellement pris de court Alastair.

— Tu peux répéter ?

— On va se marier, Petra et moi.

— J'avais bien entendu, alors. Mais je trouve que « mademoiselle » est étonnamment discrète sur le sujet.

— C'est parce que « mademoiselle » n'est pas aussi communicative que « monsieur », a plaisanté Petra.

— « Communicatif » ou tapageur ? Avec les Américains, on ne sait jamais trop…

— Mais moi, j'aime cet Américain-là.

— Donc, tu confirmes que ce garçon si « communicatif » dit la vérité ?

452

— La vérité vraie.

— Dans ce cas, je pense me rappeler qu'il y a une bouteille de roteux français quelque part dans le frigo. Que je gardais pour une occasion spéciale, comme celle-ci.

— C'est très gentil, Alastair.

— Et très approprié, vu la solennité du moment. Moi qui suis un romantique refoulé, je dois avouer que je vous envie, tous les deux. Et je veux croire que vous ne foutrez pas en l'air une aussi belle histoire.

La bouteille de champagne a précédé un dîner fort arrosé dans un italien du quartier. Pendant que Petra se rendait aux toilettes, Alastair m'a confié :

— Si je suis si foutrement content – et bon, je sais que j'ai un coup dans le nez ! –, c'est parce que tu le voulais tellement, ou plutôt : que tu en avais besoin. N'y vois pas là un reproche ou une critique, attention ! Pendant des années, j'ai été comme toi, solitaire, farouchement attaché à ma liberté. Et puis j'ai connu l'amour, le vrai, et si cet enfoiré n'avait pas eu la sale idée de me claquer dans les pattes… Enfin, l'important, *Freund*, c'est que tu l'as trouvée, elle.

Lorsque j'ai téléphoné au consulat des États-Unis le lendemain, je suis tombé sur une secrétaire d'une étonnante amabilité qui, avec son accent monocorde du Midwest, m'a conseillé de venir rencontrer l'un des vice-consuls si je comptais épouser une citoyenne allemande et m'installer avec elle en Amérique. D'après elle, l'obtention de la carte verte ne demanderait que quelques mois une fois le mariage contracté, « sauf en cas de problèmes inopinés ».

— Donc, si vous voulez aller vite, dépêchez-vous d'échanger vos vœux ! a-t-elle conclu.

Lorsque j'ai répété ces conseils à Petra le soir, elle a proposé avec un petit rire :

— On pourrait demander à Alastair d'officier.

— Je pensais plutôt lui demander d'être mon témoin.

— Et le mien aussi, parce que je n'ai pas une tonne d'amis, ici.

— Il faudrait voir les délais au bureau de l'état civil, je ne sais pas comment on appelle ça en Allemagne…

— Je vérifierai demain.

— Nous avons rendez-vous au consulat à deux heures et quart. C'est dans le Ku'damm, tu connais ?

— Oui, j'y serai. Et tu es d'accord pour que je donne mon préavis à la radio dès qu'ils nous confirmeront que la demande de *green card* est lancée ?

— Tout à fait. Moi, je vais téléphoner au type qui me sous-loue ma piaule à Manhattan pour lui dire que je reviens dans un mois. Il n'appréciera pas mais c'était le deal qu'on avait. Si tout se passe bien, on sera à New York début août : une chaleur et une humidité comme tu n'en as jamais connu, je te préviens.

— Je serai avec toi et loin d'ici, alors je m'en moque…

Le lendemain, avant d'aller au consulat, j'ai obtenu une communication internationale à la poste de Kreuzberg. Il était sept heures du matin à New York mais mon sous-locataire, un journaliste stagiaire à *Newsweek* qui avait déjà publié un texte de fiction dans le *New Yorker*, était un lève-tôt. Il a pris la nouvelle avec une bonne humeur réconfortante : par le plus grand des hasards, il

454

venait juste d'accepter une proposition de séjour de trois mois à la résidence pour artistes de Yaddo, où il comptait se rendre au milieu de l'été afin de se consacrer à l'écriture « non-stop ».

Nous avons été reçus par la vice-consule Madeleine Abbott, une femme d'une quarantaine d'années en tailleur gris très strict mais qui, sous ses dehors de froideur administrative, s'est montrée assez réceptive. Petra, en chemisier blanc et jupe noire aux genoux, a réussi à dominer sa nervosité dès que nous sommes entrés dans son bureau. L'entretien s'est déroulé très simplement. Après nous avoir brièvement félicités de notre prochaine union, la diplomate nous a remis plusieurs formulaires à remplir, puis elle a demandé à Petra de lui résumer son parcours, ne déguisant pas son intérêt lorsque celle-ci lui a annoncé qu'elle avait été expulsée de RDA un an auparavant.

— Pour raisons politiques, j'imagine ?

— En effet.

— Il faudra le préciser dans votre demande de certificat de résidence. En fait, je vous conseille d'y joindre une déclaration écrite donnant les détails de votre expulsion. Cela ne sera pas retenu contre vous par le fonctionnaire du département d'État qui va étudier votre dossier à Washington, au contraire. Cependant, il est important que vous relatiez votre cas le plus précisément possible. Vous êtes d'accord ?

Petra a hoché la tête mais j'ai vu que l'anxiété se lisait à nouveau sur ses traits. Ensuite, Madeleine Abbott nous a posé les questions d'usage sur l'identité de nos parents, nos professions respectives, nos revenus et si nous avions été arrêtés ou condamnés par le passé.

— Je n'ai jamais été inculpée mais j'ai été mise en prison plusieurs semaines en RDA à cause des activités politiques de mon mari, a précisé Petra.

— Activités contre le Parti communiste ?

— C'est ce qu'ils ont dit. Et ils m'ont considérée comme sa complice.

— Votre mari est toujours emprisonné ?

— Il est mort en détention il y a plus d'un an et demi.

— Désolée. Je répète, toutes ces informations devront être incluses dans votre déclaration écrite. Bien, depuis quand vous connaissez-vous, tous les deux ?

— Six mois, ai-je répondu en la regardant droit dans les yeux.

— Ça ne devrait pas poser de problème, puisque je préciserai dans ma lettre que vous vous êtes rencontrés à Berlin. Si cela avait eu lieu aux États-Unis, et après si peu de temps, l'éventualité d'un mariage blanc pourrait être retenue. Bien entendu, il est possible que l'on vous questionne sur ce point, mais je présume que vous avez l'intention de vous marier avant de vous rendre en Amérique, non ?

— Absolument, ai-je affirmé.

— D'accord. Je ne peux évidemment pas vous garantir à cent pour cent que votre requête sera acceptée, mais à moins que l'enquête ne bute sur des difficultés liées à votre passé j'ai l'impression que les choses iront assez vite. Ne tardez pas à nous rapporter tous les documents nécessaires, donc.

Après nous avoir souhaité bonne chance, elle nous a raccompagnés à la réception. Dès que nous avons été

dehors, Petra a allumé une cigarette d'une main tremblante. Elle paraissait accablée par l'angoisse, à
nouveau, repliée sur elle-même, et elle s'est écartée
quand j'ai voulu la prendre dans mes bras.

— Qu'est-ce qui ne va pas, mon amour ?

— Ils vont trouver une raison de refuser, a-t-elle
répondu d'une voix sourde.

— Ce n'est pas du tout ce que Mme Abbott a dit.

— Mais c'est ce qu'ils font tout le temps, ces
gens-là. Ils trouvent des excuses pour vous gâcher la
vie.

— En RDA peut-être, aux États-Unis, c'est différent.

— Ils vont se dire que je suis une communiste.

— Mais non, et tu sais pourquoi ? Parce que les
officiels qui t'ont accueillie à ta sortie de RDA ont fait
leur rapport, que ce rapport est dans ton dossier et qu'il
raconte le traitement que tu as subi là-bas, le fait qu'ils
sont allés jusqu'à te séparer de ton enfant… Crois-moi,
« ces gens-là » prennent leur guerre froide très au
sérieux, et que tu sois une transfuge du bloc de l'Est
disposée à épouser un citoyen américain, pour eux,
c'est…

— Pardon, pardon ! Mais j'ai tellement peur qu'il
arrive quelque chose juste maintenant, quand tout
semble si clair, si positif, quand je vois enfin un avenir
pour moi, pour nous…

— Rien de mal ne va arriver, mon amour. La vice-
consule a été très explicite, non ? Et en envisageant le
pire des scénarios, qu'ils te refusent la *green card* pour
quelque détail stupide, on sera quand même mariés, je
serai l'époux d'une citoyenne de la Communauté

457

européenne. Je ne devrais pas avoir trop de mal à obtenir une carte de séjour française. Donc, on sera à Paris et on se battra pour que l'administration américaine revienne sur sa décision. À mon avis, tu t'inquiètes trop parce que tu es hantée, parce que tu restes hantée par ce que tu as subi, ce qui est compréhensible.

— Oui, oui, tu as raison, je suis ridicule…

— Pas du tout. Tu réagis devant n'importe quelle bureaucratie comme quelqu'un qui s'est fait charcuter par un dentiste et qui apprend qu'il doit encore se faire soigner une dent.

— Merci, merci, a-t-elle chuchoté en m'enlaçant.

Petra devait retourner au travail, cet après-midi-là, et quant à moi je me suis arrêté à l'*Istanbul Café* pour découvrir que j'avais un message « urgent » de Pavel. Quand je l'ai appelé, il a décroché aussitôt.

— C'est « urgent bien » ou « urgent mal » ?

— Ah, toujours dramatique ! a-t-il rétorqué. En fait, j'ai une proposition à vous faire, et je préfère ne pas en parler au téléphone. Comme je cherchais une excuse pour filer boire une bière, parce que je suis de permanence ce soir, vous tombez à point. Vous voyez le café qui est juste à la sortie du métro en venant chez nous ? Dans trois quarts d'heure, disons ?

— Quel genre de proposition ?

— Un projet très très prestigieux, et pour lequel je veillerai encore une fois à ce que vous soyez grassement payé. À dans quarante-cinq minutes, pas plus.

Il a raccroché. J'étais intrigué, naturellement, et je restais éberlué par la capacité de Pavel à faire comme si nos relations avaient toujours été des plus cordiales.

Son flegme peu commun ne l'a pas trahi quand, à l'heure dite, il m'a rapidement salué, a commandé deux bières avant d'aller droit au but :

— Ce que je vais vous révéler est tout à fait confidentiel. La semaine dernière, deux des plus grands danseurs de ballet d'Allemagne de l'Est, Hans et Heidi Braun – ils sont frère et sœur –, se sont débrouillés pour sortir de leur cher pays cachés dans le matériel qu'une troupe de danse de Fribourg avait apporté de l'autre côté pour une tournée. Inutile de préciser que la direction de ladite troupe est ardemment socialiste, donc accueillie à bras ouverts là-bas, mais il se trouve que l'un des managers est tombé amoureux… de Hans. Celui-ci avait déjà eu pas mal d'ennuis en raison de son homosexualité affichée, toute vedette qu'il soit, mais les autorités de RDA sont maintenant furieuses que ce Nijinski est-allemand et sa sœur aient fui le paradis des travailleurs cachés dans des housses au milieu du barda habituel qu'une troupe trimballe dans ses déplacements. De plus, Hans Braun est une forte tête qui adore s'écouter parler, de sorte que vous imaginez la publicité négative pour nos voisins…

» Il est à Berlin-Ouest, avec sa sœur. Ils sont encore en train d'être débriefés par les services ouest-allemands et vous… bon, nous aimerions que vous soyez le premier à les interviewer. L'idée est de Wellmann, il pense que vous êtes le candidat idéal : Américain parlant allemand couramment, qui plus est new-yorkais, donc censé connaître la danse classique.

— Eh bien, j'ai vu plusieurs représentations du New York City Ballet, du temps de Balanchine.

— Parfait ! Et cela tombe très bien, puisque Hans Braun s'est vu proposer d'entrer au City Ballet par son nouveau directeur depuis la mort de Balanchine, Peter Martins. Bien entendu, son amant, celui qui l'a aidé à s'enfuir, fait des pieds et des mains pour qu'il rejoigne sa troupe mais bon, entre Fribourg et New York, le choix est vite fait. Conclusion : il faut que vous soyez à la radio demain à dix-sept heures. Une voiture vous emmènera à leur lieu de résidence. Vous réalisez l'interview, nous la transcrivons et nous vous la remettons dimanche, pour les coupes et pour que vous puissiez préparer une introduction que nous enregistrerons dès lundi matin. Vous avez un week-end chargé devant vous mais vous recevrez mille cinq cents deutschemarks pour le job, si c'est OK.

— D'accord.

— L'idée est de rendre publique leur défection dès que toutes les questions de sécurité seront réglées, d'ici une semaine probablement, et ce faisant de flanquer quelques sérieux cauchemars aux responsables de la propagande est-allemande. Entre-temps, pas un mot de tout ça à quiconque, cela va de soi.

Il était huit heures passées quand Petra est enfin rentrée à la maison.

— Ce maudit Pavel m'a retenue avec une traduction soi-disant urgentissime, m'a-t-elle expliqué. Et ensuite, Wellmann m'a appelée à son bureau pour me proposer de l'accompagner à Hambourg demain. Un problème de dernière minute : il y a la réunion nationale des responsables de station de Radio Liberty et l'interprète qui le seconde d'habitude, Frau Gittel, a attrapé une vilaine grippe. C'est pour la traduction simultanée de son grand discours ; les gens de Hambourg lui ont offert de lui trouver quelqu'un mais il est très sourcilleux sur ce point, il veut un travail impeccable. Même si je pense que son allemand est très bon, il ne se sent pas assez en confiance pour haranguer les cadres *auf Deutsch* pendant une heure ou plus. Il « veut » que j'y aille avec lui, inutile de te dire que ce n'est pas du tout ce dont j'ai envie, moi !

— Alors, refuse.

— Je ne peux pas lui refuser ce service. Il a toujours été incroyablement correct avec moi.

— Alors, vas-y. D'ailleurs, moi aussi, je vais être pris ce week-end. Hans et Heidi Braun, tu en as entendu parler ? Ils sont célèbres, apparemment.

— Les danseurs ? Tout le monde les connaît, en RDA ! Frère et sœur. Étoiles du Ballet national de Berlin. Quoi, tu veux dire qu'ils sont passés à l'Ouest ?

— Il y a seulement quelques jours.

— Mais je n'ai rien vu là-dessus !

— Ils sont encore interrogés par les autorités d'ici. Pour l'instant, c'est top-secret. Mais devine qui a été choisi pour faire leur première interview dans le « monde libre » ?

Quand je lui ai résumé le programme que Radio Liberty m'avait concocté, elle a ouvert de plus grands yeux encore.

— Quoi, c'est Pavel qui t'a offert ce coup ?

— Herr Wellmann via Pavel, plutôt.

— Eh bien, c'est un scoop fantastique ! Tu dis que tu auras la transcription des bandes dimanche ?

— Exact.

461

— Ah, ce sera un document passionnant à lire ! Et si tu veux quelques idées de questions à leur poser…

Aussitôt, elle m'a dressé une longue liste de points à aborder avec les Braun, depuis les camps de formation dans lesquels, disait-on, le gouvernement enfermait les futurs danseurs les plus prometteurs dès l'âge de neuf ans, avec le bourrage de crâne que cela supposait, jusqu'au circuit clandestin des bars gays de Berlin-Est que Hans Braun devait certainement avoir fréquentés et dans lesquels la police opérait des descentes. J'ai pris des notes en l'écoutant, à nouveau impressionné par la véhémence de son ton chaque fois qu'elle évoquait les injustices du système est-allemand.

— Et dire que je serai à Hambourg, pendant ce temps, a-t-elle soupiré.

— Tu auras un compte-rendu détaillé à ton retour dimanche soir. Et je te laisserai même regarder la transcription.

— Hein ? Pavel te tuera !

— Il ne le saura jamais.

— Ah, tu vas me manquer, pendant tout ce temps !

— Pense à nos retrouvailles, dimanche…

Le lendemain matin, avant que j'aie le temps d'abattre ma main sur le damné réveil qui s'était mis à sonner à huit heures, elle m'a chevauché et m'a pris en elle avec la même détermination et la même énergie passionnée que si nous n'allions plus faire l'amour pendant des mois.

— Je ne veux pas y aller, a-t-elle soupiré après, reprenant son souffle, étendue près de moi.

— Reste, alors. Qu'est-ce qui peut t'arriver ? Qu'il te mette à la porte ? Tu vas démissionner bientôt, de toute façon.

— Oui, mais quand je chercherai du travail aux États-Unis et qu'on me demandera des références, Wellmann ne me donnera pas de recommandation.

— On croirait que tu essaies de trouver une bonne raison pour y aller.

— Exactement !

— Alors va à Hambourg, travaille bien pour ton patron et reviens au plus vite. Tu as regardé où on pourrait se marier, la semaine prochaine ?

— Au Rathaus de Kreuzberg, a-t-elle répondu, faisant référant au centre administratif du district. Ils demandent seulement trois jours de délai.

— Donc, si on y va lundi, ce serait pour jeudi ou vendredi.

Petra s'est mordu les lèvres. Ses yeux brillaient de larmes, soudain.

— Tu es trop merveilleux, Thomas.

— Ça veut dire « oui » ?

Elle a hoché la tête, s'est passé la main sur les yeux, puis elle a murmuré :

— Je t'aimerai toujours. Pour la vie.

Une heure plus tard, après un ultime baiser échangé sur le palier, je me suis rapidement habillé et je suis descendu prendre un petit déjeuner au café. C'était notre première séparation depuis le début de notre histoire, et même s'il ne s'agissait que de quarante-huit heures je me sentais un peu anxieux, tenaillé par la crainte sourde mais insistante que tout amant a éprouvée un jour, celle que le destin ne lui enlève son

463

bonheur. Le soleil brillait et je me suis rassuré en repensant aux moments que nous venions de partager, à la passion physique et à la complicité qui nous unissaient.

La journée s'est écoulée : après un long jogging, j'ai travaillé sur mes notes jusqu'à ce qu'il soit temps de me rendre à la radio. Pavel est venu me rejoindre à la réception en compagnie d'un homme que je n'avais jamais vu, court sur pattes mais carré et solide comme un ancien sportif. J'ai aussitôt remarqué sa coupe de cheveux presque militaire, sa tenue qui suggérait le politicien conservateur américain, la petite bannière étoilée qu'il portait à la boutonnière de sa veste de costume, et le sourire plus que légèrement condescendant avec lequel il me considérait. Qui était ce type ?

— Je vous présente l'un de vos grands admirateurs, Walter Bubriski, a déclaré Pavel.

— Un de vos compatriotes ?

— Seulement par le nom, a précisé Bubriski avec un accent qui évoquait les mornes plaines du Midwest.

— Walter est le numéro deux de l'USIA à Berlin.

— Vous avez entendu parler de cette organisation, je suppose ? s'est enquis l'intéressé.

Je me rappelais très bien ce que Wellmann m'avait dit sur le compte de l'Agence dès notre première rencontre : sous couvert de propagande en faveur de la démocratie et du libre marché, elle n'était ni plus ni moins qu'une branche de la CIA. Et Bubriski avait tout à fait la dégaine de l'emploi.

— Oui, je connais, ai-je répondu d'un ton neutre.

— Alors, vous savez également que nous nous intéressons énormément aux programmes de Radio Liberty et à ceux qui y contribuent. Je dois dire que j'ai été très impressionné par votre travail.

— Merci.

— Et nous nous félicitons que vous soyez le premier à interviewer les Braun. Il y a eu un petit changement de programme, ce qui nous donne une heure de libre avant d'aller les voir, et comme j'aime connaître personnellement les collaborateurs de la radio, vous me laisserez certainement vous offrir une bière ?

— Vous venez avec nous ? ai-je demandé à Pavel.

— Non, j'ai quelque chose à terminer.

J'ai tout de suite eu l'impression qu'il savait depuis le début que les deux danseurs ne seraient pas disponibles avant six heures et qu'il m'avait convoqué en avance dans le seul but de me faire rencontrer ce fer de lance de la guerre froide. Lequel avait sans doute des objections à soulever sur l'une ou l'autre de mes contributions, ou bien voulait simplement compléter le dossier qu'il avait déjà sur mon compte. Bien que tenté de le planter là en lui disant que je n'étais pas d'humeur à faire la conversation et que je reviendrais quand il serait temps d'aller faire l'interview, l'écrivain en moi, celui qui avait un livre en chantier, m'a chuchoté : « Ça pourrait être une scène fantastique : l'un des "tiens", un croisé de la lutte anticommuniste, cherchant à sonder ta loyauté… »

— Je serais heureux de boire une bière avec un « admirateur », ai-je annoncé. Surtout si c'est lui qui paie.

— Vous m'aviez bien dit que c'était un vrai New-Yorkais, a lancé Bubriski à Pavel.

— Et vous, vous êtes d'où ? lui ai-je dit.

— Muncie, Indiana. Un de ces coins dont vous autres les snobs de la côte est ne soupçonnez même pas l'existence.

Oui, la conversation allait être intéressante. Nous avons choisi un bar tout proche de la radio, la vraie *Bier Stube* berlinoise au décor dépouillé. Même si la salle était pratiquement vide, Bubriski s'est rendu directement à une table retirée, certainement son emplacement habituel lorsqu'il voulait « faire plus ample connaissance » avec quelqu'un. En attendant la bière blanche que nous avions commandée, j'ai sorti mon tabac et mon papier.

— Logique, a lâché Bubriski.

— Quoi ?

— Que vous rouliez vos cigarettes.

— Et pourquoi, si je peux savoir ?

— Ça correspond à l'image que je me suis faite de vous.

— Et pourquoi vous êtes-vous fait une image de moi ?

— Je suis l'un de vos grands admirateurs, comme l'a dit notre ami polonais.

J'ai attendu que la serveuse ait apporté nos verres, et qu'il ait bu une bonne rasade de sa bière, pour essayer d'en savoir plus.

— Donc, vous avez lu mon livre ?

— Non seulement ça, mais tel le fan authentique j'ai cherché à en apprendre le plus possible sur le compte de quelqu'un d'aussi prometteur…

Notant l'ironie de ses derniers mots, j'ai rétorqué :

— Et qu'avez-vous appris ?

— Des tas de choses. Par exemple, une enfance assez morose à Manhattan avec des parents désunis, des études sur un campus du Maine où tous les jeunes snobinards comme vous se prennent pour des intellos parisiens et dissertent sur Proust, Truffaut ou Robbe-Grillet…

— Votre connaissance de la culture française moderne est remarquable.

— Pour un petit gars d'Indiana qui n'a fait « que » l'université publique d'Ohio, vous voulez dire ?

— Pas du tout.

— Mais c'est ce que vous pensez. J'ai eu affaire à des types dans votre genre toute ma vie. Le gratin Nouvelle-Angleterre qui débarque à Washington pour rafler des diplômes en relations internationales à Woodrow Wilson, Fletcher, Georgetown…

— Je ne viens pas de Nouvelle-Angleterre et je n'ai pas fait mes études à Princeton.

— Mais vous avez essayé d'y entrer, non ?

J'ai failli sursauter. Ce type avait sérieusement fouillé mon passé. J'ai pris un air détaché.

— Que voulez-vous prouver avec ça, sinon que vos dossiers sont très au point ?

— Encore une fois, c'est juste dû à l'intérêt que je porte à un jeune auteur qui a l'avenir devant lui ! Et qui, soit dit en passant, affirme dans son livre sur l'Égypte que la radio « La Voix de l'Amérique » est un « outil de propagande à peine déguisé », si je me souviens bien de vos termes. Plutôt sévère, comme jugement. J'espère que vous êtes plus charitable envers la station qui vous permet en partie de payer le loyer de l'appartement de Kreuzberg, celui que vous partagez avec un pédé camé.

J'ai écrasé ma cigarette dans le cendrier.

— Cette conversation est terminée.

— Quoi, vous ne supportez pas un peu de bavardage innocent ?

— Ce que je ne supporte pas, ce sont vos manières.

— Un radar, vous savez ce que c'est ?

— Hein ? ai-je fait, désarçonné par l'incongruité de sa question.

— Un radar, vous savez comment ça marche ?

— Je ne vois pas le rapport et…

— Simple test de culture générale, hyper-facile pour quelqu'un d'aussi brillant que vous.

— Je m'en vais.

— Une minute ! Le principe de base d'un radar, vous connaissez, non ?

— Une histoire de champs électromagnétiques, j'imagine.

— Mais vous avez appris plein de choses dans votre université pour l'élite, à ce que je vois. « Radar », c'est un acronyme pour *RAdio Detection And Ranging*, un truc inventé par la marine américaine en 1940 mais perfectionné par les Britanniques lorsque les frisés ont commencé à les bombarder comme des malades. Ce qu'ils ont découvert, et ç'a des implications qui n'échapperont pas à l'écrivain que vous êtes, c'est qu'un radar fonctionne quand un champ magnétique s'établit entre deux objets. Une force d'attraction, presque : un objet envoie un signal à l'autre, et ce qu'il reçoit en retour est l'« image » du deuxième, non l'objet lui-même.

— Le but de ce petit cours de sciences physiques m'échappe entièrement.

— Vraiment ? a-t-il insisté avec un sourire mielleux.

— Vraiment.

— Je suis étonné, mon cher Nesbitt. Comment, vous, qui êtes amoureux d'une femme au point d'informer les services consulaires de votre intention de l'épouser, vous ne percevez pas le « signifiant » de mon laïus sur la remarquable invention qu'a été le radar ? Je vais être plus explicite, alors. Mon premier mariage s'est cassé la figure après dix ans et deux gamins ; j'étais tombé amoureux au même âge que vous, à peu près, l'âge où on est si stupide. Quand le divorce s'est produit une décennie plus tard, qu'est-ce que j'ai soudain compris ? Que, depuis le début, je n'avais pas vu cette femme telle qu'elle était : ce que j'avais vu, c'était l'« image » d'elle que je lui renvoyais par ce formidable champ magnétique qui s'établit quand on se croit amoureux.

— J'en ai assez, ai-je tranché en me levant.

— Vous ne pigez toujours pas, alors ?

— Piger quoi ? Je pige que vous devez vous ennuyer mortellement, pour vous acharner de cette manière à décortiquer la vie d'autrui, et qu'il est déplorable que des gens comme vous soient payés à faire ça. Sur ce, bon vent.

— Vous êtes amoureux, Thomas.

— Votre agence devrait perdre moins de temps à espionner ma vie sentimentale.

— Mais le problème, c'est que vous êtes amoureux d'une image. Celle que votre imagination d'un romantisme débridé vous renvoie.

— Comment osez-vous me parler de cette façon ?

— Comment ? Mais parce que je sais, mon gars !

— Vous savez quoi ?

Il a pris le temps de vider son verre avant de me considérer d'un regard glacial.

— Je sais que Petra Dussmann travaille pour la Stasi.

10

Le choc a été d'une telle brutalité que le sol a vacillé sous mes pieds. Posant une main sur la table, j'ai repris mon souffle comme si je venais de recevoir un uppercut dans les tripes. Pourtant, l'incrédulité se mêlait à ma stupeur et c'est dans un état second que j'ai articulé entre mes dents serrées :

— Salaud… Vous êtes un menteur, un sadique, une ordure…

Son sourire s'est épanoui. Il avait la mine satisfaite de celui qui vient de déplacer son cavalier noir et vous a mis échec et mat sans que vous ayez eu le temps de voir venir le coup.

— Je m'attendais à cette réaction, a-t-il déclaré tranquillement. C'est normal : c'est le premier des cinq stades du deuil spécifiés par Kübler-Ross… Vous devez être surpris qu'un petit plouc d'Indiana vous sorte cette référence ? Mais vous devez vous souvenir de vos cours de psychologie : la phase numéro un, c'est le déni. Vous êtes en plein dedans. Vous vous dites que ce que vous venez d'apprendre n'est qu'une invention perverse conçue pour vous gâcher le reste de la journée et vous déstabiliser méchamment.

Hors de moi, j'ai presque crié :

— C'est ça qu'ils vous enseignent, à l'école des espions ? Comment mettre votre « cible » en position d'infériorité psychologique ? En cherchant à saper sa confiance envers l'être le plus important de sa vie, la personne qui…

— Je ne doute pas que c'est en effet ce que Frau Dussmann représente pour vous. Surtout après une enfance privée d'amour. Et votre musicienne éthérée de New York ne vous a jamais transporté à ce point, pas vrai ?

— Ça suffit !

— Asseyez-vous.

— Je n'ai pas d'ordres à recevoir de vous, sale…

— Je peux vous faire confisquer votre passeport dès demain, m'a-t-il coupé sans élever la voix. Un mot de moi et vous êtes expédié aux États-Unis, puis placé dans un centre de détention spécial jusqu'à nouvel ordre. Et mis sur la liste des indésirables dans tous les pays d'Europe occidentale. Bousiller votre existence, votre carrière d'écrivain globe-trotter ? Rien de plus simple : contact soutenu avec un agent de l'ennemi, ou plutôt une agente. Et vous pourriez payer deux cents avocats gauchistes, vous n'auriez plus aucune liberté de mouvement, ce qui est toute votre vie, admettez-le. Alors, posez votre cul sur cette chaise tout de suite, avant que je me fâche pour de bon. – J'ai obtempéré, médusé. Mes mains tremblaient. Le remarquant, Bubriski a sorti un paquet d'Old Gold de sa veste et l'a lancé sur la table.

– Tenez, fumez une cigarette digne de ce nom, pas ces machins d'étudiant attardé,

Machinalement, j'ai pris l'une de ses clopes.

Bubriski s'est tourné vers la serveuse qui se tenait près du comptoir.

— *Fraulein ! Zwei Schnaps, und wir möchten Doppel !*

Pendant qu'il tendait le bras pour me donner du feu avec son Zippo, les deux doubles schnaps sont arrivés. Il m'a fait signe de boire le mien et c'est ce que j'ai fait, d'un trait, tressaillant lorsque l'alcool m'a brûlé la gorge, mais immédiatement ragaillardi.

— Ça aide, n'est-ce pas ? Bon, que je précise un point, pour commencer : je ne pense pas que vous soyez complice de cette fille. Crédule et innocent, voilà comment je vous vois, et votre réaction vient de renforcer mon opinion. Mais ça ne signifie pas que votre relation avec Frau Dussmann ne vous compromette pas, d'autant que nous avons appris que vous lui avez récemment rapporté des microfilms de Berlin-Est.

— Je… quoi ?

— Mais oui. Ces photos que vous êtes allé lui chercher chez son amie Judit.

— Il s'agissait de photos de son fils, enfin !

— Oui, entre autres. Combien en avez-vous vu, depuis ?

— Je ne sais pas, moi ! Dix, douze…

— Et combien l'amie Judit vous en avait-elle confié ?

— Une vingtaine, un peu plus.

— Où sont les autres, alors ?

— Je l'ignore.

— Je vais vous le dire : elles sont en possession du boss de votre chère Petra Dussmann, un agent de la Stasi nommé Helmut Haechen. Nous l'avons à l'œil depuis deux ans parce qu'il dirige un réseau d'au moins trois opératrices à Berlin-Ouest. Dont Petra Dussmann. Qui de plus couche régulièrement avec lui depuis qu'elle a soi-disant été expulsée de RDA, il y a juste un an.

J'ai fermé les yeux dans une pauvre tentative d'échapper au monde, mais Bubriski n'était pas prêt à me lâcher.

— Je parie que vous êtes en train de penser : Non, c'est impossible, puisqu'elle m'a dit et répété que j'étais le grand amour de sa vie… Elle l'a dit, exact ?

— Comment vous le savez ?

— De la même façon que je sais que vous avez suivi un cours de sociologie à l'université et que votre paternel a un faible pour les martinis bien corsés. Notre boulot consiste à savoir. Et nous en savons énormément à votre sujet.

— Il me faut la preuve que Petra…

— Ah, ah, on ne veut pas croire un représentant de son gouvernement quand il est question d'Amour avec un grand A, je vois ! On a besoin de « preuves » concrètes ! Très bien. Vous vous rappelez la première fois que vous avez dîné avec Frau Dussmann, j'imagine ? Qui est aussi la première fois qu'elle a passé la nuit chez vous ? C'était le 23 janvier, exact ?

— Comment vous le… ?

— C'était le 23 janvier, oui ou non ? m'a-t-il coupé.

— Oui.

— Et vous confirmez que ce soir-là elle a quitté précipitamment le restaurant, sans raison valable ?

— Vous nous surveilliez ?

— Non, on la surveillait, elle. Et il se trouve que vous étiez là. Pourquoi est-elle partie avant de débarquer chez vous beaucoup plus tard ?

— Elle ne me l'a pas expliqué. Elle était bouleversée, elle a…

— Elle devait rencontrer son boss, Haechen.

— N'importe quoi !

— Ah oui, c'est vrai, notre ami veut des preuves… – Attrapant son attaché-case posé par terre près de sa chaise, il en a sorti une grosse enveloppe en kraft, a cherché dedans et en a retiré deux tirages photographiques. – Il lui faut des preuves, en voici !

Sur la première photo en noir et blanc, assez floue, on voyait Petra quitter le restaurant italien en courant ; en bas, à gauche, il y avait une succession de chiffres : 23-01-1984, 21 : 12. La seconde la montrait entrant dans un hôtel, et l'heure indiquée était 21 : 51.

— C'est un hôtel proche de l'aéroport de Tegel, a précisé Bubriski. Rendez-vous de travail… et de détente.

Il m'a jeté un troisième tirage sur lequel apparaissait la silhouette trapue d'un homme qui sortait par la même porte à tambour, un peu moins d'une heure après. On distinguait mal ses traits mais j'ai remarqué qu'il avait un bouc.

— Et alors ? ai-je protesté, la tête en feu. Elle va dans un hôtel, un type en sort… Ça ne prouve pas qu'elle soit allée le rejoindre !

— Pourquoi vous a-t-elle planté comme ça, dans ce cas ? Pourquoi ne pas vous avoir dit qu'elle devait urgemment se rendre dans un hôtel louche à l'autre bout de la ville ? Ah ! Cet homme *est* Helmut Haechen, Thomas. Bon, nous ne lisons pas dans les pensées des gens, pas encore, du moins… Je blague, bien sûr ! Nous pouvons seulement émettre des hypothèses. Est-ce qu'elle avait besoin du feu vert de son supérieur avant de coucher avec vous ? Est-ce que cette mise en scène de la fuite soudaine dans la nuit était une façon de paraître fragile, déboussolée et encore plus désirable à vos yeux ? C'est ce que je suppose, moi. La fille qui ne veut surtout pas vous imposer son passé tragique mais qui vous le raconte quand même et, une fois qu'elle est sûre de vous tenir, vous envoie chercher des photos de son fils dont plusieurs dissimulent des microfilms très importants pour Haechen.

— Mais son fils…

— Elle l'a confié à l'assistance publique après sa naissance.

— Quoi ? Impossible ! Je l'ai vue pleurer, je l'ai…

— Ah, il veut encore des preuves !

Cette fois, il m'a tendu un document, une photocopie, à en juger par le fond grisâtre et les lettres un peu tremblées. Il émanait de l'Agentur für das Wohl der Kinder, le département de la protection de l'enfance est-allemand. Les noms du nourrisson, du père et de la mère étaient très lisibles, avec la mention *tot*, mort, entre parenthèses, à côté de celui de Jürgen. Le texte légal que je suis parvenu à déchiffrer indiquait que la soussignée Petra Alma Dussmann confiait son fils Johannes à l'État démocratique pour adoption, qu'elle le faisait librement et dans l'intérêt de l'enfant, en renonçant à toute prérogative maternelle le concernant. Le document était daté du 6 mai 1982.

— L'un de nos contacts a pris les plus grands risques pour photographier cette pièce et nous la transmettre, a précisé Bubriski. Maintenant, quel genre de femme donnerait son enfant à adopter à l'âge de douze mois ? Je vous le dis : une femme qui a mouchardé son cinglé de mari à la Stasi des années durant.

— Je ne peux pas y croire !

— Des preuves, encore des preuves !

Il a extrait un autre document photographié, celui-ci à en-tête du Ministerium für Staatssicherheit, le ministère est-allemand à la Sécurité d'État, également appelé « MfS » ou « Stasi ». Il comportait une photo d'identité de Petra, son nom, sa date de naissance, son adresse et une mention sidérante : *Spitzelaffäre seit...*, Informateur depuis..., et la date du 20 janvier 1981. Elle était donc déjà enceinte de Johannes.

— Le contact qui nous a transmis ce papier, et bien d'autres encore, est maintenant en camp de travail pour vingt ans, m'a fait remarquer Bubriski. Ils ne plaisantent pas, là-bas. Mais nous non plus. Vous voyez qu'elle travaillait pour eux des années avant son « extradition ». Quel baratin elle vous a raconté, à propos de son fils ?

— Je pourrais avoir un autre schnaps ?

— Quand vous aurez répondu à ma question.

— Elle m'a dit que Johannes lui avait été retiré après que son mari avait perdu la raison, qu'il avait essayé de contacter des agents américains et fait un esclandre devant le Berliner Ensemble, en présence du ministre de la Culture…

— Tout ça est vrai, à une grosse nuance près : on ne lui a pas enlevé son enfant, elle l'a fait adopter volontairement. En ce qui concerne son numéro de mère éplorée et ses larmes de crocodile, nous avons une théorie : la Stasi lui a proposé d'obtenir de l'avancement en passant à l'Ouest et en espionnant pour son compte. Ils lui ont mis au point le profil idéal, celui de la femme de dissident injustement persécutée. Ils l'ont mise au vert plusieurs mois avant de nous l'échanger comme une malheureuse victime du système et nous avons fait comme si nous gobions toute l'histoire, alors que nous étions certains qu'elle allait rejoindre la petite équipe féminine de Herr Haechen. Nous lui avons obtenu ce poste à Radio Liberty pour lui donner de l'importance. Certaines personnes qui travaillent pour nous à la station ont délibérément laissé traîner des documents sensibles, ou plutôt présumés sensibles, et devinez quoi ? Elle les a photographiés dès que les autres ont eu le dos tourné. Et puisque vous voulez toujours des preuves…

Il s'apprêtait à produire d'autres éléments de son dossier mais je lui ai indiqué d'un signe que c'était inutile. Ce que j'avais vu était suffisamment accablant, et corrosif ; de nouvelles pièces n'auraient été que des gouttes d'acide supplémentaires dans mes yeux effarés.

— Entendu. Mais vous voulez sans doute avoir un meilleur aperçu du type qu'elle s'envoie depuis tout ce temps ?

— Pas particulièrement.

— Si, j'insiste.

478

Tel un croupier qui sert un joueur à un moment crucial de la partie, il a lancé une photo sur la table. Devant moi, l'homme entraperçu auparavant était reproduit avec une netteté insupportable : un pot à tabac aux cheveux graisseux, à la barbiche grotesque, aux dents noires et au visage grêlé sous de grosses lunettes teintées.

— Oui, a commenté Bubriski, je pourrais perdre dix kilos et je ne serais toujours pas un apollon, mais cette crapule – il n'y a pas d'autre terme pour le décrire – bat des records de mocheté. « Repoussant », a-t-on envie de dire, vous ne trouvez pas ? Eh bien, c'est avec lui que votre chérie batifole depuis pratiquement le moment où elle est arrivée à Berlin-Ouest. Pendant toute votre merveilleuse liaison, elle a retrouvé Haechen au moins deux fois par semaine, et dans leur cas les réunions de travail se complètent presque toujours de relations sexuelles. C'est curieux de penser que la séduisante Dussmann ait pu trouver plaisant de se faire grimper dessus par un tel gnome...

— Arrêtez, je vous en prie.

— J'essaie seulement d'imaginer ce que vous éprouvez, de savoir que vous l'avez partagée avec un individu aussi répugnant, aussi...

— Je vous ai demandé d'arrêter, bon sang !

— Enfin, il faut lui reconnaître des circonstances atténuantes : quand on est sous les ordres d'un cadre de la Stasi et qu'on a le privilège de mener la bonne vie à l'Ouest, on est forcée de le baiser régulièrement. Et c'est ce qu'elle a fait... – Il a brandi une sorte de rapport dactylographié. – D'après notre équipe de surveillance, ils s'envoient en l'air deux fois par semaine. Jamais au domicile du gnome mais dans de petits hôtels miteux, souvent près de la gare. Évidemment, elle ne s'est pas trop méfiée : après avoir été accueillie quasiment comme une héroïne de la guerre froide, comment aurait-elle soupçonné que nous la filions ? Haechen, par contre, est un vrai pro, quand il s'agit de semer quelqu'un. On a perdu sa trace plusieurs fois, mais jamais très longtemps... – Une rafale de photos horo-datées m'est tombée sous les yeux, Haechen entrant dans tel ou tel établissement, Petra le suivant quelques minutes plus tard. – À propos, selon vous, où est-elle en ce moment, votre chérie ?

— À Hambourg, où elle fait de la traduction simul-tanée pour Jerome Wellmann.

— C'est ce qu'elle vous a dit.

— Et vous, vous saviez qu'elle allait s'éloigner de Berlin avec son tireur de ficelles.

— Amusante expression.

— Et donc vous avez dit à Pavel de me téléphoner. Je parie que c'est lui que vous avez chargé de laisser de faux documents confidentiels pour appâter Petra, non ? Il est assez opportuniste pour avoir joué les indics en spéculant sur la récompense à venir. Qu'est-ce que vous lui avez promis ? Une carte verte ?

— Bon, je vais mettre vos excès de langage sur le compte de l'émotion. Vous êtes encore dans la phase du déni, comme je l'ai dit. La version dont vous essayez piteusement de vous convaincre, c'est : « Les méchants, ils lui ont tendu un piège ! Si ces documents n'avaient pas traîné n'importe où, elle ne les aurait pas photogra-phiés ! Et puis elle m'aime tellement, elle fait tellement bien l'amour... » Vous, l'homme de sa vie, celui qu'elle n'espérait plus rencontrer. Et vous avez parlé de mariage, d'avoir des enfants, de la vie que vous alliez avoir à New York quand vous…

— Fermez-la !

— La vérité n'est pas facile à accepter, pas vrai ? Je précise que nous n'avons jamais installé de micros chez vous, mais à quoi bon ? Pas besoin d'une imagination débordante pour deviner ce que vous deviez vous dire sur l'oreiller. Déclarations enflammées, promesses éternelles…

J'aurais voulu le faire taire mais, paradoxalement, une partie de moi souhaitait avec perversité qu'il continue à m'accabler d'avoir été aussi crédule, aussi bêtement acharné à croire que j'avais enfin trouvé l'amour. Même si la moitié seulement de ce que ce salaud m'avait révélé était vraie – et les preuves qu'il avait dans sa maudite enveloppe étaient difficilement contestables –, je ne pouvais nier une terrible évidence : j'avais été profondément, horriblement dupé, et qu'elle ait plus ou moins ressenti sincèrement ce qu'elle m'avait dit n'y changeait rien.

Comme s'il avait lu dans mes pensées, Bubriski a poursuivi :

— Bien entendu, toutes ces protestations d'amour sonnaient vrai. Vous étiez amoureux et elle a perçu votre besoin désespéré d'être aimé. Il lui suffisait de vous donner l'image de l'amour dont vous avez été privé, ou que vous aviez toujours rejeté, pour qu'elle arrive à obtenir n'importe quoi de vous. On en revient au radar, mon vieux. L'image de la passion, l'image d'une femme difficile à avoir parce que traumatisée par son passé, l'image d'un bonheur à établir envers et contre la raison d'État, l'image du preux chevalier franchissant les frontières pour sa bien-aimée… Elle et son chef, ils ont vraiment bien travaillé.

— Ces microfilms dont vous parlez, vous avez une idée de ce qu'ils représentent ?

— Non. Herr Haechen est un vieux de la vieille. Il les a brûlés ou si bien cachés que nous ignorerons sans doute toujours de quoi il était question.

— Et l'interrogatoire auquel j'ai été soumis en repassant Checkpoint Charlie ? Parce que vous êtes au courant de ça aussi, évidemment. Comment vous l'expliquez ?

— Nous avons appris qu'ils vous avaient retenu deux heures et quelques, oui. Je l'explique très simplement : du cinéma destiné à vous faire croire que vous étiez en danger parce que vous étiez allé voir Judit Fleischmann, une ancienne indicatrice de la Stasi. Parfait pour votre ego, ce petit moment de tension avant d'être relâché et de rapporter fidèlement son cadeau à votre dulcinée. – Il a eu le sourire de l'expert en manipulation psychologique qui comprend qu'il a réussi à « retourner » son sujet. – Là, je n'ai pas de preuve formelle mais je suis convaincu qu'ils ont voulu vous donner un petit frisson, vous permettre de vivre votre roman d'espionnage personnel. Pareil pour la filature assez grossière à laquelle ils vous ont soumis dès que vous êtes entré à Berlin-Est. Si nous n'avions pas décidé de resserrer l'étau autour de Haechen et de sa bande d'espionnes, je suis prêt à parier qu'elle vous aurait convaincu de repartir encore une fois là-bas pour aller chercher d'autres souvenirs de son enfant avant de s'envoler pour New York avec vous. Ses jouets, par exemple, et vous seriez revenu gentiment avec un ours en peluche bourré de matériel secret sur microfilms !

Il a scruté mes traits une minute.

— Le point qui continue à m'intriguer, Thomas, c'est la raison pour laquelle Haechen lui a donné l'autorisation de partir aux États-Unis avec vous. Pensent-ils qu'elle leur sera utile en Amérique ? Comptent-ils lui trouver un poste de traductrice bien placée à l'ONU ? Ou bien tout ça est-il un montage très sophistiqué ?

— Un montage de quoi ?

— D'après nos sources en RDA, les supérieurs de Haechen ne sont pas enchantés par la qualité des informations que son réseau leur a fournies jusqu'ici. Par conséquent, il a besoin d'un gros coup et nous, nous devons le prendre la main dans le sac. Pour être en mesure de l'interroger sérieusement, puis de l'échanger contre trois de nos agents détenus de l'autre côté, dont le pauvre bougre que j'ai mentionné, celui qui a écopé de vingt ans en camp de travail. Le hic, c'est que nous avons l'impression que Haechen et votre chérie en sont venus à se douter que les documents « obtenus » à Radio Liberty ne valent pas grand-chose. Il faut absolument que nous surprenions Frau Dussmann en train de photographier un truc confidentiel.

— Vous avez déjà dû en avoir l'occasion plus d'une fois, en un an…

— Exact, mais nous ne voulions pas la coffrer. Au contraire, notre plan était de leur laisser croire qu'ils s'en tiraient bien et de voir jusqu'où ils iraient. Ce n'est pas du très gros gibier mais ils nous seront utiles quand nous les pincerons. Et nous ne voulons pas arrêter

Dussmann dans un endroit public comme la radio. Chez vous, par contre…

— Vous êtes cinglé ?

— Écoutez-moi bien, Thomas. Je sais que vous êtes tiraillé, qu'une part de vous-même continue à refuser l'évidence. C'est normal, vu que vous vous êtes réellement investi dans votre histoire avec elle et que vous lui avez accordé toute votre confiance. Il n'est pas simple d'apprendre que la femme qu'on a placée au centre de sa vie est une dissimulatrice, une…

— Vous pourriez m'épargner vos foutus commentaires ?

— Vous ne me croyez toujours pas, c'est ça ?

— Les preuves sont toujours malléables, surtout quand elles sont placées entre les mains de gens tels que vous.

— C'est joliment dit, et ce n'est pas faux. Comme ceux d'en face, nous sommes capables d'adapter la vérité aux buts que nous poursuivons. Pourtant, est-ce que j'ai « adapté » quoi que ce soit, ici ?

— Elle l'a peut-être rencontré uniquement pour des débriefings.

— Bonne objection ! s'est-il exclamé avec la jubilation d'un enseignant reprenant un élève qui vient de faire une remarque particulièrement naïve. Cela étant, nous avons des photos, prises à distance, évidemment, mais plutôt claires, de ces deux-là au lit. Les dernières remontent à trois semaines seulement. Vous voulez jeter un coup d'œil ?

Il a repris son enveloppe, s'apprêtant à exhiber ses preuves.

— Vous m'avez complètement coincé, alors ?

— Pourquoi vous dites ça ?

— Parce que si je refuse de croire la « vérité » que vous présentez…

— J'ai la démonstration concrète qu'elle n'est pas niable ? Mais bon, même en admettant qu'elle l'ait rejoint dans des hôtels de passe uniquement pour le travail, il n'en reste pas moins qu'elle opère pour le compte d'un régime totalitaire et qu'elle vous a amené à croire que…

— Je sais ce que j'ai cru. Je sais ce que nous nous sommes dit. Je sais…

Je n'ai pas terminé ma phrase. Une autre tournée de schnaps est arrivée. Une voix en moi me disait : Lève-toi et pars d'ici. Va faire ton sac et attrape le dernier train, sauf que ce sera sans doute l'express de nuit pour Hambourg, la ville où elle est dans une chambre, en train de coucher avec le nabot qui lui dicte ses faits et gestes depuis plus d'un an…

— Il me faut la preuve qu'elle n'est pas à Hambourg pour aider Wellmann, ai-je brusquement lancé.

— Facile. Tout à l'heure, Herr Wellmann emmène sa femme au concert du Berliner Philharmoniker. Vous-même, vous êtes accro à la grande musique, si je ne me trompe ? Alors, vous ne cracherez pas sur un programme Mendelssohn-Schubert dirigé par ce jeune rital dont tout le monde dit du bien, Abbado, c'est ça ? Nous soutenons les arts et la culture, à l'Agence, et j'ai donc un billet pour ce soir. Juste derrière Wellmann, comme ça, vous aurez votre « preuve » sous le nez…

Il a posé un billet du Philharmoniker sur la table. Je l'ai recouvert de ma main.

— Je… Ce ne sera toujours pas la preuve formelle qu'elle travaille pour la Stasi. C'est ça que j'exige.

— Je ferais pareil, à votre place.

— Vous n'êtes pas à ma place. Et vous attendez quelque chose de moi : que je lui tende un piège pour votre compte. Je n'y suis pas disposé.

— Considérons les choses plus simplement. Vous lui avez dit que vous alliez interviewer deux danseurs est-allemands tout juste passés à l'Ouest, n'est-ce pas ?

— Ça ne vous regarde pas !

— C'est un « oui », je suppose. Donc, vous lui avez aussi dit que vous auriez la transcription de l'entretien dès dimanche.

— C'est un traquenard, merde ! ai-je fulminé.

— Que vous avez mis en place vous-même, mon vieux. Si vous aviez tenu votre langue… Enfin, sachez que cette interview ne va pas avoir lieu… disons que vous allez recevoir une transcription, des feuillets estampillés « Confidentiel », et disons que vous allez les laisser sur la table de la cuisine afin que votre chérie…

— Cessez de l'appeler comme ça !

— Pardon. Vous semblez un peu chatouilleux, brusquement.

— Allez vous faire foutre, « mon vieux ». Je vous emmerde, vous et vos manigances, et vos façons de déboussoler les gens, et vos techniques ridicules du bon et du mauvais flic ! Je ne vous respecte pas, ni vous, ni les petits jeux auxquels vous vous livrez au nom de Dieu et de la Patrie.

— Du calme, Thomas. Je comprends votre dilemme. Je ne vais pas continuer à essayer de vous convaincre de la « vérité ». Je vous propose simplement une expérience qui établira la culpabilité de Frau Dussmann, ou bien la lavera de tout soupçon. C'est la seule façon pour vous d'obtenir un « oui » ou un « non » définitif à la question de savoir si elle est telle que je le prétends. Et maintenant, je peux continuer ?

J'ai baissé la tête. Je voulais une preuve, et Bubriski me présentait la possibilité de l'obtenir.

— Allez-y, ai-je murmuré.

— Quand elle va rentrer après-demain, vous allez faire comme si tout était normal. Vous pensez en être capable ?

— Je ne sais pas.

— Votre réponse est honnête, mais, encore une fois, si vous désirez réellement « savoir » par vous-même, vous allez devoir jouer un rôle : celui qui était le vôtre jusqu'ici, celui de l'homme fou amoureux d'elle. Ce qui veut dire coucher avec elle, évidemment, et lui répéter que vous l'adorez, et ne pas révéler le moindre changement dans vos sentiments. Bien entendu, le sujet de votre interview exclusive va se présenter, et vous allez inventer la scène pour elle, mentionner certaines réponses explosives à vos questions, vous féliciter du « scoop génial » que ça représente pour Radio Liberty, et rien de plus. Pour le reste, vous passez une bonne soirée et vous emmenez votre belle au lit. Vous baisez tous les soirs, je suppose ?

— Fermez-la !

— C'est une pure considération tactique. Si vous le faites tous les soirs, vous le ferez encore dimanche. Et après, vous vous endormez tout de suite, en général ?

— En quoi ça vous…

— Ça me regarde, oui, et je vais vous expliquer pourquoi. D'abord, permettez-moi de vous rappeler que Haechen constitue un risque majeur pour la…

— Pourquoi l'avoir laissé agir pendant tout ce temps, alors ?

— Parce que nous espérions qu'il nous conduirait à de plus gros poissons. J'ai dit que c'était une crapule et le mot est faible. Il a longtemps travaillé à la division de la Stasi de la prison de Hohenschönhausen spécialisée dans la torture psychologique des détenus. Ici, c'est un chasseur impitoyable des vrais transfuges de RDA, comme celui dont on a retrouvé le cadavre sur une voie de la gare de triage de Hambourg, l'an dernier : on a conclu au suicide, officiellement, mais nous avons la conviction que c'est l'un de ses sales coups. Dans sa vie personnelle, il n'est pas plus reluisant. L'an dernier, il a ramassé une prostituée au Tiergarten et il l'a tellement malmenée qu'elle a perdu un œil et qu'elle est défigurée à vie… Voilà l'individu avec qui votre petite amie fait la bête à deux dos, pour lequel elle travaille assidûment, et si vous osez prétendre qu'elle y a été « forcée »…

Il a repris sa respiration.

— Aujourd'hui, il y a des centaines de dissidents enfermés dans les taules est-allemandes, Thomas. Ils auraient pu retourner leur veste, devenir des mouchards, mais ils ne l'ont pas fait. Pour moi, la vie se résume à deux choses : choix, et interprétation. Nous prenons des décisions, puis nous les interprétons de manière à pouvoir les accepter. C'est ce que Petra Dussmann a fait. En vous aimant et en vous trahissant en même temps, et en se persuadant que c'était la seule façon d'avoir le privilège d'un poste à l'Ouest. Elle a *choisi* ce rôle, Thomas. Elle a choisi de vous tromper.

Avec le recul des années, je mesure avec quel savoir-faire consommé Bubriski semait le poison du doute dans mon esprit et jouait sur mon indignation devant une pareille duplicité de la part de l'aimée, jusqu'à ce que je finisse par le considérer, lui, comme un allié aussi difficile à accepter qu'essentiel. La voix me recommandant de mettre fin à cette entrevue et de m'enfuir s'est affaiblie tandis que je restais cloué à ma chaise dans cette *Bier Stube* silencieuse pour l'écouter détailler le stratagème qu'il avait mis au point pour moi. La précision de ses consignes m'a amené à constater que, tels ces romanciers qui ont besoin d'avoir leur intrigue entièrement au point avant de prendre la plume, il avait conçu le piège et sa mécanique depuis un bon moment.

— Je répète ma question : dimanche soir, vous venez de faire l'amour avec elle, est-ce que vous vous endormez tout de suite après ?

— S'il est tard, oui.

— Dans ce cas, ne l'emmenez pas au lit avant minuit. Et ensuite, je veux que vous fassiez semblant de dormir, mais de manière convaincante. Mon hypothèse, c'est qu'elle va se lever dès qu'elle sera certaine que vous êtes dans les bras de Morphée. Vous aurez laissé les feuillets sur la table de la cuisine. Dans la chemise en carton qui vous aura été remise. Du côté opposé à la porte, près de la cafetière électrique.

— Je ne me rappelle pas vous avoir invité chez moi.

— Nous connaissons les lieux, en effet. Une fois qu'elle est dans la cuisine, vous comptez jusqu'à soixante et vous vous levez. Elle aura certainement

489

fermé la porte mais vous aurez une vue complète par le trou de la serrure, qui n'a pas de clé. Je pense qu'elle va se servir de l'appareil photo miniature qu'elle a toujours sur elle. Débrouillez-vous pour être retourné sous les couvertures avant qu'elle revienne se coucher. Si elle décide d'aller voir Haechen directement, ne bougez pas, nous aurons quelqu'un en bas ; sinon, vous vous réveillez avec elle le lendemain et vous vous comportez comme n'importe quel matin. Et la marche à suivre est la même pour lundi, mardi, jusqu'à ce que nous en ayons le cœur net. La seule chose, c'est que vous baisserez le store de la fenêtre de la cuisine, que vous laissez toujours levé, si je ne me trompe pas ? Ce sera le signal pour nos guetteurs qu'elle a bien photographié les documents ; dans le cas contraire, vous ne toucherez pas au store. Tout ce que j'espère, Thomas, c'est qu'une fois que vous aurez l'évidence devant vous, vous ne permettrez pas à Frau Dussmann de se défiler. Il est vital que nous coincions Haechen et sa bande, cette fois. Ai-je besoin de vous expliquer que ce sera un grand service rendu à votre pays et que ce ne sera pas oublié ?

— Je me fous de vos encouragements patriotiques et de toutes ces foutaises. Si je le fais, c'est uniquement parce que…

Je n'ai pas trouvé les mots qui devaient suivre. Au fond de moi, je refusais toujours d'y croire.

— N'oubliez pas, Thomas : ce n'est pas la trahir. Parce qu'elle s'est trahie elle-même depuis le jour où elle…

— Vous ne savez pas quand il faut s'arrêter !

Mais il avait compris qu'il me tenait : en insistant sur le thème de la trahison, il touchait un point essentiel de ma personnalité, cette réticence fondamentale à croire que l'amour était possible. Avait-il également cet élément dans son dossier ? La conviction, venue du plus loin de l'enfance, que je ne pourrais compter sur personne en ce monde ? Jusqu'à ce que je rencontre Petra et que la passion qu'elle m'inspire m'amène à baisser ma garde, à découvrir que la confiance en autrui était une force stimulante, tangible. Et tout cela pour m'apercevoir maintenant qu'elle m'avait dupé depuis le début, qu'elle avait œuvré pour ceux-là mêmes qui, prétendait-elle, avaient détruit son existence. Incapable de rester plus longtemps en place, j'ai attrapé le billet du Philharmoniker en me levant.

— J'irai à ce concert. Et je vais réfléchir.

— Très bien. Je vous vois demain.

— Qu'est-ce qui vous fait croire que je veuille vous revoir ?

— Si vous refusez de coopérer avec nous, vous serez considéré coupable par association, et je vous ai déjà exposé les conséquences auxquelles il faudra vous attendre.

— En d'autres termes, je n'ai pas le choix ?

— Vous avez déjà oublié mon petit laïus, Thomas ? Nous avons toujours le choix. Mais ces choix ont des conséquences. La question que vous devez vous poser, c'est : Est-ce qu'une menteuse vaut la peine que je m'expose à de graves ennuis ? – Il s'est mis debout pour me serrer la main. – Je suis convaincu que vous allez prendre la bonne décision. Aussi difficile que ce soit. À demain à votre café habituel, disons à neuf heures pour un petit déjeuner ?

— Vous connaissez ce café ?

491

— Je sais que c'est quasiment votre bureau. Bon concert, alors. Abbado a une approche très différente de celle de Karajan, plus dépouillée, plus limpide, plus vivante. Mais qu'est-ce qu'un petit gars d'Indiana connaît à tout ça ?

Je n'ai pas entendu une seule note du Philharmoniker sous cette intéressante direction, et ce malgré une très bonne place. Quand je me suis assis, le spectateur devant moi s'est retourné. C'était Jerome Wellmann.

— Quelle incroyable coïncidence, vous, juste derrière moi !

— J'ai eu un ticket à la dernière minute.

— Vous avez de bonnes relations, dans ce cas… – Il m'a rapidement présenté à une petite femme au visage d'oiseau de proie installée à côté de lui : – Helen, mon épouse. Helen, c'est le fameux Thomas Nesbitt…

Son sourire ironique et les sous-entendus dans ses commentaires m'ont convaincu qu'il était au courant de tout, sans doute briefé par Bubriski que Petra s'était servi de lui comme alibi pour son déplacement à Hambourg. Et sa présence ici, en chair et en os, était la confirmation cuisante que, sur ce point au moins, elle m'avait menti. Donc, elle devait être en ce moment même avec l'immonde Haechen. Avait-elle vraiment couché avec lui depuis tout ce temps ? Ouvert ses jambes à ce type révoltant tout en me répétant que j'étais l'homme de sa vie ? Étais-je aveuglé par la colère de l'amoureux qui se croit trompé ? Mais sur quoi fonder mon incrédulité persistante ? Le concert m'a échappé complètement tant j'étais assailli par le doute, l'impression de me débattre dans un labyrinthe de miroirs et de trompe-l'œil, doublée de l'impossibilité de trouver une réfutation rationnelle aux accusations de Bubriski. Le tonnerre d'applaudissements final m'a fait sursauter. À nouveau, Wellmann s'est retourné.

— Bon week-end, Thomas. Je suis sûr qu'il sera instructif.

Il savait ! C'était indubitable, désormais, et ce malgré l'ambiguïté voulue de sa remarque. Je suis rentré chez moi à pied dans la nuit clémente, essayant encore de trouver une logique parmi les ombres de cette réalité dans laquelle je venais d'être plongé et où toute vérité semblait se résumer à un mirage, un faux-semblant. Mais était-ce la logique ou quelque espoir insensé qui me poussait à me répéter que tout finirait par s'expliquer et que nous serions bientôt en Amérique, mariés, et que je serais heureux près d'une femme qui aurait enfin surmonté les cauchemars du passé ? Conte de fées ! s'emportait la part de moi la plus pessimiste, mais peut-être aussi la plus lucide.

À mon retour vers minuit, j'ai trouvé Alastair assis devant une bouteille de vodka et un verre, le regard planant sur le mur vide contre lequel les trois grandes toiles étaient restées posées plusieurs jours.

— Tu bois un coup, ou quatre ? m'a-t-il lancé et, comme je faisais non de la tête : Ça ne va pas ?

— Des idées pas très gaies, c'est tout.

— Où est Petra ?

— À Hambourg.

— Pour son travail ?

— Si on peut dire…

Il m'a regardé attentivement.

— Qu'est-ce qui s'est passé, Thomas ?

— Rien.

— Mon cul.

— Où sont tes tableaux ?

— Partis cet après-midi pour ma galerie à Londres. Tu changes de sujet. Il y a quelque chose de sérieux, ne nie pas.

— Je vais me coucher.

— Tu me caches un truc.

— Bonne nuit.

— Thomas ?

— Je ne suis pas d'humeur à bavarder.

— OK, très bien. Quoi que ce soit, et j'ai l'impression que ç'a à voir avec Petra, ne fais rien de précipité que tu regretterais. C'est une fille merveilleuse et tu as besoin d'elle.

— Merci pour le conseil, ai-je répliqué sans pouvoir dissimuler mon irritation.

Après avoir claqué la porte de mon studio derrière moi, je me suis emparé de ma propre bouteille de vodka et j'ai avalé verre sur verre, jusqu'à ce que je n'aie plus qu'à m'écrouler sur le lit. Quand j'ai réémergé, il était huit heures du matin, le réveil sonnait et j'avais une migraine atroce. Une douche glacée et trois tasses de café noir plus tard, je me suis préparé à ma confrontation avec Bubriski. Il m'attendait sur une banquette dans un coin de l'*Istanbul Café*, affublé de ce qui devait être son idée de la « tenue de week-end », un Lacoste d'un rouge criard et un pantalon en toile jaune citron, ce qui lui donnait une allure d'espion tentant de glaner discrètement des informations dans un club de golf provincial. Déformation professionnelle, sans doute : en m'approchant, j'ai remarqué qu'il tendait l'oreille en direction du jeune Turc et de sa très blonde et très maigre petite amie allemande installés un peu plus loin.

— C'est une camée et lui c'est son dealer, ainsi que son maquereau occasionnel, m'a-t-il annoncé dès que je me suis assis en face de lui.

— Pardon ?

— Le couple derrière vous. Elle fait le tapin et en échange il lui fournit un peu de la poudre blanche dont votre colocataire a abusé pendant des années. Mais enfin, il a décroché et il a terminé sa grande œuvre, donc je suis admiratif. Je raffole des histoires sur le thème du « triomphe de la volonté sur l'adversité », surtout quand elles comportent des peintres homos toujours adeptes de l'expressionnisme abstrait, même si je parie qu'il déteste être comparé à Rothko, non ?

— Vous essayez de sous-entendre que lui aussi travaille pour vous ?

— Ah, enfin une repartie amusante ! Non, je suis en mesure d'affirmer catégoriquement que le sieur Fitz-simons-Ross n'a aucun rapport avec nous. Par ailleurs, j'apprécie que vous ayez conscience du fait que, oui, pratiquement « tous » les murs ont des oreilles.

— Dans votre monde, c'est clair.

— Je note également que vous avez l'air d'avoir passé une sale nuit. Quelle substance avez-vous utilisée pour endormir votre cerveau ?

— Pas votre affaire.

— Mais si. Et comment avez-vous trouvé le concert ?

— Impressionnant.

— Une façon de dire que vous n'avez rien écouté, ce qui est fort compréhensible, après les nouvelles que vous deviez digérer… Vous avez vu Herr Wellmann ?

— Oui.

— Était-ce la preuve que vous réclamiez ?

Sans répondre, je me suis emparé de son paquet d'Old Gold et j'en ai allumé une en omettant de lui demander la permission.

— En guise de confirmation supplémentaire, j'ai avec moi des photos montrant qui vous savez et Haechen arrivant à Hambourg, hier. Par des trains différents, bien sûr. Je vais vous les montrer.

— Inutile. Je ferai ce que vous attendez de moi, mais il faut que ça se passe demain, parce que je ne pourrai pas jouer cette sinistre comédie longtemps.

— Voilà une bonne réponse.

— Vous exigez de moi que je couche avec elle et que je me comporte comme si rien n'avait changé. Comment pourrais-je ne serait-ce que la toucher, après tout ça ?

— Si vous vous montrez froid envers elle, elle aura des soupçons.

— Je dirai que je ne me sens pas bien.

— Elle se méfiera.

— Non. Elle n'a aucune raison de ne pas continuer à croire que je suis un pantin qui gobe tout ce qu'elle raconte.

— Mais pour le reste vous allez agir comme prévu ? Lui raconter l'interview, lui dire que vous avez le texte ?

— Oui !

— Un détail qui a son importance : vous devez mentionner que c'est une certaine Frau Koenig qui s'est chargée de la transcription, et qu'elle a la seule autre copie du document. C'est l'autre traductrice à plein temps à Radio Liberty.

— Et si, comme j'en suis presque sûr, Petra ne photographie pas les pages demain…

— Elle pourrait essayer d'aller regarder dans les affaires de Frau Koenig plus tard, oui. Donc, le plan demeure inchangé : elle revient à Berlin par l'express de 17 h 43, elle sera filée de la gare à chez vous, et ensuite la porte d'en bas sera surveillée en permanence. Si vous tenez à jouer les malades, invoquez un embarras gastrique et dites que vous devez vous coucher tôt, mais prenez le temps de l'interroger sur son week-end à Hambourg et…

— Je me débrouillerai, merci. Quand est-ce que j'aurai la transcription ?

— Demain, vous l'aurez à partir de onze heures du matin, ici même.

— Ici ? C'est prudent ?

— Le patron, Omar, est… un ami.

J'ai fermé les yeux. Ce type et ses collègues avaient-ils donc envahi, colonisé toute mon existence ?

— Vous avez beaucoup d'amis, hein ? ai-je dit tout bas.

— Pour une raison simple, Thomas : je suis très sympathique.

J'ai passé le reste de la journée caché dans les cinémas proches du Ku'damm, dont les programmes commençaient à une heure de l'après-midi et se poursuivaient presque toute la nuit, à essayer de ne pas penser à ce qui m'attendait au retour de Petra. Il était presque deux heures du matin quand j'ai regagné mes pénates, soulagé de voir qu'Alastair n'était pas encore rentré. J'ai pu récupérer de ma mauvaise nuit précédente en dormant huit heures d'affilée. Encore une belle journée en perspective, et pourtant je me suis réveillé plein d'appréhension. Pour combattre mes idées noires, je suis allé courir. Le dimanche matin, Kreuzberg semblait toujours en pleine gueule de bois : les trottoirs étaient parsemés de détritus, de bouteilles de bière vides et de préservatifs usagés, les rares passants consistaient en des noctambules titubants essayant de retrouver leur domicile et leur lit.

Lancé à un rythme effréné, j'ai atteint le parc du Tiergarten en vingt minutes, j'en ai fait le tour deux fois et je suis revenu à la même allure à l'*Istanbul Café*, trempé de sueur mais n'ayant pas réussi à extirper l'angoisse qui m'étreignait en pensant au soir. Allais-je être capable de tenir mon rôle d'amoureux confiant ? Allait-elle immédiatement percevoir mon trouble intérieur ? Comment allais-je réagir en l'entendant mentir sur son emploi du temps du week-end ? Et qu'allais-je faire si Bubriski ne se trompait pas, si elle photographiait ce leurre de document confidentiel ?

J'ai passé la tête par l'embrasure de la porte. Comme d'habitude, Omar était à son poste derrière le comptoir. « On t'a déposé un paquet », m'a-t-il lancé. Je me suis laissé tomber sur une chaise et, après avoir commandé un café, j'ai ouvert l'enveloppe, extrayant une chemise en carton contenant vingt-deux feuillets impeccablement empilés. L'en-tête de la radio figurait sur la première page, ainsi que le nom de la traductrice, Magdalena Koenig. Le mien était donné au début de l'interview avant d'apparaître sous les initiales « T.N. » dans les questions et réponses. J'ai parcouru le texte allemand, glanant çà et là des informations sur les danseurs fugitifs que j'avais soi-disant interviewés. Le récit de leur fuite était très bien ficelé et ne manquerait pas d'attirer l'attention de Petra... si elle travaillait réellement pour Honecker et ses sbires. Car c'était la « vérité » que je n'arrivais toujours pas à accepter pleinement : qu'elle ait été une agente d'un régime dont elle m'avait dépeint les excès avec une telle indignation, qui d'après ses dires lui avait réservé un traitement aussi inhumain... Admettre qu'elle collaborait avec ce système dépassait mon entendement.

Alastair était planté au milieu de son atelier maintenant étrangement vide lorsque je suis rentré. D'un coup d'œil, il a noté mes vêtements humides de sueur, mes cheveux collés aux tempes et l'enveloppe que je tenais sous le bras.

— Tu dois avoir de sérieux problèmes, pour aller galoper dans les rues un dimanche matin...

— Ça calme, ai-je répondu avec un sourire.

— Et pourquoi as-tu besoin de te calmer, au juste ?

— Ça arrive à tout le monde, non ?

— Merci, monsieur le philosophe. Mais j'ignorais que tu avais besoin d'une grosse enveloppe pour courir.

— C'est du matériel qu'on m'a laissé au café, pour un papier que je dois terminer d'ici ce soir.

— Ce soir, moi, je suis invité à dîner chez un collectionneur extrêmement chochotte dont le papa, un ancien cadre de BMW, est mort en lui laissant un méga-héritage. Il a vu certains de mes barbouillages, il s'est entiché de moi et il parle de me commander une « toile », comme tu dis. Je risque de rentrer tard, donc. Et la belle Petra, quand revient-elle ?

— En début de soirée.

— Tant mieux.

— Bon, j'ai des trucs à faire.

— Thomas ? Si tu envisages de commettre quelque chose d'irréparable, tu…

— J'envisage d'écrire, c'est tout.

J'ai grimpé l'escalier et j'ai refermé la porte d'un coup de pied, le cœur battant. Étais-je aussi mauvais comédien que cela ? Alastair ne serait pas à l'appartement ce soir, au moins, et comme il avait laissé entendre que ce dîner professionnel avait des connotations sexuelles, il ne rentrerait peut-être pas du tout.

Une fois douché et habillé, je me suis rendu compte que j'avais un temps considérable à meubler avant l'arrivée de Petra. Descendant ma machine à écrire de l'étagère, je l'ai installée sur la table à côté d'une liasse de papier vierge, d'un bloc-notes et de mon stylo. Ensuite, j'ai sorti tous mes carnets berlinois et j'ai entrepris de relire mes notes de voyage à partir du début, bien calé dans mon fauteuil, une cigarette roulée entre les lèvres. La voix de l'inconnue rencontrée sur le vol Francfort-Berlin s'est à nouveau élevée en moi, le récit de son départ « in extremis » en sautant de la fenêtre d'un immeuble de Friedrichshain. C'était parce qu'elle avait évoqué le quartier de Kreuzberg que j'étais venu rôder par là à la recherche d'un logement, parce que j'étais entré par hasard à l'*Istanbul Café* que j'avais fait la connaissance d'Alastair grâce à sa petite annonce, et le jour de mon rendez-vous avec Jerome Wellmann, si Petra n'était pas passée par son bureau…

Hasard, coïncidence, télescopage de situations et d'occasions, et puis vous vous retrouvez en plein dans un scénario que vous n'avez jamais imaginé et qui menace de vous briser, non sans vous avoir révélé, pour la première fois de votre vie, la force bouleversante de l'amour. Il devait y avoir une explication à tout cela, ou peut-être des motifs plus profonds que Bubriski n'avait pas voulu me révéler. Si je sommais Petra de tout me dire dès qu'elle franchirait la porte, et si elle était au final innocente, notre relation serait irrévocablement transformée, endommagée. Et si je gardais le silence ? Eh bien, seul un optimiste pathologique pourrait penser : Peut-être que tout ça va se régler, se dissiper. Mais n'est-ce pas justement cette « dernière chance » à laquelle tous ceux qui se savent gravement menacés se raccrochent ? « Demain, quand je me réveillerai, la tumeur aura disparu. Demain, quand je me réveillerai, elle sera dans le lit près de moi… »

Ce besoin que nous avons d'un espoir qui contredise les réalités les plus intolérables auxquelles nous devons faire face, cette pulsion qui nous pousse à croire en tout ce qui pourrait annuler une perspective absolument tangible… Mais, une fois encore, où était la vérité, dans ma situation ? J'avais seulement besoin de me cramponner à une autre interprétation de l'histoire, une version qui ne soit pas atterrante à ce point.

Nouveau coup d'œil à ma montre. Ces six prochaines heures s'annonçaient interminables. Il fallait que je m'active pour ne pas devenir fou, que mon cerveau et mes mains soient occupés à quelque chose.

J'ai refermé mon premier carnet de Berlin, que j'avais lu de bout en bout, et je suis retourné à la table. Une feuille de papier dans le rouleau de la machine, un instant à reprendre ma respiration et mes doigts se sont abattus sur le clavier. Certes, je savais qu'il était plus que téméraire de m'atteler au premier chapitre de mon livre alors que je vivais encore dans la ville qui était mon sujet, surtout dans les conditions psychologiques qui étaient les miennes, que j'aurais dû attendre d'avoir la fameuse « distance critique » et géographique entre elle et moi, ce qui avait toujours été mon intention, mais m'absorber dans l'écriture était la seule réponse à mon problème.

Je me suis lancé dans le travail avec une fureur contrôlée, marquant une pause au bout de deux heures pour me faire du café et rouler quatre cigarettes d'avance, avant de repartir pour un deuxième sprint créatif. Vers quatre heures, j'avais douze pages que j'ai relues posément, portant quelques corrections au stylo tout en sachant qu'une véritable intervention sur le texte était exclue tant que le manuscrit ne serait pas entièrement terminé. J'avais le temps d'aller boire une bière dans une *Bier Stube* du coin et de tenter de reprendre le contrôle sur mes pensées désordonnées avant que Petra soit de retour à la maison.

La maison… C'est ainsi que je considérais le studio que j'avais partagé avec la femme que j'adorais. Le premier des nombreux foyers dans lesquels nous vivrions ensemble, le début d'une vie commune, avec toutes les possibilités qu'elle présentait. Et maintenant, toutes ces promesses de félicité étaient remises en cause. De plus, je ne savais pas si je serais capable de respecter les instructions de Bubriski si je découvrais que Petra était bien telle qu'il le prétendait.

Soudain, la porte s'est ouverte et elle est entrée.

— Je devais revenir plus tard mais je n'ai pas pu attendre plus longtemps !

Son sourire resplendissait de tant d'amour, de tant de joie à me revoir, que je me suis levé d'un bond pour aller la prendre dans mes bras. Quelques secondes plus tard, nous étions au lit.

— Ah, ce que tu m'as manqué ! a-t-elle soupiré après, tandis que nous reposions côte à côte, envahis d'une délicieuse fatigue, essoufflés.

— Moi aussi.

— Je ne veux plus jamais te quitter, même un jour.

— C'est vrai ?

— Ça ne se voit pas ? Là-bas, à Hambourg, je n'ai pas arrêté de penser que d'ici la fin de la semaine je serais ta femme.

— C'est gentil, ai-je répondu en prenant soin de sourire, déjà conscient d'avoir adopté un rôle, d'avoir subi un changement que j'espérais être invisible.

Elle, en revanche, ne manifestait pas un seul signe de trouble, de culpabilité dissimulée ou de décontraction simulée.

— Ton week-end s'est bien passé ? m'a-t-elle demandé.

— Moins bien que si tu avais été là. Comment c'était, Hambourg ?

— Je ne connaissais pas encore, et j'ai été étonnée par la beauté de la ville, mais la conférence, quelle barbe ! Et le discours de Wellmann, franchement pas très divertissant. Enfin, j'ai eu le temps d'aller au musée d'Art moderne et de prendre un bateau pour traverser le lac. En regrettant que tu ne sois pas avec moi.

J'ai eu du mal à ne pas éclater, à ne pas la traiter de menteuse. D'un autre côté, mon esprit était encore désespérément à la recherche d'une explication, d'une raison à son voyage qui n'incluait pas le sinistre nabot que Bubriski affirmait être son chef et son…

— Mais parle-moi de Hans et Heidi Braun, a dit Petra sans deviner mes pensées.

C'était le moment de lui sortir le récit que j'avais imaginé au cours des dernières trente-six heures : mon transfert dans une voiture aux vitres teintées jusqu'à un endroit de la ville resté secret, mes deux heures d'interview avec une Heidi plutôt timide et nerveuse, un Hans au contraire incroyablement volubile, qui m'avait comblé d'anecdotes hilarantes sur la vie surréaliste en RDA mais avait repris tout son sérieux pour me raconter comment l'un de ses amis gays avait été passé à tabac par des policiers en civil. J'ai précisé que j'avais remis les cassettes à Magdalena Koenig au siège de la radio, et qu'elle avait passé la veille à les transcrire.

— J'ai eu le texte ce matin et je dois dire que ça va faire du bruit, quand ils vont le passer à l'antenne. Je dois retrouver Pavel demain pour réécouter l'enregistrement et décider ce qu'on doit couper. Il faut que ça tienne en une demi-heure.

— Et ils veulent la diffuser quand ?

— Dès que les services concernés auront donné leur feu vert, mais certainement avant vendredi. Hans Braun s'est vu proposer de danser à Fribourg et même dans le ballet de New York, tu te rends compte ? Mais il n'ira que là où sa sœur aura du travail, elle aussi.

— Comment ont-ils franchi le rideau de fer, alors ?

Je lui ai décrit leur sortie clandestine dans une camionnette transportant l'équipement de la compagnie de danse de Fribourg.

— Ils sont très à gauche, non ? a remarqué Petra.

— Très, au point qu'ils ont des difficultés à obtenir des visas pour une tournée aux États-Unis. Mais ça ne les a pas empêchés d'aider deux étoiles d'Allemagne de l'Est à trouver la liberté.

— Hans Braun parle de ça, dans l'interview ?

— Oui, en détail.

— Et la transcription ?

— Il y a seulement deux copies, et j'en ai une. D'ailleurs, il va falloir que je travaille dessus une petite heure ce soir, si tu veux bien. On attend mes propositions de coupe demain matin.

— Pas de problème, a répondu Petra, toujours impassible.

Nous avons fini par quitter le lit vers dix-neuf heures pour descendre dîner dans un restaurant italien du quartier. Pendant que nous partagions des pâtes et une demi-bouteille de rouge de la cuvée du patron, Petra a évoqué notre avenir à New York avec animation. Elle m'a dit qu'elle avait rédigé sa déclaration pour la demande de *green card* dans le train en revenant de Hambourg, qu'elle la taperait le lendemain et qu'elle comptait sur moi pour corriger son « mauvais anglais ».

— Je suis sûr qu'il n'y aura rien à reprendre, lui ai-je répondu en allemand.

— Mais une fois qu'on sera en Amérique, tu me parleras en anglais, d'accord ?

— La moitié en anglais, le reste *auf Deutsch*, ça te va ?

— C'est un bon compromis. Tu sais ce que j'adorerais faire ? D'ailleurs j'ai mis un peu d'argent de côté qu'on pourrait utiliser pour ça. Ce serait acheter une voiture d'occasion et passer deux mois à sillonner toute l'Amérique. Ou peut-être s'arrêter quelque part et repartir. Tu travaillerais à ton livre sur Berlin et pour le reste ce serait « On the Road avec Thomas et Petra » ! – Elle a posé une main sur ma joue, l'a caressée. – Tout va être fantastique, dès qu'on sera partis d'ici…

J'ai approuvé mécaniquement, espérant de tout cœur qu'elle ne remarquerait pas à quel point ce qu'elle venait de dire m'avait déstabilisé. Comment arrivait-elle à former ce tableau romantique de nous deux filant sur une route déserte du grand Ouest dans une vieille Chevrolet alors qu'elle venait de passer un week-end avec « lui » ? Quant à cette dernière affirmation que tout allait être idéal à partir du moment où nous aurions quitté Berlin. Avait-elle trouvé un moyen de se dégager des liens clandestins dont on m'avait présenté des preuves pour le moins troublantes ? Même si c'était le cas, serais-je capable de vivre en sachant qu'elle m'avait menti dès la naissance de notre amour ? Essayait-elle de me dire qu'elle arrivait enfin à dépasser son passé ?

Je l'ai priée de m'excuser pour aller aux toilettes. Là, je me suis retenu des deux mains au lavabo, pris de vertige. Tu vas te raconter quoi ? Qu'une agente du bloc de l'Est va se faire oublier par ses maîtres, qui en plus lui donneront leur bénédiction pour qu'elle épouse un Américain et parte vivre à New York ? Mais alors, pourquoi me disait-elle tout ça ? Je me suis aspergé le visage d'eau froide en pensant à cette maigre consolation : Au moins tu devrais être fixé très vite.

J'ai prétexté l'urgence du travail sur la transcription pour m'isoler. Petra n'a pas posé de questions, ni tenté de s'approcher de moi ; assise en tailleur sur le lit, elle relisait sa déclaration destinée aux services d'immigration américains. Après avoir fait durer les choses jusqu'à vingt-deux heures, je me suis levé en m'étirant et j'ai laissé les pages en évidence sur la table.

— Déjà fini ? s'est-elle enquise en me voyant approcher.

— Je finirai demain matin, avant d'aller réécouter les cassettes avec Pavel.

— Tu dois être fatigué.

— Ça oui.

— Mais pas « trop » fatigué, j'espère…

Elle s'est allongée avec un sourire irrésistible. À nouveau, nous nous sommes déshabillés mutuellement et nous avons fait l'amour avec une concentration et une tendresse telles qu'il m'était impossible de douter de sa passion. Après, elle a chuchoté dans mon oreille :

— Je t'aimerai toujours, quoi qu'il arrive.

Elle a éteint la lumière et nous nous sommes endormis enlacés. Sauf que j'ai fermé les yeux mais que j'ai combattu le sommeil, voulant croire qu'elle serait paisiblement assoupie près de moi lorsque je rouvrirais les paupières, et qu'alors je pourrais me laisser aller à mon tour, satisfait de la réponse que j'aurais obtenue. Si elle dort, la vie continue comme avant. Si elle se lève…

Dix minutes plus tard, je l'ai sentie se dégager doucement de mes bras, s'asseoir sur le lit, rester un instant immobile – voulait-elle s'assurer que je ne me réveillais pas ? –, puis se glisser jusqu'à la chaise, enfiler son pull et quitter la pièce en refermant la porte avec précaution.

Comme un automate, j'ai compté jusqu'à soixante avant d'enfiler mon jean et mon tee-shirt dans la faible lumière du clair de lune. Immobile, j'ai attendu encore cinq minutes, le regard hypnotisé par la grande aiguille de ma montre. Quand il a été temps de bouger, j'avais rejeté la consigne de Bubriski : pas question de regarder par le trou de la serrure, de m'abaisser à une sorte d'espionnage indigne de moi, de nous. Non, j'ai ouvert la porte sans bruit et Petra était là, penchée au-dessus de la table. Elle avait allumé ma lampe de bureau et l'avait braquée sur les pages maintenant étalées sur le bois poli, qu'elle était en train de photographier avec un appareil de poche. Je n'ai pas bougé. Même si je redoutais le pire depuis qu'elle s'était levée subrepticement, quel choc de la découvrir occupée à son « travail », de réaliser que tout se désintégrait sous mes yeux…

Une des composantes essentielles de l'amour est l'espoir, lequel est une très fragile émotion en équilibre sur la ligne qui sépare l'univers du possible de celui de la déception et du deuil. Nous vivons dans la hantise du moment où la preuve concrète que tout est désormais sans espoir surgira devant nous.

— Tu dois partir, me suis-je entendu murmurer.

Elle a été tellement surprise par le son de ma voix qu'elle a failli perdre l'équilibre, se rattrapant de justesse à la table mais renversant la lampe, dont l'ampoule s'est brisée par terre.

— Thomas…

— Va-t'en, ai-je déclaré d'un ton encore étrangement calme.

— Je peux t'expliquer, Thomas…

— Ne te fatigue pas. Tu travailles pour eux, c'est ça ?

— Thomas…

— C'est ça ? ai-je crié.

Elle a posé une main sur sa bouche, les yeux soudain pleins de larmes.

— Laisse-moi t'expliquer.

— Non ! Tu m'as trahi, tu nous as trahis, tu as tout détruit !

Un cri étranglé s'est échappé de ses lèvres.

— Je t'aime, a-t-elle murmuré.

— Oui, et tu étais avec un autre à Hambourg !

C'est elle qui a paru recevoir un coup en pleine face, cette fois.

— Comment tu… ?

— Comment je sais ? C'est mon problème ! Je l'ai appris. Comme j'ai appris que tu baisais avec lui pendant tout le temps où tu me racontais tes…

— Tu es celui que j'aime, Thomas, m'a-t-elle interrompu. Tu dois me laisser te…

— Quoi ? « Expliquer » ? Inventer la raison pour laquelle tu devais écarter les jambes pour ce… gnome monstrueux ?

— Je t'en prie, permets-moi de…

— Tu n'as pas entendu, merde ? – Je hurlais, maintenant. – Je veux que tu déguerpisses immédiatement ! Hors d'ici ! Hors de ma vie !

Lorsque je l'ai vue venir vers moi les joues striées de larmes, balbutiant des supplications, les bras ouverts, une colère totalement irrationnelle s'est emparée de moi, une rage terrifiante née de toutes les trahisons personnelles que j'avais connues depuis l'enfance, une révolte qui m'a emporté dans toute sa furie. Je me suis jeté en avant et elle s'est réfugiée dans un coin, sanglotante. Attrapant les feuillets étalés sur la table, je les ai lancés sur elle en hurlant :

— Prends-les, vas-y, prends cette saloperie ! Ils vont te donner le putain d'ordre de Lénine pour ça, je parie !

— S'il te plaît, s'il te plaît, a-t-elle répété entre ses sanglots.

— Tu bousilles tout et tu t'attends à être pardonnée ? Dehors, bordel !

Incapable de me maîtriser, j'ai saisi une chaise et je l'ai envoyée contre le mur. Petra a crié encore une fois, un cri déchirant, mais à travers le brouillard de ma fureur je l'ai aperçue se penchant pour ramasser les pages éparpillées sur le sol. Ce nouveau coup a été trop, pour moi, et je me suis déchiré la gorge à brailler :

— Tu vois ? Tu vois ? Voilà, tu as ce que tu voulais, alors fous le camp avant que je…

Elle a couru prendre son sac, fourrant l'appareil photo et les feuillets froissés dedans, puis elle a gagné la porte, toujours sanglotante, et l'a claquée derrière elle. Enragé, j'ai bondi à la fenêtre pour abaisser le store et donner ainsi le signal convenu mais ce geste a complètement inversé le flot de mes émotions, comme si je me rendais soudain compte que j'avais ordonné au peloton d'exécution de faire feu, et je me suis précipité dans l'escalier en criant à Petra de s'arrêter, d'attendre, de… Je n'avais aucune idée de ce que je faisais. Je venais seulement de comprendre que je m'étais laissé submerger par la colère la plus folle et qu'une certaine logique luttait pour reprendre le dessus, me disant que je ne lui avais même pas accordé la chance de s'expliquer, et que c'était peut-être moi qui venais de provoquer l'irrémédiable.

J'ai traversé l'atelier à toutes jambes, atteint le trottoir mal éclairé en quelques bonds, hurlant le nom de Petra. Il y avait une voiture arrêtée et elle se tenait devant. Deux hommes en costume étaient en train de la forcer à monter dans le véhicule. Je me suis élancé en leur criant de la laisser tranquille, de m'écouter d'abord. Quelqu'un est sorti de l'ombre sur mon passage, j'ai senti un poing percuter mon estomac de plein fouet et je suis tombé en avant, sur les genoux. Une main m'a obligé à me redresser en me saisissant par le collet et un visage connu est apparu devant mes yeux : Bubriski.

— Qu'est-ce qui vous prend, nom de nom ? a-t-il sifflé entre ses dents.

— Vous n'avez jamais dit que vous alliez l'arrêter en pleine rue ! ai-je protesté de toutes mes forces. Vous deviez la suivre pour qu'elle vous conduise à…

Il m'a collé un autre coup dans le ventre, puis il m'a remis sur mes jambes, m'a traîné jusqu'au couloir d'entrée de mon immeuble, me plaquant le dos contre le mur.

— Vous la fermez, maintenant, ou je vous envoie dans une taule dont vous ne ressortirez pas de sitôt, et ce n'est pas une putain de menace en l'air ! Compris ? – J'ai acquiescé à plusieurs reprises, effaré par la dureté du ton qu'il avait pris. – Votre rôle dans cette affaire est terminé. Vous avez agi comme il fallait, à part cet esclandre stupide dans la rue. J'ai un deal pour vous : vous pliez bagage, vous dégagez pour de bon d'ici, vous ne mentionnez jamais rien de tout ça dans un de vos bouquins ou de vos articles et je vous laisse continuer votre vie comme si de rien n'était ; par contre, si vous faites encore du foin, si vous cherchez les ennuis, alors…

— Je ne ferai rien, ai-je murmuré.

Il a lâché le col de ma chemise.

— C'est plus raisonnable. Et maintenant, vous remontez là-haut et vous préparez votre paquetage. Il y a un vol British Airways pour Francfort à sept heures, demain matin. Avec une correspondance pour New York, Lufthansa, à dix heures vingt-cinq. Vous aviez déjà un retour, exact ?

Il sait tout sur moi, ai-je pensé, absolument tout.

— Je vais demander à mes hommes de contacter ces compagnies aériennes et de vous réserver une place sur ces vols. Pas d'objection ?

Et pas de choix, non plus.

— Non, pas d'objection…

— « Très » raisonnable, ce garçon ! Au nom du gouvernement américain, je vous remercie pour cet excellent boulot. Cette fille était une salope, elle vous a dupé et vous le lui avez fait payer. C'est comme ça que j'aime que ce genre d'aventures se terminent, même si c'est trop peu souvent le cas.

J'ai baissé la tête. Je ne ressentais plus ni colère ni désir de vengeance, mais seulement une honte terrible. « S'il te plaît, s'il te plaît… », avait supplié Petra, mais au lieu de l'écouter je l'avais jetée dans les griffes d'une engeance dont les petits jeux étaient aussi bas et révoltants que ceux de l'autre côté du Mur.

— Si vous vous sentez coupable, a repris Bubriski, et je crois voir ça à votre triste mine, vous feriez mieux d'arrêter. Elle savait très bien dans quoi elle se fourrait en s'alliant à ces gens. Elle sera échangée d'ici peu contre de braves types qui sont en prison là-bas, et sa récompense sera sans doute un bel appartement et une Trabant neuve. D'ici là, on ne va pas la maltraiter, croyez-moi, parce qu'il y a très peu de choses qu'elle puisse nous dire que nous ne connaissions pas déjà. Elle n'est qu'un pion dans une partie qui la dépasse. Et vous pareil.

— Et Haechen aussi, ce n'est qu'un pion ? Vous allez l'arrêter ?

— Ça, je n'ai pas le droit de vous le dire. Rentrez à New York, pondez votre bouquin sur Berlin, trouvez-vous une petite assistante névrosée à la *New York Review of Books* pour occuper vos soirées, et pas un mot de cette histoire à quiconque, mais je vous l'ai déjà dit et je crois que vous apprenez vite. Estimez-vous heureux de vous en tirer à si bon compte. Je vais indiquer dans mon rapport que votre coopération a été exemplaire mais aussi qu'il faudra surveiller de près ce que vous publiez. Vous pouvez continuer à persifler sur le pays qui vous a donné le jour et ses institutions : c'est la preuve que nous respectons la liberté de pensée, nous autres, mais si vous faites la moindre allusion à cette histoire…

— Quelle histoire ?

— Eh, vous commencez presque à me plaire, vous savez ?

— Et si mon colocataire me demande pourquoi je m'en vais brusquement ?

— Vous lui dites que vous avez rompu avec votre nana et que vous trouvez trop dur de rester à Berlin, après ça. Surtout, ne manquez pas ce vol demain matin à sept heures. – Il s'est reculé d'un pas. – Bon, il est temps de vous souhaiter *auf Wiedersehen und gute Reise*. Ou plutôt adieu, car je doute que nos chemins se croisent encore. Bon boulot, « camarade ». Vous êtes des nôtres, maintenant…

Il a tourné les talons et l'obscurité l'a englouti. Je suis remonté à l'appartement, cramponné à la rampe tant ma tête tournait. Alastair était sur le palier, baissant sur moi des yeux méprisants.

— Qu'est-ce que tu as fait ? a-t-il demandé d'une voix cinglante. Bon Dieu, qu'est-ce que tu viens de faire, Thomas ?

— Je ne sais pas de quoi tu parles.

— J'étais dans ma chambre. Je vous ai entendus, et j'allais intervenir quand Petra s'est précipitée dehors. Par ma fenêtre, j'ai vu ce qui se passait dans la rue. Et je m'étais glissé en bas lorsque ton gangster de compatriote t'a traîné dans le couloir. J'ai tout entendu, tout compris…

— Et qu'est-ce que tu comptes faire ?

— Rien. Sinon t'informer que, s'ils ne t'avaient pas ordonné de quitter Berlin d'ici demain, c'est moi qui t'aurais mis à la porte d'ici. Je ne veux plus avoir le moindre contact avec un type de ton espèce.

— Tu ne comprends pas ! Elle a menti, elle a trahi ce qu'il y avait de plus…

— La pire trahison, c'est la tienne, et contre toi-même. Pour avoir donné la femme que tu aimais à ces salauds. Tu as foutu ta vie en l'air, Thomas. Tu ne surmonteras jamais une chose pareille. Jamais.

Trois soirs plus tard, j'étais dans le petit studio de Stan, mon ami mathématicien, non loin du campus du MIT à Cambridge. Je lui avais téléphoné de l'aéroport Kennedy, lui disant que j'avais besoin d'un refuge, parce que mon sous-locataire à Manhattan ne devait pas quitter les lieux avant plusieurs semaines et surtout parce qu'il me fallait une présence amicale. Il m'avait répondu que son vieux canapé-lit serait à moi le temps qu'il faudrait. Un bus jusqu'à La Guardia, un vol très rapide pour Boston et j'étais apparu sur son seuil à dix heures du soir, après presque deux nuits blanches d'affilée. Sans poser de questions, il m'avait donné des draps, une couverture, et il s'était arrangé pour partir le lendemain matin sans me réveiller. Pendant deux jours, j'étais resté cloîtré dans ce petit espace, en proie à un désespoir déchirant mais silencieux, et il n'avait pas cherché à me tirer de mon isolement. C'est alors que la troisième nuit chez lui débutait que je lui ai dit soudain :

— Si je te raconte quelque chose, est-ce que tu promets de…

— Tu sais que tu n'as pas besoin de demander ça.

Le récit est venu tout seul, ensuite, ou était-ce une confession ? À la fin, il est resté longtemps silencieux puis, levant les yeux, m'a déclaré :

— Tu n'as pas à t'en vouloir de cette façon, Thomas. Ce Bubriski avait raison, quand il a dit que toi et elle n'étiez que des pions dans une partie aux enjeux énormes.

— Mais j'ai perdu la tête et j'ai tout gâché, tout détruit.

— Tu as perdu la tête parce que tu aimais cette fille comme tu n'avais jamais aimé personne. Elle le comprend, ou elle le comprendra. Crois-moi, elle ne passera pas le reste de sa vie à penser que tu as été un monstre de devenir fou en apprenant la vérité sur son compte. Elle se dira : Ce garçon m'aimait tellement que tout son univers s'est effondré quand il a découvert qui j'étais. Et ça, ça va la hanter pour toujours.

— Et moi aussi, ça va me hanter pour toujours, Stan ?

— Tu connais la réponse.

Je me suis tu, accablé. Il n'a pas laissé le silence s'installer :

— Impossible de se remettre de ça, Thomas. Tu peux essayer tout ce que tu veux mais c'est ainsi.

Des années plus tard, après sa mort soudaine, les mots de Stan sont revenus résonner des jours durant dans mon cerveau, non qu'ils aient jamais vraiment quitté ma conscience. Non, ils étaient toujours là, et Petra aussi. Jour après jour. Elle, et ce versant de mon passé que j'avais partagé avec un ami véritable, une seule fois, avant de le taire si longtemps. Le confier à quiconque aurait été admettre ce qu'il m'était impossible de reconnaître, quand bien même je savais que c'était une vérité à laquelle je ne pourrais échapper : je ne m'en suis jamais remis, non.

11

Le manuscrit s'arrêtait là. La dernière page tournée, j'ai repoussé le tas sur la table, exactement le même geste qu'en décembre 2000, alors que je venais d'en terminer la rédaction, un mois et demi d'écriture acharnée pour un livre qui ne serait jamais publié, parce que je ne le voulais pas. Je l'avais aussitôt bouclé dans un placard, persuadé que je ne le relirais jamais. Ce n'était pas que je prenais encore au sérieux les menaces de représailles proférées par Bubriski : le Mur était tombé onze ans auparavant, la guerre froide se conjuguait désormais au passé, et la ville où je n'avais pas remis les pieds depuis mon départ forcé était à nouveau unifiée. Et puis, j'avais sorti un récit de mon séjour à Berlin en 1986, en omettant certes tout ce que je savais impossible à divulguer.

Cet ouvrage, je l'avais commencé une semaine seulement après ces derniers abominables moments de l'été 1984 à Berlin. Au bout de quelques jours de prostration chez Stan à Cambridge, celui-ci m'avait annoncé : « Tu t'es suffisamment terré ici, je te prescris un endroit où tu pourras te remettre en contemplant la nature. » Et il m'avait lancé les clés de la maison de campagne que sa famille possédait sur la rive du lac Champlain, aux abords de Burlington, dans le Vermont. Fils unique, il avait perdu ses parents dans un accident de voiture deux ans auparavant. Comme tout son temps était partagé entre son doctorat à terminer au MIT et les cours qu'il y donnait, cette résidence secondaire restait inoccupée. « Restes-y autant que tu voudras, m'a-t-il proposé, et si tu essaies de me payer quelque chose, je ne t'adresse plus la parole. »

J'ai rejoint le Vermont en bus. Le cottage était simple mais accueillant. Trois chambres, une bonne table de travail avec une très belle vue sur le lac et la barre des Adirondacks sur le rivage opposé, un fauteuil confortable pour lire, plein de disques et de livres, une radio, et même une bicyclette munie de sacoches avec laquelle je pouvais me rendre à Burlington en dix minutes pour faire des courses, boire un café, traîner dans les librairies, voir un film ; bref, occuper le temps que je ne passais pas à écrire.

Car je me suis mis au travail dès le lendemain de mon arrivée, oui. En quittant précipitamment Berlin, je n'avais pris que quelques habits, mes cahiers de notes et ma machine à écrire, laissant tout le reste – livres et disques achetés là-bas, vêtements – avec un billet de cent dollars et un mot pour Alastair avec mon adresse new-yorkaise : « *Si tu peux avoir l'obligeance de m'expédier le reste de mes affaires, je pense que cet argent couvrira amplement les frais. Si tu préfères tout jeter ou en faire don à une organisation caritative, je comprendrai.* » J'avais été tenté d'ajouter que ce n'était pas la fin que j'aurais désirée mais je m'étais contenté de signer puis j'avais tout fourré dans deux valises que j'avais descendues à l'atelier. L'aube se levait mais Alastair était assis à sa grande table, une bouteille de vodka à la main, une cigarette entre les doigts.

— Alors, tu prends la fuite, c'est décidé…

— Exact.

— C'est toute l'histoire de ta vie, non ?

Et il avait pivoté sur sa chaise, me tournant le dos et mettant un terme à notre conversation. Bardé de mes sacs, j'avais attendu un taxi une vingtaine de minutes dans la rue ; à l'aéroport, on m'avait confirmé que j'avais une place réservée pour New York, via Francfort. Quelques heures plus tard, au-dessus de l'Atlantique, je suis allé m'enfermer dans les toilettes et j'ai perdu pied. Je sanglotais tellement fort qu'une hôtesse de l'air a frappé à la porte et s'est enquise de mon état. Me ressaisissant, j'ai ouvert et elle m'a dévisagé d'un regard inquiet :

— Vous êtes sûr que ça va ?

— Désolé, ai-je dit tout bas.

— Vous avez eu un décès dans votre famille ?

— J'ai perdu quelqu'un, oui…

De retour à mon siège, les yeux dans le vide, j'ai répété sans cesse dans ma tête un vers de la poignante ballade d'Oscar Wilde qui m'avait frappé quand je l'avais lu : « *Pourtant chacun tue ce qu'il aime* »… Mais elle m'avait trahi ! Oui, et puis je m'étais trahi moi-même.

Cela a été une sorte de deuil. Durant ces premiers jours en Amérique, à part la première nuit, quand l'épuisement m'avait terrassé, je n'ai presque pas dormi ; je ne pouvais pratiquement rien manger et je ne me risquais pas hors du studio de Stan. Même après lui avoir tout raconté, je n'ai ressenti aucun soulagement, aucune atténuation de la souffrance ; au contraire, c'était comme si j'avais creusé la plaie, me rendant compte à quel point Alastair avait frappé juste en proclamant que j'avais gâché ma vie. Je revivais les derniers instants à l'appartement, quand elle m'avait supplié de l'écouter. Que serait-il arrivé si j'y avais consenti ? Certes, qu'elle ait si visiblement travaillé pour l'« autre côté » lui aurait interdit l'accès aux États-Unis, mais – car il y avait toujours ce « mais » obsédant – il y aurait peut-être eu une solution, parce que la peine sincère qu'elle avait montrée alors, son affliction devant mon refus de l'entendre prouvait sans nul doute qu'elle m'avait aimé, qu'elle m'aimait… En me trompant de cette façon ? Comment avait-elle pu prétendre que j'étais l'homme de sa vie, me raconter sa terrible histoire d'emprisonnement et de séparation d'avec son fils et s'avérer en même temps être une agente d'un régime qu'elle disait abhorrer ? L'amour et la trahison allaient-ils toujours de pair ?

L'écriture du livre a constitué une bonne diversion, une manière de m'occuper, d'accomplir quelque chose, d'avancer avec l'espoir que ce mouvement en avant allait calmer la souffrance ou, du moins, me permettre de trouver une forme d'acceptation de ce qui m'était arrivé. Je travaillais comme un possédé, et je crois que je l'étais réellement. Chaque matin, j'allais courir le long du lac ; la plupart des après-midi, je marquais une pause en me rendant en ville à vélo pour acheter un journal et passer un moment dans un café. Une ou deux fois par semaine, j'allais voir un film, mais pour le reste c'était le travail et encore le travail dans la petite maison de Stan.

Les semaines ont passé. Quand mon sous-locataire a quitté le studio de Manhattan, je suis allé deux jours à New York et j'ai donné les clés à un ami enseignant qui cherchait une location de courte durée. Mon loyer était assuré jusqu'à la fin de l'année et novembre s'est achevé sans que Stan revienne sur son engagement de me laisser la maison autant que je le voudrais. La veille de Thanksgiving, il est arrivé avec une dinde à partager avec moi.

— Tu as maigri, m'a-t-il fait remarquer, car j'avais en effet perdu sept ou huit kilos depuis mon retour.

— Oui, mais j'ai grossi de quatre cents pages, ai-je plaisanté en lui montrant le manuscrit empilé sur une étagère.

— Ah, la consolation de l'art…

— J'imagine.

— Et ensuite ?

— New York, pour rendre mon pensum à mon éditrice, qui me demandera comme à l'accoutumée de réécrire un passage ou un autre. Et après, je ne sais pas, je pensais faire un bouquin sur l'Alaska.

Stan m'a regardé.

— Plus isolé que ça, tu vas avoir du mal. Si c'est pour continuer à te couper du monde… – Je n'ai pas répondu, et il m'a pris par le bras : – Écoute, tu finiras bien par accepter la perte.

Mon éditrice a trouvé mon portrait du Berlin moderne « très isherwoodien », avec ses couleurs tapageuses et ses zones d'ombres pesantes, et elle a dit avoir beaucoup aimé les personnages que j'avais campés à travers ma dérive urbaine. Alastair, par exemple, était devenu un sculpteur d'origine aristocratique anglais, Simon Channing-Burnett. Mais elle a aussi noté une « certaine distance émotionnelle », un « curieux détachement » dans mon évocation, se demandant à voix haute si je ne pouvais pas y ajouter un peu plus d'âme.

— C'est Berlin, ai-je expliqué, et Berlin est avant tout une ville d'apparences, de décadence de surface.

— Oui, mais j'ai senti derrière toutes ces « surfaces » brillamment évoquées une autre histoire, une histoire que vous n'avez pas voulu raconter.

— Chacun de nous a des histoires qu'il préfère taire.

— D'accord, mais je voudrais plus d'émotion, Thomas.

J'ai tenté de répondre à son attente en développant la relation sentimentale entre Simon et son amant, Constantin, un Grec chypriote marié, basée sur la liaison complexe d'Alastair et de Mehmet, mais le « détachement » que mon éditrice avait remarqué était inhérent au livre, et ne pouvait donc être entièrement corrigé : le *je* de narration était un observateur distancié, souvent ironique et imperméable aux drames personnels qu'il pouvait rencontrer sur sa route. « Tu es un sacré bon acteur », a constaté pour sa part Stan lorsqu'il l'a lu, et à sa parution la majeure partie des critiques ont observé que l'ouvrage était agréable à lire mais un peu vide, verdict que je n'ai pas pensé contester.

Celui qui a suivi a bel et bien été consacré à l'Alaska, où j'ai passé trois mois. Aussitôt après sa parution, je me suis envolé vers les espaces immenses du bush australien. Ensuite, j'ai passé quelques mois dans l'ouest du Canada pour écrire mon livre sur le désert australien.

Il y a eu bien sûr d'autres aventures, d'autres femmes. Une photo-journaliste de Sydney avec qui j'ai vécu trois mois mais qui a fini par me reprocher d'être « toujours ailleurs » ; une chanteuse de jazz, Jennifer, que j'ai rencontrée lors d'un passage à Vancouver et qui m'a fait m'enfuir à New York dès que je l'ai entendue m'annoncer qu'elle m'aimait sérieusement ; une experte financière de New York qui avait d'abord trouvé dépaysant de coucher avec un écrivain mais qui s'est lassée de me voir sans cesse penser au prochain voyage que j'allais entreprendre.

Et puis j'ai rencontré Jan. Intelligente, sûre d'elle, sexy à sa manière lucide et déterminée, cultivée. Même âge que moi. Prête à s'accommoder de mes fréquentes absences. Désireuse de partager une existence avec moi. Elle m'a dit qu'elle était tentée par le défi qu'il y avait à connaître quelqu'un comme moi, si différent des autres hommes qu'elle avait eus dans sa vie. Moi, j'étais fasciné par sa rigueur intellectuelle d'avocate, son sens de l'organisation, sa volonté d'imposer un ordre rationnel à la confusion inhérente à la condition humaine.

Nous nous sommes connus lors d'une lecture publique que j'avais faite à Boston. L'un de mes amis de faculté, associé du cabinet d'avocats où elle était entrée peu de temps auparavant, l'avait emmenée avec lui et nous sommes allés dîner tous les trois. J'ai été impressionné par sa vivacité d'esprit et son humour pince-sans-rire, tandis qu'elle semblait intéressée par tout ce que j'étais. Bientôt, elle m'a convaincu de venir habiter un moment chez elle, un très joli appartement sur Commonwealth Avenue. Je l'ai invitée à se joindre à moi dans une virée à travers le désert d'Atacama au Chili, puis durant un reportage dans l'île de Djerba. Environ huit mois après le début de notre relation, elle a découvert qu'elle était enceinte, elle m'a déclaré qu'elle voulait garder le bébé mais que si je m'opposais catégoriquement, évidemment… Je n'ai rien objecté.

J'avais dit à Jan que je l'aimais tout en sachant que c'était un sentiment mitigé. Ce n'était que le pâle reflet de la passion que j'avais éprouvée pour Petra. Et Jan, devant qui je n'avais jamais mentionné le nom de Petra, se doutait que notre relation n'était pas la plus grande histoire d'amour du siècle. À ses cinq mois de grossesse, nous avons loué une maison pour quinze jours en août, sur une petite île du Maine, Vinalhaven. Un soir où nous étions sur la terrasse à contempler la houle atlantique, elle m'a dit à brûle-pourpoint :

— Je sais que ton cœur est ailleurs, Thomas.

— Quoi ?

Sans lever les yeux des vagues, elle a poursuivi :

— Je vois bien que tu tiens à moi, et j'espère sincèrement que tu vas donner ton amour à l'enfant que je porte, mais je sens, je sais que je ne suis pas l'amour de ta vie. Et aussi dur que ce soit de l'admettre, je l'accepte.

Il n'y avait aucune acrimonie dans sa voix, juste une lucidité froide. Cette déclaration sur un ton objectif m'a tellement pris de court que j'ai eu une réaction idiote.

— Je ne vois pas de quoi tu parles.

— Mais si. Et si tu as envie de me parler d'« elle »...

J'ai observé Jan, découvrant une tristesse peu habituelle dans ses prunelles. J'ai voulu prendre sa main mais elle l'a retirée.

— Comment s'appelait-elle ? a-t-elle demandé.

— Ça... ce n'était rien d'important.

— N'essaie pas de m'épargner, Thomas. Je peux supporter la vérité, mais pas le baratin.

Lui raconter mon amour pour Petra, admettre que c'était son visage que je voyais encore lorsque nous faisions l'amour ? À quoi bon lui infliger cette peine ? À la place, j'ai dit :

— Je veux passer ma vie avec toi, Jan.

— Tu en es si sûr ? Parce que, tu sais, et c'est une « vérité », ça : je serais capable d'élever cet enfant pratiquement toute seule, s'il le fallait.

— Mais je le veux, cet enfant !

Et je ne mentais pas. J'étais las de mon existence errante, des voyages incessants, et je ne voulais pas tout le temps regretter de ne pas avoir été père. Je comprenais instinctivement que le moment était venu de jeter l'ancre et de construire quelque chose de sérieux avec une femme. Et j'en avais une à côté de moi, une femme brillantissime qui désirait la même chose, qui avait accepté mon instabilité chronique tout en me donnant un début d'équilibre domestique. Elle qui semblait avoir vu en moi un homme que son intellect et la force de son caractère n'intimidaient pas, contrairement à tant d'autres.

Je l'ai dit, le courant n'est jamais passé entre elle et Stan. Loin de dissimuler ses impressions, il m'a mis en garde contre sa froideur apparente et il a deviné que je l'admirais plus que je ne l'aimais. Comme Jan, pourtant, j'étais arrivé à un point de ma vie où j'avais besoin de repères solides. À cela, il faut ajouter que nous étions incontestablement « compatibles » dans la vie quotidienne et par nos goûts respectifs : nous pouvions parler librement de livres, de films ou de la dernière émission culturelle à la radio, nous avions les mêmes préférences esthétiques et nous n'étions pas absorbés dans une compétition mutuelle, nous ne cherchions pas imposer à l'autre un rôle qui ne lui convenait pas. Mais si sur le papier nous formions une excellente union, il manquait une connexion essentielle : l'amour véritable.

Je discerne maintenant à quel point j'essayais de trouver un compromis, face à ces réalités : D'accord, ton cœur ne fait pas des bonds quand tu la vois ; d'accord, il y a une bonne entente entre vous mais pas de complicité profonde, pas de certitude de partager le même destin. Eh bien, ça viendra avec le temps… C'était déguiser tous les doutes muets que je répugnais à admettre. Nombre de couples mariés ne fonctionnent-ils pas ainsi, avec l'espoir que l'élément fondamental finira par apparaître ? N'amplifient-ils pas les aspects positifs afin de conclure l'accord, parce que chacun s'est convaincu qu'il était temps de « s'installer » ?

En novembre 1989, je suis allé voir une nouvelle copie du *Troisième Homme* dans un cinéma de Harvard Square. Ma femme, enceinte de huit mois, avait préféré travailler tard à son bureau sur un dossier qu'elle voulait absolument boucler avant la naissance de notre enfant. Après la séance, je me suis arrêté à l'un des rares

« saloons » populaires qui subsistaient dans ce coin toujours plus huppé de Cambridge. J'étais assis au bar à côté de trois poivrots lorsqu'un flash spécial à la télévision accrochée au mur m'a fait lever la tête. Des images brouillées du mur de Berlin en train d'être percé, et le correspondant de CNN devant les barrières désormais grandes ouvertes de Checkpoint Charlie, la voix étranglée par l'émotion, alors que derrière lui des milliers d'Allemands de l'Est se ruaient en liesse vers l'ouest : « Le Mur est enfin tombé aujourd'hui et... le monde n'est déjà plus comme hier. »

Je me rappelle avoir été à ce point bouleversé par ce commentaire, et par la vue des Berlinois des deux côtés s'embrassant en pleurant, que je suis sorti du bar dans un état second, assailli par des idées folles, calculant en combien de temps je pourrais rejoindre Berlin, moi aussi, me voyant déjà retrouver Petra dans la partie orientale, la prendre dans mes bras et lui dire qu'elle n'avait cessé d'occuper mes pensées chaque jour de ces cinq dernières années tandis que je continuais à me maudire d'avoir laissé la colère étouffer la compassion en moi, lui dire que si seulement je pouvais revenir en arrière...

Mais on ne peut jamais revenir en arrière. Le passé étant le passé, j'étais désormais un homme marié qui serait très bientôt père. Et d'ailleurs, pourquoi aurait-elle voulu m'écouter après ce que je lui avais infligé ? Sans doute avait-elle eu la chance de rencontrer quelqu'un d'autre et était-elle mère, à nouveau. Et moi, j'étais... hanté. Anéanti par ce qui était arrivé et qui restait impossible à corriger. Le Mur était tombé, certes, mais il continuait à emprisonner mon cœur.

Quand Candace est arrivée, mon amour pour elle a été total, inconditionnel. De plus, comme nous partagions la responsabilité de ce petit être merveilleux, nous avons réussi à échapper parfois, Jan et moi, à la conviction que notre histoire manquait de l'énergie vitale que seul l'amour peut apporter.

Lorsque je repense à cette nuit devant la mer sur la côte du Maine, à ce moment où Jan a fait preuve d'une telle franchise, je me demande pourquoi je n'ai pas simplement dit la vérité. Pourquoi ne pas avoir avoué que le fait d'avoir perdu Petra n'avait jamais cessé de me torturer ? D'accord, j'avais trouvé un certain modus vivendi, de même que l'on finit par se résigner à la mort d'une personne primordiale, mais sa présence constante dans mes pensées, et le constat qu'aucune relation sentimentale n'atteindrait pour moi cette « évidence » fiévreuse qui avait été la nôtre, ne faisait que me rappeler tout ce qui manquait à mon mariage avec Jan, et surtout tout ce dont je m'étais privé.

Pendant les premières années de l'enfance de Candace, nous sommes réellement parvenus à poursuivre des objectifs communs, pourtant. Nous avons acheté une maison à Cambridge et on m'a proposé un poste d'enseignant à tiers-temps à l'université de Boston, de septembre à décembre, et j'ai réduit par ailleurs mes voyages pour ne pas être absent plus de deux mois par an. J'ai continué à écrire des livres, des articles, et quand j'étais à la maison j'ai assumé ma part de responsabilité parentale avec empressement et bonheur. Voir ma fille découvrir peu à peu le monde était une expérience si intéressante, si émouvante qu'elle compensait la distance croissante qui se creusait entre sa mère et moi. Le tempérament autoritaire de Jan, sa rigidité, la « froideur » que Stan avait tout de suite décelée mais que je m'étais refusé à considérer sérieusement ont fini par m'amener à me renfermer. D'après elle, j'étais trop occupé par ce qui se passait dans ma tête, trop égoïste et trop fondamentalement solitaire pour me plier à l'échange constant que suppose une union conjugale satisfaisante. Mon amour pour elle n'était qu'un vernis fragile, sans véritable substance. Nous avons évité la discorde ouverte, nous avons continué à faire l'amour deux ou trois fois par semaine avec toujours moins de passion, et nous avons œuvré ensemble pour répondre aux besoins de Candace et lui assurer un avenir. Mais quand elle a atteint l'adolescence, que son éducation n'a plus demandé une attention de tous les instants, les masques ont commencé à tomber, l'équilibre précaire à se fissurer, la fracture à s'approfondir irrémédiablement.

Quand mon éditrice m'a proposé en 2004 de réfléchir à l'écriture de mes mémoires de globe-trotter compulsif après un essai sur cette aspiration si humaine à échapper au quotidien que j'avais publié avec un modeste succès, j'étais quasiment sûr que Jan avait entamé une liaison avec l'un de ses collègues – un fait qu'elle a reconnu quelques années plus tard, alors que notre mariage arrivait à sa fin –, et je voyais de temps à autre Eleanor, qui tenait une rubrique dans un magazine new-yorkais, une femme extrêmement indépendante, toujours contente de me retrouver lorsque je passais à Manhattan. Deux ou trois fois par an, elle m'accompagnait volontiers dans quelque équipée d'une semaine et, avec nos rendez-vous à New York, c'était tout ce qu'elle attendait de notre « arrangement », ainsi qu'elle l'appelait. Elle avait quarante ans comme moi, beaucoup d'esprit, elle était drôle et remarquablement passionnée au lit, mais elle avait eu une relation traumatisante avant de me connaître – avec un homme marié, également – et avait décidé par conséquent de barricader son cœur, tout en admettant un jour que nous étions faits l'un pour l'autre. Au bout de six mois de cette « camaraderie érotique », pour reprendre ses propres termes, pendant un voyage au Costa Rica, je lui ai avoué que j'étais amoureux d'elle, et sa réaction a été de freiner des quatre fers.

— Ne commence surtout pas avec ça, a-t-elle répliqué en se détournant de moi pour allumer une cigarette.

— Mais c'est la vérité. Et j'ai l'impression que, toi aussi, tu ressens la même…

— Ce que je « ressens », a-t-elle répliqué, c'est que tu es marié et que tu vis à trois cents bornes de ma ville avec une femme et une ado qui, d'après ce que tu m'as dit d'elle, porte son papa aux nues.

— Elle n'arrêterait pas de m'aimer, et elle pourrait me voir très souvent, si j'habitais Manhattan.

— Quoi ? Tu veux venir vivre avec moi ?

— Je ne suis pas présomptueux à ce point, mais j'ai envie d'être avec toi, c'est vrai. Pas pour un week-end tous les deux mois et une petite escapade de-ci de-là. Pour être davantage avec toi, je serais prêt à louer quelque chose à Manhattan.

— Impossible ! a tranché Eleanor en se redressant dans le lit, visiblement très agitée.

— Tu sais que je t'aime.

— Et je sais que tu es un type génial qui mériterait d'être plus heureux que tu ne l'es. Sauf que je ne suis pas celle qui va participer à cette entreprise.

— Mais on s'entend tellement bien, on est tellement bien ensemble…

— Oui, et il y a des limites au-delà desquelles je ne suis pas disposée à m'aventurer. Je vais être très franche, Thomas. J'aime te voir quand c'est possible, et m'envoyer en l'air avec toi, et me promener sur une plage en ta compagnie, et tout ça, mais à condition que les choses restent en l'état. J'apprécie que tu ne te plaignes jamais de ta femme devant moi, même s'il est clair que tu n'es pas heureux avec elle. Pour le reste, tu as ta vie, j'ai la mienne et c'est parfait ainsi.

— Si j'habitais New York, ça ne voudrait pas dire qu'on se verrait tous les soirs.

— Justement ! C'est ce que je pourrais bien finir par vouloir, qu'on se voie tous les soirs. Et pour moi, dès cet instant, les problèmes se profilent. Ça paraît complètement contradictoire avec ce que je t'ai dit de mes sentiments. Mais toi qui es un vrai voyageur, tu n'ignores pas qu'il y a des territoires sur lesquels il vaut mieux ne pas se risquer.

— Oui, j'ai poliment refusé un papier qu'on me proposait de faire sur les pires zones de Lagos, une fois…

— Très marrant. Mais enfin, tu me comprends, j'en suis sûre. Tu es comme moi, tu as été terriblement blessé par quelque chose, ou par quelqu'un. Et je sens que si tu as passé toutes ces années à faire le deuil de cette femme, c'est parce que tu as l'intuition que ce que tu as eu avec elle ne se représentera plus jamais.

— Je suis si transparent ? ai-je demandé avec un sourire attristé.

— C'est ce que permet l'intimité entre deux personnes, non ? Oui, quand on est ensemble, et surtout quand on fait l'amour, je sens cette souffrance en toi, et ce besoin que tu as de la surmonter en aimant quelqu'un d'autre.

— Toi.

— Je sais. Je le vois dans tes yeux mais c'est comme ça, il y a une ligne que je ne franchirai pas. J'ai mes raisons et c'est aussi mon droit de ne pas m'expliquer. J'aurais préféré qu'il en soit autrement.

Pendant les deux autres jours que nous avons passés dans la jungle du Costa Rica, nous ne sommes pas revenus sur le sujet, mais lorsque je l'ai embrassée à JFK avant de sauter dans la navette aérienne pour Boston ses yeux se sont embrumés, elle a rapidement caché son visage dans mon épaule et elle a murmuré :

— Je suis désolée.

Le lendemain matin, un mail d'Eleanor, qu'elle avait rédigé dans la nuit, m'informait qu'elle préférait « couper les ponts avant que ça ne fasse trop mal ». Je lui ai répondu que l'amour comportait toujours un risque, et dans notre cas un risque qui valait la peine, mais elle n'a plus écrit. Cette impulsion de mettre à nouveau mon cœur en jeu a été étouffée, même si je savais que Jan couchait avec un avocat ambitieux, Brad Bingley – c'est drôle comme il y a toujours un type nommé Brad dans les histoires américaines… Évidemment, je ne pouvais pas être en proie à une folle jalousie à l'idée que Jan se retrouvait deux fois par semaine dans les bras d'un autre. Et puis, un matin, elle m'a annoncé que ses supérieurs lui avaient proposé d'aller travailler deux mois à leur filiale de Washington. « Ce serait peut-être bon pour nous de prendre un peu de distance et de réfléchir à notre relation », a-t-elle estimé.

Durant son absence, je me suis absorbé dans mon rôle de père auprès de Candace. Profitant des moments où elle était à l'école, ou occupée à l'une de ses multiples activités, ou en visite chez des amies, je me suis attelé à un projet longtemps repoussé avec une énergie qui m'a étonné : la rédaction de ma véritable expérience de Berlin, celle que Bubriski m'avait jadis interdit de coucher sur le papier. En relisant mes carnets de notes, j'ai été frappé par la spontanéité juvénile qui avait été la mienne à l'époque, et par le fait que dans ma relation quasi quotidienne de notre passion amoureuse je n'avais pas exprimé le moindre doute quant à la sincérité de notre amour.

Certaines notes reflétaient l'inquiétude que m'inspirait alors son passé, exprimaient parfois la crainte de la perdre et relataient avec une précision presque chirurgicale l'horrible nuit du dénouement à Berlin, quand mon indignation et ma douleur avaient tout anéanti. Ce qui se dégageait surtout de ces carnets restés enfermés une vingtaine d'années dans le coffre ignifugé que j'avais près de ma table de travail, c'était l'émerveillement constant et renouvelé devant l'amour donné et reçu, la certitude que tout était possible, l'intensité d'un espoir qui avait soudain implosé dans des circonstances tragiques.

En me livrant à la reconstruction de ces mois hors du commun, j'avais bien sûr conscience de les considérer désormais avec l'œil plus expérimenté d'un homme de quarante ans qui, comme tous ceux qui parviennent à cet âge, a été meurtri par les aléas de la vie tout en gagnant en maturité. L'entreprise a duré six semaines fiévreuses et, le soir même où j'ai apposé le point final au manuscrit, j'ai reçu un coup de téléphone de ma femme qui me disait qu'elle rentrait plus tôt que prévu de Washington et que je lui avais manqué, pendant tout ce temps.

C'était une révélation d'autant plus saisissante que Jan est arrivée chez nous le soir même, vers minuit, et qu'elle m'a pratiquement jeté sur le lit pour faire l'amour avec une passion que nous n'avions plus connue depuis des lustres. Après, elle m'a informé que son aventure extraconjugale était terminée, qu'elle avait compris que beaucoup des limites de notre union étaient dues à son attitude et qu'elle avait résolu de « retrouver l'amour qu'il y avait eu entre nous ». Pour ma part, je ne voyais pas comment nous aurions pu susciter brusquement ce qui n'avait jamais existé mais je n'ai fait aucun commentaire. Je continuais à souffrir secrètement de la rupture avec Eleanor : nous en étions venus à nous connaître parfaitement, l'un et l'autre. Et puis, comment oublier notre merveilleuse fille, dont nous devions préserver l'équilibre émotionnel ? Alors j'ai pensé qu'à ce stade de notre histoire, il fallait essayer de continuer d'avancer.

Une fois le manuscrit de ma « confession berlinoise » rangé en lieu sûr, je suis parti en reportage à l'île de Pâques, emmenant Jan et Candace avec moi. Au retour, j'ai passé six mois à écrire un livre que j'ai intitulé *Sortie de secours* et qui explorait sans concession la pulsion de fuite à travers le monde qui avait tant marqué ma vie. Entre-temps, notre vie de couple était revenue à sa période glaciaire, les bonnes intentions n'ayant pas résisté à nos vieilles habitudes et hantises, à la fois respectives et partagées. Lorsque mon essai est paru, un an plus tard, mon père, qui vivait désormais en Arizona, m'a écrit un mot : « *Content de savoir que c'est un peu grâce à tes paumés de parents que tu es devenu l'écrivain que tu es aujourd'hui. J'ai apprécié ta lucidité sur ton propre compte et je suis soulagé que ta mère ne soit plus là pour lire les sornettes que tu racontes sur ton enfance.* »

Je n'ai pas été surpris par sa réaction, même si je pensais avoir évoqué mon enfance avec une modération non dénuée d'affection, un exemple parmi toute une génération d'Américains pris entre le sens du devoir et un solide individualisme conservant un certain charme ; quant à ma mère, je l'avais décrite telle qu'elle avait été, en proie à une déception existentielle qui pouvait expliquer en partie la sensation de solitude persistante que j'avais toujours connue.

Curieusement, Jan n'a fait pratiquement aucun commentaire à la sortie du livre mais, quelques semaines plus tard, lors d'un dîner avec des amis communs où l'un d'eux avait remarqué que parmi ses connaissances nous étions l'un des rares couples à avoir surmonté l'épreuve du temps, sa réponse a été : « Si on est toujours ensemble après seize années de mariage, c'est parce que Thomas n'a été présent que, voyons, cinq d'entre elles ? » L'affirmation a jeté un froid, et lorsque j'ai voulu en parler plus tard, alors que nous rentrions en voiture à la maison, elle m'a dit :

— Pourquoi discuter l'évidence ? Tu as ta vie, j'ai la mienne. Elles sont séparées. Nous partageons un toit, un lit. Nous avons une fille que nous adorons et qui est la seule raison plausible pour expliquer que nous soyons encore ensemble.

— C'est très romantique, comme tableau.

— Ce sont les faits, Thomas.

— Qu'est-ce que tu en conclus, alors ?

— Je suis bien trop occupée pour penser à de grands bouleversements dans mon existence personnelle, en ce moment. Mais si tu veux t'en aller, je ne te retiendrai pas.

Je suis resté. Comme souvent, j'ai voté avec mes pieds. Une fois que Candace est entrée à l'université, devenant complètement autonome ou presque, j'ai été très peu présent et Jan, tout absorbée par sa carrière – elle était maintenant associée à part entière dans son cabinet d'avocats –, n'y a pas opposé d'objections. Nous étions courtois quand j'étais à la maison, nous faisions l'amour de temps en temps, nous célébrions Thanksgiving et Noël avec notre fille revenue pour les vacances, nous louions une maison dans un coin perdu de Nouvelle-Écosse durant trois semaines chaque été : l'ère des tensions et des regards hostiles avait cédé la place à une indifférence polie. Même nos rapports sexuels obéissaient à la reconnaissance d'un besoin plus qu'à une inclination amoureuse.

Extrêmement perspicace – et décidée à tenir tête à sa mère depuis ses quinze ans –, Candace s'était rendu compte que le mariage de ses parents se résumait à une cohabitation temporaire entre mes absences. Avant qu'elle ne commence la faculté, je lui ai acheté un billet d'avion pour l'Europe et un passe ferroviaire à travers le Vieux Continent, je lui ai donné deux mille dollars et je lui ai dit de partir en exploration pendant un mois. Dans un mail qu'elle m'a envoyé de l'île grecque de Spetses, elle m'a avoué avoir été émue par le constat de solitude radicale qui transparaissait dans mon dernier livre, dont elle venait d'achever la lecture. Elle ajoutait : « *Nous sommes tous seuls, je suppose, mais je veux que tu te rappelles toujours que tu m'as moi, tout comme je sais que je t'ai.* »

Ces lignes m'ont fait venir les larmes aux yeux, je l'avoue. En revanche, c'est un sourire qu'a provoqué le mail que j'ai reçu de mon père quelques semaines plus tard, dans lequel il m'apprenait que sa nouvelle « petite amie », Holly, venait de lire mon essai sur le voyage et pensait que j'avais fait un portrait « à la fois lucide et affectueux » de lui, et il continuait : « *Bon, ce n'est pas qu'elle soit nobélisable, Holly, mais qu'est-ce que je dois en penser ? Que j'ai été assez vachard dans la lettre que je t'ai balancée ? Bon, tu sais que je suis du genre vieil ours et je ne vais pas changer.* » Lui qui ne m'avait jamais adressé un compliment ni présenté d'excuses pour quoi que ce soit…

Bien que mes contacts avec mon père soient restés sporadiques après son départ de New York, sa mort en 2009 m'a secoué au point de devenir le point de départ d'une chaîne de réactions et de décisions inattendues lorsque je suis revenu de ses obsèques : ne pas rentrer au foyer conjugal et partir à la dérive dans le Maine, l'achat de mon refuge d'Edgecomb, la mélancolie qui s'est emparée de moi à mon insu alors que j'assistais à la fin de mon mariage avec Jan, et le soulagement d'être encore en vie après mon accident de ski au Canada... et puis le paquet venu de Berlin qui m'attendait à mon retour. Je n'y ai pas touché, d'abord, mais le simple fait que l'adresse d'expédition indiquée dans le coin supérieur gauche soit Prenzlauer Berg me remplissait du désir de connaître la trajectoire de Petra depuis notre dernière nuit ensemble à Berlin, près de trente ans auparavant.

Ce n'est pas que je n'aie pas éprouvé le besoin de reprendre contact avec elle à presque chaque minute de cette période. Pourquoi ne l'avais-je pas fait, alors ? Pour la même raison qui m'avait empêché de retourner à Berlin : j'avais vécu quelque chose de tellement extraordinaire qu'il m'avait été impossible de seulement essayer de revoir ces lieux, ou de chercher à avoir de ses nouvelles depuis que je l'avais perdue, depuis que j'avais répondu à sa trahison avec une fureur délibérément destructrice et, comme je l'avais compris presque sur-le-champ, entièrement autodestructrice. Durant toutes ces années, quand la souffrance d'avoir perdu celle avec qui j'avais cru pouvoir passer toute ma vie se faisait par trop intolérable, j'avais cherché à relativiser, à me dire que cela n'avait été qu'une passion de jeunesse, trop ardente pour pouvoir se développer sur le long terme, et que de toute façon cette femme tant aimée avait mené une double existence, ce qui excluait toute confiance ultérieure – mais ces raisonnements ne servaient qu'à rendre ma peine un peu moins insupportable.

Pourquoi, alors, me suis-je senti obligé ce jour-là d'exhumer mon manuscrit et de le relire de bout en bout ? À cause de ce maudit envoi postal en provenance de Berlin. À cause du nom et de l'adresse sur la boîte. À cause de… J'ai consulté ma montre. L'après-midi tirait à sa fin. J'avais tourné les pages six heures durant, et maintenant la lumière du jour s'estompait. Je suis allé à la cuisine me verser un petit verre de scotch que j'ai vidé d'un coup, je suis sorti un instant dans le jardin pour respirer l'air glacé à pleins poumons, puis je suis rentré et je suis allé prendre le colis. Je ne pouvais retarder l'instant fatidique plus longtemps.

Deux cahiers d'écolier à spirale, avec une couverture en carton marron sur laquelle des numéros étaient inscrits au feutre. Dedans, des pages couvertes d'une écriture serrée, volontaire, que j'ai reconnue immédiatement. Pas de dates mais des astérisques séparant chaque entrée, indiquant la fin d'une note, d'une pensée. À la place des noms, des initiales que j'ai identifiées par la suite, en lisant ce document, grâce à ce qu'elle m'avait raconté jadis. Parfois, une trace grise sur le papier de mauvaise qualité, là où des cendres de cigarette étaient tombées et avaient été repoussées d'un revers de la main, ou bien la trace ronde d'un verre posé là pour maintenir les pages en place. Ces pages si personnelles portaient la marque du journal intime. Pourquoi avait-elle décidé de me les envoyer après tout ce temps ?

Au fond de la boîte se trouvait une coupure de presse agrafée à une feuille portant quelques mots manuscrits. En la retirant du paquet, j'ai aperçu la photo imprimée d'une femme aux cheveux gris, le visage lourd et strié de rides que le tirage sur papier-journal accentuait. Une inconnue, jusqu'à ce que mes yeux tombent sur le nom en dessous et que je comprenne que j'avais devant moi une photographie récente de Petra.

« *Petra Dussmann stirbt am 2 Januar in Berlin.* »

Petra Dussmann est décédée le 2 janvier à Berlin.

Son avis de décès, complété de quelques lignes en allemand que j'ai parcourues, stupéfait : « ... *fille de Martin et Frieda Dussmann, de Halle, tous deux décédés, mère de Johannes Dussmann. Traductrice pour la maison d'édition Deutsche Welle de Berlin. S'est éteinte à l'hôpital de la Charité de Berlin à la suite d'une longue maladie. Les obsèques auront lieu au crématorium de Friedrichshain le 5 janvier à 10 h 30.* »

Et puis les trois lignes écrites sur la feuille à laquelle la notice nécrologique était attachée : « *Ma mère voulait que vous ayez ces cahiers.* » En dessous, un nom, celui de Johannes Dussmann, suivi d'une adresse postale et électronique, ainsi que d'un numéro de téléphone.

Je me suis lentement assis sur la chaise la plus proche. Avez-vous remarqué comment le monde semble soudain plongé dans un profond silence dès que l'on a reçu une épouvantable nouvelle ? C'est comme si le coup reçu annulait tous les sons autour de vous afin de vous laisser entendre la réverbération de cet abîme immense qui s'ouvre brusquement et annonce le début du deuil.

Sauf que, dans ce cas, il avait débuté vingt-six ans plus tôt.

Et maintenant... Trois mots, trois mots seulement résonnaient dans ma tête : *Petra. Meine Petra.*

Je suis resté sans bouger, oublieux du temps, de tout. Seul avec l'invocation muette : *Petra. Meine Petra.*

Il ne pouvait en être ainsi et pourtant c'était là, noir sur blanc comme le bout de journal, comme les phrases qui couraient à travers les deux cahiers que j'avais maintenant sur ma table.

« *Ma mère voulait que vous ayez ces cahiers.* »

Parce qu'elle voulait que je les lise. Maintenant. Tout de suite.

Quatrième partie

Premier cahier

Du rouge à lèvres. C'est ce qu'elle m'a donné dès qu'elle m'a accueillie. Un bâton de rouge à lèvres. Elle s'est présentée – Frau Ludwig – et m'a dit qu'elle allait s'occuper de moi pendant mon séjour. Ensuite, Frau Jochum et Herr Ullmann, qui m'avaient réceptionnée à la frontière, m'ont souhaité bonne nuit en m'annonçant que nous nous retrouverions le lendemain après-midi.

Je ne savais pas du tout où j'étais. On m'avait remise à ces deux personnes au milieu d'un pont, le Glienicker Brücke qui, comme je l'ai appris plus tard, est surnommé le « pont des Espions » parce que c'est là que se déroule la majeure partie des échanges d'agents emprisonnés « de l'autre côté ». Frau Jochum représentait les services de renseignements ouest-allemands. Ullmann, un grand homme mince en costume et pardessus sombres, arborant des lunettes à monture métallique – très américain d'allure – et qui s'exprimait couramment en allemand, a dit qu'il appartenait à la « mission culturelle américaine de Berlin-Ouest », mais puisqu'il était dans cette voiture avec une envoyée du Bundesnachrichtendienst, il fallait comprendre « CIA ». Il m'a étonnée en ajoutant qu'il était content de me voir car il s'occupait de mon cas depuis déjà des mois, et que c'étaient des gens comme moi qu'ils s'efforçaient de faire sortir de RDA. J'ai tout de suite souligné que je n'étais pas une dissidente à proprement parler, que je n'avais pas d'engagement politique et ils ont répondu qu'ils le savaient mais que nous discuterions de tout cela le lendemain, une fois que je me serais reposée.

Je jouais la stupéfaction, ainsi qu'on me l'avait ordonné, mais ce n'était pas entièrement feint. Il y a d'abord eu l'éclat aveuglant des phares vers lesquels on m'a dit d'avancer, comme si les représentants de l'Ouest cherchaient à éblouir ceux de la RDA, et ensuite les vêtements impeccablement coupés de Frau Jochum, les sièges en cuir de l'auto dans laquelle ils m'ont fait monter – plus luxueuse que toutes celles que j'avais connues –, et le ronronnement discret du moteur, et les voix calmes de mes nouveaux « protecteurs », si rassurantes… Ils ont échangé des regards gênés quand j'ai demandé des nouvelles de Jürgen, et j'ai tout de suite compris. Je les ai pressés de questions mais je savais déjà qu'il était mort, et ces salauds de la prison me l'avaient caché…

Quand elle a fini par lâcher que Jürgen s'était pendu dans sa cellule, ma réaction a été bizarre. Un choc énorme, bien sûr, mais d'une certaine manière je m'y attendais, à cause de leur hésitation à me répondre directement. Et la déchirure que j'aurais dû ressentir ne s'est pas produite, sans doute parce que Jürgen n'avait été mon mari que sur le papier, et que c'était son comportement insensé qui m'avait conduite en prison, ce que Jochum et Ullmann devaient certainement savoir, tant ils connaissaient bien mon dossier.

Combien de semaines, de mois étais-je restée à leur merci ? La Stasi est très efficace pour vous faire perdre la notion du temps. Et chaque fois que je demandais au colonel Stenhammer, l'officier chargé de m'interroger, si mon mari avait encore proféré des accusations sans queue ni tête contre moi, il répliquait que c'était lui qui posait les questions, et que plus vite je collaborerais avec eux, plus vite je pourrais revoir Johannes. Mais puisque je n'avais rien à avouer ! Le temps passait inexorablement dans ma cellule éclairée nuit et jour, rythmé par les interrogatoires et l'heure d'« exercice » dans une courette entourée de murs ; je ne pensais qu'à mon fils, au moyen de le retrouver maintenant qu'ils m'avaient étiquetée comme « traître à la République ». Cette catastrophe avait eu lieu à cause de Jürgen, de son égocentrisme monstrueux, de son irresponsabilité totale. Aussi, quand Frau Jochum m'a appris sa mort, je me suis adressée en silence à l'ombre de celui qui avait été le père de Johannes et je lui ai dit : « Maintenant, au moins, je n'aurai plus à subir les affreuses conséquences de tes folies. »

Comme les vitres de la Mercedes étaient teintées, les lumières de la ville, tellement plus brillantes et nombreuses que dans mon pays, m'apparaissaient à travers un prisme déroutant. Nous sommes enfin entrés dans une enceinte protégée par des murailles, avec des gardes en uniforme. La voiture s'est arrêtée et la portière s'est ouverte sur une femme d'une quarantaine d'années, au maintien énergique et professionnel. Soudain, j'ai ressenti ce même épuisement et cette même crainte qui avaient été mon lot à la prison. L'incertitude. Encore des années à attendre, sans jamais savoir ce que le lendemain apporterait, si je reverrais un jour mon fils…

Au final, j'ai fait tout ce qu'ils attendaient de moi. Y compris signer les maudits papiers qui confiaient Johannes à une autre famille. C'était un « contrat » entre nous, m'a dit le colonel. Qui m'engageait à travailler pour eux. « Quelque chose de si vital pour la République que vous ne pourrez qu'être fière de l'avoir réalisé, a-t-il affirmé, ajoutant : et aussi, pour vous, ce sera la possibilité d'espérer. »

Comment répondre non, comment accepter de perdre tout espoir ? J'ai accepté, et Stenhammer m'a annoncé qu'il allait me remettre quarante-huit heures en isolement total dans mon cachot, « pour que je mesure bien ma décision ». Là, j'ai craqué complètement. Je n'aurais pas pu supporter plus. Je l'ai supplié, j'ai juré qu'ils auraient toute ma loyauté, employant le mot *Lehenstreue*, ce qui l'a fait sourire. Il a dit : « Curieux que vous employiez un terme aussi médiéval, Frau Dussmann. Mais c'est un terme fort, aussi. Les chevaliers offraient leur *Lehenstreue* et leur vie pour le royaume, et bien que ces concepts féodaux soient aux antipodes de nos valeurs démocratiques j'apprécie votre engagement à défendre notre système contre ses ennemis impérialistes. Et plus tôt vous nous présenterez des résultats tangibles, plus tôt vous aurez la récompense que vous désirez tant. »

Cet immonde chantage que j'ai dû accepter… C'est peut-être ça qui explique mon désarroi pendant mes premiers moments à l'Ouest : le contraste était tellement gigantesque avec ces gens qui m'accueillaient de bonne foi, qui se montraient si prévenants… Et moi je me sentais comme un obscur acteur de province catapulté sur la scène du Deutsches Theater pour jouer Faust, qui se demande sans arrêt si le public va goûter sa prestation.

Frau Ludwig était l'hospitalité incarnée, et sous ses dehors presque revêches se cachait un grand cœur. L'appartement où elle m'a conduite était si beau et si confortable que j'ai à nouveau été déconcertée par tant de sollicitude. Après m'avoir dit qu'elle allait me faire couler un bain, elle a annoncé qu'elle avait un petit cadeau pour moi. Elle m'a glissé dans la main un tube de rouge à lèvres chromé, très élégant. Les larmes me sont venues aux yeux, et ce n'était pas que de la gratitude.

Ce geste m'a soudain rappelé ce que j'avais lu dans le livre d'un historien britannique de la Seconde Guerre mondiale récupéré au milieu d'une pile d'ouvrages refusés par la maison d'édition et destinés à l'incinérateur – les censeurs avaient sans doute trouvé que l'auteur, bien que socialiste fervent, n'avait pas assez suivi la doctrine soviétique. J'avais pris le risque de le dérober et de le cacher derrière le fond d'un placard de ma cuisine. C'était environ un mois avant que je ne m'installe avec Jürgen et, la nuit, quand je ne pouvais pas dormir, je sortais le livre. C'est ainsi que j'ai découvert que tout ce qu'on nous avait appris sur les nazis à l'école n'était que pure invention. D'abord, il y en avait eu partout dans le *Vaterland*, pas seulement à l'Ouest ; ensuite, on nous avait mentionné l'existence des camps de concentration, mais sans nous donner de détails, alors que l'historien anglais les décrivait à la fois sobrement et précisément, ne cherchant pas à masquer l'étendue de cette entreprise d'extermination. Il laissait les faits parler d'eux-mêmes, et ne craignait pas non plus d'établir un parallèle avec la terrible réalité du goulag stalinien, dont nous ne connaissions l'existence que par des rumeurs apeurées.

Bizarrement, parmi toutes ces descriptions d'enfants arrachés à leurs parents, d'expérimentations médicales monstrueuses – injection de béton dans le vagin, entre autres atrocités –, du fonctionnement implacable des chambres à gaz, ces images insupportables de tas de dents en or extirpées aux victimes, une notation de ce chercheur d'Oxford m'a particulièrement bouleversée : quand les soldats britanniques avaient libéré le camp de Belsen, ils avaient distribué des bâtons de rouge à lèvres aux prisonnières, et celles-ci avaient éclaté en sanglots devant ce luxe si modeste mais psychologiquement marquant, cette discrète reconnaissance de la féminité de malheureuses squelettiques, sales, tourmentées par les poux et malades du typhus…

L'émotion a été si forte pour moi que j'ai dû m'excuser et me réfugier aux toilettes, où j'ai laissé libre cours à mes larmes. Il y avait la souffrance inextinguible d'avoir été séparée de mon fils, mais aussi la simple humanité de ce cadeau symbolique, et encore la prise de conscience que, désormais, j'allais devoir trahir tous ceux que je croiserais dans ma vie, y compris ceux qui auraient des gestes attentionnés. Oui, une petite gentillesse suffisait à me briser le cœur, parce que je ne pouvais plus me regarder en face.

Je ne peux toujours pas. Mais il le faut. Il faut que j'arrive à assumer. Il n'y a pas d'autre choix.

✶✶

Je suis capable de mentir aux autres, mais pas de me mentir à moi-même. Jürgen, lui, se mentait en permanence. Il se prenait pour « le » grand dramaturge, « le » grand penseur radical, « le » grand subversif. Pourtant, ce qu'il était, c'était un homme prometteur qui avait gaspillé son succès initial et qui, au lieu de capturer à nouveau l'étincelle artistique ayant illuminé sa première œuvre, s'était laissé captiver par ses voix intérieures, celles qui lui répétaient qu'il était un génie, mais qui ne serait jamais plus à la hauteur de ses débuts.

Mais qui suis-je, moi ? Une personne dénuée de talent, une obscure petite traductrice qui n'a même pas eu l'audace ou la force de mettre son écriture au service d'une création romanesque significative. Qui suis-je pour blâmer un homme ayant composé au moins une pièce de théâtre importante, une pièce montée partout dans notre triste et petit pays avant que son auteur ne s'attire les foudres des autorités ?

Oui, je suis plus que lucide sur mon compte. Et je sais également que tout ça n'est qu'une demi-vérité, parce que nous autres humains, nous sommes presque tous obligés de modeler, de moduler, d'atténuer la

551

vérité pour pouvoir continuer à vivre. C'est pour cela que je tente sans arrêt de justifier mes actes à mes propres yeux, et que la partie la moins fragile, la plus brutale de moi-même me prend par la peau du cou, me jette devant le miroir, ce miroir que Jürgen osait à peine contempler, et me dit : « Cesse de te leurrer, de t'abuser. Regarde-toi en face, et sois sans concession. »

Cette voix, c'est celle de ma mère. Elle n'a jamais mâché ses mots, avec moi. Une fois, elle m'a dit que complimenter quelqu'un ne conduisait qu'au narcissisme, alors que la critique et l'autocritique permettaient de garder les pieds sur terre, de développer des principes, d'être fiable. J'aurais pu ajouter : et de ne jamais connaître la joie.

Est-ce que je l'ai connue, moi ? Je repense à tout le bonheur que Johannes m'a donné, à la façon dont sa seule présence me faisait oublier le reste de ma sombre existence. « Il est ma raison de vivre », ai-je proclamé un jour devant le colonel Stenhammer, qui s'est empressé de saisir la balle au bond : « Dans ce cas, vous ferez tout ce qui est en votre pouvoir pour convaincre l'État socialiste que vous méritez qu'il soit rendu à votre garde et à vos soins. » Et, bien sûr, j'ai répondu que je me plierais à tout ce qu'on me demanderait de faire…

Je peux mentir aux autres, mais pas me mentir à moi-même.

Un mois s'est écoulé depuis que j'ai passé le « pont aux espions », et c'est seulement maintenant que j'ai entrepris de mettre mes réflexions et mes sensations sur le papier, tentative peut-être dérisoire mais indispensable pour y voir plus clair dans ce tourbillon de changements, de demi-vérités et de dissimulation. Deux jours après mon arrivée, Frau Ludwig m'a proposé de quoi écrire, un stylo et un cahier d'écolier, sans doute parce qu'elle sentait que j'éprouvais ce besoin de mettre mes pensées au clair, et aussi d'exprimer ma révolte devant ce qui m'était arrivé : l'enfermement, la perte de mon fils, le fait qu'ils ne m'aient même pas appris le suicide de Jürgen, si c'en est un, le pacte faustien que le colonel m'a contrainte d'accepter…

J'écris ces lignes dans le studio qu'on m'a trouvé à Kreuzberg. Au début, j'ai noté des choses sans importance dans ce cahier, que je laisse toujours sur la table ici. Chaque fois que je le refermais, je glissais trois cheveux entre les feuilles, m'attendant à ne plus les y trouver à mon retour – preuve que les gens qui m'avaient accueillie le lisaient à mon insu. Personne n'y a touché, pourtant, et ç'a été un premier test concluant pour passer à la suite. Je suis descendue inspecter l'immense cave de mon immeuble et mon choix s'est fixé sur une ancienne conduite d'aération dans un coin particulièrement sombre du sous-sol. En tendant le bras à l'intérieur, j'ai découvert un rebord qui servirait de cachette, une cachette idéale.

Idéale pour cacher le cahier du même type que celui que je laisse sur ma table comme leurre, dans lequel j'ai commencé à tenir mon vrai journal, à écrire pour moi ce que je ne peux partager avec personne. Je ne l'emporte jamais en dehors de l'immeuble, je le remets dans sa cachette dès que j'ai terminé, et je continue à tenir mon journal factice, mes impressions sur Berlin-Ouest, sur ma vie solitaire de mère privée de son enfant. Dès que j'occuperai le poste de traductrice à Radio Liberty qui m'a été offert, j'emporterai ce recueil de confessions innocentes au travail, pour le cas où l'un des espions de l'USIA qui traînent toujours à la station – c'est un secret de polichinelle, ici – farfouillerait dans mes papiers. Dans ce cas, il y trouvera aussi des notations bénignes à propos de mes collègues, de certaines difficultés de traduction…

Malgré toutes mes précautions, j'ai conscience de prendre un énorme risque en tenant la chronique du mensonge permanent dans lequel je suis contrainte de vivre. L'écrire est pour moi un moyen indispensable de me prouver que tous ces faux-semblants et cette dissimulation n'existent pas que dans ma tête, mon moyen à moi pour ne pas perdre la raison. Sans le réconfort de ce journal, je ne tiendrais pas le coup, je le sais. Je ne recherche pas l'absolution mais j'ai besoin de me confesser, et c'est dans ces pages que je le fais.

Quelques soirs par semaine, tard, je vais le chercher à la cave en m'assurant qu'elle est déserte, je le remonte caché sous ma veste, j'écris et je redescends le mettre en lieu sûr. Je ne croise presque jamais mes voisins, dans cet immeuble gris et silencieux à l'image de la partie de Kreuzberg où j'habite. C'est un quartier déprimant, incontestablement, mais j'ai insisté pour y vivre depuis le jour où Frau Jochum, cédant à mes questions pressantes, m'a révélé que Johannes avait été « confié » à un couple d'agents de la Stasi qui habitent Friedrichshain ; une fois cette information obtenue, je lui ai demandé une carte de Berlin-Ouest et j'ai constaté que Kreuzberg était le pendant occidental de Friedrichshain, deux zones séparées par la ligne capricieuse du Mur, qui fait penser à la cicatrice bizarrement incurvée qu'aurait laissée un chirurgien dont la main ne serait plus sûre.

— Je veux habiter là, ai-je annoncé en posant mon doigt sur cette partie de la carte.

— Est-ce une bonne idée, psychologiquement parlant ? s'est-elle inquiétée. Vous serez tout prêt de là où Johannes vit, et…

— C'est bien pour ça. Je veux rester proche de lui.

— Personnellement, je ne trouve pas ça judicieux.

— Personnellement, je pense que c'est essentiel.

La semaine suivante, j'ai inspecté le quartier à la recherche d'un logement, flanquée de Frau Ludwig. Elle voulait seulement m'accompagner jusqu'à ce que j'aie mes repères dans la ville mais je me suis doutée qu'elle était chargée de me chaperonner, de s'assurer que je pouvais me débrouiller toute seule. Et elle n'était sans doute pas la seule à garder un œil sur moi. Après tout, ce sont des services secrets, et le colonel m'a maintes fois prévenue qu'ils exerceraient certainement sur moi une surveillance discrète mais vigilante.

Les trois premières semaines, quand Frau J. et Herr U. me soumettaient quotidiennement à des interrogatoires – « de simples conversations à bâtons rompus », selon eux –, je n'ai cessé de repasser dans ma tête ma dernière comparution devant le colonel, quand il avait dit :

— Vous avez l'histoire idéale pour eux. De quoi leur arracher des larmes de crocodile. Votre emprisonnement soi-disant arbitraire, l'enfant que l'on vous a arraché…

— Mais c'est vrai ! avais-je protesté. J'ai été détenue sans raison, vous m'avez volé mon fils !

— Pourtant, vous avez bien signé ce papier hier, ici, devant moi, ce papier autorisant l'adoption légale de votre rejeton !

Il était trop tard pour crier et tempêter, pour objecter que je ne l'avais fait que parce qu'il m'avait certifié que, dans le cas contraire, une action en justice serait diligentée contre moi et que le juge ne manquerait pas de me retirer la garde de mon fils.

— De cette façon, avait repris le colonel, dès que vous aurez prouvé que vous êtes une citoyenne dévouée, dès que vous vous serez rachetée, la procédure pour retrouver votre enfant sera relativement simple. Si tout se passe bien, j'estime que vous serez réunis d'ici à dix-huit mois, mais à la condition expresse que vous nous montriez votre efficacité après l'échange. Comprenez que vous allez devoir jouer un double jeu devant des gens qui vont vous accueillir à bras ouverts, vous traiter comme une héroïne injustement brimée par un « régime totalitaire ». Oui, c'est ainsi qu'ils considèrent notre société fondée sur l'égalité de tous, où aucun enfant ne connaît la faim, où la santé et la meilleure éducation sont garanties à chacun, où les artistes sont reconnus et encouragés, où c'est le mérite, non l'argent, qui gouverne la destinée de tous.

Pendant qu'il me servait ces clichés, je pensais : Ce que tu décris là, pauvre imbécile, l'absence de pauvreté criante, le système sanitaire gratuit, l'enseignement de haut niveau pour tous, c'est ce qu'offre n'importe quel pays scandinave. Sauf que, contrairement à notre petite République paranoïaque, ils laissent leurs administrés voyager où ils veulent et ils ne les jettent pas en prison juste parce qu'ils ont exprimé une opinion contraire à celle des dirigeants. Et jamais ils n'enlèveraient son enfant à une femme dont le seul crime est d'avoir été mariée à un homme qui a laissé libre cours à sa folie en public…

À la place, j'ai répondu :

— Je ferai ce que vous demandez. Et je vous crois quand vous m'assurez que mon fils me sera rendu si je remplis mon rôle.

J'étais loin d'en être convaincue, pourtant. Ce couple, sans doute sans enfant, ne renoncerait pas facilement à Johannes, et surtout je n'avais pas confiance en la parole du colonel, un manipulateur qui avait toutes les cartes en main. Pour lui, c'était un jeu de pouvoir. Il ne me tenait que par une chose, l'espoir. Mais qu'avais-je d'autre que l'espoir ?

Poliment, correctement, c'est un autre pacte avec le diable que mes « protecteurs » occidentaux m'ont offert au cours de ces trois semaines d'entretiens : le confort de la vie occidentale – j'ai même pu m'acheter le « vrai » blouson Levi's dont je rêvais depuis mon adolescence ! –, un logement et du travail en échange d'informations. Ils voulaient savoir absolument tout des techniques d'interrogatoire du colonel – jusqu'au nombre de Marlboro qu'il fumait et au type de café qu'il employait –, de la configuration et de l'état de la prison où j'avais été enfermée, y compris la couleur des murs. Ils étaient d'une exigence exaspérante mais j'avais besoin de ces gens, j'ai besoin d'eux, alors je me suis pliée à cet exercice. Et j'ai compris que j'étais l'une de leurs uniques possibilités d'accès à un univers jalousement fermé, une personne ayant connu les rouages les plus secrets d'un système d'intimidation idéologique.

Souvent, mes défenses ont été sur le point de céder devant Frau Jochum et j'ai failli tout lui avouer. Me mettre à sa merci pour avoir enfin la conscience nette. Mais on me collerait aussitôt l'étiquette « indésirable » et on me renverrait de l'autre côté, c'est-à-dire à la prison assurée et à la perte de tout espoir concernant Johannes.

Parfois, je ne pense qu'à mourir. Descendre dans le métro et me jeter sous la première rame qui arrivera. Ce serait la fin de toute la souffrance qui ne me quitte jamais. La fin de la torture que constitue cette double vie, cette solitude totale qui est la mienne, cette idée que mon fils est une récompense suspendue au bout d'une perche tenue par des sadiques. Johannes. Lui seul m'empêche de me supprimer sous les roues du métro. Tant qu'il y a *une* chance qu'il me soit rendu, la plus infime soit-elle, je dois rester dans ce monde. Je ne peux pas renoncer à l'espoir. Parce que c'est tout ce que j'ai. Parce que Johannes est tout ce que j'ai. Il n'y a rien d'autre que lui dans ma vie. Rien.

558

Ce studio. C'est Frau L. qui a finalement trouvé cette *Einzimmerwohnung*, ce que les Français appellent une « chambre de bonne ». Je m'y suis installée à contrecœur, je l'avoue. J'aurais voulu rester dans l'univers feutré de la résidence des services de renseignements, où on refaisait mon lit, où je n'avais pas à me soucier de la lessive ni des repas – cette variété de légumes frais, incroyables pour moi qui arrivais d'un pays où ils étaient introuvables en hiver –, où l'on garnissait chaque jour de fruits la corbeille de la table : pommes, pêches, bananes, fraises… C'est drôle, mais je me suis demandé si c'était parce que j'étais dans un cadre officiel que j'avais droit à toutes ces gâteries, de même que chez nous les apparatchiks du Parti ont accès à des magasins spéciaux où ils peuvent trouver des produits exotiques inaccessibles au citoyen moyen, fruits ou Marlboro… Quel système hallucinant : la dictature du prolétariat définie par Lénine devenue celle d'une petite classe de privilégiés aux méthodes féodales, capables d'emprisonner et d'asservir à leur guise. Pas étonnant que Jürgen ait perdu la raison, lui qui avait cru que sa créativité lui servirait de rempart contre l'oppression généralisée. Mais ces « dictateurs » détestent les artistes, et jusqu'à ceux qui se complaisent à louer le régime, sachant qu'il y aura toujours une flamme subversive au plus profond de leur cœur. D'ailleurs, qui ferait confiance à un écrivain ? Non seulement « ils absorbent tout, y compris ceux qui évoluent autour d'eux », comme Jürgen le notait souvent sur un ton sarcastique, mais ils ont tendance à exprimer tout haut ce que nous pensons tout bas, sans oser le dire.

Ce qui m'a lancée dans ces réflexions, c'est le souvenir des fraises juteuses que j'avais tous les matins et ma première conviction qu'elles m'étaient accessibles uniquement de par mon statut spécial, l'« invitée » d'un État qui attendait des informations de moi. Un jour, pourtant, Frau L. m'a proposé d'aller faire un tour et je me suis aperçue que la résidence se trouvait dans une banlieue agréable – non loin de la prison de Spandau, m'a-t-elle indiqué – mais d'un niveau social plutôt moyen. Et là, j'ai vu que les magasins présentaient une profusion extraordinaire, qui a laissé la « provinciale communiste » que je suis bouche bée devant ces énormes brocolis, ces tomates rebondies, ces vingt ou trente sortes de chocolat alignées dans les rayons. Tant de choix… J'aurais voulu m'enthousiasmer pour la nouvelle vie qui m'attendait mais je me suis dit : D'accord, tu es ici, mais tu n'es pas libre. Ils te tiennent avec Johannes.

La résidence était plus que confortable, elle était réconfortante. Parce qu'elle était en dehors du monde réel, que j'allais bientôt devoir rejoindre et qui me faisait terriblement peur. La peur de l'inconnu, mais aussi celle de savoir qu'un jour ou l'autre je serais contactée par l'une de leurs « antennes » à Berlin-Ouest, et qu'alors… Mes deux anges gardiennes ont senti cette peur et ont voulu me rassurer, m'expliquant que c'était une réaction normale, qu'elles l'avaient constatée chez la plupart des anciens prisonniers politiques qu'elles avaient accueillis. D'après Frau Jochum, l'impact psychologique de la privation de liberté était tel qu'ils avaient du mal à s'adapter à la notion de choix quasi illimité et de libre arbitre qui est à la base de la vie occidentale. Elle a ajouté avec un petit sourire : « Il faut presque tout apprendre, y compris que vous pouvez faire un commentaire cinglant à propos du chancelier Kohl dans une conversation sans que vos interlocuteurs vous dénoncent à votre employeur et que votre carrière soit brisée. »

À part si vous travaillez pour le parti du chancelier Kohl…

L'appartement était une phase de transition, je le savais. Et c'était aussi celle des entretiens quotidiens auxquels je me suis pliée de bonne grâce malgré ce que leurs questions avaient d'insupportablement détaillé. Vers la fin de la troisième semaine, Herr Ullmann m'a appris qu'il m'avait trouvé un emploi à la station Radio Liberty, puisque j'avais été traductrice. « Ce sera un moyen de garder le contact avec votre terre natale tout en participant à une œuvre positive pour vos compatriotes, et aussi de rencontrer plusieurs réfugiés comme vous », m'a-t-il assuré.

Cette dernière perspective est-elle si attirante ? Me retrouver au milieu d'autres déracinés du bloc de l'Est pétris de nostalgie et de ressentiment, marqués à jamais par un déchirement nécessaire mais non moins douloureux ? Comme je me suis tuée à l'expliquer au colonel, je n'ai jamais voulu être une dissidente ; je n'étais pas farouchement opposée à l'État socialiste, je ne rêvais pas de vivre à l'Ouest, je n'avais jamais pris part à quelque activité politique qui aurait pu mettre en doute ma loyauté envers la RDA. D'accord, j'aspirais à un meilleur logement, et je gardais ce rêve d'adolescente de voir Paris un jour, mais j'acceptais les limites et j'appréciais ce que m'apportait le petit groupe au sein duquel nous évoluions à Prenzlauer Berg. Et quand Johannes est venu au monde, il est devenu mon seul centre d'intérêt, il a été ce que j'appellerais un don de Dieu, si j'avais la moindre fibre religieuse en moi. Il m'a inspiré un amour inconditionnel comme je n'en avais jamais connu, et cela éclipsait tout, les difficultés matérielles, le vide de ma relation avec Jürgen et sa difficulté grandissante à accepter le monde tel qu'il était, le manque de stimulation intellectuelle de mon travail… Oui, tout. Il était ma vie et mon avenir. Mon *Existenzberechtigun*, ma raison d'exister.

Et sans lui, je n'ai rien. Je ne suis rien.

⁂

Voilà une semaine que je suis dans mon chez-moi à Kreuzberg. Frau Ludwig a convaincu le propriétaire de repeindre cette chambre et de recarreler le cabinet de toilette avant que je m'y installe. Une fois surmonté le contraste saisissant avec mes premiers jours à Berlin-Ouest, je commence à me faire aux lieux. Je ne manque de rien. L'immeuble est dans une ruelle retirée, épargnée par le bruit de la circulation. C'est une réalité modeste mais encore cent fois supérieure à ce que j'ai connu par le passé.

J'ai aussi une petite garde-robe que Frau Ludwig m'a aidée à choisir en m'emmenant au KaDeWe, le grand magasin sur le Ku'damm dont nous avions tous entendu parler à Berlin-Est mais qui s'est révélé encore plus époustouflant que dans mon imagination.

La diversité, l'immensité du « choix », là encore, m'a presque donné le tournis. Frau Ludwig m'a fait prendre deux paires de draps blancs « d'entretien facile », qui n'ont pas besoin d'être repassés, et une couette toutes saisons, des choses dont j'ignorais jusqu'à l'existence. Un assortiment de casseroles et de poêles qui se nettoient d'un simple coup d'éponge, m'a-t-elle assuré. Des ustensiles de cuisine, de la vaisselle et quelque chose dont je rêvais depuis toute petite, un grille-pain ! Et même une radio, et un tourne-disque portable avec haut-parleurs séparés…

Elle a payé pour moi chaque article et moi, je me suis sentie comme une gamine gâtée par une riche tante dans un roman du XIXᵉ siècle, ce que j'adorais tout en éprouvant une cuisante culpabilité. Parce que je vais bientôt trahir toute cette générosité. D'une certaine manière, je l'ai déjà trahie en n'ayant pas le courage de leur avouer la vérité sur… Mais assez. Plus vite ils auront ce qu'ils veulent, plus vite Johannes me sera rendu.

Aujourd'hui, je suis sortie pour la première fois depuis trois jours, et j'ai fait quelques courses au magasin du coin, ce qu'ils appellent une « supérette ». Ils m'ont ouvert un compte à l'agence locale de la Sparkasse et ils y ont déposé deux mille marks. Tout cet argent… Largement de quoi tenir jusqu'à ce que je reçoive mon premier salaire. Je n'ai pas envie de commencer ce travail. Herr Wellmann, le directeur de la radio, attend que je l'appelle pour prendre rendez-vous, mais chaque jour je repousse ce moment que je redoute.

Je suis bien installée chez moi. Tout ce que Frau L. m'a acheté au KaDeWe a été livré et j'ai organisé mon petit intérieur. Dans une boutique d'occasion, j'ai acheté le disque que j'écoute maintenant. *Chaussee-strasse 131*, de Wolf Biermann. Jürgen en avait une cassette et il en était très fier, parce qu'il est interdit chez nous : Biermann a été déchu de sa nationalité pendant qu'il était en tournée à l'Ouest, en 1976. L'amère ironie de cette histoire, c'est qu'il est né à l'Ouest et qu'il avait volontairement émigré en RDA par idéalisme socialiste. Avant de devenir trop critique vis-à-vis du régime et que son pays d'adoption le jette dehors. Tel le fils rejeté par son père après avoir vainement cherché son affection…

J'ai aussi acheté le *Sgt. Pepper's* des Beatles en poussant un petit cri de joie quand je l'ai découvert dans les bacs. C'est la musique que nous écoutions souvent, Judit et moi, quand on passait un moment à bavarder en buvant de la vodka et en fumant, et que l'on se demandait à quoi ressemblait Londres et si nous aurions jamais l'occasion de voir le monde au-delà du Mur.

Ces disques me font pleurer chaque fois que je les passe. Les textes loufoques et sarcastiques de Biermann me ramènent à ces soirées de Prenzlauer Berg où nous étions une vingtaine entassés dans un petit appartement, avec quelques bougies allumées ici et là, où la piquette roumaine et la gnôle artisanale circulaient et où nous parlions et parlions en écoutant ce barde anticonformiste. Cette confiance qu'il y avait entre nous, l'intensité de ces discussions et de ces fous rires, et moi, toujours un peu intimidée devant ces vrais écrivains et ces peintres reconnus, qui allais tous les quarts d'heure vérifier que Johannes dormait bien dans la chambre. Je repense à Judit qui m'avait suivie une fois et qui, devant mon bébé paisiblement endormi, avait étouffé ses sanglots et chuchoté qu'elle était maintenant trop vieille pour avoir des enfants, et que j'étais sa seule véritable amie…

Judit… Lorsque Frau Jochum m'a révélé que c'était elle qui informait la Stasi depuis des mois, je n'ai pas ressenti de haine, non, plutôt une vague de tristesse déchirante. Et de désespoir. Qui croire, en qui avoir confiance ? Qui n'est pas leur pantin ? Qui est encore capable de ne pas trahir ses meilleurs amis pour que ces salauds l'épargnent un peu ? Elle qui m'appelait sa « sœur », et à qui je confiais tout, allait ensuite tout leur raconter, et tout a été noté, enregistré pour être utilisé contre moi. Je ne me souviens pas d'avoir fait la moindre remarque subversive devant elle, mais le colonel m'a répété des choses que j'avais dites pendant nos soirées, dans l'intimité d'une cuisine pleine d'amis où l'alcool dénoue les langues et où l'on ose quelques plaisanteries innocentes sur les paradoxes de la vie socialiste, une ironie toute berlinoise. À ce moment-là, je me suis dit qu'il devait y avoir eu un mouchard parmi nous. N'importe qui, sauf Judit ! Quand Frau Jochum me l'a appris, je n'y ai pas cru ; je n'arrive toujours pas à y croire, d'ailleurs.

Écrire peut calmer la douleur mais en aucun cas dissiper la sensation de solitude complète qui m'étreint encore plus maintenant. C'est pour cette raison que je n'arrive pas à sortir de cette chambre : la seule vue des gens dans la rue accentue mon impression d'isolement, d'étouffement, d'emprisonnement. Je n'ai pas de famille, pas d'amis, je ne vis qu'avec l'espoir de voir réparée une injustice monstrueuse.

Ici, dans cette petite pièce propre, il fait chaud. Souvent, dans une sorte d'hallucination, j'aperçois un berceau près de mon lit, Johannes endormi dedans. Ces gens à qui ils l'ont livré, peuvent-ils l'aimer juste un peu ? Lui qui adore qu'on le berce, qu'on le cajole, qu'on le chatouille…

Je me répète que tenir ce journal va me permettre de mieux comprendre ce qui m'est arrivé et ce qui m'arrive, de l'accepter sinon de m'y résigner, mais cela ne fait que rendre le cauchemar plus intense et effrayant. Chaque matin, en me réveillant après une nuit agitée, je reste une vingtaine de secondes sans avoir conscience du lieu où je me trouve, de qui je suis, et pendant ce court moment le monde est étrange mais acceptable, jusqu'à ce que le cri muet s'élève à nouveau, « Ils m'ont pris mon fils ! », et je comprends que cette souffrance est sans fin. Sans remède.

*

Ce matin, j'ai finalement réuni assez de courage pour sortir. Un jour de neige. La neige, qui purifie et adoucit tout pour quelques heures, parvient même à donner une touche enchantée à Kreuzberg, ce quartier hideux. Dans la cascade de flocons blancs, même les Turcs aux yeux tristes que j'aperçois partout ici paraissent moins accablés par le mal du pays, moins perdus.

À la cabine téléphonique du carrefour, j'ai composé le numéro de Radio Liberty que Herr Ullmann m'a donné. La standardiste m'a passé une femme au ton extrêmement revêche qui s'est présentée comme Frau Orff, la secrétaire du directeur.

— Vous étiez censée nous contacter depuis plusieurs jours, si je ne m'abuse ?

— J'ai encore besoin de trouver mes repères, ai-je répondu gauchement.

— Venez lundi à onze heures. À moins que votre emploi du temps ne soit trop chargé pour vous présenter devant un employeur potentiel…

— Lundi onze heures, très bien.

— Merci d'être ponctuelle. Ou même en avance.

Alors que je rentrais chez moi après quelques courses, une idée m'a soudain frappée : « Il » ne m'a pas encore contactée, lui… Leur homme à Berlin-Ouest, celui dont ils m'ont dit d'attendre qu'il se manifeste. A-t-il été arrêté, entre-temps ? Ou ont-ils renoncé à se servir de moi ? Ce serait horrible, en fait. S'ils ne m'utilisent pas, je ne reverrai jamais mon fils.

**

Je suis une lâche. Une lamentable trouillarde. J'ai passé deux jours enfermée dans cette pièce. Et hier, la veille de mon rendez-vous, je n'ai pas fermé l'œil de la nuit, j'ai fumé presque un paquet de cigarettes en guettant l'aube. Nerveuse à l'idée de devoir aller jouer mon rôle pour la première fois devant des gens qui n'auraient pas forcément le même a priori favorable à mon égard que les fonctionnaires qui m'ont accueillie ici. Angoissée de quitter ma tanière et de m'exposer à… la suite. Car j'étais certaine que, si je décrochais ce job, l'agent chargé de me superviser se hâterait de me contacter. Ils allaient sauter au plafond en apprenant que j'allais pénétrer au cœur de la machine de propagande anti-communiste…

Après ma douche, j'ai été consternée en m'examinant dans la glace : des cernes gigantesques, un teint cendreux, un début de rides sur le front. J'ai vieilli de dix ans, ces derniers mois. J'ai l'air épuisée, et accablée de tristesse. Aucun homme ne s'intéressera plus jamais à une femme qui paraît si ouvertement défaite par la vie.

J'ai tenté de dissimuler ces ravages sous une couche de fond de teint, j'ai bu cinq tasses de café, encore fumé, et puis j'ai enfilé mes nouvelles bottes, ma grosse veste en tweed et j'ai pris le métro en direction de Wedding.

Radio Liberty. Une sorte d'usine reconvertie en bureaux, placée sous haute surveillance. J'ai montré ma carte d'identité toute neuve au garde en uniforme, qui m'a escortée à la réception. Frau Orff est venue me chercher, aussi rébarbative et méprisante que je m'y attendais après notre échange téléphonique.

— Ah, vous voilà enfin !

— J'ai eu quelques… problèmes.

— C'est toujours pareil, avec vous autres.

J'ai ravalé ma rage. « Vous autres » ! D'accord, je suis de « là-bas », une « Ossie », je viens d'un pays maudit, « irrécupérable », mais tout ça est tellement relatif, éphémère. Qui se souviendra de ces réalités prétendument immuables dans cent ans ? Cette secrétaire qui me regarde de haut et se croit irrésistible, imbue de son petit pouvoir, ne pourrait même pas imaginer ce que j'endure ; pour elle, je devrais seulement remercier le ciel tous les jours d'être enfin dans le « monde libre ». Au lieu de la fusiller du regard ou d'éclater, j'ai répondu par une formule convenue, « Merci de votre compréhension », et cette retenue l'a désarçonnée, comme je m'y attendais, car elle a eu un petit sourire crispé et s'est bornée à me prier de la suivre.

Elle m'a fait attendre une bonne demi-heure avant de me faire entrer dans le bureau de Herr Wellmann, un Américain – d'origine allemande, évidemment – à l'allure d'intellectuel ayant viré au fonctionnaire, donc guère séduisant mais très correct et plein de sollicitude. Il s'est empressé de me dire qu'il était au courant de ma « situation personnelle » et que j'avais toute sa sympathie. À nouveau, j'ai été tentée de crier : « Arrêtez d'être tous aussi gentils ! Vous ne savez pas à qui vous avez affaire ! »

Il a ouvert le dossier posé devant lui, en a sorti le CV que Frau Ludwig m'avait aidée à rédiger. Puis il m'a interrogée sur ma vie professionnelle à Berlin-Est, visiblement intéressé par le genre de livres traduits de l'anglais qui sont publiés de l'autre côté du rideau de fer. Ensuite, il m'a tendu un texte d'une page qui concernait un antiquaire berlinois spécialisé dans les objets de l'époque prussienne et il m'a demandé de le traduire à voix haute. J'étais assez nerveuse en commençant, mais je ne me suis pas mal sortie de cet examen oral. « Très bien, a dit Herr Wellmann, je vous approuve d'avoir choisi une tonalité pas trop littéraire. » Il m'a tendu deux feuillets, un résumé d'un discours du président Reagan sur l'Iran, et m'a expliqué que j'allais devoir faire comme s'il s'agissait d'une traduction très urgente et que sa secrétaire me donnerait une machine à écrire pour la rédiger.

Frau Orff m'a conduite à une machine à écrire, avec une boule animée électroniquement qui tapait les lettres en réponse au clavier. De marque IBM. J'ai d'abord été intimidée par cette technologie si moderne mais j'ai vite su me débrouiller et j'ai composé ma traduction en moins d'une demi-heure. Je l'ai relue, j'ai apporté quelques corrections au crayon et j'ai tapé la version corrigée en dix minutes. Je me disposais à la rendre à Herr Wellmann quand Frau Orff m'a arrêtée d'un geste péremptoire :

— Vous n'entrez jamais dans le bureau du directeur sans que je vous aie annoncée, sous aucun prétexte.

— Ah, pardon…

Elle l'a appelé sur la ligne intérieure, m'a fait signe que je pouvais passer. Wellmann a lu rapidement mes pages et m'a complimentée sur ma rapidité, la fluidité de la traduction et l'état impeccable de ma copie. Avec un petit sourire, il a dit :

— Bon, je suppose que je n'ai pas d'autre choix que de vous embaucher…

Il m'a annoncé que mon salaire serait de cinq cents deutschemarks, soit trois cent soixante-quinze après les retenues sociales. Plus que ce dont je pouvais rêver.

— Ça vous paraît acceptable ?

— Tout à fait acceptable !

J'ai passé le reste de la matinée à remplir des formulaires administratifs, avant d'être photographiée pour préparer mon passe personnel. J'ai été reçue par un certain Stüder, apparemment leur responsable de la sécurité. Il a voulu savoir si j'avais eu des contacts avec d'autres ressortissants est-allemands depuis mon arrivée à Berlin. « Je ne connais personne », ai-je répondu honnêtement. Il a précisé qu'aucun document ne devait sortir de la station, « non que des documents classés "haute sécurité" nous passent entre les mains mais parce que nos émissions sont spécifiquement destinées à la RDA, et il y a des gens là-bas qui voudraient bien connaître notre programmation à l'avance, pour des raisons que je n'ai pas besoin de détailler ». Il m'a fait signer une déclaration de confidentialité qui mentionnait cette clause ainsi que le fait que je m'engageais à ne divulguer aucune information sur le fonctionnement interne de la station.

On m'a montré le petit box qui m'avait été attribué et on m'a présentée à quelques collègues de la salle de rédaction, notamment un producteur d'origine polonaise, Pavel, pas repoussant mais très agressif dans son comportement avec les femmes. Avec un regard insistant sur mes seins et mes jambes, il m'a tout de suite demandé si j'avais un petit ami.

— J'avais un mari mais il est mort, ai-je répliqué d'un ton destiné à le décourager, ce qui ne l'a pas empêché de se montrer encore plus lourd :

— Quelle bêtise de mourir quand on a une petite épouse aussi ravissante…

J'ai failli me mettre en colère mais j'ai vu à son sourire que c'était exactement ce qu'il attendait. Provocateur, sans scrupules, c'était aussi quelqu'un que j'allais devoir croiser régulièrement dans mon travail. Heureusement, on m'a rappelée au bureau du directeur. Il avait besoin que je traduise d'urgence un commentaire radiophonique sur un écrivain dont j'entendais le nom pour la première fois, Sinclair Lewis. Douze feuillets avec double interligne, en deux heures parce que l'acteur chargé de lire le texte en allemand devait arriver en début d'après-midi, et que l'autre traductrice salariée était malade. J'ai accepté, bien sûr. C'était un défi intéressant, et puis le travail occupe mon esprit, l'empêche de partir dans une direction que je redoute.

En retournant à ma table, j'ai fait semblant de ne pas voir que Pavel s'était arrêté dans le couloir et me détaillait sans vergogne. Quand je suis passée devant lui, il a dit tout bas derrière moi : « Ne croyez pas que vous allez m'ignorer. Je ne le permettrai pas. »

Ma première semaine de travail vient de se terminer. L'autre traductrice, Magdalena Koenig, souffre de migraines chroniques, elle a été absente plusieurs jours et une grosse pile de textes à traduire s'est accumulée sur ma table. Plus de la moitié des collaborateurs de la radio, tous en free-lance, sont anglophones, de sorte qu'il y a toujours des contributions à traduire, toujours urgentes, comme le veut le rythme d'une station de radio.

Tout le monde est débordé. D'après Pavel, l'équipe devrait être deux fois plus importante mais les fonds manquent, malgré toute la rhétorique reaganienne sur la guerre froide. D'après lui : « Reagan et ses partisans s'époumonent contre l'"Empire du Mal" mais, d'un autre côté, ils prêchent la libre entreprise et le mépris du service public. Pour eux, ce n'est pas avec des émissions de radio que l'on combat le communisme, mais avec des missiles balistiques pointés sur les couilles de la direction soviétique ! »

Il est intelligent, Pavel, et il ne le sait que trop. Ses manières de dragueur condescendant m'insupportent, sa manie d'inclure des sous-entendus sexuels dans la moindre remarque, sa façon de me déshabiller du regard tout en m'interrogeant sur ma vie privée. Je ne lui confie rien, évidemment, je réduis d'ailleurs au minimum mes contacts avec le staff.

Mercredi, je suis quand même allée déjeuner avec une collaboratrice extérieure, Monica Braun, une Américaine d'une quarantaine d'années qui s'est installée à Berlin et qui assure une émission littéraire deux fois par mois. Nous nous sommes rencontrées parce que je devais vérifier certains termes de science-fiction dans un commentaire sur Philip K. Dick qu'elle a écrit, et après avoir révisé la traduction avec moi pendant deux heures elle m'a proposé de manger un morceau dans un café près de la radio.

C'est elle qui a parlé, surtout. Son enfance à New York, ses deux mariages catastrophiques – l'un de ses maris s'est révélé être homosexuel… –, son départ pour Berlin à la fin de sa dernière relation sentimentale assez sérieuse, le fait qu'elle n'arrive pas à trouver d'homme qui soit libre et fiable, sa résignation à travailler pour Radio Liberty « même si c'est loin d'être le service international de la BBC ». Elle m'a aussi conseillé de ne jamais accepter de prendre un verre avec Pavel : « Je l'ai fait, moi, et quand je me suis réveillée le lendemain dans son lit il m'a déclaré qu'il n'avait pas l'habitude de coucher avec des femmes plus vieilles que lui et qu'il ne l'avait fait que par pitié pour moi. »

J'ai beaucoup appris, pendant ce déjeuner avec Monica, et comme elle était contente de parler d'elle je n'ai pas eu à me montrer trop évasive. Il n'empêche que ç'a été la première et la dernière fois. Il faut que mes contacts avec les gens de la radio se limitent à une courtoisie professionnelle, et rien de plus. Pas de situation où j'aurais à raconter ma vie, où je devrais dissimuler tout ce qui me hante. Un risque inutile, et c'est trop pénible.

Je ne veux pas qu'on s'intéresse à moi.

***

Mon immeuble est proche d'un parc équipé de jeux pour enfants dont je n'ai découvert l'existence que quelques jours plus tôt, en prenant un itinéraire différent pour rentrer chez moi. C'était une belle journée d'hiver et le parc était plein de jeunes mères avec leurs petits. Dès que mes yeux sont tombés sur cette scène, j'ai tourné les talons et je me suis enfuie, en larmes, pour me réfugier dans ma chambre où je me suis abandonnée aux sanglots un long moment.

Ça ne finira jamais. Je peux tout essayer, je ne serai jamais en paix. Et je ne peux pas faire mon deuil puisque mon fils est vivant, bien vivant, à seulement dix minutes à pied d'ici… s'il n'y avait pas ce Mur entre nous.

**

Je vais au travail, je rentre chez moi, je grignote quelque chose, je bois deux ou trois bières, je fume, j'écoute de la musique, je lis, je dors peu et mal, et c'est à nouveau le moment de retourner à la radio. Les jours se suivent et se ressemblent. J'ai découvert une librairie d'occasion près du métro Heinrich Heine Strasse qui a un excellent rayon de littérature anglo-saxonne. J'ai décidé de lire tous les auteurs américains que Monica mentionne ou analyse dans son programme bimensuel, Sinclair Lewis, Theodore Dreiser, James Jones, J. D. Salinger, John Updike, Kurt Vonnegut, des auteurs dont je n'avais jamais entendu parler. Pour moi, c'est aussi sérieux que de suivre un cours à l'université et j'y trouve également une forme d'évasion stimulante. Herr Bauer, le propriétaire de la librairie, arrive à me dénicher presque tous les titres que je lui demande.

— Vous, ou bien vous êtes amoureuse d'un Américain, ou bien vous comptez aller vivre là-bas, a-t-il plaisanté hier.

— Si seulement…

C'est la lecture qui m'a empêchée de perdre la boule depuis que je suis à Kreuzberg. Je sors également au cinéma de temps en temps, ou je vais boire un verre dans un bar où l'on joue du jazz, seule avec une vodka, repoussant les avances des hommes qui me tournent autour. Et tout le temps, tout le temps, la même question obsédante : quand va-t-« il » se manifester ? Tout changera, à partir de là. Ce sera horrible mais quand même mieux que cette attente…

Et c'est arrivé. Il y a trois jours. Je sortais du travail et je me dirigeais vers le métro quand un gros bonhomme en parka et bonnet de fourrure m'a bousculée en passant et, profitant de ma surprise, m'a glissé un bout de papier dans la main avant de disparaître. Instinctivement, j'ai mis le papier dans ma poche et j'ai attendu d'être chez moi pour le lire : *« Rendez-vous demain à 18 h, Londoner Strasse, hôtel Claussmann, chambre 12. »*

J'ai regardé ces lignes très longtemps. Je n'avais pas le choix. Il fallait que j'y aille. Et que je fasse tout ce que l'on exigerait de moi.

Londoner Strasse est une rue minable d'un faubourg proche de l'aéroport de Tegel. Façades miteuses, poubelles oubliées depuis des jours, fast-foods aux vitrines embuées, lampadaires moribonds qui éclairent faiblement la grisaille de la neige fondue qui tombe. Le réceptionniste de l'hôtel ronflait bruyamment sur sa chaise quand je suis entrée dans le petit hall sale peint en marron, au sol couvert d'une vieille moquette tachée.

Sans le réveiller, je me suis engagée dans l'escalier étroit et j'ai cherché la chambre numéro 12. J'ai frappé, souhaitant de tout mon cœur que personne ne réponde, mais une voix pâteuse s'est élevée derrière la porte :

— *Ja ?*

— C'est Dussmann, ai-je chuchoté.

La porte s'est ouverte et j'ai eu devant moi l'homme qui m'avait bousculée la veille. Petit, ventru, les joues mal rasées et la peau huileuse. Âge indéterminé, même si ses cheveux gris et ses dents brunâtres indiquaient nettement la soixantaine. Cigarette à la bouche, il était en tee-shirt et slip d'un blanc plus que douteux.

— Entre et ferme la porte, m'a-t-il ordonné.

— J'arrive peut-être à un mauvais moment, ai-je fait, hésitante.

— Ferme cette putain de porte !

J'ai obéi. La chambre était aussi sordide que le reste de l'hôtel, imprégnée de surcroît d'une odeur écœurante de sueur masculine.

— On t'a suivie ?

Il ne parlait pas, il aboyait.

— Je n'ai rien remarqué.

— À l'avenir, ouvre l'œil.

— Désolée.

— Allez, désape-toi.

— Quoi ?

— Déshabille-toi !

J'avais déjà attrapé le loquet de la porte, prête à m'enfuir, quand il a ajouté derrière moi :

— Si tu t'en vas, tu peux oublier ton mouflet pour toujours. Je contacte anonymement les gens qui t'ont réceptionnée ici, je leur explique que tu es un agent double et le tour est joué. Tiens, regarde ça !

Je me suis retournée. Il avait pris une enveloppe sur la table en métal et en a répandu le contenu sur le lit. Six ou sept photos d'un bébé dans les bras d'un jeune couple très blond et souriant, l'homme en uniforme d'apparat de la Stasi. Mon cœur s'est arrêté. Johannes. Des photos récentes. Je me suis élancée pour les prendre mais il m'a stoppée, m'a tordu un bras dans le dos et m'a giflée de sa main libre.

— Tu ne touches à rien, tu ne fais rien sans ma permission. Compris ?

J'ai cru qu'il allait m'arracher le bras. J'ai fait oui de la tête, éperdue de douleur et de peur. Il m'a poussée sur le lit, où je suis tombée avant de me relever aussitôt, craignant de froisser les photos.

— Maintenant, enlève tes fringues. Tout de suite !

J'ai obtempéré, les mains tremblantes. Quand j'ai été nue, je me suis couvert les seins d'un bras.

— Sur le lit !

Je lui ai tourné le dos pour ramasser d'abord les photos.

— Qui t'a donné la permission de faire ça ? – Un sanglot s'est échappé de mes lèvres. – Tu vas pas commencer à pleurnicher, en plus !

J'ai repris mon souffle, luttant pour contenir mes larmes.

— Est-ce que je peux ranger ces photos, s'il vous plaît ?

— Tu apprends vite ! Oui, tu peux.

Je me suis exécutée et mes yeux se sont arrêtés sur l'une d'elles : Johannes seul, serrant un ours en peluche entre ses petits bras. Aussitôt, l'homme a aboyé :

— Je t'ai autorisée à regarder ?

— Pardon, pardon…

J'ai fini de les ramasser pour les poser sur la table.

— Et maintenant, sur le lit.

Le sommier a grincé bruyamment quand je suis montée sur le matelas. Je me suis pelotonnée sur un côté, la tête dans les genoux. Si j'avais pu mourir, là, à ce moment…

— Sur le dos !

J'ai obéi. Il m'a ouvert les jambes de ses deux mains, a baissé son slip, s'est léché les doigts qu'il a passés sur le bout de son pénis érigé. J'ai fermé les yeux. J'étais si tendue que j'ai eu l'impression que son premier coup de boutoir me déchirait en deux. Je l'ai laissé faire, inerte. Il n'a pas essayé de m'embrasser, au moins, et il n'a pas tenu longtemps ; quelques va-et-vient haletants et il a éjaculé avec un grogne-ment qui ressemblait à une quinte de toux. Puis il s'est redressé immédiatement, il a remis son slip sur son sexe déjà flasque, et il m'a saisie par le menton pour que je le regarde :

— Bon, on va se retrouver deux fois par semaine et chaque fois je vais te baiser avant de passer au travail. Si ça te convient pas, tu me le dis tout de suite et je préviens mes chefs que tu ne veux plus revoir ton fils.

— Non, pas ça…

— Alors, tu vas filer droit. Suis mes ordres, sois efficace et je leur enverrai un rapport positif sur ton compte.

Et les « ordres », c'étaient aussi de le laisser abuser de mon corps. Mais tout, tout plutôt que perdre l'espoir.

— J'ai compris, ai-je murmuré.

— Très bien. Rhabille-toi.

Pendant que je m'exécutais en hâte, il a allumé une cigarette et, comme s'il venait d'y penser, a jeté son paquet de Camel sur le lit en disant :

— Sers-toi.

— Merci.

— Tu prends la pilule ? – J'ai fait non de la tête. – Tu te retrouves en cloque, tu fais le nécessaire, pigé ?

— Je vais avoir mes règles demain.

— Alors tu te mets à la pilule après. Compris ?

J'ai acquiescé en silence. Il a sorti une valise en skaï du placard dont il a retiré un sac à fermeture éclair.

— Tiens, c'est pour toi. Ouvre.

J'ai fait ce qu'il m'ordonnait sans discuter. Dedans, il y avait un appareil photo si petit qu'il tenait dans ma paume.

— C'est ton outil de travail. Tu trouveras aussi vingt-quatre rouleaux de pellicule miniatures, seize prises chacun. Ta mission est simple : tu photographies tous les textes qu'on te confie à la radio, ainsi que ta traduction, et tu me rapportes les pellicules deux fois par semaine. Tu t'arranges pour cacher l'appareil sur toi, et aussi pour être sûre que tu n'es pas suivie quand tu viens me rejoindre. Tu viens d'arriver, et ils gardent toujours un œil sur les réfugiés politiques, au début. C'est pour ça que j'ai attendu avant de te convoquer.

— Et s'ils m'ont suivie aujourd'hui ?

— On a nos sources. Pour l'instant, ils pensent que tu es OK. Et on changera de lieu de rendez-vous à chaque fois, bien sûr. Comment je te préviendrai ? Près de chez toi, à Kreuzberg, il y a un bar, *Der Schlüssel*. Clientèle de voyous et de camés le soir mais pendant la journée c'est calme. Tu vas prendre l'habitude d'y boire un café ou une bière chaque jour. Tu iras aux toilettes. Juste à droite de la cuvette, tu verras un carreau mal fixé ; derrière, je te laisserai un mot pour t'indiquer l'heure et la date du prochain contact, que tu mémoriseras avant de jeter le papier aux chiottes. Pas question de manquer un seul rendez-vous, et surtout, amène les pelloches à chaque fois.

Il m'a montré rapidement comment charger l'appareil et m'en servir avant d'ajouter :

— Le mieux, c'est de le planquer entre tes cuisses. Ils ont pas de détecteur à métaux, là-bas, mais leur service de sécurité inspecte les sacs et fouille les bureaux de temps en temps. Tu l'emmènes seulement deux ou trois fois par semaine, quand tu as suffisamment de quoi photographier. Compris ?

— Oui, Herr…

— Haechen. Helmut Haechen. Pas mon vrai nom mais je l'utilise depuis des années. Qui a besoin d'avoir un passé, hein ? Bon, dans deux jours tu regardes ce qu'il y a aux toilettes du *Schlüssel*. Et maintenant, dégage.

⁂

J'avais à peine atteint le trottoir que je me suis pliée en deux, prise de nausée. Je suis tombée à genoux. Je sanglotais et je vomissais en même temps. Violée, salie, piétinée… Un vieil homme qui s'appuyait sur une canne s'est approché, m'a demandé si j'avais besoin d'aide. Sa sollicitude a encore accru ma peine mais au lieu de tenter les formules de consolation d'usage il a simplement posé sa main sur mon épaule et l'a laissée jusqu'à ce que je me calme. Quand je me suis relevée, j'ai croisé son regard, étonnamment vif pour son âge, et empreint de la compréhension tacite de quelqu'un qui a lui-même connu les pires horreurs de la vie. Il n'a eu qu'un mot : « Courage. »

De retour chez moi, je me suis débarrassée de mes vêtements et je suis restée longtemps sous une douche brûlante. En peignoir, j'ai inspecté mon visage, essayant de déceler si cette femme aux yeux rouges et aux traits ravagés pouvait m'aider à m'extirper d'un cauchemar qui, je le sentais, ne pouvait qu'empirer.

Prévenir Frau Jochum, tout avouer… et je perds Johannes à jamais. Me plier aux diktats de ce Haechen, lui ouvrir mes jambes deux fois par semaine, et ils finiront par reconnaître ma contribution, donc par tenir leur parole…

Les pires mensonges sont ceux qu'on se raconte à soi-même. Mais quand il n'y a pas d'autre issue, quand tous les choix possibles sont également porteurs de souffrance, alors ne reste plus que l'illusion d'un dénouement miraculeux…

Je n'ai jamais été attirée par la religion mais ce soir, en passant devant une église catholique alors que je rentrais du travail, j'ai failli franchir la porte, pour trouver un prêtre, tout lui dire et demander je ne sais quel conseil divin. « Nos prières peuvent-elles être entendues, mon père ? » Il me répondrait certainement que les miracles existent, que les voies du Seigneur sont impénétrables, mais au fond de lui, en homme habitué aux réalités de cette ville divisée, il penserait que c'est à la Stasi que je me confronte et que, devant une force aussi redoutable, le Seigneur lui-même n'aurait pas une chance.

Hier soir, je suis allée au *Schlüssel*. Un bouge. J'ai pris une bière et une vodka, que j'ai avalée cul sec. Le bar était plein de la faune habituelle de Kreuzberg, celle à laquelle je m'habitue peu à peu, motards, punks et camés. J'ai surveillé l'assistance un moment, cherchant à déceler si quelqu'un me regardait avec une insistance suspecte. Depuis plusieurs jours, je suis obsédée par la crainte d'être filée. Cet après-midi, à Radio Liberty, j'étais morte de peur quand je suis allée aux toilettes en cachant le texte que je venais de traduire. J'ai photographié une par une les sept pages empilées sur mes genoux. Un essai journalistique racontant une soirée de beuverie en compagnie de deux soldats américains affectés à la surveillance de nuit du Mur. Incroyable, que Wellmann ait donné son accord pour un billet qui montre avant tout que ces garçons s'ennuient à mourir, puisqu'il n'y a aucun transfuge à surprendre, et qu'ils ne cachent pas leur mépris pour la rhétorique reaganienne dès qu'ils ont un coup dans le nez. J'ai découvert que cette négligence apparente est, pour Radio Liberty, une façon de montrer que la liberté d'expression est presque totale, de ce côté du rideau de fer – la meilleure forme de propagande occidentale qui soit.

J'ai inspecté les deux cabinets de toilettes pour femmes la veille, à l'heure du déjeuner, et je n'ai découvert aucun dispositif de surveillance. Autant les abords de la station sont intimidants, autant la sécurité à l'intérieur semble peu stricte. L'idée de Haechen de dissimuler l'appareil photo dans ma culotte m'ayant paru aussi insultante que peu discrète, je l'avais caché à l'intérieur de ma botte droite, dont les replis du cuir suffisent amplement à le rendre invisible. En plus, s'ils fouillent – rarement – les sacs des employés, je ne les ai jamais vus exiger que ceux-ci se déchaussent.

Il m'a fallu cinq minutes pour prendre les photos, remettre l'appareil dans ma botte, tirer la chasse, me laver les mains et regagner mon bureau, le cœur battant à se rompre. Je mourais de peur mais je dois dire qu'il s'y mêlait une autre sensation, comme le plaisir d'une petite fille qui sait qu'elle vient de faire quelque chose de mal sans avoir été surprise en flagrant délit.

À la fin de la journée, je suis sortie, m'attendant à moitié à ce que le garde à l'entrée me demande de me prêter à une fouille complète. Mais non. J'ai sauté dans le premier métro et je suis allée à ce maudit bar, où personne ne m'a paru suspect, à moins qu'ils n'aient recruté des junkies pour me surveiller en les payant avec des sachets de coke ? Je me suis rendue aux toilettes, dégoûtantes celles-ci, et j'ai tout de suite trouvé le carreau disjoint. Dessous, il y avait un mot : « *Hôtel Liebermann, Oldenburg Allee 33, mercredi, 19 h.* » J'ai mémorisé la consigne avant de déchirer le papier et de le lâcher dans la cuvette.

Les rues étaient à présent fouettées par la neige. Cette nuit et le jour qui a suivi ont été insupportables. Haechen… J'avais de nouveau envie de vomir en repensant à sa brutalité, sa bedaine pendante, son haleine fétide, le petit pénis avec lequel il m'avait fouillée comme s'il s'agissait d'une sonde mécanique. Une fois encore, j'ai pensé à prévenir le colonel que son agent avait décidé d'abuser de moi, que… Autant parler à un mur.

Je n'ai pas manqué le rendez-vous. Encore un hôtel louche dans une rue désolée, encore lui m'attendant en sous-vêtements souillés, encore l'ordre aboyé de me déshabiller, encore ces trois ou quatre coups de reins avant de lâcher sa semence toxique dans mon corps prostré. Et, cette fois, une bordée d'injures lorsqu'il s'est retiré et qu'il a constaté que son moignon était couvert de sang menstruel. Sans un mot, je suis allée au cabinet de toilette sur le palier, j'ai mis un tampon et j'ai humecté d'eau froide la serviette qui était pendue là, que je lui ai apportée. Après avoir grommelé un remerciement, il s'est rendu dans le même cagibi pour se nettoyer. Il a laissé la porte ouverte et, tout en urinant bruyamment, il m'a lancé :

— Tu as amené ce que tu sais ?

— Bien sûr.

Quand il est revenu, je lui ai remis le rouleau de pellicule.

— C'est quoi ?

Lorsque je lui ai résumé le sujet du papier, il a eu l'air d'apprécier qu'il y soit question de soldats américains occupés à faire la tournée des bars pendant leur garde de nuit.

— Bon boulot, mais je ne dirai rien aux chefs tant que je n'aurai pas vérifié la qualité des photos.

Il m'a posé plein de questions sur les précautions que j'avais prises et il a paru satisfait de mes réponses.

— Tu mérites une petite récompense.

Là, il a pris dans le tiroir de la table de nuit une enveloppe d'où il a sorti une photographie de Johannes assis par terre, en train de jouer avec des cubes en bois. Âgé d'un mois ou deux de plus que quand on me l'avait arraché. Et toujours avec ce sourire un peu hésitant qui me faisait fondre. D'après mes amies, il tient cette expression de moi, comme s'il avait lui aussi du mal à faire confiance au reste de la terre. Bien qu'il soit tout petit, il doit avoir confusément conscience que quelque chose de terrible s'est produit dans sa vie, même si ses parents « adoptifs » le traitent bien, même si…

J'ai senti un sanglot monter dans ma gorge, que j'ai réprimé, je ne voulais pas donner à cette crapule le plaisir de me voir pleurer. Il m'observait, jouissant de son pouvoir sur moi. Il sait que celui-ci est total tant que j'aurai l'espoir de retrouver mon fils.

— Est-ce que je pourrais la garder ? ai-je demandé.

— Impossible. Trop risqué, si quelqu'un la voyait.

— Personne ne la verra. Je la cacherai chez moi.

— Non, tu serais tentée de l'avoir sans arrêt sur toi.

— Je vous jure que non.

— Pas convaincant. « Ils » savent que tu es arrivée ici sans photo de ton mouflet, ils ont fait l'inventaire complet de ce que tu as apporté avec toi. Si jamais ils apprennent que tu en as une, par exemple par un collègue à toi, ils vont chercher à savoir comment tu l'as obtenue de là-bas, avec qui tu es en contact, etc.

— Je ne la montrerai à personne, et personne ne vient chez moi. S'il vous plaît ! Vous pouvez me faire confiance.

— Tu n'as pas encore fait tes preuves pour ça... – Il m'a arraché la photo des mains. – Tu pourras voir des photos de lui à nos rencontres. Ce sera ta rétribution pour avoir assuré correctement ta tâche. Et maintenant, dégage.

Hier, je suis allée au dispensaire de Kreuzberg et j'ai dit à la femme médecin que je voulais prendre la pilule. Elle m'a interrogée en détail. À sa question : « Vous envisagez d'avoir des enfants dans un avenir assez proche ? », j'ai répondu sans hésitation : « Non. »

Elle a dit que je changerais peut-être d'avis un jour, puis elle a rempli une ordonnance. La pharmacienne que j'ai vue dix minutes plus tard m'a prévenue que je ne serais pas entièrement protégée tant que je n'aurais pas pris la pilule pendant toute une semaine.

— Entre-temps, suivez mon conseil : il faut que votre petit ami utilise des préservatifs.

Je lui ai aussitôt demandé un tube de spermicide.

Le lendemain, avant de me rendre au rendez-vous avec Haechen, je suis allée aux toilettes de la gare et j'ai vidé un bon tiers du tube dans mon vagin. Il n'a pas remarqué la légère odeur chimique du produit quand il m'a pénétrée une demi-heure après. Je continuerai à faire ça tant que l'effet de la pilule ne sera pas garanti. L'idée de tomber enceinte de cette brute est un cauchemar qui surpasse tous les autres.

Je reprends ce journal après plusieurs semaines où rien de particulier n'est arrivé. Je vais à la radio, je traduis ce qu'on me soumet, je suis toujours dans les temps, je reste dans mon coin. Deux fois par semaine, je me rends au travail avec l'appareil photo miniature dans ma botte. En plus des toilettes, j'ai découvert un petit débarras au sous-sol, près de la réserve de matériel de bureau. Personne ne passe par là à l'heure du déjeuner, et la lumière est meilleure qu'aux W.-C. si je laisse la porte entrebâillée. Haechen m'a dit que ses « contacts » avaient déploré la qualité médiocre des photos, jusqu'ici, le débarras est donc un lieu plus adéquat. Il se trouve dans un couloir avec une porte métallique au bout, qui n'est jamais verrouillée et grince terriblement quand on l'ouvre, ce qui me préviendrait si quelqu'un venait. En plus, les pas résonnent sur le sol en béton. J'ai inspecté la petite pièce, et il n'y a pas de caméra de surveillance ici, ni dans le couloir.

Je continue à retrouver Haechen deux fois par semaine dans un hôtel minable. C'est toujours pareil : j'arrive, je me déshabille, il me pistonne deux minutes, il éjacule, on fume une cigarette, je lui donne la pellicule et je m'en vais.

Je ne me sens plus dégradée, ni humiliée. Il reste toujours aussi repoussant mais j'ai fini par accepter cette corvée bihebdomadaire comme un devoir à remplir. Il ne parle jamais de lui, donc j'ignore tout de sa vie en dehors de ces rencontres. Et il ne me pose pas de questions, lui non plus, sauf sur ce qui se passe à la radio, mes relations de travail, la personnalité de mes collègues.

Pavel l'intéresse particulièrement. Comme il m'interroge toujours sur son comportement, je lui ai raconté qu'il continue à m'importuner, qu'il critique mes traductions sur tel ou tel point pour faire étalage de son savoir mais surtout pour lorgner l'échancrure de mon chemisier, qu'il me propose encore un verre ou un dîner alors que je lui ai dit non une fois pour toutes. Il se montre tour à tour mielleux et agressif, énervant au point que j'ai pensé me plaindre de lui au directeur.

— Non, supporte-le, a répliqué Haechen. Plus il se montre puant, mieux c'est.

— Pourquoi ?

— Tes collègues verront que tu gardes ta patience malgré ses singeries. Ça joue en ta faveur.

589

J'ai eu envie de lui rétorquer que personne ne voit la « patience » dont je fais preuve pour tolérer ses assauts répugnants deux fois par semaine.

Le temps passe et se traîne. J'ai une vie compartimentée. Les traductions sont parfois intéressantes, mais restent le plus souvent un simple travail routinier. Quelques-uns de nos collaborateurs ont de l'esprit, d'autres se croient très brillants et les autres sont juste des pisseurs de copie. Monica m'a dit que Wellmann préfère le factuel aux effets de plume, si barbant soit-il. C'est un vrai fonctionnaire, précis et terne, mais il lui arrive de me demander de mes nouvelles avec une sollicitude presque paternelle, sans laisser transparaître qu'il est au courant de ce qui m'est arrivé.

L'envahissant Pavel, lui, donnerait cher pour avoir des informations sur mon passé. L'autre jour, alors que je faisais une pause à la cafétéria, il est arrivé avec quatre autres membres de la rédaction, s'est mis à pérorer et m'a carrément mise au défi de révéler quelle « bonne action angélique » j'avais pu faire pour être expulsée de RDA, moi, « la Soljenitsyne en minijupe qui a sans doute écrit quelques poèmes s'élevant contre la socialisation de sa chatte ». Là, je lui ai envoyé ma bière à la figure. Il s'est contenté de rire.

Après cet incident, Monica a essayé d'obtenir son licenciement, ou du moins un blâme sérieux. Elle m'a raconté qu'elle avait dit à Wellmann qu'il était intolérable qu'un machiste aussi venimeux reste dans l'équipe. D'après elle, notre directeur a exprimé sa sympathie envers moi et lui a assuré qu'il allait exiger de Pavel qu'il m'écrive une lettre d'excuses, et qu'il promette de ne plus me harceler. Quant à le mettre à la porte, impossible, a-t-il affirmé à Monica, allant même jusqu'à avouer : « Sur ce plan, j'ai les mains liées. » Avec un sourire entendu, elle m'a dit : « On sait tous ce que cela signifie… »

Donc, Pavel est un agent, lui aussi. Un agent à « eux ». Intouchable, en conséquence. Lorsque j'ai rapporté ça à Haechen deux jours plus tard, il s'est montré carrément excité, fait étonnant si l'on considère que je ne l'ai vu sortir de sa morosité que pour aboyer des injures ou des ordres. Il a exigé que je lui apporte une photocopie de la lettre d'excuses dès que je l'aurai reçue, ce qui s'est produit le surlendemain.

Tout ce qu'il veut, je m'y plie. Je souhaite lui montrer que je suis décidée à satisfaire les attentes de ses maîtres. Les semaines passant, pourtant, j'ai vu se confirmer ce que je pressentais depuis le début : Haechen fera tout son possible pour que cette situation perdure. Je suis autorisée à contempler mon fils sur une photo pendant deux minutes, et c'est tout. La seule fois où j'ai osé lui demander quand ma « mission » serait terminée, il a regardé ailleurs et pris sa voix la plus menaçante pour dire :

— C'est pas ma décision, et tu ferais mieux de pas m'emmerder avec ça. Tu as trahi ta patrie, tu essaies maintenant de te racheter, ce qui te permettra de rentrer au pays et « peut-être » de retrouver la garde de ton fils. Compte tenu de la gravité de ce que tu as fait, estime-toi heureuse que notre système soit progressiste au point de te donner une chance de faire tes preuves. Mais si tu crois qu'au bout de quelques mois on va te « donner l'absolution », oublie.

Cette réponse m'a démolie. Pendant des jours et des nuits, la perspective du suicide m'a de nouveau travaillée. Il n'a rien dit que je ne soupçonnais déjà. La vérité, c'est qu'il n'y a pas d'issue, pas d'espoir, pas de moyen de sortir du labyrinthe de mensonges dans lequel je me suis laissé entraîner.

⁂

Cette journée a commencé dans les ténèbres et s'est terminée dans une illumination.

Après trois nuits blanches consécutives, je me suis levée avec la détermination d'en finir. Cette conclusion logique m'emplissait d'un calme étrange. Il ne restait plus qu'à choisir la méthode. Somnifères ? M'ouvrir les veines sous la douche ? Ou me précipiter à l'assaut du Mur et me faire mitrailler en tentant de l'escalader ? Non, cela procurerait trop de joie aux crapules : « Tiens, elle était tellement malheureuse à l'Ouest, tellement déterminée à rentrer coûte que coûte au bercail… »

Il n'empêche que j'étais décidée. Mélange de désespoir, d'épuisement dû à l'insomnie, de résignation devant le fait que plus aucune issue n'est possible.

Au lieu de me rendre directement à la radio, j'ai fait un crochet jusqu'à Kochstrasse. Au trente-huitième étage du QG du magnat de la presse Axel Springer, il y a une terrasse accessible au public. Dans le hall, l'une des réceptionnistes m'a expliqué que je devais acheter un ticket d'accès, ajoutant : « La vue est à couper le souffle mais n'y allez pas si vous avez le vertige, parce que le garde-fou est vraiment bas. » J'en ai presque souri, et j'allais m'acquitter du prix du billet quand une idée soudaine, une seule, m'a fait changer d'avis : je ne pouvais pas partir comme ça, sans écrire à Johannes une lettre qu'il lirait plus tard, une lettre que je me débrouillerais pour lui faire parvenir au moment voulu et dans laquelle je lui dirais tout.

Je suis restée un instant pétrifiée, puis mon regard s'est arrêté sur l'horloge au mur et, en bonne Allemande disciplinée que je suis, j'ai pensé que j'allais être en retard au travail.

Pendant tout le trajet en métro, une question m'a occupée : à qui confier cet adieu à mon fils, en qui avoir assez confiance pour être sûre que ce message serait transmis à Johannes pour ses dix-huit ans ? Monica, la seule personne que je puisse un peu appeler une amie ici ? Accepterait-elle de faire ça pour moi ?

Je n'ai eu que cinq minutes de retard. Un message urgent de Wellmann m'attendait, accompagnant le texte d'une analyse du programme de la guerre des étoiles mis au point par Reagan, dont le directeur voulait avoir la traduction avant onze heures. Après être allée me servir une tasse de café en hâte, j'ai allumé une cigarette et j'ai engagé une première feuille de papier dans ma machine. Travaillant d'arrache-pied sur cette apologie pseudo-scientifique d'un projet militaire absurde, j'ai fini la version corrigée juste à temps et je me suis ruée dans le bureau de Frau Orff.

Elle a prévenu Wellmann et m'a fait signe d'entrer dans son bureau. J'ai tout de suite aperçu quelqu'un dans le fauteuil en face de sa table. Un homme jeune, la vingtaine, qui s'est levé à mon approche, une marque de politesse qui m'a plu. Grand, avec une belle tignasse châtain et une mâchoire carrée, volontaire. Mince, avec un maintien discret mais non dénué d'assurance. Quelqu'un de cultivé mais qui ne devait pas vivre que dans les livres, qui connaissait déjà le monde, qui avait bourlingué, c'était visible. Séduisant. Très. Ses yeux, surtout, m'ont tout de suite captivée : attentifs mais aussi habités d'une certaine mélancolie. Une combinaison surprenante de curiosité pour les autres et d'extrême solitude. Les yeux d'un homme qui cherche l'amour et ne l'a pas encore trouvé.

Il m'a regardée, alors, avec intensité, et j'ai eu l'impression qu'il percevait l'effet de ce regard sur moi, quelques secondes à peine, un éclair qui m'a semblé durer très longtemps. C'était comme si j'avais une soudaine poussée de fièvre. Quelque chose d'impossible à définir, de magnifique et de dérangeant à la fois.

Herr Wellmann nous a présentés.

Thomas Nesbitt. C'est son nom.

Et je suis tombée amoureuse de lui.

Deuxième cahier

Thomas. Thomas. Thomas.

Durant les heures et les jours qui ont suivi cette rencontre, j'ai répété et répété son prénom, dans ma tête et à voix haute. J'aime sa sonorité, sa solidité, sa force, son côté américain.

Il m'a souri quand j'ai quitté le bureau de Well-mann, et il y avait tant de choses derrière ce sourire. Ou bien je me raconte des histoires ? Suis-je en train de projeter sur un inconnu toutes les espérances inattendues qui me sont venues dès que je l'ai vu ? Espérances de quoi ? L'amour. Le vrai. Quelque chose que je n'ai jamais connu, je l'avoue dans l'intimité de ce journal. Sur ce plan, je n'ai jamais eu de chance. D'un autre côté, tous ceux qui sont tombés fous amoureux autour de moi ont fini par se rendre compte que ce n'était pas la bonne personne, ou qu'il ou elle n'était pas à la hauteur des attentes et des espoirs qu'ils avaient eus.

Attentes et espoirs. Je les place en cet homme dont je ne sais rien sinon qu'il est américain et qu'il écrit. Il doit certainement avoir une petite amie, une fiancée…

voire il est marié mais ne porte pas d'alliance ? Mais
non, je sens qu'il n'est pas du genre à ne pas assumer
clairement son engagement. Voilà que je recommence
avec mes suppositions !

C'est comme ça, alors ? L'impossibilité de penser
sérieusement à quoi que ce soit d'autre ? Et le doute :
s'il se comportait toujours de cette façon avec les filles,
s'il aimait simplement flirter ? Sauf que ce n'était pas
du flirt. Il m'a regardée et ses yeux reflétaient exactement ce que j'ai ressenti au même moment. Il
« savait ». Comme moi j'ai su. Et derrière ce regard,
j'ai vu aussi une grande solitude, un besoin désespéré
de communiquer enfin, profondément, entièrement…

Des histoires, encore !

Thomas. Thomas. Je répète son prénom comme
une invocation, un appel, une prière.

J'ai découvert qu'il a écrit des livres. Un livre, plus
exactement. Et c'est très bon, malgré ce que Pavel en
dit.

Je l'ai vu ce matin sur son bureau, en remettant
une traduction à ce sale type. Depuis l'incident d'il y a
quelques semaines et la lettre d'excuses qu'il m'a
adressée, Pavel a arrêté de me harceler. Il s'est peut-
être également rendu compte que je sais qui il est et
pourquoi ils ne peuvent pas le renvoyer, même si j'ai
l'impression que presque toute la rédaction soupçonne son véritable statut. C'est l'une des règles du
silence, à Radio Liberty : on sait tous que la station est
financée par l'argent public américain et que la CIA la

supervise, on a fréquemment la visite des gens de l'USIA, qui sont, de toute évidence, des agents déguisés, mais on ne parle jamais de l'aspect « sensible » de ses activités. Moi, j'y pense sans cesse dès que je suis dans les locaux, et même dehors : Est-ce que je suis surveillée ? Si c'était le cas, ils seraient déjà intervenus, depuis tout ce temps.

Comment pourrais-je tomber amoureuse tout en menant une existence aussi folle ? Comment imaginer une histoire avec Thomas, alors que je devrai continuer à me soumettre à Haechen deux fois par semaine ?

— C'est intéressant ? ai-je demandé d'un ton aussi dégagé que possible à Pavel en montrant le livre de Thomas sur sa table.

— Superficiel, souvent prétentieux et trop léger.

— C'est mal, d'être léger ?

— Le mot de l'éditeur affirme qu'il se situe « dans la tradition de Graham Greene ». Sauf qu'il est beaucoup trop américain pour ça.

— C'est-à-dire ?

— Il ne cesse de faire étalage de son petit savoir, comme tous les intellos new-yorkais en général. Comme votre amie Monica, qui ne peut pas caser trois mots sans citer Proust ou Emily Dickinson. Même nombrilisme chez ce Nesbitt, l'Égypte n'est qu'un prétexte pour parler de lui.

— Mais il a été publié, au moins…

— Oh, pas besoin d'être particulièrement talentueux pour ça. C'est un écrivaillon de passage à Berlin, qui, très logiquement, se retrouve à travailler pour notre splendide radio…

— Je peux vous l'emprunter, ce livre ?

— Et gardez-le ! Enfin, notre maître à tous m'a chargé de produire les pontifications du sieur Nesbitt, donc je ne dirai rien de plus.

— Et vous êtes un expert, question pontifications…

Je l'ai dévoré en une soirée. La critique de Pavel était pétrie de mauvaise foi, ce qui est typique de lui, mais sa pointe de jalousie ne m'a pas échappé non plus ; et en effet j'ai trouvé beaucoup d'aspects remarquables dans ce livre. J'ai aimé que ce récit de voyage ait la structure et le rythme d'un roman dans lequel les gens qu'il a croisés deviennent de vrais « personnages », et qu'il dépeigne l'entrée pleine de contradictions de l'Égypte dans la modernité tout en saisissant la singularité de son histoire et de sa culture. J'ai été intriguée par les rares moments où il se met en situation, révélant un caractère solitaire mais aussi réellement à l'écoute des autres, quelqu'un qui ne parle guère de lui mais sait amener les gens à lui parler d'eux.

Thomas. Thomas. Thomas.

Je ne suis pas digne de lui. Il ne faut pas que je m'abandonne à des rêveries, des chimères. L'imagination ne pourra rien contre ma réalité.

**

Je l'ai aperçu, aujourd'hui. Deux fois. Nos regards se sont brièvement croisés. Ah, je suis sûre que j'ai paru trop distante, méfiante même. Et lui, il m'a juste regardée. Comme un homme amoureux.

Encore mon imagination ! Il a eu un gentil sourire, c'est tout. Il sourit sans doute à toutes les filles qu'il croise sur son chemin. Et de toute façon, j'aurais dû sourire, moi aussi !

✳✳

Il a remis son premier papier aujourd'hui et on m'a demandé de le traduire.

C'est le compte rendu d'une journée à Berlin-Est, sa toute première incursion là-bas. J'étais intriguée par sa manière de voir les choses, bien entendu. Il y a quelques remarques un peu faciles, un peu convenues, mais en lisant sa description de Berlin-Est pris dans une tempête de neige, j'ai soudain été envahie par la nostalgie. C'est ce que les Occidentaux ne comprennent pas, et Thomas n'y échappe pas : que nous nous soyons faits à cette vie rudimentaire, sans couleurs, que ce soit devenu notre ville, notre société, notre univers ; que, face à la dureté générale, nous ayons développé un plus grand sens de l'entraide, des amitiés plus profondes. Et paradoxalement le fait qu'il y ait des mouchards parmi nous, aussi.

Nostalgie, oui. Le mal du pays. Additionné à toutes les émotions contradictoires que ce garçon fait naître en moi. Dois-je tenter un pas vers lui ou au contraire me tenir à distance, ne pas compliquer encore plus mon existence ?

J'avais rendez-vous avec Haechen, cet après-midi. Comme il n'arrivait pas à bander, il m'a obligée à le prendre dans ma bouche, mais même là son sexe est resté mou, sans réaction. Je m'en suis réjouie en silence. Après, il m'a dit que je devrais « faire mieux la prochaine fois ». Je me suis retenue de lui hurler qu'il me dégoûtait ; je suis restée impassible, l'esclave soumise que je dois être en sa présence.

Il n'y a rien de pire que d'être réduite à une telle dégradation sans pouvoir protester, d'accepter une prise de pouvoir sur soi aussi révoltante. Il ne peut cependant pas m'empêcher d'avoir ma vie quand je ne subis pas ses humiliations, même si je sais qu'il me fait surveiller.

J'ai compris que j'avais besoin d'aimer, ne serait-ce que pour échapper à cette horreur, et je voudrais tant que ce soit Thomas. Si seulement il s'intéresse un peu à moi…

D'ailleurs, il m'a encore regardée, hier ! Et alors ? Un regard, qu'est-ce que ça signifie ? Je me méfie de tout le monde, je ne crois plus en rien. Ce qui n'est guère étonnant…

Ce matin au travail, j'ai décidé de surmonter ma lâcheté, de faire taire mes angoisses et mes doutes : j'ai décroché mon téléphone et j'ai composé le numéro que Thomas avait noté au-dessous de son nom, au début de son article. Quelqu'un a répondu avec un accent étranger, pas du tout le sien, j'ai hésité mais la personne m'a dit qu'elle avait l'habitude de prendre les messages pour lui, et qu'il allait sans doute passer plus tard dans l'après-midi. J'ai remercié mon interlocuteur et je lui ai laissé mon nom et mon numéro. Après avoir raccroché, je me suis sentie ridicule. S'il allait croire que je lui cours après ? Et surtout, comment réagir s'il se montre intéressé ? Je ne sais pas si j'aurai la force nécessaire. Je ne crois pas.

J'ai envie de lui. J'ai peur que ce ne soit impossible. Il y a tellement de facteurs qui peuvent se liguer pour me rendre incapable d'aller plus loin, et comme toujours je spécule sur quelque chose qui n'arrivera peut-être jamais.

Tout à l'heure, mon téléphone a sonné et c'était lui. Charmant et... ou je me fais des idées, ou il y avait vraiment une certaine nervosité dans sa voix. On a bavardé un moment. Il m'a expliqué que son « standard téléphonique » était le turc du coin de sa rue, j'ai raconté que j'avais quelques points de traduction à discuter avec lui, il m'a proposé de prendre un café et j'ai paniqué, j'ai dû lui sembler très bizarre le temps de parvenir à accepter. Après, je me serais giflée. Puis soudain je me suis sentie pleine d'espoir. Et effrayée, aussi. Peur que ça ne marche pas, peur que ça marche.

***

Ma tentative pitoyable de faire de l'esprit, quand je lui ai dit qu'il allait passer d'Istanbul, son café-bureau, à Ankara, le nom du troquet pas loin de chez moi où je lui ai donné rendez-vous, et mes platitudes sur les deux aspects de Kreuzberg, le bon et le mauvais, à savoir le mien. Il m'a certainement trouvée d'une bêtise confondante.

J'ai passé une très mauvaise nuit. Trop d'incertitudes, trop d'appréhensions. Le désir d'être aimée en retour est le plus doux des tourments. Je me suis préparée à tout : un coup de fil annulant notre rencontre à la dernière minute, la mention au détour d'une phrase de la fille qu'il allait épouser dès son retour aux États-Unis… Je n'arrivais tout simplement pas à croire que cet élan soudain, irrésistible, puisse être partagé. Qui serait assez fou pour tomber amoureux de moi ?

J'ai finalement réussi à m'endormir à cinq heures du matin, après avoir travaillé avec zèle sur son texte. Le réveil a sonné à neuf heures et je me suis préparée, mettant un temps impossible à choisir ma tenue. Toute la journée, j'ai refréné mon impatience et j'ai pris soin d'arriver un peu en retard à l'*Ankara*. Il était plongé dans son carnet de notes quand je suis entrée, ce qui m'a laissé quelques secondes pour analyser ma réaction. Le cœur qui bat plus fort, la vague de joie et d'appréhension mêlées, comme il y a quelques jours. Je n'avais besoin d'aucune autre confirmation.

Je suis allée à lui et, les yeux sur ces feuilles couvertes d'une écriture serrée, j'ai dit : *So viele Wörter…* Tant de mots.

Il s'est levé, m'a souri. J'aurais voulu me jeter dans ses bras, là, sur-le-champ ! Il a répété ma phrase et il a pris ma main dans les siennes. Il me touchait pour la première fois. Nous nous sommes installés et nous avons commencé à parler de son billet pour la radio mais il en est vite venu à me poser des questions sur moi, sur mon ancienne vie à Prenzlauer Berg. J'ai réussi à le faire parler de lui, un peu. De son père, à qui il semble très attaché malgré une déception secrète. À un moment, il a fait une très belle remarque à propos de l'acte de traduire, que c'est une façon de transposer les mots du matin en mots du soir. Beaucoup trop poétique si l'on considère les contraintes et les limites du métier, mais j'ai été émue qu'il me fasse comprendre ainsi qu'il accordait de la valeur à ce que je fais.

Et puis, sans que je m'y attende une seconde, il m'a dit que j'étais merveilleuse et j'ai été bouleversée. Littéralement. Au point de bredouiller une excuse absurde quand il a suggéré que nous dînions ensemble ce soir. Pourquoi ? J'étais déconcertée par son attention, par ce qui était presque une déclaration, et ma première réaction, que j'ai regrettée aussitôt, a été de me dérober. J'aurais voulu lui avouer que j'étais morte de peur, qu'il ne fallait pas me prendre au mot… Heureusement, il a proposé demain soir et cette fois j'ai eu la force de dire oui.

Quand nous sommes sortis du café, j'étais encore sous le choc et j'ai fait ce dont je ne me serais jamais crue capable : je l'ai attiré à moi et je l'ai embrassé sur les lèvres. J'ai réussi à me dégager avant de perdre complètement la tête, de céder au désir qui grondait en moi. Très simplement, il a pris ma main dans la sienne, l'a serrée, et il a murmuré : « À demain. » Mais j'ai vu dans ses yeux qu'il était aussi transporté que moi.

**

Après avoir quitté Thomas contrainte et forcée, je suis rentrée, je me suis obligée à manger une omelette insipide, toujours furieuse d'avoir refusé de passer la soirée avec lui et inquiète qu'il me prenne pour une déséquilibrée : ce refus et cette façon de l'embrasser tout de suite après…

Je ne sais plus où j'en suis. Je revois son visage sans arrêt. J'entends à nouveau ses commentaires si pertinents sur des sujets qui me tiennent à cœur, par exemple la littérature de mon pays, je me sens encore attendrie par la vulnérabilité et la solitude que j'ai lues dans ses yeux, je voudrais lui dire que je l'aime, que je pourrais l'aider à se sentir moins seul dans le monde, qu'il trouverait sans doute le bonheur en me faisant confiance, si seulement…

Il a fallu que je passe au *Schlüssel*, entre-temps. J'ai commandé une bière et une vodka à Otto, le barman baraqué et tatoué qui me connaît bien maintenant, j'ai attendu quelques minutes, je suis allée aux toilettes et…

Le mot derrière le carreau portait l'adresse d'un hôtel de Wedding. Demain, à vingt-deux heures.

Je voudrais tout casser autour de moi. Tempêter, hurler.

Il faut que je voie Thomas, mais si je ne suis pas au rendez-vous que l'immonde salaud m'a fixé…

Encore une nuit blanche. J'ai appelé la radio pour dire que j'étais malade, et je l'étais en effet. Passer toute la journée à me ronger en attendant le moment d'aller au petit italien que j'avais indiqué à Thomas et que j'avais déjà essayé deux fois. Nous devions nous retrouver à vingt heures, ce qui me laissait exactement une heure et quart avant d'être contrainte à… Et si je ne me présentais pas à l'hôtel sordide dans lequel Haechen se terrait ? Que pouvait-il me faire ? Quelle vengeance serait pire que ce qu'il m'inflige déjà ? Je connaissais la réponse et sa promesse de briser ma vie à jamais.

Il fallait que j'arrive à laisser Thomas un moment sans tout compromettre. Je ne peux pas le perdre. Je ne le perdrai pas.

Je suis entrée dans le restaurant et il était là, penché sur ses notes, son éternel stylo à plume entre les doigts, complètement absorbé par ses pensées. J'ai été emportée par une vague de tendresse et de désir. Il m'a accueillie avec un grand sourire mais j'ai vu qu'il avait remarqué mes yeux fatigués, les cernes que j'avais inutilement cherché à dissimuler sous le maquillage. Ses lèvres ont cherché les miennes et j'ai seulement tendu ma joue, encore une réaction incompréhensible après mon baiser passionné de la veille. La fatigue et l'angoisse à l'idée de ce qui m'attendait plus tard expliquaient peut-être cette incohérence. Mais dès que je me suis assise et que nous nous sommes mis à parler j'ai oublié tout le reste, m'abandonnant au plaisir de la discussion.

Je l'ai amené à parler de son livre sur l'Égypte, de ses voyages, puis de sa réticence à se révéler dans son écriture, de sa tendance à laisser l'avant-scène aux histoires des autres, et alors il s'est senti assez en confiance pour évoquer le mariage malheureux de ses parents, son enfance solitaire, son besoin de fuir. Et moi aussi, je me suis confiée, plus que je ne l'aurais voulu peut-être. Et c'était incroyable, cette confiance qui s'est immédiatement établie entre nous, ces réticences respectives qui se complétaient au lieu de se repousser, cette certitude que nous avions tous les deux connu le désenchantement le plus profond, pas seulement les petites contrariétés que la vie oppose souvent à nos désirs.

J'étais tellement en phase avec lui que je lui ai raconté l'histoire qui a marqué un tournant dans mon adolescence et que je n'avais pourtant jusqu'ici partagée avec personne, celle de Marguerite, de la punition de ses parents dont les miens étaient responsables, de la culpabilité indescriptible qui m'avait accablée… Sa compassion était réelle, et quand il a pris ma main je ne l'ai pas retirée. J'ai pourtant eu une réaction de rejet, il était « trop » gentil, je crois que c'est le reproche idiot que je lui ai adressé, mais comme la veille il m'a dit que j'étais merveilleuse et, des mots pareils, jamais je n'en avais entendu, ni de ma famille, ni des hommes que j'avais connus, ni même d'une amie…

Nous avons repris du vin, surtout à ma demande car j'étais troublée par l'électricité qui passait entre nous, j'avais besoin de la griserie de l'alcool pour supporter un tel bouleversement. Pour refréner ma panique grandissante, surtout. Je voyais qu'il m'aimait, et je comprenais aussi que si je me donnais à lui je ne me pardonnerais jamais de le trahir avec ma double vie, avec celui qui contrôle ma destinée. Il était soudain tout ce que je voulais, et c'était trop beau pour être sali par le mensonge.

Quand c'en est arrivé là, à cette clarté aveuglante, je lui ai dit qu'il devait partir, qu'il valait mieux pour lui en finir tout de suite et s'épargner le malheur qui ne pouvait que suivre. Il m'a regardée avec stupéfaction. J'ai insisté, mais soudain j'ai lâché ce que je voulais exprimer depuis le tout premier moment : « *Ich liebe dich.* »

Et je me suis enfuie.

J'ai couru jusqu'à une rue plus importante et j'ai eu de la chance, un taxi libre passait juste à cet instant. Par la vitre, j'ai vu Thomas arriver en courant lui aussi au carrefour, mais il ne pouvait pas m'avoir aperçue. Après avoir indiqué l'adresse au chauffeur, je me suis effondrée. J'ai pleuré, sangloté. Nous sommes arrivés, il a arrêté le compteur, attendant que je sorte, mais je ne voulais pas bouger, je ne me sentais pas la force de sortir, et puis je me suis résignée à mon sort, j'ai cherché dans mon sac de quoi payer la course. Le chauffeur a refusé que je paie et il a eu cette phrase qui a presque déclenché une nouvelle crise de larmes : « Vous n'avez qu'un mot à me dire et je vous emmène loin d'ici. Où vous voulez. »

J'ai bredouillé des remerciements et je suis entrée dans l'hôtel. Le portier de nuit avait l'air déprimé, comme tous les réceptionnistes de tous les établissements que fréquente Haechen, ce qui n'est pas étonnant, vu le cadre. Lorsque j'ai donné son nom, il a marmonné : « Chambre 306. »

La routine, si j'ose employer un mot aussi banal pour cette épreuve : Haechen en maillot de corps et slip tachés, prêt à me sauter dessus. Je lui ai demandé pourquoi il m'avait convoquée aussi tard.

— Je pouvais pas avant. Allez, vire tes fringues.

— Ça gâche ma soirée avec des amis, ai-je osé objecter.

607

— Plus vite tu te désapes, plus vite tu pourras aller les retrouver.

Il a forcé sa langue dans ma bouche, m'imposant son haleine fétide, chargée de la bière de mauvaise qualité qu'il doit boire sans arrêt, de quarante ans de tabagisme, de tous les aliments gras qui expliquent sa bedaine, et surtout de sa haine bilieuse. Il l'a poussée en moi, de même qu'il a ensuite introduit son lamentable pénis entre mes jambes : une petite brute aussi méchante que complexée, un homme qui se sent tellement peu sûr de sa virilité qu'il profite de son pouvoir pour forcer une femme à être le réceptacle de ses frustrations. En a-t-il conscience, ou est-il l'une de ces créatures privées de tout sens moral, gouvernées par des besoins basiques qui leur interdisent de réfléchir une seule seconde à leurs actes ?

Heureusement, il n'a pas eu de problème d'érection, cette fois, de sorte que tout a été fini en quelques minutes. Je me suis rhabillée, j'ai lancé sur le lit quatre mini-rouleaux de pellicule, honteuse en pensant que l'un d'eux contenait le billet de Thomas sur sa première expérience de Berlin-Est et la traduction que j'en avais faite. Vont-ils lui causer des ennuis à la frontière, la prochaine fois qu'il voudra aller là-bas ? J'avais envisagé de ne pas photographier son texte mais les instructions de Haechen avaient été sans appel à notre premier contact : ils veulent « tout » ce qui passe par la radio, du moins tout ce qui passe entre mes mains.

Haechen a paru content de ma récolte. Après m'avoir donné quatre rouleaux de pellicule neufs, il a mis fin à notre rencontre par son « Dégage ! » habituel.

Une neige fondue tombait quand je suis ressortie, mais ça m'était égal. Je suis rentrée chez moi, j'ai pris une douche pour essayer d'enlever toute trace de son contact. Il était hors de question de dormir, maintenant. Je suis partie dans la nuit, marchant sans but, sans notion du temps. Je me suis arrêtée dans plusieurs cafés pour fumer, boire de la vodka, et pleurer en silence sur ce qui aurait pu exister entre Thomas et moi, tout en essayant de me convaincre que c'était mieux ainsi.

J'ai encore erré sous la pluie glacée. Devant le poste-frontière Heinrich Heine, j'ai pensé à Johannes, sans doute maintenant endormi tout près de là. Je n'arrêtais pas de penser à Thomas, aussi, et cette double sensation de perte est devenue intolérable. Je me suis mise à courir, chancelante à cause des trottoirs glissants, de la fatigue, de tout l'alcool ingurgité, de l'impact de cette soirée qui avait commencé en promesse et se terminait en cauchemar…

Je connaissais l'adresse de Thomas. Arrivée à Mariannenstrasse, j'ai encore accéléré ma course. C'était chez lui que j'allais, la direction s'était imposée à moi. Je titubais vers son immeuble, sans savoir ce que je ferais s'il était chez lui et cependant déterminée à arriver à sa porte, à sonner et…

Il a mis quelques minutes à m'ouvrir. Visiblement, je l'avais réveillé mais la surprise et, oui, le soulagement ont soudain illuminé ses yeux.

— J'ai froid, ai-je bredouillé en tombant dans ses bras ouverts, puis : Ne me laisse pas. Ne me laisse jamais.

⁂

Je suis passée à mon studio pour écrire ces lignes, le récit de la soirée d'avant-hier qui va peut-être changer toute ma vie. C'est la première fois que je sors mon journal en pleine journée. Je suis consciente des risques. J'ai fermé tous les rideaux pour que personne ne puisse me voir. J'ai un peu de temps devant moi avant de filer au travail.

Vendredi donc, j'ignore quelle heure il était quand je suis parvenue à sa porte, j'étais frigorifiée, je tremblais mais je voulais seulement lui dire que je l'aimais, me jeter à son cou, lui dire de ne jamais me laisser repartir.

Nous nous sommes retrouvés sur son lit une minute après être montés à son appartement. Quand il a été en moi, j'ai su... j'ai su qu'il m'était destiné. Je n'ai jamais été aussi proche d'un homme en m'abandonnant au plaisir. À l'université, j'ai fréquenté pendant deux ans un étudiant en droit, Florian, avec qui l'entente sexuelle était très forte, mais il n'y avait pas de sentiments entre nous. Alors que là, avec Thomas, c'était l'amour qui s'exprimait dans la furie de nos corps. Je ne sais plus combien de fois nous avons fait l'amour avant d'être terrassés par le sommeil. À un moment, tandis que nous nous dévorions du regard et que nous lisions une certitude incroyable dans nos yeux, je lui ai demandé de

610

m'excuser pour m'être enfuie du restaurant. Il a alors eu des mots si réconfortants que nous sommes retombés dans les bras l'un de l'autre.

Je me suis réveillée dans la lumière du jour. Thomas avait dû se lever à un moment car j'ai vu qu'il avait ramassé mes habits trempés et les avait posés sur les radiateurs, mais il était maintenant endormi à côté de moi. Je me suis redressée pour le regarder, effleurer ses cheveux, écouter sa respiration tranquille, l'admirer. Je me suis dit que je ne voulais plus jamais m'éloigner de lui, je me suis juré que je trouverais la solution qui me tirerait des griffes de… non, je ne veux pas salir la beauté du moment avec ce nom.

J'ai quitté le lit doucement et j'ai eu mon premier aperçu de l'appartement de Thomas. Tout était si propre, si net, avec une simplicité de bon goût que je n'avais vue jusqu'ici que dans les pages de décoration des revues. Murs blancs, meubles poncés pour mettre en valeur la chaleur naturelle du bois, livres et disques parfaitement rangés. En voyant ses vêtements bien disposés sur des cintres, ses chaussures cirées, je me suis souvenue que son père était militaire. Mais j'ai senti que ce besoin d'ordre n'était qu'une forme de protection et une nouvelle vague de tendresse m'a envahie. Nous portions tous les deux en nous un poids qui nous séparait des autres. Je n'ai pu m'empêcher de penser que, pour la seconde fois, la chance me souriait. La première étant la naissance de Johannes, bien sûr.

À la cuisine, pendant que j'inspectais le contenu de son réfrigérateur, de ses placards, de son garde-manger, m'étonnant à nouveau de son sens de l'organisation, je me suis mise à fredonner. Ça ne m'était pas arrivé depuis que j'avais tenu Johannes dans mes bras, chez nous. L'air qui m'est venu était une mélodie de Schubert, *An die Musik*. C'est Jürgen qui me l'avait fait écouter la première fois. J'ai préparé du café, mis la table pour le petit déjeuner, sorti le beurre, le pain, les confitures qu'il avait. Soudain, Thomas a été là, il m'a embrassée, m'a enlevé le peignoir que j'avais trouvé dans la salle de bains et m'a ramenée au lit. L'amour a été encore plus intense, plus érotique, plus bouleversant. Ce que nos corps disaient, c'est : « Nous nous sommes rencontrés et c'est la plus belle surprise que la vie nous ait faite. »

Nous n'avons pas mis le nez dehors. À un moment, Thomas m'a montré l'atelier en bas et il m'a raconté l'histoire de son propriétaire, un peintre du nom d'Alastair, l'agression dont il avait été victime quelques jours auparavant. J'ai compris que Thomas lui avait sauvé la vie en appelant les secours juste à temps. Il n'a pas cherché à se faire valoir et il est resté modeste en décrivant comment il avait dû repeindre toute cette magnifique pièce après le drame, avec l'aide de l'amant turc d'Alastair. Nous avons préparé notre premier dîner vraiment partagé, des spaghettis avec une sauce tomate aux anchois – il avait même du vrai parmesan dans son frigo –, je lui ai montré mon petit savoir-faire en matière d'origamis, et nous avons parlé, parlé. C'est presque aussi électrisant que le sexe, cette facilité et cette confiance avec lesquelles nous avons pu échanger nos idées tout de suite – toujours en allemand, c'est ce qu'il veut –, et le plaisir de nous découvrir mutuellement.

Je n'oublierai jamais la journée d'hier. Avant cela, je n'avais pas vraiment connu l'amour, je le vois à présent. Pas même un soupçon du bonheur qui a été le mien hier.

Et puis, alors que je ne m'y attendais pas du tout, Thomas m'a proposé de venir vivre chez lui, avec lui. Il m'a donné une clé et m'a dit que je pourrais apporter mes affaires le lendemain. J'ai été stupéfaite, au point de répéter bêtement : « Tu es sûr ? » Quand il m'a assuré qu'il l'était, j'ai dit que j'amènerais des affaires. Toujours ma méfiance instinctive, cette idée que « c'est trop beau pour être vrai », doublée de la crainte – impossible à lui expliquer – que, si j'abandonne tout de suite mon studio, Haechen va découvrir ce qui se passe dans ma vie et ce sera le début de la fin.

Tout cela n'est rien à côté de cette nouveauté extraordinaire : je vais vivre avec l'homme que j'aime. Alors qu'il y a seulement quelques jours j'envisageais de me jeter du haut d'un immeuble. La vie est ainsi : des réserves de malheur inépuisables et des mines de félicité qu'il suffit d'explorer.

Je ne voulais pas retourner au travail, aujourd'hui. Je pourrais ne plus jamais quitter le lit de Thomas, son appartement. Et l'idée de devoir passer au *Schlüssel* ce soir pour prendre le message de Haechen, dans lequel il me dira où je dois aller le faire jouir la prochaine fois, et celle qu'il va encore falloir photographier des documents dans un placard… Je dois trouver un moyen d'échapper à cette dégradation, d'empêcher que cette laideur finisse par détruire cette merveilleuse passion.

Tout à l'heure, nous nous sommes réveillés et nous avons fait l'amour sans hâte, de toute notre âme, les yeux dans les yeux. J'ai dit que je voulais commencer chaque journée comme ça et il m'a assuré que c'est ce que nous ferons.

Avant de retourner me confronter à un monde auquel je voudrais tant échapper, j'ai aussi dit à Thomas que j'avais de la chance, une chance infinie. J'ai compris qu'elle est un paramètre essentiel de l'existence. Elle peut venir à nous ou nous ignorer complètement. Même la naissance de Johannes, ce don du destin, a été assombrie par le fait que j'étais avec un homme qui n'éprouvait rien de profond pour moi, qui refusait de prendre sa part des responsabilités et des joies qu'avoir un enfant implique. L'homme qui fait maintenant partie de ma vie me dit qu'il veut tout partager avec moi. Suis-je capable d'accepter enfin le bonheur ? Est-ce que je me juge digne de lui ? Et pourrai-je le garder ? Apprendre à ne pas le repousser, à ne pas le laisser s'échapper ?

⁎

Plusieurs semaines ont passé depuis que j'ai pris mon journal pour la dernière fois. Sûrement parce que je ne fais que passer à mon studio. Entre-temps, j'ai apporté la majeure partie de mes affaires chez Thomas, nous vivons ensemble et c'est le bonheur.

Il y a quelques jours, je lui ai dit tout d'un coup, surprise et transportée par cette révélation : « Le bonheur existe. » Et j'ai commencé à y croire, je sais que c'est vrai. Jusqu'ici, le bonheur a toujours été pour moi une promesse à double tranchant, une réunion du meilleur et du pire : l'émerveillement d'avoir un enfant comme Johannes et la détresse de cohabiter avec un mari s'enfonçant dans la démence. Alors que maintenant, avec Thomas… Il y a une vraie cohérence, une harmonie, la certitude d'être la moitié d'une vision partagée, de vouloir les mêmes choses, de côtoyer un être qui me complète et que je complète.

Chaque jour, j'attends impatiemment l'heure de le retrouver. Je voudrais le garder en moi tout le temps, sentir ses bras autour de moi, parler à cœur ouvert avec lui assis à la table de notre cuisine… Non, je n'ai pas peur de ce « nous », je l'accueille et je le bénis. Échanger nos impressions sur les livres que nous avons lus, aller au cinéma, partager simplement le quotidien. Nous nous entraidons, nous nous complétons dans les gestes de tous les jours : il s'occupe de la lessive et des courses, je lui apporte un café au lit avant de partir au travail. J'aime la façon dont il rend tout plus simple, ses attentions permanentes, sa délicatesse. Je me répète sans cesse que j'ai de la chance. Quelle chance j'ai !

Alastair est rentré de l'hôpital aujourd'hui. Thomas m'a tellement parlé de lui que j'étais curieuse de connaître le personnage. Thomas m'a expliqué qu'il avait arrêté de se droguer depuis qu'il avait échappé à la mort, et il m'a prévenue que la désintoxication risquait d'accentuer certains aspects « imprévisibles » de son caractère et son côté « misanthrope ».

Pourtant, j'ai été immédiatement surprise en découvrant que sous ses manières bourrues et un peu provocatrices se cache quelqu'un d'extrêmement attentionné, très brillant et très amusant. À l'évidence, il a beaucoup d'estime pour Thomas, et pas seulement parce qu'il lui a sauvé la vie. Bref, il m'a plu tout de suite. Je suis impressionnée par son courage, aussi : se remettre au travail sur des tableaux qui ont été détruits pendant son agression alors qu'il est à peine remis et qu'il lutte encore pour se dégager de l'emprise de la drogue…

Chaque matin, quand je descends pour aller travailler, je m'arrête deux minutes devant les toiles qu'il a recommencées – non, « commencées », parce que Alastair souligne qu'il s'agit d'œuvres entièrement nouvelles – avec une énergie incroyable. Comme Thomas, je suis époustouflée par sa maîtrise des couleurs, son aisance à jouer avec les perspectives et les lumières. Je me sens insignifiante, ici : Thomas écrit magnifiquement, Alastair est un peintre hyper-doué et moi, qu'est-ce que j'ai pour moi ?

Quelques jours après avoir fait connaissance, nous nous sommes croisés dans la rue alors que je rentrais du travail et il m'a surprise en m'invitant à boire une bière. Il a un peu parlé de ses problèmes avec son « ami », Mehmet, qui ne veut plus le voir. D'après lui, c'est définitivement terminé entre eux et cette rupture l'affecte plus qu'il n'aurait cru. Et là, il a ajouté quelque chose qui m'a beaucoup touchée : « Je n'ai pas la fibre romantique très développée, ma chère, mais je voulais que vous sachiez que vous avez changé la vie de Thomas. Je le connais, je vois qu'il vous adore. Alors, faites attention à cette rareté qu'est un grand amour heureux, protégez-le. »

Nous sommes une rareté, oui.

*

Samedi soir dernier, un incident à la fois éprouvant et émouvant s'est produit. Thomas a insisté – le plus gentiment du monde – pour que nous allions voir l'un de ses films préférés, *La Garçonnière*, de Billy Wilder. Il passait au Delphi. J'en ai adoré l'humour grinçant, le brio, et le fait que ce Viennois de naissance, qui avait été journaliste et scénariste à Berlin avant d'émigrer aux États-Unis, ait si bien intégré la sensibilité américaine tout en conservant une vision de la vie d'une ironie très berlinoise. C'était génial, et encore plus de le regarder avec Thomas, de me dire que nous pourrions peut-être vivre à New York un jour, nous aussi, ensemble, avec un enfant qui atténuerait la douleur de… Mais non, rien ne peut l'atténuer. Elle sera toujours là. Une tache indélébile qui continuera à teinter tout le reste. J'arriverai peut-être à apprendre à vivre avec… Ai-je un autre choix ? Peut-être que je sais qu'il n'y en pas d'autre, que je le sais depuis le début ? Peut-être que le bonheur partagé avec Thomas sera l'antidote au malheur dont l'ombre pèsera toujours sur moi ?

Je suis sortie du cinéma pleine de l'énergie que m'a procuré ce film et là, qui ai-je vu ? Pavel. Il allait à la séance suivante et il a ouvert des yeux énormes en nous apercevant. J'ai tout de suite compris qu'il avait bu. Il a essayé d'engager la conversation avec nous, ou plutôt de nous provoquer par des sous-entendus insultants. Thomas a tenté de lui faire comprendre qu'il devait arrêter, en vain. Lorsqu'il a traité Thomas d'écrivain à la manque, j'ai répliqué, il a craché encore plus son venin sur moi et… avant qu'il puisse terminer sa phrase, Thomas l'a frappé. Un coup de poing à l'estomac. Cassé en deux, le sale type.

Nous nous sommes éloignés en hâte. J'étais suffoquée par la soudaineté de l'incident mais aussi, je l'avoue, très émue et fière que Thomas m'ait défendue aussi énergiquement. Et je lui ai dit que, même si je tenais ma vie privée à l'écart des curieux, je n'hésiterais pas à faire savoir la vérité au bureau : il est celui que j'aime.

En arrivant à la radio lundi matin, je m'attendais à ce que tout le monde soit au courant, sans doute avec une version concoctée par Pavel selon laquelle Thomas l'aurait agressé sans raison, mais il n'était même pas là et il s'est fait porter malade pour plusieurs jours. Quand il a refait surface, il s'est contenté de me dire sèchement bonjour et de passer son chemin. Après la réprimande de Wellmann, il s'abstenait le plus souvent de me faire son ridicule rentre-dedans. Depuis la correction reçue devant le Delphi, il se montre d'une politesse extrême, strictement professionnelle, quand il s'adresse à moi.

Une petite brute rabaisse toujours son caquet, quand on la mouche. Ou quand elle prend un coup.

Un moment horrible, hier soir. Quand je suis entrée dans sa chambre, Haechen m'a sauté dessus et m'a tordu le bras dans le dos, j'ai crié de douleur et il a dit qu'il me tordrait le cou si je ne me taisais pas. La raison de sa rage, c'est qu'il a appris que j'ai une histoire avec « cet Américain de merde ». C'était effrayant. Il en avait la bave aux lèvres.

— Tu pensais que tu pourrais me cacher ça, hein, petite salope ?

Je pleurais tellement que je n'ai pas été en mesure de répondre. Soudain, il m'a jetée sur le lit, a levé ma jupe, déchiré ma culotte et m'a pénétrée brutalement. Il a gardé les mains autour de mon cou pendant le viol, qui a duré très peu de temps comme toujours, puis il s'est retiré et m'a frappée au ventre avec son poing. Je me suis roulée en boule, l'entendant continuer à m'injurier à travers mes sanglots :

— Tu mériterais que je te démolisse ta jolie petite gueule ! Mais bon, j'ai signalé ton comportement à qui de droit. Insubordination totale. Ça compromet les chances de régler le problème de ton mouflet, tu t'en doutes bien.

J'ai juré de ne plus voir Thomas, de faire tout ce qu'on me demanderait…

— Pourquoi je te croirais ?

— J'ai toujours obéi, jusqu'ici. J'ai toujours ramené ce que vous réclamiez.

— Ouais, c'est pas faux, mais tu t'es mise à la colle avec un impérialiste et tu as essayé de me le cacher. Notre boulot, à nous, c'est de « tout » savoir !

— Je m'en rends compte.

— Alors, c'est la passion, il paraît ? Plus forte que l'amour pour ton fils ? Tu es prête à le sacrifier pour cet Américain de merde ? – J'ai secoué la tête. – Bon, c'est la réponse que j'attendais. En fait, je vais pas te dire de l'envoyer bouler tout de suite. On va attendre un peu. Tu vas faire en sorte qu'il nous soit utile. Sinon, tu connais les conséquences.

*

Et maintenant, que dois-je faire ? Tout raconter à Thomas ? Il comprendrait, j'en suis sûre, son amour serait assez fort pour qu'il… Mais non, ce serait un coup trop affreux. Je ne peux pas lui faire ça.

D'un autre côté, Haechen et ceux qui travaillent pour lui me surveillent en permanence. Quelle solution ? Comment me sortir de là ?

Il n'y a pas d'issue. Je vais tout perdre, je le sais.

*

Thomas était à un concert, ce soir. Rentrée chez nous, j'ai jeté à la poubelle ma culotte déchirée et j'ai pris une longue douche. Quand il est revenu, j'avais réussi à repousser la colère et la peur dans ce recoin sombre de ma mémoire où je ne me risque que de temps en temps. Je l'ai attiré à moi, nous sommes tombés sur le lit et nous avons fait l'amour avec encore plus de passion que d'habitude, si c'est possible, et j'ai crié quand j'ai joui. Après, je me suis assise, les bras autour des genoux, me demandant si j'allais tout lui raconter. Il m'a enlacée, m'a demandé ce qui n'allait pas.

« Tout ! » aurais-je voulu dire, mais j'ai seulement murmuré que je l'aimais, je me suis à nouveau étendue, j'ai fermé les yeux et j'ai fait semblant de m'endormir.

Pendant cette nuit d'insomnie, je me suis levée sans bruit pour aller à la cuisine, je me suis versé un verre de vin et j'ai fumé plusieurs cigarettes. C'est là, dans le silence précédant l'aube, que j'ai enfin trouvé une solution pour sortir de cette impasse. Un plan qui devra être exécuté au moment propice. Tout sera déjà en place quand je jugerai qu'il est temps de le réaliser. D'ici là, je dois continuer le jeu de ma double vie.

Dès que j'ai entrevu un moyen d'échapper à tout ça, le calme est revenu en moi. Et l'espoir, qui accompagne toujours la découverte d'une solution à ce qui paraissait insoluble.

Au rendez-vous suivant, Haechen ne m'a pas brutalisée. Quand il m'a embrassée, je n'ai pas crispé mes lèvres. J'ai répondu à son attaque maladroite, me servant de mes reins et de mon sexe pour le faire jouir plus fort.

— Je vois que tu as décidé d'être une chic fille, *ja* ? a-t-il remarqué après.

— Je ferai ce que vous attendez de moi. Pour mon fils. Pour ma patrie.

Il a eu l'air de gober mes paroles.

— Bon, tu vas faire la preuve de ton patriotisme en convainquant ton petit copain de me rendre un service. Il n'en saura rien, évidemment. Tu vas le persuader d'aller chercher des photos de ton fils de l'autre côté du mur, chez ton amie Judit.

⁂

Le soir même, j'ai révélé à Thomas l'existence de mon fils. Je lui ai raconté toute l'histoire. Il m'a écoutée, abasourdi mais attentif. Je n'ai rien enjolivé, je n'ai pas essayé de spéculer sur sa compréhension et sa sollicitude. J'ai même réussi à ne pas pleurer. J'ai rapporté les faits, simplement, y compris la trahison de Judit. Je lui ai dit que vivre sans Johannes faisait de moi une sorte de morte vivante.

Il a merveilleusement réagi, me disant qu'il comprenait maintenant ce qu'il avait décelé dans mon attitude, et que ce que j'avais enduré était inimaginable.

Ensuite, j'ai parlé d'une lettre que Judit m'avait écrite il y a quelques mois, transmise clandestinement, dans laquelle elle me suppliait de lui pardonner et mentionnait des photographies de mon fils qu'elle avait en sa possession. Immédiatement, Thomas s'est offert de lui-même pour aller les chercher. Comme je me suis sentie coupable… Coupable de lui faire prendre des risques sur la base de mensonges. Coupable de l'entraîner dans le stratagème conçu par Haechen et sa bande : ils vont remettre les photos à Judit cette semaine, et la briefer sur le comportement qu'elle devra avoir quand Thomas se présentera à sa

622

porte. Une vingtaine de photos, m'a dit Haechen, ajoutant qu'il en garderait la moitié et que je pourrais avoir l'autre : « Envoyer ton petit ami là-bas, c'est tout bénéfice pour toi, puisque tu auras enfin des photos de ton gosse et que ton aide va impressionner favorablement mes chefs. Ça pourrait être le point qui fait toute la différence... »

Comment suis-je capable d'impliquer un homme que j'aime à la folie dans des intrigues aussi sordides ? J'ai failli craquer, lui révéler la vérité, mais une voix intérieure m'a arrêtée : Tu sais ce que tu as à faire dans les quelques semaines qui viennent. Et après, tu seras libre.

Il est parti ce matin pour Checkpoint Charlie. Je l'ai serré très fort dans mes bras, je ne voulais pas qu'il y aille, bien que Haechen m'ait assuré hier qu'il ne courait aucun danger, qu'il était dans « leur » intérêt que sa visite à Berlin-Est se déroule sans encombre. Comment croire un seul mot sorti de la bouche d'un individu dont toute l'existence est régie par les mensonges, les manipulations, les chantages physiques et moraux, la fausseté permanente ?

J'ai peur pour l'homme que j'aime parce qu'il va sur le terrain de la Stasi et que ces gens sont sans morale.

Je suis allée à mon appartement. Pour écrire. Pour attendre.

Il est rentré à cinq heures à peine ! Fatigué, un peu secoué par le mauvais moment que les gardes lui ont fait passer au poste-frontière à son retour. Ils l'ont retenu deux heures sans lui en donner la raison. Pas de fouille au corps, heureusement car il avait caché les photos dans son pantalon.

En les voyant, je n'ai pas pu m'empêcher de pleurer. Johannes… Comme il a grandi ! Il est un peu plus rond que quand il était avec moi, ce qui m'a rassurée : il est convenablement nourri, au moins. Il a davantage de cheveux, des yeux plus attentifs, mais toujours ce demi-sourire qui fait fondre mon cœur…

Thomas m'a consolée, nous avons fait l'amour et pendant qu'il somnolait sur le lit je suis retournée aux photos, je les ai examinées sous toutes les coutures, cherchant à découvrir lesquelles contiennent ce que Haechen voulait recevoir de là-bas, des microfilms, que sais-je ? Je n'ai rien vu. Pour ce genre de choses, ce sont des professionnels, pas de doute.

⁂

Quand je lui ai remis les clichés, Haechen a été très content.

— Bon boulot, a-t-il approuvé en les triant rapidement et en me tendant une dizaine d'entre elles, glissant les autres dans une enveloppe. J'ai un truc à régler ailleurs, donc tu n'auras pas de mes nouvelles pendant un bout de temps. Continue quand même à vérifier notre boîte aux lettres au *Schlüssel*. Deux fois par semaine, comme d'hab. Et va pas penser que je te laisse pour toujours !

Après, je me suis dit que son absence de Berlin ne changerait pas grand-chose. Ses hommes vont continuer à me surveiller, à guetter mes moindres faits et gestes, à transmettre ses consignes.

✳

Thomas m'a annoncé que nous allons à Paris !

Paris. Je n'arrive pas à y croire ! Alors que cela me semblait sur une autre planète, voilà que je vais y aller avec celui que j'aime !

Le talent d'Alastair continue à m'émerveiller. Je lui ai dit que ses tableaux sont réellement extraordinaires, l'autre jour, et il a répondu : « Fichtre, je me demande bien ce que vous leur trouvez, Thomas et toi. Même quand ils seront terminés, je ne serai probablement pas satisfait. Enfin, tu peux les aimer pour moi… »

Plus tard, nous sommes descendus à l'atelier boire quelques verres de vodka avec lui. Quand Thomas est allé aux toilettes, Alastair s'est penché vers moi et m'a dit :

— Tu as l'air plus heureuse que jamais. Qu'est-ce qui s'est passé ?

— La vie est devenue plus simple.

Haechen avait disparu. Momentanément.

✳

Je reviens de Paris.

Si je meurs demain, je pourrai au moins me dire que j'ai vu Paris, et avec l'homme de ma vie.

625

Paris… Par quoi commencer ? La rue Gay-Lussac, celle du charmant petit hôtel que Thomas avait réservé ? Il a ronchonné, trouvant l'endroit un peu vieillot, un peu bruyant, un peu trop imprégné d'odeur de tabac, un peu trop « plomberie à la française » quand on prenait une douche. Pour moi, tout était un enchantement, puisqu'on était à Paris.

C'est une ville intimidante, par certains aspects, avec ses monuments majestueux, ses proportions solennelles, mais ce que j'ai aimé par-dessus tout, c'était l'autre visage de Paris. Par exemple, la boulangerie située près de l'hôtel dont les croissants étaient ce qu'ils doivent être, un plaisir divin, ou les petits cinémas où nous sommes allés voir de vieux films pour quelques francs, ou cette boîte de jazz près du Châtelet dont les musiciens sont presque tous des Américains noirs expatriés, bourrés de talent et très « cool », ou le café au coin de la rue qui était plein d'ouvriers buvant un « coup de rouge » à neuf heures du matin et dans lequel, assise à une table avec Thomas, je me laissais prendre par le rêve de vivre une existence bohème et insouciante, un rêve que caressent tous ceux qui passent un moment dans cette ville avant de retourner à leur vraie vie, je le sais maintenant…

Un rêve, oui, et pourquoi pas ? La séduction de Paris, sa nonchalance sensuelle, l'aspiration à la liberté qu'elle inspire… Bien sûr, je sais parfaitement qu'à Paris comme ailleurs les gens doivent payer leur loyer, élèvent des enfants, ont des disputes conjugales, se rendent à un travail qui leur plaît rarement, toutes ces choses qu'on a tendance à ne plus voir lorsqu'on traîne une heure ou deux dans un petit café d'une rue pittoresque du Ve arrondissement, à regarder la vie passer.

J'avais mon « faux » journal avec moi, dans lequel j'ai noté tous les films que nous avons vus, les musées où nous sommes allés, les restaurants où nous avons voulu jouer aux Parisiens. Pourtant, c'est celui-ci que j'aurais voulu emporter, le « vrai », afin de me confesser de quelque chose qui me pèse sur la conscience : Haechen disparu de ma vie pendant quelques semaines, j'ai décidé d'arrêter la pilule après mes dernières règles.

Oui, j'aurais dû tout de suite en parler à Thomas. Je ne devrais pas faire seule des choix qui nous impliquent tous les deux. Certes, il a souvent dit qu'il voulait que nous ayons un enfant mais ce n'était pas forcément dans l'immédiat.

Pourquoi ai-je pris cette décision, alors ? Parce que je redoute que mes secrets finissent par me rattraper et me détruire. Que j'ai besoin de certitudes. Que je sais que Thomas ne sera pas fâché ; surpris, peut-être, anxieux, certainement – quel homme ne l'est pas, en apprenant cette nouvelle –, mais fâché, non. Il le voudrait et moi je le « veux » maintenant. Je veux un autre enfant. Je veux une nouvelle vie.

En même temps, je me ronge en me répétant que j'aurais dû le prévenir. Tout comme je suis incapable de lui avouer la trahison autrement plus grave que j'ai commise envers lui.

Est-ce que tout amour, tout grand amour comporte une certaine part de trahison ? Je n'arrête pas de me poser cette question, ces derniers temps. Si j'avais suivi mon instinct dès le départ, j'aurais repoussé Thomas, je ne l'aurais pas laissé s'aventurer sur le terrain miné de mes contradictions, de ma vie tiraillée en tous sens, de mon destin fracturé qu'un autre homme veut contrôler de bout en bout. Mais si j'avais choisi de renoncer à Thomas et de suivre une route moins problématique – mais l'aurait-elle été, avec le chantage permanent de Haechen au-dessus de ma tête ? –, je n'aurais jamais connu ce lien si fort.

Pourquoi ne pas simplement lui dire : « Je veux un enfant avec toi maintenant » ? Pourquoi avoir cédé au besoin de dissimuler, de taire, de tergiverser, alors que la franchise m'aurait certainement apporté la réponse que je voudrais tellement de lui ?

Pourquoi est-ce que je complique tout ? Pourquoi mettre en péril ma relation avec l'homme qui m'a montré ce que peut être le vrai amour ?

*
**

Nous étions à une terrasse de l'Odéon, nous buvions du vin en nous tenant la main quand il m'a demandé de l'épouser. Comme ça. Il avait évoqué le mariage avant, d'accord, mais toujours comme une perspective à explorer dans l'avenir. Là, c'était concret, immédiat.

Je venais de lui faire remarquer une nouvelle fois que nous devrions venir vivre à Paris et c'est alors qu'il a dit : « Et pourquoi ne pas nous marier, aussi ? » J'ai cru qu'il plaisantait, d'abord, mais on ne pouvait pas être plus sérieux.

Cette demande m'a complètement déstabilisée. Au lieu d'exprimer la joie que j'éprouvais, j'ai couru m'enfermer aux toilettes, où j'ai fumé une cigarette en luttant contre un accès de panique. Mais je me suis répété encore une fois que j'avais un plan. Une fois ce plan mis en application, tout irait bien.

Je suis revenue et je lui ai dit que oui, je voulais me marier avec lui. Il a commandé du champagne et nous avons parlé du futur, d'une possible installation à New York, où je trouverais du travail, où nous prendrions un appartement plus grand que celui qu'il loue pour l'instant, et puis j'ai fini par admettre à voix haute que j'avais renoncé à l'espoir qu'ils me redonnent un jour la garde de Johannes. Thomas a répondu que c'était sans doute mieux ainsi, qu'abandonner cette attente impossible était une conclusion terriblement dure mais nécessaire. Et pendant ce temps, moi, je pensais : Que tu aies renoncé à cet espoir t'a permis d'entrevoir le plan qui te libérera à jamais de Haechen.

Il faut que les choses avancent. Une partie de moi prie pour que nous soyons partis avant le retour de Haechen, si nous arrivons à accélérer le processus, le mariage, la carte de résidente. Ils peuvent me traquer jusqu'à New York, bien entendu, mais pour quoi faire ? Encore du chantage ? Maintenant que j'ai accepté la perte de mon fils, leur pouvoir sur moi s'est dissous. Johannes était le dernier moyen de pression qu'ils avaient sur moi. Ils peuvent même me menacer de mort, j'ai ma réponse à ça, aussi. Chaque chose en son temps. Il faut que je voie Haechen une dernière fois. Pour clore définitivement le chapitre, tourner la page, ou n'importe laquelle de ces images convenues que nous employons quand nous voulons continuer à espérer que le changement est possible, que la vie peut à nouveau nous sourire.

Nous sommes tous guidés par ce besoin de voir l'existence comme un projet positif qui nous amènera au bonheur ou à un plus grand bonheur. Libre de tragédies, de petitesses, de méchancetés et de déceptions. C'est le grand espoir que l'amour porte en lui : s'épanouir auprès de l'être aimé qui devient le rempart contre toutes les mauvaises surprises de l'existence, ou qui peut au moins atténuer la souffrance qu'elles nous causent.

⁂

De retour à Berlin, nous avons annoncé à Alastair que nous nous étions fiancés à Paris. Il a paru très ému par la nouvelle et il a sorti du champagne. Je crois qu'une relation stable lui manque, qu'il regrette Mehmet.

Avant d'aller au consulat américain aujourd'hui, j'étais terrorisée. Beaucoup trop nerveuse, mais le rendez-vous s'est bien passé. C'est une femme qui nous a reçus, la vice-consule. Elle m'a posé toutes les questions auxquelles je m'attendais. À la fin, elle a dit qu'elle ne voyait aucune raison à ce que ma demande soit refusée mais que la décision ne relevait pas d'elle, bien sûr.

En sortant, j'avais les jambes coupées par toute la tension accumulée. La peur instinctive de toute bureaucratie, c'est l'explication que j'ai donnée à Thomas. Il a voulu me rassurer, m'a répété que tout se passerait bien. Mais il existe une autre raison à ma nervosité, nouvelle, angoissante et fantastique à la fois : je suis enceinte.

Hier, j'ai acheté un test de grossesse à la pharmacie et j'ai été dans les toilettes de la radio à l'heure du déjeuner. En cinq minutes, la languette de papier a viré du gris au rose.

Je suis si heureuse, mais également préoccupée. Il va falloir trouver le bon moment pour annoncer la nouvelle à Thomas, lui raconter que c'est arrivé parce que j'ai oublié d'emporter ma pilule à Paris, lui dire que je ne veux surtout pas qu'il m'en veuille, qu'il se sente piégé… Mais il veut un enfant, lui aussi ! Il me l'a affirmé plusieurs fois. Et avoir un enfant ne fera que renforcer notre amour.

Il y a aussi l'énorme soulagement de savoir que je suis tombée enceinte pendant le mois et demi où Haechen était absent. Si j'avais été forcée de me soumettre à lui sans interruption, je n'aurais jamais pris le risque d'arrêter la pilule.

Je l'ai revu, hier soir. Comme d'habitude, il s'est jeté sur moi et son sexe était encore en moi quand il s'est redressé brusquement pour dire :

— Alors, tu as fait une virée à Paris avec ton petit copain ?

Je n'ai pas réagi. Il a attrapé mon visage entre ses mains pour me forcer à le regarder.

— T'as pas le droit de quitter Berlin sans ma permission. T'as compris ?

J'ai fait oui de la tête. Si je le laisse encore abuser de moi, c'est uniquement pour lui faire croire que tout est comme avant, que rien de spécial ni de suspect n'est arrivé. Je voudrais passer à l'action dès maintenant mais il faut que j'attende le moment favorable. Alors, je l'ai laissé finir et, après qu'il s'est retiré, il a déclaré :

— Nous allons passer un week-end ensemble, toi et moi.

— Où ?

— À Hambourg. J'ai un boulot là-bas, et je veux que tu viennes.

— Je suis concernée par ce « boulot » ?

— Tu verras. Après-demain. On va voyager séparément et on sera dans deux hôtels différents. Dans cette enveloppe sur la table, tu trouveras ton billet de train et le nom de ton hôtel. Apporte ta machine à écrire, tu auras à traduire des trucs que tu rapporteras à Berlin pour les transmettre par la voie habituelle. Par ailleurs, on sait que Radio Liberty va interviewer les deux danseurs qui viennent de passer à l'ennemi, ces sales traîtres… Si tu me dégotes le texte bien avant la diffusion, ça pourrait être le coup de ta carrière, celui qui te permettra de revoir ton fils.

Le plan se met en place. Que ça se passe loin de Berlin est parfait, et à Hambourg encore plus. Ainsi que le fait que nous ne soyons pas dans le même hôtel, et qu'il y ait dans l'enveloppe deux cents marks pour que je paie ma note et mes menus frais, et aussi des faux papiers d'identité au nom d'Hildegard Hinckel. J'ai maintenant tout ce qu'il me faut pour mon voyage, acheté dans un magasin à l'autre bout de la ville. J'ai raconté à Thomas que Wellmann tient à ce que je l'accompagne à Hambourg pour remplacer la collègue qui lui sert d'interprète en temps normal mais qui est malade. Une conférence réunissant les chefs de bureau de la radio de tout le pays. Il m'a appris qu'il a été choisi pour faire l'interview de Hans et Heidi Braun, et qu'il aura la transcription ce week-end. Encore une dernière chose que je déteste faire, mais il le faut. Si tout se déroule comme prévu à Hambourg, je retrouverai mon amour dimanche soir, je ferai ces maudites photos du document pendant qu'il dort, je les déposerai pour que le contact de Haechen les récupère et... D'ici une semaine, nous serons mariés. Quant à « eux », ils auront obtenu plus qu'ils n'attendaient, et peut-être décideront-ils que ça suffit ?

Thomas a fait remarquer que ce sera la première fois que nous serons séparés pendant aussi longtemps, depuis que nous nous connaissons. Et la dernière, ai-je ajouté en silence.

Il m'avait réservé une place dans l'express de 12 h 13 mais j'ai changé mon billet et je suis partie à 9 h 47. Il y a eu ce moment très bizarre où nous avons atteint la frontière occidentale de Berlin et où nous sommes entrés brièvement en territoire est-allemand. Par la vitre, j'aperçois des soldats en armes et des barbelés. Loin de s'arrêter, le train a accéléré : est-ce une exigence des autorités de RDA ? Ont-elles posé comme condition que les rames observent une vitesse prédéterminée afin de garantir le fait que personne n'essaie de s'y accrocher et de monter dans le train ? Y a-t-il eu, dans toute l'Histoire, un État aussi obsédé par le besoin de contrôler et de parquer ses citoyens ?

L'hôtel se trouvait dans le quartier chaud de Hambourg, le Reeperbahn. Encore un point positif pour mon plan : il y avait des allées et venues incessantes car plusieurs prostituées y exerçaient. C'était le genre d'établissement où le personnel a pour consigne de toujours regarder ailleurs et de ne rien dire à la police, sauf au cas où quelqu'un voudrait s'en aller sans payer…

Je suis sortie inspecter les abords de l'hôtel, les ruelles du Reeperbahn, ses trottoirs presque déserts. Un scénario s'échafaudait dans ma tête. Quand je suis revenue à ma chambre, l'anxiété m'a reprise, j'ai allumé une cigarette et j'ai essayé de me concentrer sur le plan de la ville que j'avais acheté à la gare à mon arrivée, le réseau du métro et des bus. J'attendais le signal de Haechen, qui ne s'est produit qu'à sept heures du soir. Il m'appelait du bar d'en face ; je lui ai proposé de venir me rejoindre mais il a répondu : « Plus tard, d'abord, j'ai faim. » Parfait.

J'ai pris mon sac, et aussi ma veste en jean parce qu'il faisait froid pour la saison. J'étais prête. Il n'y avait personne à la réception quand je suis sortie. Le bar était bondé, lui. Haechen était debout près du podium sur lequel une fille pratiquement nue était en train de se masturber avec une banane.

— Qu'est-ce que t'en penses ? m'a-t-il lancé en montrant la fille.

J'ai haussé les épaules.

— Moi aussi, j'ai faim.

— On peut casser une graine ici.

— J'ai repéré un petit italien tout près, il paraît qu'on y mange les meilleures pizzas de Hambourg.

— Tu as fait ça quand ?

— En arrivant.

— Je t'avais ordonné d'aller directement à l'hôtel.

— Oui, mais j'avais besoin de me dégourdir les jambes. C'est comme ça que je l'ai vu, et l'article de journal dans la vitrine qui soutient que…

— J'aime pas que tu me désobéisses.

— Oh, une petite balade de cinq minutes ! Ça n'arrivera plus. Mais ce restaurant a l'air bien.

— Cher ?

— Non.

Il a réfléchi quelques secondes.

— D'accord, mais après on retourne à ma chambre. Et il faudra que tu me traduises ça vite.

Il m'a passé une enveloppe, que j'ai rangée aussitôt dans mon sac.

— Pas de problème. En plus, j'ai une grande nouvelle : je vais mettre la main sur la transcription des déclarations de Hans et Heidi Braun d'ici lundi.

— Sans blague ?

— Sûr et certain.

— Très bon !

— Mon ami a dit qu'il allait travailler dessus ce week-end.

— Alors il faut photographier ça dès que tu rentres à Berlin. Ça tombe très bien, moi, je dois rester ici quelques jours, finalement, et ils sont ultra-préoc-cupés à cause de cette interview, ils veulent absolu-ment savoir ce qu'il y a dedans avant que tout le monde l'écoute. Conclusion : tu vas laisser ces documents traduits et les photos du texte de l'interview derrière la cuvette du *Schlüssel*, lundi matin. Si ça marche, je te garantis que mes chefs seront épatés et je suis persuadé que ça va faire sérieusement avancer ton affaire.

Haechen a posé de l'argent sur le comptoir. La fille continuait à se déhancher. Avec cette obscurité et la foule qui se pressait autour de la scène personne ne se rappellerait notre présence.

Nous avons marché un moment. Haechen était curieusement détendu, presque expansif. Il m'a confié qu'il préférait Hambourg à Berlin « parce que tout le monde n'espionne pas tout le monde, ici ». Il me suivait, pensant que je le conduisais à ce restaurant. Nous nous sommes enfoncés dans le labyrinthe de rues étroites du Reeperbahn, laissant derrière nous les tapineuses, les sex-shops, les cabarets bruyants, pour arriver dans une zone plus tranquille.

— Tu es sûre que tu sais où tu vas ? s'est-il étonné en constatant que nous étions maintenant au milieu d'entrepôts fermés.

— Oui, on est presque arrivés.

Au carrefour suivant, je lui ai dit de prendre à droite, parce que le restaurant était juste au bout, et je l'ai laissé me précéder de quelques pas. Dès qu'il a compris qu'il s'était engagé dans une impasse mal éclairée, il a pivoté sur ses talons mais ma main droite jaillissait déjà vers lui et le frappait à la poitrine avec le cran d'arrêt que j'avais caché dans ma poche. Je portais des gants depuis notre départ du bar, ce qui n'avait rien de suspect compte tenu du froid.

Je me suis servie du manche du couteau pour maintenir son corps debout et le guider contre le mur avant de plaquer mon autre main sur sa bouche et son nez. La paume contre ses lèvres, pinçant ses narines entre mes doigts, je l'ai regardé dans les yeux pendant que le sang qui montait dans sa gorge l'étranglait et l'asphyxiait. Stupeur, terreur et douleur ont traversé son regard, puis le sang a commencé à gicler sous ma main et je l'ai lâché. Il s'est écroulé au sol, pris de soubresauts avant de s'immobiliser.

La chance était encore avec moi. Aucun bruit de pas ni de moteur de voiture. Je me suis dépêchée de le fouiller, de m'emparer de son portefeuille, puis j'ai baissé son pantalon et son slip à mi-cuisses. Rassemblant mes forces, j'ai arraché la lame de la plaie. J'ai fait demi-tour en surveillant les deux côtés de la rue. À cette heure, elle était déserte. Je suis partie à droite, marchant vite mais calmement. J'ai trouvé une autre allée aussi sombre que celle où Haechen gisait, je me suis débarrassée de mes gants et de tous mes vêtements tachés de sang, j'en ai sorti d'autres identiques de mon sac, que j'avais achetés à Berlin, je me suis changée et j'ai fourré le tout dans le sac. J'ai continué à marcher jusqu'à parvenir à la station de métro que j'avais repérée sur la carte. J'ai traversé la ville jusqu'à Planten un Blomen, un parc de quarante-sept hectares avec un grand lac, d'après ma carte. C'est là que je suis allée, ne remarquant qu'un sans-abri endormi sur l'herbe. Un pont surplombait une étendue d'eau, baignée par le clair de lune. J'ai ramassé un caillou et je l'ai laissé tomber pour vérifier que le lac était assez profond à cet endroit. J'ai enfilé les gants en plastique que j'avais dans la poche de mon jean, j'ai sorti le couteau de mon sac et je l'ai jeté dans l'eau. J'ai recommencé à marcher. Après avoir quitté le parc, j'ai mis dans une poubelle le portefeuille dont j'avais retiré l'argent, puis la carte d'identité déchirée en petits morceaux dans une autre poubelle. Je m'étais rapprochée de la gare. Dans une rue passante, j'ai avisé une benne à ordures dont le couvercle n'était pas cadenassé et qui débordait de détritus, et c'est là que mon sac a fini. Les gants en plastique, enfin, dans une autre poubelle avant de descendre dans le métro pour regagner l'hôtel.

Une douche brûlante. J'ai consulté ma montre : 21 h 09. J'avais environ une heure devant moi. J'ai défait le lit pour que la femme de chambre pense que quelqu'un y avait dormi. Ensuite, j'ai bu trois rasades à la bouteille de vodka que j'avais achetée dans l'après-midi, fumé trois cigarettes en essayant de ne penser à rien d'autre que ce qui me restait à faire. Je suis descendue avec ma valise et par chance le réceptionniste était à nouveau absent. Le métro encore, la gare, l'express de 23 h 07 pour Berlin… Peu après deux heures du matin, j'étais dans mon lit, à mon studio, et j'essayais de trouver le sommeil, m'attendant à ce que des agents de la Stasi fassent irruption chez moi et m'entraînent dans l'un de leurs enfers.

· Je n'ai pas bougé de la journée. J'ai traduit les documents que Haechen m'a donnés hier. Pour m'occuper, j'ai aussi rédigé un projet de lettre d'explication à soumettre avec ma demande de *green card*. Là, il est minuit. Tout à l'heure, je me suis glissée à la cave pour prendre mon journal et j'ai écrit ce qui précède.

Dans quelques heures, je vais retrouver Thomas. J'aurai ma valise avec moi, pour lui faire croire que je viens de rentrer de Hambourg. Je dois retrouver mon calme. Il ne faut pas qu'il voie à quel point je suis terrifiée.

Je ne peux pas me dérober à un ultime acte qui me répugne, photographier la transcription de l'interview à l'insu de Thomas. Haechen n'a pas eu le temps de prévenir ses chefs qu'ils l'auraient lundi matin mais ils s'attendent à avoir quelque chose, et pour moi l'essentiel est de gagner du temps, de les maintenir le plus longtemps possible dans l'illusion que je leur suis fidèle. Ma version de l'histoire, au besoin, c'est : « Je suis arrivée à Hambourg comme on me l'avait dit, j'ai attendu à l'hôtel mais Haechen ne s'est jamais présenté. J'ai attendu jusqu'à dix heures du soir avant de repartir. Il m'avait donné pour consigne de toujours me replier sur ma base en cas de contact raté, et puisque ma base est Berlin… Toutefois, avec le zèle et le dévouement qui sont les miens, j'ai quand même réussi à vous obtenir en avant-première les déclarations de Hans et Heidi Braun. »

Ce serait aussi un alibi de poids si jamais la Stasi en vient à m'accuser d'être mêlée d'une manière ou d'une autre à la disparition de Haechen.

Quoi qu'il en soit, la police ouest-allemande ne pourra sans doute jamais identifier le corps d'un clandestin sans papiers sur lui, ayant toujours vécu dans le pays sous une identité d'emprunt, qui plus est. Meurtre à l'arme blanche, pantalon baissé dans un quartier mal famé, argent disparu, ils ne tarderont pas à classer l'affaire comme quelque commerce sexuel ayant mal tourné. La Stasi, qui ne doit pas ignorer ses mœurs, en arrivera à la même conclusion si jamais les circonstances de sa mort lui parviennent, ce qui est très improbable. Et comme j'ai été enregistrée à l'hôtel sous un faux nom, il n'existe aucune trace officielle de ma présence là-bas.

Dans les semaines avant notre départ aux États-Unis, il est possible qu'un Haechen bis me contacte et me somme de me présenter à un rendez-vous, mais cette fois je refuserai d'y aller. Iront-ils jusqu'à me dénoncer en tant que leur agent au sein de Radio Liberty, en représailles ? Cela aurait des retombées négatives pour eux, puisque alors les services ouest-allemands et américains intensifie-raient leurs recherches de « taupes » dans divers orga-nismes de ce genre et dans l'administration. Ils peuvent évidemment décider de me liquider mais, là encore, m'assassiner révélerait que j'ai été leur infor-matrice à la radio et rendrait la tâche de leurs agents à Berlin-Ouest plus difficile. Et, d'ailleurs, qui suis-je pour eux sinon un rouage infime ?

Je me raisonne mais la peur est toujours là. Et le désespoir. Et la crainte de ne pas tenir le coup pendant ces quelques jours ici. Je n'éprouve aucune culpabi-lité d'avoir tué Haechen. Il le fallait. Il n'y avait pas d'autre choix pour me libérer, tourner la page et recommencer une nouvelle existence. Pour moi, pour nous, pour cette petite vie qui est maintenant dans mon ventre.

Est-ce que j'en suis capable ? D'oublier, non, d'oblitérer ce qui s'est passé ? Je ne crois pas. Ce que je sais, c'est que je vais bientôt redescendre à la cave et ranger une dernière fois ce cahier dans sa cachette. Je ne le rouvrirai plus jusqu'à ce que Thomas et moi ayons quitté Berlin.

Dans dix ou quinze ans, quand je reviendrai en visite ici avec Thomas et nos deux enfants, peut-être que je m'absenterai une ou deux heures pour revenir dans cet immeuble de Kreuzberg, attendre que les couloirs soient déserts, puis sortir mes cahiers de leur nid poussiéreux. Une sorte de pèlerinage clandestin jusqu'au testament d'une partie de ma vie qui a toujours pesé sur moi mais qui m'a aussi faite telle que je suis, qui m'a hantée mais que j'ai réussi à mettre de côté.

Pas Johannes. Jamais. Jusqu'à mon dernier souffle, l'idée que je l'ai perdu va être là, terrible. C'est ce qui est insurmontable, même si, confusément, je me dis que je lui dois de rester en vie, de continuer. Le reste, y compris le fait que j'ai dû tuer pour aller de l'avant, je pense pouvoir le tenir à distance. En premier lieu parce que, Haechen mort, je peux garder l'enfant qui vit en moi. Autrement, il aurait exigé que j'avorte immédiatement. Avec le temps et la volonté, je parviendrai sans doute à atténuer et à étouffer le souvenir de ce que j'ai dû faire pour gagner ma liberté, à faire basculer ces spectres du passé dans le fossé le plus obscur de ma mémoire, à le couvrir de béton armé et à tourner le dos à ce sarcophage pour ne plus jamais y revenir.

Est-il possible de provoquer une telle amnésie ? Seul l'avenir le dira. Pour l'instant, je ne sais qu'une chose : toutes les traces, toutes les preuves de ma présence à Hambourg ont été effacées. Je m'en suis tirée.

Et maintenant… Maintenant, je suis libre. Pour de bon. Pour de vrai. Maintenant, ma vie avec Thomas peut enfin commencer. Thomas et notre enfant. Je vais à nouveau être mère et…

Je suis libre.

Nous sommes libres.

Cinquième partie

1

Le second cahier s'arrêtait là. Je l'ai refermé et j'ai levé la tête. Dehors, il faisait nuit noire. Pendant ces quelques heures, je m'étais entièrement immergé dans les mots de Petra.

« Je suis libre. Nous sommes libres. »

Fermant les yeux, j'ai revécu la scène qui avait eu lieu le jour suivant celui où elle avait écrit ces lignes. Les accusations de « trahison » que je lui avais jetées à la figure, ses tentatives éperdues de s'expliquer, mon refus de l'écouter, la rage qui m'empêchait d'entendre quoi que ce soit d'autre que ma fierté blessée, mon indignation. « S'il te plaît… » À cet instant crucial, je l'avais repoussée et j'avais refermé la porte sur elle.

Redescendu à la cuisine, j'ai avalé un autre petit verre de whisky et je suis sorti sur la terrasse. Comme toujours dans le Maine, la nuit était d'un noir intense, impénétrable. Il faisait largement au-dessous de zéro, une neige fine tombait mais j'étais indifférent à tout cela. Parce que j'étais de retour dans le bar à bières de Wedding où un type de la CIA nommé Bubriski pontifiait : « Un radar fonctionne quand un champ magnétique s'établit entre deux objets. Une force d'attraction, presque : un objet envoie un signal à l'autre, et ce qu'il reçoit en retour est l'"image" du deuxième, non l'objet lui-même… »

C'était la métaphore qu'il avait utilisée pour me faire comprendre que j'étais tombé amoureux de l'image que je projetais sur Petra, et que cela m'avait empêché de la voir telle qu'elle était réellement. Et depuis, chaque fois que je me suis demandé si je n'avais pas commis la pire des erreurs à ce moment, chaque fois que le remords de l'avoir livrée à Bubriski et à ses comparses revenait m'assaillir, j'ai essayé de me consoler en me disant : Le drame, c'est qu'elle te renvoyait une image d'elle-même qui ne correspondait pas à la réalité. Au fond de moi, pourtant, je savais que c'était seulement une tentative de justifier une décision prise sous l'impulsion de la colère et qui avait tout détruit.

Un instant, un seul instant. Pourquoi ne l'avais-je pas laissée parler, malgré ses efforts désespérés pour s'expliquer ? Pourquoi avais-je permis à mon arrogance de m'aveugler à ce point ? Et ce que ces pages me répétaient inlassablement… « L'amour. Le vrai. Quelque chose que je n'ai jamais connu, je l'avoue dans l'intimité de ce journal. » Son amour pour moi, l'« homme de sa vie », ainsi qu'elle l'avait écrit. Et tout ce qu'elle avait noté sur ma vulnérabilité, mes défenses, le poids d'une enfance malheureuse qui pesait encore sur mon attitude devant la vie… Quelqu'un m'a-t-il jamais mieux « saisi » qu'elle ?

Les yeux sur le vide ténébreux en face de moi, je devais me rendre à un seul constat : j'avais perdu le seul être qui m'ait aimé « pour de bon ». J'avais tué cet amour.

Page après page, elle me racontait ce qu'elle avait tant cherché à me faire comprendre à l'époque, que son implication dans les activités de la Stasi avait été contrainte et forcée, une forme de chantage particulièrement barbare qu'elle n'avait accepté que pour retrouver son fils. Et moi, je lui avais refusé la possibilité de s'expliquer sur l'horreur de son inféodation à Haechen, et sur la façon dont elle avait été conduite au meurtre parce que... parce que c'était le seul moyen qu'elle avait vu d'être libre et avec moi. Et parce qu'elle portait notre enfant.

« Je suis libre. Nous sommes libres. »

Notre enfant. Que lui était-il arrivé ? Était-ce un garçon ou une fille ? Où était-il, où était-elle, maintenant ? Un enfant de vingt-cinq ans...

Je me suis précipité à l'intérieur. La lettre de Johannes qui accompagnait les cahiers portait son adresse email. En quelques bonds, je suis remonté à mon bureau, j'ai allumé mon ordinateur et je lui ai écrit à la hâte un message : « Je serai à Berlin après-demain. Pouvons-nous nous rencontrer ? », signé de mon nom.

Aussitôt, j'ai trouvé un billet d'avion sur un site de réservations de dernière minute. Le vol partait de Boston le lendemain soir à vingt heures trente et faisait escale à Munich. Sur la même page Internet, j'ai repéré un hôtel central qui paraissait convenable. Il était situé à Mitte. Dans l'ancien Berlin-Est. En territoire interdit, il n'y avait pas si longtemps...

« Un radar fonctionne quand un champ magnétique s'établit entre deux objets. Une force d'attraction, presque : un objet envoie un signal à l'autre, et ce qu'il reçoit en retour est l'"image" du deuxième, non l'objet lui-même… » Oui, c'était une comparaison recevable : dans mon emportement à l'idée d'avoir été trompé, cocufié, trahi, je n'avais pensé qu'à l'image sans tenir compte d'une réalité essentielle, celle de l'amour. Notre amour n'avait pas été une illusion.

Seule capable de s'imposer sur le remords cuisant que j'éprouvais, une idée s'est formée en moi : l'orgueil est la force la plus destructrice qui existe au monde, celle qui nous pousse à ne plus considérer que la pulsion de défendre nos si fragiles certitudes, et donc d'ignorer toutes les autres interprétations du scénario qu'est notre vie. Il nous conduit à adopter une position et à ne plus en bouger, nous empêche de seulement considérer la raison pour laquelle quelqu'un nous supplie de l'écouter. L'orgueil va si loin qu'il peut nous obliger à repousser la seule personne nous ayant jamais offert la chance d'un bonheur véritable. L'orgueil tue l'amour.

J'ai encore contemplé l'avis de décès de Petra, la photographie trop contrastée qui soulignait cruellement les ravages du temps.

Notre enfant.

Je l'avais remise entre les mains des services secrets alors qu'elle était enceinte de notre enfant.

Où était-il, qui était-il ?

Je me rendais à Berlin pour retrouver notre enfant.

J'ai essayé de dormir, sans y parvenir. Dès les premières lueurs du jour, j'ai renoncé à regarder le plafond fendillé de la chambre, je me suis levé, j'ai préparé un petit sac de voyage et j'ai vérifié mon courrier électronique. Johannes m'avait répondu : « *Café*

Sibylle, 72 Karl Marx Allee, Friedrichshain, demain 18 heures. U-Bahn jusqu'à Strausberger Platz, ensuite dix minutes de marche. Pas besoin de me chercher. Je vous reconnaîtrai. »

Des champs, puis des maisons, puis des immeubles. Le contour d'une ville sur l'horizon incurvé. La vision rendue floue par une nuit de demi-sommeil sur un siège d'avion trop étroit. J'ai repensé à ma première approche aérienne de Berlin, plus d'un quart de siècle auparavant. Cette fois, vue du ciel, la ville n'était plus coupée en deux, comme si la césure de jadis avait été effacée de la carte par une gomme géante tenue par une main irréelle. La démarcation qui avait paru tellement infranchissable n'était plus là pour empêcher la métropole de s'étendre à perte de vue.

Nous avons atterri à Tegel et j'ai pris un taxi dont le chauffeur a trouvé tout naturel que je lui donne une adresse à Mitte, ce qui avait été l'« autre côté ». Berlin était un immense chantier. Partout, des constructions ultramodernes rivalisaient d'audace architecturale. La nouvelle gare centrale était une immense boîte de verre et d'acier d'où les trains sortaient avec une régularité de métronome. Plus loin, la tour de télévision d'Alexanderplatz, et nous avions franchi une frontière qui n'existait plus. Aucun vestige du Mur, rien pour arrêter la vue. C'était comme si un mauvais rêve s'était dissipé.

Alexanderplatz était toujours d'une brutalité toute stalinienne, mais avec des changements notables : un grand espace de remise en forme au deuxième étage de la tour, un vaste centre commercial à côté, les anciens blocs d'habitation est-allemands rénovés de façon à rendre la grisaille moins pesante. Quand le taxi s'est arrêté devant mon hôtel, j'ai aperçu une rue piétonne où s'alignaient des magasins représentant toutes les marques connues des grandes villes contemporaines. On était loin de ce matin de l'hiver 1984 où le quartier m'avait fait l'effet d'une steppe sibérienne, d'une existence réduite à ce qu'il y avait de plus basique, sans aucune recherche de beauté et de confort. À présent, on pouvait y faire du shopping...

L'hôtel était très chic et branché, et il donnait sur l'une des barres en béton les plus hideuses d'Alexanderplatz, comme une version de l'ancienne réalité soviétique... Après une douche rapide, je suis ressorti pour flâner dans les environs. Mitte était devenu une sorte de SoHo berlinois avec ses galeries d'art, ses cafés, ses boutiques de mode, ses touristes bien attifés, ses cinémas et ses théâtres, ses appartements rénovés. Goût du temps, omniprésence de l'argent.

J'avais la tête qui tournait un peu. Le décalage horaire en était en partie la cause, mais aussi le spectacle de ce bouleversement urbain, de cette entreprise systématique – et compréhensible – visant à abolir autant que possible la marque du passé, et surtout les révélations saisissantes que j'avais eues en si peu de temps. Devant les tours d'immeubles dont les vives couleurs masquaient maintenant l'origine socialiste, je n'ai pu m'empêcher de me dire que c'était dans l'une d'elles que Johannes avait atterri à un an à peine, « cadeau » de l'État à une famille obéissante. Et je me suis rappelé que Petra avait tenu à habiter à quelques rues de là, mais dans un autre univers déjà, à Kreuzberg, afin de rester au plus près de l'enfant qui lui avait été enlevé, dans les limites géopolitiques de l'époque.

Au milieu de ce déploiement de modernité occidentale, le *Café Sibylle* jouait l'anachronisme. Au rez-de-chaussée de l'un de ces palais prolétariens dont les architectes moscovites des années 30 raffolaient, son décor était résolument rétro, tendance bloc de l'Est autour de 1955, comme si ses propriétaires avaient voulu lui redonner un côté RDA en pleine guerre froide. Mon œil de voyageur professionnel a immédiatement remarqué une tablée de quatre vieilles dames à la mine sévère qui semblaient tout droit venues de l'ère communiste – avec la note incongrue de deux skinheads en train d'échanger quelques mots avec l'une d'elles –, et la corpulente caissière permanentée qui trônait à son poste avec le même aplomb que si elle était là depuis trente ans. J'ai également aperçu, dans un coin retiré, un jeune homme au crâne hérissé de cheveux en pétard, le visage marqué par des restes d'acné juvénile, portant un tee-shirt manga sur un sweat-shirt bleu électrique à capuche. Son regard préoccupé était fixé sur la bande dessinée japonaise qu'il tenait devant lui, et qui devait l'amuser car ses lèvres formaient un demi-sourire empreint d'un certain scepticisme.

C'était donc lui, Johannes…

Sentant que je l'observais, il a levé la tête et m'a aussitôt adressé un signe décidé, sûr de qui j'étais. Je me suis approché et je lui ai tendu la main, qu'il a serrée après une seconde d'hésitation, et très brièvement.

— Je suis Thomas.

— Je sais.

— Comment vous le savez ?

— J'ai vu votre photo sur vos livres.

— Vous les avez lus ?

— Ça vous flatterait ?

— Je ne suis jamais flatté d'apprendre que quelqu'un m'a lu, mais plutôt surpris, parce que c'est très rare. Je m'assois ?

Il a approuvé, me montrant la chaise en face de lui. Un verre à bière vide était posé à côté du manga.

— Je peux vous en offrir une autre ?

— OK.

— Merci d'avoir accepté de me rencontrer si vite.

— Je suis pas débordé, non plus.

— Vous êtes étudiant ?

— Pas vraiment. Jamais mis les pieds à la fac.

— Vous ne vouliez pas faire d'études ?

— Faut croire. Quand on fait rien au bahut et qu'on se fout des examens, on entre rarement à l'université. Mais vous avez fait tout ce voyage pour parler de mes échecs scolaires, ou quoi ?

Il s'exprimait d'un ton monocorde, sans jamais croiser mon regard.

— Non, je voulais vous rencontrer.

— Pourquoi ça ?

— Je crois que vous le savez.

— Parce que vous vous sentez coupable ?

Sa voix était restée égale, dénuée de toute agressivité.

— Oui, ça explique en partie ma présence ici.

— J'ai lu les cahiers. Vous avez de quoi vous sentir mal.

— C'est le cas.

— Elle parlait tout le temps de vous, aussi.

— Vraiment ?

— Ça semble vous étonner.

— C'est juste que… c'était il y a très longtemps et…

— Vous l'avez livrée à la CIA ? m'a-t-il coupé.

Je me suis tu, les yeux baissés sur la table. Je me suis dit : Tu mérites ça. Ça, et plus encore. J'ai repris mon souffle, avant de répondre :

— Je ne vais pas essayer de justifier ce que j'ai fait. Et même si j'ignorais toute l'histoire jusqu'à ce que je lise son journal, je…

— Maman a flingué un mec. Je trouve ça plutôt cool, moi. Surtout que c'était un sale type. Un fumier de la Stasi, comme le type qui a joué à être mon père pendant cinq ans.

— Vous n'avez été avec lui que pendant cinq ans ?

— « Que » cinq ans ? C'est pas vous qui les avez vécus ! Mais bon, en quoi cette histoire vous intéresse ?

— D'après vous ?

— Les cahiers de maman, alors… Ça vous a fichu un coup, non ?

— Ça vous étonne ?

— Je ne vous connais pas.

— Vous savez des choses sur moi, pourtant.

— Je sais ce que ma mère m'a raconté. Et ce qu'elle a écrit dans son journal. Je sais ce que vous avez fait. Et comment elle l'a payé.

— Comment ?

— C'est une autre affaire, ça.

— Comment vous a-t-elle récupéré ?

— Vous êtes très direct. Tous les Américains sont comme vous ?

— Oui. Alors, ma question ?

J'aurais voulu ajouter : « Et est-ce que tu as un frère ou une sœur quelque part ? » mais son attitude m'a fait hésiter, et plus encore sa réaction suivante :

— Vous ne vouliez pas me payer une bière ?

J'ai fait signe à une serveuse. Johannes a commandé une blanche et je l'ai imité. Puis il a gardé les yeux dans le vide un long moment avant de dire à voix basse :

— Je ne voulais pas faire ça.

— Quoi ? Me rencontrer ?

— Envoyer les cahiers. C'est elle qui a insisté. Un des derniers trucs qu'elle m'a demandés. Et elle m'a fait promettre.

— De quoi est-elle morte ?

— Cancer.

— Ç'a été rapide ?

— Hein ? Non. Mais elle a continué à fumer jusqu'à la fin, donc il faut admirer la force de ses convictions.

— Un cancer du poumon ? De la gorge ?

— C'était un cancer provoqué par les radiations qu'elle a subies en prison. En tout cas, d'après les toubibs, vu que presque une centaine de prisonniers de Hohenschönhausen, à peu près à la même époque, sont morts aussi de différentes formes de cancer du sang. Elle a dit qu'après son arrestation ils l'avaient photographiée dans une pièce spéciale et qu'après elle avait eu des sortes de brûlures partout sur le corps. Des radiations. Ces salauds s'étaient dit qu'ils pourraient garder la trace de leurs « suspects », comme ça. Une méthode expérimentale, paraît-il. On croirait un mauvais film de science-fiction si tous ceux qui ont subi ça à Hohenschönhausen n'étaient soit morts, soit quasiment morts.

Ma mère a été l'une des dernières victimes de leurs « expériences ».

— Je suis désolé.

— Vraiment ?

— Plus que je ne pourrai jamais le dire.

Il m'a regardé, cette fois, avant de continuer :

— C'est marrant, je suis tombé sur mes autres « parents » l'autre jour, dans la rue. La soixantaine. Toujours ensemble. Aussi guindés et lourdingues qu'avant. Je ne les avais pas revus depuis que ma mère m'a repris, il y a quoi, vingt-cinq ans ? Ils arrivaient dans l'autre sens et ils sont passés comme ça, sans me reconnaître, bien sûr. C'était genre… amusant.

— Ça vous a étonné ?

— Quoi ? Ça m'a botté, oui ! Parce que tout le temps que j'ai été avec eux, je n'ai jamais su que j'avais une autre mère, ma « vraie » mère, et qu'elle était enfermée quelque part.

— Enfermée à cause de…

— À cause de vous, oui. La prison, et ensuite Karl-Marx-Stadt, l'exil intérieur, notre Sibérie à nous. Mais pour en revenir à « que cinq ans », comme vous avez dit, et à ceux qui se présentaient comme mes parents. Des cadres de la Stasi, tous les deux. Je devais les appeler « monsieur » et « mère ». Je ne me souviens pas de grand-chose, évidemment, j'étais un gosse, sauf d'une atmosphère oppressante à un point… Ils étaient durs comme la pierre mais en même temps je pensais que tous les parents étaient pareils, puisque je croyais que c'étaient les miens. Et un jour, des gens sont venus à la maison. Très sérieux, avec deux policiers en uniforme. Ils ont parlé avec mon « père ». Puis ils m'ont fait venir et ils m'ont dit qu'il y avait une « dame » qui voulait me connaître. Ceux que j'avais pris pour mes parents étaient blancs comme des cachets d'aspirine. Après, j'ai appris qu'ils étaient accusés d'adoption illégale, que c'était un crime contre les droits fondamentaux de la personne, etc. – Son sourire teinté de sarcasme est apparu. – Mais je parle trop, non ?

— Pas du tout.

— Vous mentez. Je sais que je parle trop. Tous mes profs le disaient. Et le peu d'amis que j'ai. Dietrich le dit aussi.

— Qui est-ce, Dietrich ?

— Mon patron.

— Vous travaillez où ?

— Dans une librairie pas loin d'ici. Ça fait sept ans que je bosse là-bas. On est spécialisés dans les BD. Notamment les trucs japonais. Les mangas.

— Donc, ils sont venus pour vous rendre à Petra et… ?

— Ça vous intéresse tant que ça ?

— Oui.

— Ma « mère » s'est mise à chialer. Mon « père » faisait une tronche pas possible mais ne disait rien. Les flics m'ont demandé si j'avais envie de voir ma vraie mère et j'ai dit « C'est elle », en montrant du doigt celle qui avait tenu ce rôle jusque-là, et elle a sangloté encore plus fort. Ils m'ont alors expliqué que ma vraie mère avait été « souffrante » et que les Klaus s'étaient occupés de moi pendant ce temps, mais maintenant elle allait mieux et elle voulait me rencontrer. Je ne les ai pas crus une seconde, je répétais qu'ils étaient mes parents, eux, et même le damné Klaus, lui qui avait mis au point

656

de nouvelles procédures de torture psychologique sur les dissidents, comme je l'ai appris par la suite, avait les larmes aux yeux. Finalement, les flics m'ont emmené dans un endroit, une sorte d'école, avec une salle pleine de jeux et de jouets. Une femme très gentille est arrivée, elle m'a donné du jus de fruits et elle m'a demandé à quoi j'aimerais jouer. Je m'en souviens encore. J'ai choisi un puzzle, avec de grosses pièces pour les tout jeunes gosses, qui représentait la porte de Brandebourg, et je me suis assis par terre pour le faire, et à un moment j'ai relevé la tête et j'ai vu une autre femme, les cheveux courts, très mince, qui me regardait. Il y a trois semaines, quand maman était mourante, je lui ai posé la question, je voulais savoir ce qu'elle avait pensé à ce moment-là, quand elle me souriait et que j'ai fini par lui sourire aussi, et elle m'a dit que l'essentiel, pour elle, ç'avait été de ne pas se mettre à pleurer. Parce qu'elle avait peur de m'effrayer.

» Après, elle m'a raconté des trucs sur ma première année de vie, sur mon vrai père, et tous les moments qu'on passait ensemble, rien que nous deux, ma mère et moi, quand elle me lisait des contes… Elle se souvenait de tout et ce sont ses souvenirs qui m'ont permis de reconstruire mon passé. Enfin, après cette rencontre, j'ai été quelques nuits en foyer, le temps de m'habituer à cette nouvelle vie, mais comme elle était tellement gentille, tendre, « vraie », j'ai presque tout de suite accepté le fait que c'était ma mère et ils l'ont autorisée à m'emmener chez elle.

— C'était où, chez elle ?

— À Prenzlauer Berg. L'appartement où elle avait vécu avec mon père. Ils l'avaient donné à des gens après la mort de mon père et l'expulsion de ma mère, et puis le Mur est tombé, elle n'a plus été bannie à Karl-Marx-Stadt, elle est revenue à Berlin et elle a voulu contre-attaquer en force. C'est ce que m'ont raconté ses amis après l'enterrement. Quelques jours après l'effondre-ment de la RDA, elle avait trouvé une avocate super-agressive de Berlin-Ouest qui a lancé la procédure pour me récupérer. Les Klaus n'ont pas osé résister et elle lui a récupéré le titre sur l'appartement, aussi. Il y a cinq ans, quand son état a commencé à s'aggraver, l'avocate a réussi à lui obtenir des dédommagements publics pour les radiations. Pas mal d'argent, quelque chose comme cent mille euros, je crois. Elle a acheté l'appartement et elle a dit qu'elle voulait me laisser un petit héritage. Elle avait une modeste retraite, aussi, et tous ses frais médi-caux étaient pris en charge, mais tout ça est vite parti, parce qu'elle ne pouvait plus travailler… N'empêche qu'elle a tenu à me faire découvrir des lieux nouveaux, au moins deux fois par an. Londres, Paris, Istanbul, une semaine en Sicile, une autre à Marrakech… On ne faisait pas de folies, bien sûr. Elle m'a raconté que c'était son rêve depuis toujours, de pouvoir sortir libre-ment de son pays, de voyager un peu partout. « Comme mon Thomas », elle disait. Littéralement : « Comme mon Thomas »…

J'ai détourné la tête, incapable d'articuler un mot.

— Mais je parle trop, encore une fois, non ? C'est ce que Dietrich dit tout le temps : « Tu ne sais pas t'arrêter, mon gars. Tout ce que tu as dans la tête, il faut que tu le déballes. »

— Ce n'est pas un problème pour moi, Johannes.

— Forcément, vous vous sentez coupable. Quand ma mère m'a demandé de vous envoyer son journal, j'ai dit : « Pourquoi ? Est-ce que tu cherches à le faire se sentir coupable, après tout ce temps ? » Et elle a répondu : « Non, je veux juste qu'il sache à quel point j'ai eu tout faux, dans ma vie. »

— Votre mère n'a rien eu de faux. C'est moi.

— Alors, vous êtes venu faire quoi, ici ?

— Vous rencontrer.

— C'est tout ?

— Comment dire ? D'une certaine manière, vous… tu faisais partie de notre vie commune, à cette époque. Ta mère ne supportait pas qu'ils t'aient enlevé à elle. Tout, absolument tout dans sa vie était dirigé dans un seul but : que vous soyez à nouveau réunis.

— Je sais. Je les ai lus, ces cahiers…

— Et qu'as-tu pensé, en les lisant ?

— Ce que j'ai pensé ? Qu'elle avait été folle de gâcher toute cette énergie pour moi. Pour un type qui a un boulot minable dans une librairie minable, qui passe son temps à lire des mangas, qui n'a pratiquement pas de copains, pas de petite amie… En plus, un psy nous a dit, à ma mère et moi, que cette façon que j'avais de parler sans arrêt, de déballer tout ce qui me passe par la tête était une tendance maniacodépressive.

— Ta mère t'aimait plus que n'importe qui.

— Ouais, et ça lui a rapporté quoi ? Et vous aimer, vous ? Ça lui a rapporté quoi ? – Il m'a dévisagé. – Ça fait mal, hein ? Allez, dites la vérité ! Ça fait mal ?

— Oui, ai-je murmuré.

— Très bien, a-t-il répliqué du même ton indifférent. Venez. Je vais vous montrer où elle a vécu.

Quand j'ai fait mine d'arrêter un taxi à la sortie de Karl Marx Allee, Johannes a protesté, estimant que nous n'allions pas loin et que c'était gaspiller de l'argent. Je ne me sentais pas la force de marcher, pourtant : le décalage horaire, la fatigue et l'impact émotionnel de ma rencontre avec lui, la découverte de sa franchise presque brutale mais d'une troublante perspicacité, de l'univers psychologique visiblement impénétrable dans lequel il évoluait, ce mélange d'étrangeté radicale et de lucidité qui m'avait interdit de lui poser la question qui me brûlait les lèvres à propos de l'enfant, de « notre » enfant, tout cela me mettait au bord du vertige. Je l'ai convaincu de me laisser commettre cette petite extravagance. Dans la voiture, il m'a appris qu'il espérait ouvrir bientôt sa propre boutique de bandes dessinées et qu'il avait déjà repéré un local à Prenzlauer Allee, entre Marienburgerstrasse et Christburger Strasse, à cinq minutes à pied de son domicile de Jablonskistrasse.

— Prenzlauer Berg est devenu un repaire de jeunes friqués. La clientèle idéale pour ce genre de business, si seulement j'arrive à convaincre une banque de me prêter des fonds…

— Tu gagnes combien, dans ton job actuel ?

— Dans les huit cents euros nets. Mais, grâce à maman, je n'ai pas de loyer à payer. Et je dépense très peu. J'ai même réussi à économiser quelques ronds, environ quatre mille. Il suffirait qu'une banque m'en prête quinze encore et je ferais la librairie de BD la plus cool de la ville. Ce local, il fait presque cinquante mètres carrés, le proprio réclame un peu moins de mille euros par mois, ce qui est pas donné, mais j'ai calculé que je pourrais avoir un chiffre d'affaires de douze mille euros mensuels.

— Et tu serais ton propre patron.

— Exactement. Ce qui est tout autre chose que de travailler pour un mec qui entrave que dalle aux mangas, et n'a aucun respect pour cette forme artistique. Il fait ça pour le fric, pas parce qu'il aime. Maman disait que vous, vous aimiez ce que vous faisiez, et que ça se sentait dans vos livres.

— C'est vrai ?

— Ouais. L'amour de l'écriture, du voyage, de la fuite…

— Oui, pour ce qui est de la fuite, je m'y connais.

— Ça aussi, elle l'a dit.

Son immeuble de Jablonskistrasse n'avait pas été rénové et exsudait encore la morosité typique de l'ex-RDA. Comme tous ceux de la rue, il était couvert de graffitis qui semblaient avoir envahi tout Berlin. Johannes m'a expliqué que la copropriété exigeait trois mille euros de chaque résident pour procéder à une réfection des parties communes mais que personne ne pouvait se permettre une pareille dépense. En arrivant au dernier étage, je me suis attendu au pire, à un désordre indescriptible et à une négligence confinant à la saleté, et certes le triste couloir mal éclairé ne présageait rien de bon, mais c'est tout le contraire que j'ai eu sous les yeux en entrant chez lui.

Johannes devait avoir conclu que l'ordre domestique était une solution en regard du grand désordre du monde car son logis, relativement spacieux et lumineux, était impeccablement tenu. Le living était sobrement meublé d'un canapé et d'un fauteuil noirs qu'il m'a dit avoir récupérés sur le trottoir devant un magasin de meubles, trouvaille qui avait enchanté sa mère, et qu'il avait fait réparer et retapisser par un ami pour seulement cent euros, une somme qu'il a mentionnée avec une fierté évidente. J'ai été frappé par la cinquantaine de planches de mangas exposées aux murs, non encadrées – « C'était au-dessus de mes moyens », a-t-il précisé – mais soigneusement fixées par des bandes d'adhésif noir qui faisaient l'effet d'un cadre, et alignées avec une précision remarquable.

J'ai noté que le coin cuisine était très propre, que les centaines de bandes dessinées sur les étagères étaient classées par ordre alphabétique, de même que la collection de CD – pour l'essentiel des groupes de heavy metal scandinaves dont j'ignorais l'existence – près de son lit refait avec une netteté d'hôpital. Après m'avoir montré sa chambre, il a ouvert une porte et annoncé :

— Et c'est là que maman travaillait et dormait.

Je suis resté pétrifié devant cette pièce exiguë qui ne devait pas faire plus de sept mètres carrés, meublée d'un lit une place et d'une table blanche sur laquelle était posé un ordinateur d'une génération révolue. Mais ma stupéfaction a été à son comble lorsque mes yeux se sont arrêtés sur les deux longues planches qui surplombaient son espace de travail : elles étaient couvertes de multiples versions des quatorze livres que j'ai publiés jusqu'ici, en éditions originales et de poche, de même que dans leurs traductions en allemand, français, italien, grec, polonais, suédois et finlandais. Quatre gros boîtiers en carton les retenaient au bout, tous avec l'étiquette « T. N. Journalismus » sur la tranche. Johannes a ouvert l'un d'eux, et j'ai découvert qu'il contenait tous mes articles parus dans la presse ces vingt dernières années, des reportages pour le *National Geographic* aux critiques littéraires pour le *New York Review of Books* et le *Times*.

Comment avait-elle réussi à se procurer tout cela ? Je me suis laissé tomber sur la chaise de Petra, incapable de retenir plus longtemps le chagrin que cette vue m'inspirait. Et j'ai pleuré, oui, dans cette petite chambre à l'atmosphère studieuse, j'ai pleuré. Parce que pendant toute cette éternité où j'avais pensé à elle mais où je m'étais surtout enjoint de ne pas revisiter le passé, de ne pas ouvrir cette boîte de Pandore, où j'avais porté le deuil de ce que j'avais moi-même gâché et piétiné, où je m'étais rongé en secret à la pensée des conséquences que ma dénonciation avait dû avoir sur elle…

Pendant tout ce temps, elle était restée avec moi. Elle avait suivi de loin mes publications et ma carrière, elle avait trouvé mes livres sous toutes les formes disponibles, elle avait réuni les moindres contributions journalistiques dont j'étais l'auteur, elle avait voulu rester au courant de ce que je faisais, de mes centres d'intérêt successifs, de ce que je pensais et j'exprimais sur le monde et la vie tels que je continuais de les explorer. Et devant cette collection minutieusement gardée et complétée, devant cet hommage à l'œuvre modeste que je laisserai sur cette terre quand la mort m'appellerait enfin, une réflexion se gravait en moi, dans toute sa force accablante : elle m'avait aimé, jusqu'au bout, et je n'avais pas été capable de le voir.

Assis au bord du lit, Johannes me regardait pleurer d'un air impassible. Lorsque je me suis repris, il a dit de cette voix toujours étrangement égale :

— Je vous détestais, avant. Chaque fois que ma mère dépensait plus qu'elle ne pouvait se permettre pour faire venir un de vos damnés bouquins, chaque fois qu'un paquet arrivait de New York ou de Lisbonne – parce qu'il lui fallait les foutues traductions, aussi… –, elle faisait ce que vous venez de faire : elle se mettait sur cette chaise et elle pleurait.

Il s'est levé, a passé la main sur les livres alignés au-dessus de moi et en a retiré une enveloppe en papier kraft qu'il a jetée sur la table. Mon nom était indiqué dessus, et c'était l'écriture de Petra.

— Elle a dit que si jamais vous reveniez un jour à Berlin, je devais vous remettre ça. Mais il vaut mieux que vous alliez la lire ailleurs, j'ai pas vraiment envie que vous restiez ici.

Mécaniquement, je me suis levé, j'ai pris ce que Petra lui avait confié pour moi et je l'ai suivi à la porte d'entrée, qu'il a ouverte. Après avoir passé le seuil, l'enveloppe maintenant sous le bras, j'ai bredouillé :

— Je suis désolé, tellement… désolé.

Les yeux perdus dans le couloir, Johannes a seulement dit :

— On l'est tous, non ?

2

Très cher Thomas,
Enfin. Finally. Endlich.
Le mot allemand est peut-être le plus adéquat, ici :
« À la fin des choses. » C'est de cela qu'il s'agit. Et
c'est une lettre que j'aurais dû écrire il y a des années
déjà, non, des dizaines d'années, mais dont j'ai
toujours repoussé la rédaction pour plein de raisons,
certaines compliquées, d'autres trop personnelles,
d'autres encore beaucoup trop banales.
Endlich. *Enfin.*
Par où commencer ? Par les faits, bien sûr. Ces cinq
dernières années, j'ai été la proie d'un type de cancer
du sang qui a un intitulé médical assez intimidant :
« leucémie lymphoblastique aiguë à proliférations B ».
J'ai énormément potassé sur cette chose qui ne m'a pas
laissé de repos et qui paraît résolue à me retirer la vie
plus tôt que je l'aurais aimé. Il existe vingt-deux sous-
catégories de cette maladie mais cette définition que
j'ai trouvée sur Internet résume bien sa réalité, je
crois : « La leucémie aiguë est caractérisée par une
prolifération anormale et excessive de précurseurs des

globules blancs, dits immatures, qui finissent par envahir complètement la moelle osseuse puis le sang. S'installe alors un tableau d'insuffisance médullaire, avec production insuffisante de globules rouges, de globules blancs normaux et de plaquettes sanguines. Un traitement d'urgence est requis afin d'éviter la propagation des cellules leucémiques. »

Mon côté le plus enclin à l'humour noir n'a pas manqué de s'arrêter sur ce qualificatif d'« immature » appliqué à la force maligne qui a peu à peu ruiné mon organisme : n'a-t-elle pas commencé à le faire alors que je n'avais pas encore trente ans et que je restais moi-même plutôt immature devant la vie ? Ou bien suis-je en train de chercher une métaphore inutile ?

Quoi qu'il en soit, j'ai aussi noté parmi les nombreuses causes de la leucémie affectant les sujets adultes l'« exposition à la radioactivité naturelle et artificielle ». Avoir fumé deux paquets par jour plus de trente ans durant n'a certes pas arrangé le tableau, mais il s'avère que « la piste des radiations était la bonne », pour imiter le style mélodramatique des polars de jadis. Tu te rappelles certainement comment j'avais été « photographiée » à la prison de Hohens-chönhausen après ma première arrestation ; en 1984, quand j'ai été expulsée de Berlin-Ouest, j'ai encore passé un moment dans cette sinistre bâtisse, non qu'on m'ait dit précisément où j'étais mais je ne me souvenais que trop bien des lieux. La raison, c'était la mort de leur précieux Haechen, la Stasi s'étant convaincue que je ne pouvais qu'être la coupable.

Ils m'ont bouclée dès que les Américains et les Alle-mands de l'Ouest m'ont livrée à eux, ignorant mes

supplications pour qu'ils m'accordent l'asile politique.
« On a déjà fait ça et regardez ce que ça nous a rapporté », m'a lancé l'un de tes compatriotes avant que je sois reconduite à la frontière. Ils pensaient tenir la meurtrière, donc, mais j'avais pris de telles précautions qu'ils n'avaient aucune preuve concrète contre moi – et puis Haechen lui-même n'avait laissé aucune trace écrite de son intention de me retrouver à Hambourg. Ils ont essayé toutes sortes de pressions psychologiques, bien entendu, privation de sommeil, dix-huit heures d'interrogatoire quotidien pendant une semaine d'affilée, etc., mais j'ai tout de suite compris que j'avais une carte maîtresse : le silence. Si j'avouais, j'étais perdue, c'était la prison à vie, le cauchemar sans fin ; si je me taisais, ils n'avaient pas de prise sur moi. Alors j'ai vécu cinq mois de guerre des nerfs féroce, dans leur forteresse. Et tous les trois jours environ, ils me conduisaient dans cette pièce pour être photographiée encore et encore. Et chaque fois, j'avais des marques rouges sur le dos. C'est moi qui les ai eus à l'usure, pas eux. Ils ont compris qu'ils ne tireraient rien de moi, mais ils m'ont aussi dit que j'avais perdu la dernière chance de retrouver Johannes.

Mais tu dois savoir une chose : je me suis rendu compte que j'étais enceinte. De notre enfant. Six ou huit semaines, peut-être. Avant d'être relâchée, j'ai été soumise à un examen médical complet et l'analyse de sang a confirmé ma grossesse. Grâce aux rapports que Haechen avait transmis sur mon compte, ils savaient que tu étais le père et ils sont passés aux actes. On m'a ramenée à l'infirmerie de la prison, dans une pièce isolée, en prétextant un simple complément d'examen, mais j'avais l'intuition qu'une horreur se préparait. J'ai crié, demandé à voir le médecin en chef, un avocat... Deux infirmiers se sont précipités sur moi et m'ont maintenue pendant que la doctoresse de garde me faisait une piqûre.

À mon réveil, quelques heures plus tard, j'étais attachée sur le lit avec des sangles. Je savais ce qu'ils avaient fait pendant que j'étais sous anesthésie, ne serait-ce qu'à la douleur lancinante entre mes jambes. Le médecin, une femme – son nom était Keller, je ne l'ai pas oublié –, est venue me voir et elle a souri, oui, elle a pu sourire en me déclarant : « On vous a curée de la saleté capitaliste que vous aviez en vous. Nettoyée. »

Là, je me suis juré que je la détruirais un jour, tout comme j'avais réglé mes comptes avec Haechen, tout comme je voulais découvrir l'identité de ceux qui avaient pris Johannes et les supprimer de cette terre. Maintenant, je suis épouvantée en y repensant mais, alors que j'avais pu pardonner à Judit parce qu'elle avait cédé à une pression terrible, j'étais incapable de pardonner à ceux qui avaient tout bonnement permis au système d'encourager leur cruauté naturelle. Aujourd'hui, à quelques jours de ma mort, je peux reconnaître que je n'ai jamais perdu le sommeil d'avoir poignardé Haechen ; il me tuait à petit feu, lui, et je savais qu'il n'aurait pas hésité une seconde s'il avait reçu l'ordre de me liquider.

Je crois que, si la Stasi m'a épargnée, c'est parce que les Américains et le Bundesnachrichtendienst étaient au courant de mon existence. Même un « suicide » en prison aurait été gênant pour eux, alors ils ont préféré me casser psychologiquement, me faire perdre cet enfant, le nôtre, que je désirais tant. Et ensuite, m'envoyer dans le coin le plus accablant de ce pays accablant, Karl-Marx-Stadt. Bannissement inté-rieur, comme ils disaient. C'était une ville industrielle absolument dénuée de charme, de personnalité et de culture, mais il y avait une station locale de la radio d'État, la DDR Rundfunk, et ils m'y ont donné un petit travail. Et un appartement minuscule. Je me suis liée avec un collègue de la radio, nous avons commencé à coucher ensemble. Hans Schygula, il s'appelait. Banni de la capitale, lui aussi, mais son « crime » avait été de passer du free jazz dans son émission, et même une fois du Stockhausen... Il était plus âgé que moi, à peu près la cinquantaine, divorcé, un homme cultivé et bon. Il m'a aidée à continuer à vivre, et moi j'ai surmonté ce qui s'était passé avant d'arriver là, la perte de notre enfant, en me forçant à ne plus y penser.

J'imagine que tu as dû penser que je te détestais pour m'avoir livrée. C'est vrai qu'il y a eu des moments, surtout au début, avant mon expulsion de Berlin-Ouest, et après l'avortement forcé, où je t'ai haï. Je le dis sans détour mais tout aussi honnêtement, mon amour : je me haïssais également, pour ne pas avoir eu le courage de tout te raconter dès que nous nous étions connus.

J'aurais réagi comme toi, si j'avais été à ta place. Mon seul espoir, depuis toutes ces années, c'est que tu n'as pas trop souffert de tout ça, même si j'ai remarqué dans tes livres – et je les ai tous lus ! – la récurrence du thème des peines secrètes que chacun d'entre nous porte en soi. J'ai aussi vu dans tes écrits les plus récents les allusions à la fragilité de ton mariage, et j'ai toujours eu la sensation que la douleur provoquée par ce que le sort nous a infligé à tous les deux ne s'était jamais complètement dissipée.

Quant à moi, je ne peux que remercier Hans de m'avoir rendu les années de bannissement à Karl-Marx-Stadt à peu près supportables. Et puis, le Mur est tombé. En l'espace de quelques jours, nous avons pu nous rendre librement à l'Ouest. Je suis allée à pied à Kreuzberg – c'était irréel ! – et j'ai récupéré les cahiers du journal que j'avais cachés dans la cave de mon immeuble. J'ai aussi trouvé une avocate fantastique, Julia Koch, spécialiste de la défense des droits civiques, qui a écouté toute mon histoire et celle de Johannes. Elle a résolu de faire de notre cas un exemple, un précédent judiciaire qui démontrerait que l'on pouvait faire payer les membres de l'ancienne Stasi pour leurs actes. Il ne lui a fallu qu'un mois et demi pour que des articles commencent à paraître dans la presse berlinoise en exposant l'attitude des Klaus, qui avaient accepté une adoption imposée sous la menace. Cela a fait pas mal de bruit, d'autant que des témoignages sont parvenus aux rédactions pour dénoncer le comportement de ces individus quand ils appartenaient à la police secrète, leurs méthodes d'interrogatoire particulièrement vicieuses. Je n'ai pas eu tous les détails, je sais seulement qu'à la fin de l'enquête administrative ils ont perdu leur appartement de Friedrichshain et qu'ils se sont retrouvés mutés à des postes mineurs au service des impôts.

La doctoresse qui avait eu tant de plaisir à m'annoncer la mort de notre enfant, mon avocate ne l'a pas épargnée, non plus. Dès que son nom a été rendu public, une trentaine de femmes qui avaient toutes été emprisonnées à Hohenschönhausen à un moment ou à un autre se sont manifestées pour l'accuser d'avoir opéré des avortements et des stérilisations non consentis. Interdiction lui a été faite, à vie, de pratiquer la médecine. Six mois après, elle est morte au volant de sa voiture, qui a fait une chute dans une rivière alors qu'elle conduisait en état d'ébriété avancée.

J'aimerais pouvoir dire que sa fin m'a réjouie mais ce n'est même pas vrai. J'ai simplement pensé que les gens commettent des atrocités en se justifiant par des formules telles que « Je ne faisais qu'obéir aux ordres », ou « On m'avait dit que c'était pour le bien de la patrie », ou « C'est à cause du système que je suis devenu comme ça », et qu'ils croient résoudre ainsi des problèmes affectant la communauté à laquelle ils appartiennent. Par tous les moyens : en essayant d'exterminer des millions de personnes, ou en édifiant une « protection antifasciste » qui enferme tout un peuple dans une logique totalitaire. Mais la vérité, c'est que les murs finissent par s'effondrer, que les systèmes politiques les plus acharnés à se perpétuer finissent par tomber en morceaux, que toute une réalité collective se révèle soudain invivable. Et le cirque humain continue sa route, changeant son chapiteau de place.

Il y a quelque temps, quand j'arrivais encore à marcher, j'ai demandé à Johannes de m'emmener à la porte de Brandebourg. Dans mes souvenirs, le Mur avait toujours été là, juste devant ces arches solennelles par lesquelles nous pouvions apercevoir les ruines du Reichstag et les arbres du Tiergarten, l'Ouest si proche *et si lointain, la planète interdite que nous ne serions jamais autorisés à visiter... Et puis, Gorbatchev a décidé qu'il ne voulait plus soutenir à bout de bras notre triste petite République, et les confins du système se sont éboulés, et le centre a cédé aussi. Maintenant, c'est une porte par laquelle on peut passer.*

J'étais là-bas il y a quinze jours, avec mon fils. L'enfant qui m'avait été arraché à cause de tout ce que le Mur symbolisait. Johannes a vingt-huit ans, mainte-nant. C'est un garçon merveilleux, original, mais il y a beaucoup de gens qui le trouvent étrange, dérangeant. Oui, il vit dans son monde à lui, un monde de bandes dessinées japonaises qui a peu à voir avec la réalité quotidienne d'ici. Est-ce que ça ne le rend pas plus inté-ressant ? Il a peu d'amis, il n'a pas de fille près de lui mais c'est quelqu'un de droit, de juste. Un très bon fils. Chaque fois que je le regarde, je repense à ce qui nous a séparés et à la providence qui nous a réunis. Plus de vingt ans ont passé, depuis. Il me dit qu'il ne se souvient presque pas des cinq années où il a vécu loin de moi, et il n'a aucun souvenir précis de la RDA.

Devant la porte de Brandebourg, alors qu'il me tenait par le bras, il m'a demandé :

— Alors, il y avait vraiment un mur, ici ?

— Tu le sais bien, Johannes. Je te l'ai raconté plein de fois et tu as étudié tout ça à l'école.

— Mais ils n'ont rien laissé ?

— Non, c'était trop horrible pour qu'on en laisse quoi que ce soit.

— Justement pour ça, ils auraient dû, a-t-il répliqué. Pour que les gens se rappellent.

J'ai été impressionnée par sa clairvoyance. Je n'aurais pas pu mieux dire, franchement. Pourtant, il en viendra à comprendre en mûrissant que si nous continuons à contempler les murs qui nous ont divisés et enfermés, nous resterons dans les griffes de l'horreur qu'ils matérialisaient. Voilà peut-être la question la plus difficile de toute l'aventure humaine : est-il réellement possible de toujours regarder en avant, comme on nous encourage sans cesse à le faire, ou bien devons-nous garder certains vestiges essentiels de notre passé, si douloureux soient-ils, comme un rappel que certains aspects de la vie nous transforment si profondément qu'ils nous habitent à jamais ? Pouvons-nous vraiment refermer la porte sur ce qui continue à nous hanter ?

J'ai tant désiré avoir un enfant à nous. Je sais que je n'aurais pas dû arrêter la pilule sans te le dire, et si j'avais eu la force de te parler des ombres qui s'accrochaient à moi... Mais je ne l'ai pas fait, et c'est seulement maintenant que je comprends pourquoi : je ne me croyais pas digne du bonheur que tu personnifiais, de la vie que nous aurions pu nous donner l'un à l'autre. C'est peut-être ce qu'il y a eu de plus dur, pendant tout ce temps : savoir que tu étais l'homme de ma vie, que je n'avais jamais éprouvé cela envers personne et que je ne l'éprouverais jamais plus ; savoir, et c'est l'immense tristesse que j'emporte avec moi dans la tombe, que j'ai eu un instant avec toi, un instant unique et extraordinaire.

Mais si nous n'arrivons pas à le retenir et à le développer, cela n'est rien de plus qu'un instant et la vie, comme le temps lui-même, a sa logique implacable, elle avance coûte que coûte. Jusqu'à ce qu'elle nous laisse derrière elle.

À l'idée que la vie va m'être enlevée alors que j'ai à peine dépassé les cinquante ans, je repense à ces hommes et à ces femmes de la prison qui avaient reçu l'ordre de m'irradier et qui, près de trente ans plus tard, ont précipité ma marche vers la mort. Lorsqu'ils auront disparu à leur tour, lorsque la vieillesse et la maladie les auront éteints eux aussi, dans quelques décennies à peine, quelqu'un se souviendra-t-il que la police secrète d'un État tombé dans les oubliettes de l'Histoire s'était mis en tête de soumettre ses prisonniers politiques à des radiations pour mieux les contrôler, les condamnant ainsi à une forme de cancer incurable ? Qui, de nos jours, se préoccupe des effets meurtriers du gaz moutarde pendant la Première Guerre mondiale ? Ou des ravages que la typhoïde provoquait dans les tranchées ? Y a-t-il eu une femme dans le Berlin de 1910 à qui l'on avait injustement retiré son enfant d'un an et qui n'a pas eu comme moi la chance de le retrouver, qui a passé tout le reste de sa vie marquée par cette perte ? Qui peut témoigner de sa tragédie, aujourd'hui ? Personne. Ses proches, ses amis, ses collègues, ses voisins, les cousines qu'elle retrouvait chaque été comme le vendeur de journaux à qui elle achetait un quotidien dans la rue chaque matin, tous ont déjà quitté ce monde. Songe pourtant à la souffrance qu'elle portait en elle et qui côtoyait tous ceux qui se débattaient sur terre à la même époque. Tous ces êtres luttant comme nous maintenant contre les réalités si brutales et si prenantes de la vie, effacés par la succession des générations. Et toutes leurs peines ? Évanouies. Oubliées.

Je n'ai pas eu une existence malheureuse, au bout du compte. Non. Hans est revenu de Karl-Marx-Stadt avec moi et il s'est battu pour retrouver une place à la radio de la nouvelle Allemagne unifiée. Chacun a gardé son domicile, d'abord parce que je voulais laisser à Johannes le temps de s'accoutumer à sa nouvelle vie et aussi parce que cet arrangement nous convenait bien, à tous les deux, mais nous avons formé un couple jusqu'à sa mort, il y a deux ans, d'un cancer du pancréas. Était-ce de l'amour ? Pas vraiment, mais il était mon compagnon, mon rocher. Quand les symptômes de ma maladie se sont aggravés, c'est lui qui m'a poussée à reprendre contact avec Julia, l'avocate qui m'avait défendue bec et ongles, et elle a réussi à m'obtenir des indemnités de l'État. Rien d'énorme mais de quoi acheter l'appartement pour Johannes, pour que je meure en sachant au moins que mon fils aura un toit au-dessus de sa tête.

C'est de lui que je voudrais maintenant te parler, mon chéri. Hans disparu et moi sur la fin, Johannes sera bientôt seul au monde. Je sais qu'il se débrouille très bien tout seul au quotidien mais je crains qu'il ne mène une existence trop solitaire, qu'il ne s'enferme trop en lui-même, et c'est pourquoi je me permets de te demander une seule chose, si c'est possible : sois son ami. Il a besoin de quelqu'un à qui se confier, qui puisse lui donner des conseils et être son soutien.

Le fait que tu lises ces lignes signifie que tu es venu jusqu'à Berlin ; tu pressentais que tout n'était pas réglé, et le regret ne s'est jamais estompé. J'aurais dû *te contacter bien plus tôt, il y a des années. J'en ai rêvé, tu sais, mais j'ai toujours repoussé cet espoir. J'avais honte de t'avoir menti, et j'étais persuadée que je n'étais pas digne d'être pardonnée. Nous sommes stupides, tu ne trouves pas ? Nous nous raccrochons à nos tourments, à nos petits drames, et nous nous en servons pour saboter ce que nous voudrions de la vie et que nous aurions mérité, en plus...*

T'aimer. Être aimée de toi. Quel privilège. Je te méritais, et tu me méritais. L'instant s'est présenté, et il est passé. Je pense toujours à nous, et je pleure.

Ich liebe dich. Damals. Jetzt. Immer.

Deine Petra.

3

« Ich liebe dich. Damals. Jetzt. Immer. »
Je t'aime. Jadis. Maintenant. Pour toujours.
« Deine Petra. »
Ta Petra.
La dernière page abandonnée sur la table de ma chambre d'hôtel, je suis resté immobile très longtemps. Il était minuit passé. Auparavant, j'avais dîné à Prenzlauer Berg, seul, et j'avais erré dans les rues très chic des alentours de Kollwitzplatz, passant devant le numéro 33 de Rykestrasse, là où la femme qui avait trahi Petra avait vécu, là où j'étais venu récupérer les photos de l'enfant de celle que j'aimais et que j'avais aussi trahie, à ma façon.

Petra. Meine Petra.

C'est seulement après un verre dans un café du quartier, puis un autre au bar de l'hôtel, que j'avais trouvé le courage de monter dans ma chambre et d'ouvrir l'enveloppe. J'avais lu la lettre de Petra une fois, puis je m'étais mis à faire les cent pas, désemparé. Une deuxième. Une troisième, et soudain j'ai bondi sur mon manteau avant de me jeter dehors. Froid. Neige fraîche.

J'ai pris à droite. Un chantier béait là où s'était jadis élevée cette monstruosité de béton qu'avait été le Parlement est-allemand. Au cours de sa démolition en 2002, on avait découvert que ses murs étaient bourrés d'amiante, à un niveau dangereusement toxique. Comme les radiations, l'exposition prolongée à l'amiante provoque des cancers.

J'ai continué à marcher. J'ai aperçu le Berliner Dom rénové, le Musée municipal rénové, le Staatsoper rénové, les bâtiments rénovés de l'ancienne université de Humboldt, là où Petra avait fait ses études. La fin du communisme exigeait un ravalement de façade général. Unter den Linden, l'artère de Berlin-Est à la grandiose morosité, était maintenant une ode au mercantilisme et à la séduction touristique : un musée Guggenheim, un concessionnaire Ferrari, un Starbucks. Les villes sont capables de se réinventer ainsi, de jouer avec leur identité, de devenir autre chose sous le même extérieur remis au goût du jour. Et nous aussi, en tant qu'individus, nous pouvons perdre du poids, prendre des muscles, laisser au contraire la graisse triompher, nous habiller d'une manière qui correspond à l'image que nous voulons donner aux autres, faire étalage de notre aisance ou de notre dénuement matériels, manifester notre optimisme ou notre scepticisme, bref modifier notre apparence comme les villes le font. Mais nous sommes incapables de changer l'histoire personnelle qui nous constitue. Nous sommes l'accumulation des paradoxes que la vie a mis sur notre chemin, stimulants ou atterrants, porteurs d'une lumière cristalline ou des plus denses ténèbres. Nous sommes le résultat de ce qui nous est arrivé, et nous avançons toujours chargés de ce qui nous a définis, de ce dont nous avons manqué, de ce que nous avons voulu sans avoir pu l'obtenir, de ce que nous avons trouvé et perdu.

Petra avait tellement raison : certaines expériences nous transforment si profondément qu'elles demeurent à jamais avec nous, et nous ne pouvons pas vraiment refermer la porte sur ce qui nous hante.

Petra. Meine Petra.

J'ai pris Friedrichstrasse à gauche. Ici, les boutiques étaient encore plus huppées, montres suisses, haute couture parisienne, mobilier suédois, chocolats belges… Les vitrines étaient obscures et protégées par des grilles, les trottoirs déserts. J'avais la ville pour moi et j'avançais avec les mots de Petra ricochant dans ma tête. La sensation de perte était toujours aussi aiguë, vingt-six ans plus tard.

Est-ce que je serai un jour en paix avec mon passé ? Avec ce bonheur trouvé et abandonné, gaspillé ? Nous avons beaucoup plus de pouvoir sur notre destinée que nous ne voulons bien l'admettre. Confrontés à une tragédie, nous avons la possibilité de choisir entre la laisser nous entraver, et nous débrouiller pour continuer à aller de l'avant ; nous avons toujours le choix de rester ou de partir. Nous pouvons aspirer à la stabilité domestique tout en redoutant les restrictions qu'elle suppose, avoir conscience de prendre une décision fondamentalement erronée et cependant nous y tenir. Accueillir l'amour ou l'esquiver.

J'étais tombé dans tous ces travers, moi, et c'est seulement avec la voix de Petra à nouveau si présente dans mon cœur que je comprenais comment les choix d'hier m'avaient conduit au point où j'étais désormais, un marcheur solitaire dans une cité endormie, endeuillé, séparé d'une femme que je n'avais jamais réellement aimée, trop loin de ma fille et tourmenté pour toujours par la nostalgie de ce qui aurait pu exister entre Petra et moi, par l'intuition que ma vie aurait été différente, et probablement plus heureuse, si je l'avais écoutée quand elle me suppliait de la laisser s'expliquer.

« L'instant s'est présenté, et il est passé. Je pense toujours à nous, et je pleure. »

J'étais tellement perdu dans ces sombres médita-tions que j'ai été stupéfait en m'apercevant que j'étais parvenu à la station de métro de Kochstrasse. Comment était-il possible d'être arrivé là sans avoir à passer par le poste-frontière ? Mais parce que Checkpoint Charlie n'existait plus depuis belle lurette ! En revenant sur mes pas, j'ai constaté que le seul vestige du formidable dispositif de séparation idéologique qu'avait été le Mur était la célèbre pancarte « YOU ARE LEAVING THE AMERICAN SECTOR » en quatre langues. Tous les autres oripeaux de la guerre froide, les barrières automatiques, les rouleaux de barbelés, les bunkers, les sentinelles et leurs jumelles, les tireurs d'élite – bref, le rideau de fer – avaient été abolis. À part un modeste musée consacré à l'histoire du fameux point de passage, je ne voyais que des immeubles de bureaux flambant neufs à la place de cette division jadis infranchissable, du symbole de ce qui avait entièrement changé le cours de ma vie.

Parti en fumée. Effacé. Au point que je l'avais traversé sans m'en rendre compte.

À quelques exceptions près, les histoires indivi-duelles disparaissent sans laisser de trace, et il en est de même pour la plupart des délimitations géopolitiques.

Je suis rentré à l'hôtel un peu après deux heures du matin. Un email m'attendait : « Je vais à mon bar habituel, le *Café Uebereck*, Prenzlauer Allee. J'y serai jusque vers trois heures. Johannes. »

Dix minutes plus tard, j'arrivais en taxi à cet établissement vaguement gothique avec ses murs noirs et ses bougies sur la table. Johannes était assis dans un coin, lisant un manga, un verre de bière devant lui.

— Alors, vous aussi, vous avez du mal à dormir, a-t-il constaté quand je me suis approché.

— Tout le temps. Une autre bière ?

— Pourquoi pas ? – J'ai fait signe au barman de nous servir deux pintes. – Qu'est-ce qui vous empêche de dormir, ce soir ? Le décalage horaire ? La mauvaise conscience ?

— Un peu des deux, certainement.

— Vous avez lu la lettre de ma mère ?

— Oui.

— Et… ?

— Quoi, tu ne sais pas ce qu'elle a écrit ?

— Elle l'a mise dans une enveloppe qu'elle a fermée cinq ou six jours avant sa mort, en me demandant de ne jamais la lire mais d'essayer de vous faire venir à Berlin pour vous la donner. Toutes ses dernières volontés ont été réalisées, faut croire.

— Oui, faut croire, ai-je dit tout bas.

— Vous vous sentez toujours aussi coupable pour tout ?

Je n'ai pu m'empêcher de rire devant la franchise de sa question.

— Absolument.

681

— Maman disait souvent ça, à propos de vous. Que vos livres étaient pleins de regrets, et qu'elle avait l'impression que vous passiez votre temps à vous fuir vous-même. Elle était votre critique la plus perspicace.

— En effet. C'est également pour ça que je l'ai aimée plus que…

Il a levé la main tel un policier réglant la circulation.

— J'ai pas besoin d'entendre ça, parce que je l'ai déjà entendu d'elle. C'était votre première fan, ma mère. Votre plus fidèle lectrice. Les commentaires qu'elle faisait sur vos livres ! « Thomas décrit la jungle du Costa Rica comme si on y était, il faut que tu lises ça », « Dommage qu'il n'en raconte pas plus sur son iceberg de femme, dans ce chapitre ». On aurait cru que vous étiez dans la pièce.

— Elle savait que ma femme n'a jamais été très chaleureuse ?

— C'était lisible noir sur blanc, non ?

— Ce sera bientôt mon ex-femme, en fait. Nous sommes en train de divorcer.

— Et maman vient de mourir. Excellent *timing*, dites donc…

Je me suis mordu la lèvre, les yeux soudain brouillés.

— Quoi, j'ai dit quelque chose qu'il fallait pas ?

— Non, non, ça va…

— Non, ça va pas. Je vous fais chialer, alors pourquoi vous me traitez pas de salaud ou d'autre chose ?

— Parce que le salaud, ici, c'est moi.

— Non, vous, vous êtes le malheureux, ici. D'après ce que je sais, c'est comme ça depuis des années, mais je suis peut-être complètement à côté de la plaque.

— Loin de là.

— Donc, vous êtes le malheureux.

— Voilà. C'est moi.

— Ma mère a toujours pensé ça de vous. Elle soupirait : « Il est intelligent, il a du talent, il devrait être heureux… »

— Je l'ai été. Avec elle.

— Mais vous avez choisi le malheur, pas elle.

J'ai réussi à dissimuler le choc que sa remarque m'avait causé.

— Oui, c'est vrai…

Peu après, le barman nous a mis dehors en expliquant qu'il tenait à fermer à trois heures précises, cette nuit-là. Johannes a annoncé qu'il voulait me montrer l'emplacement de sa future librairie. C'était un ancien salon de coiffure, avec un panneau « À LOUER » dans la vitrine poussiéreuse, par laquelle j'ai réussi à voir que l'espace semblait suffisant pour le projet qu'il avait en tête.

— Tu m'as dit que c'était combien, par mois ? me suis-je enquis.

— Neuf cents.

— Ça me paraît raisonnable, vu le quartier.

— Ouais, c'est une bonne affaire. Et puis, je connais un menuisier et un peintre qui arrangeraient ça pour pas cher. La plus grosse dépense, ce serait le stock. Parce que je veux que ce soit la meilleure collection de BD non seulement de Berlin mais de toute l'Allemagne.

— Et tu penses que quinze mille euros suffiraient pour te lancer ?

— Si un banquier m'écoute cinq minutes, oui.

— Je vais te les donner, moi.

Il m'a lancé un regard surpris, interrogateur.

— Vous parlez sérieusement ?

— Complètement.

— Même si ça risque de capoter ?

— Ça va marcher.

— Comment vous en êtes si sûr ?

— Parce que tu es le cerveau de l'entreprise.

— Il y a plein de gens dans cette ville qui pensent que c'est justement pour cette raison que ça peut pas marcher.

— Je n'en fais pas partie.

— Je veux pas de votre charité.

— Dans ce cas, disons que ce n'est pas un don, mais un investissement.

— Que je rembourserai. Avec intérêts.

— Ce n'est pas indispensable.

— Pour moi, si.

— Entendu, alors.

— Vous l'avez, au moins, cette somme ?

— J'ai des économies.

— Mais vous devez pas être trop riche, non ?

— Laisse-moi me préoccuper de l'aspect financier, d'accord ?

— Vous faites ça par culpabilité, n'est-ce pas ?

— Cela fait partie de l'équation, en effet.

— Et le reste, c'est quoi ?

— Elle aurait voulu que ça se passe comme ça.

Silence. Il a baissé la tête mais j'ai aperçu des larmes perler au coin de ses paupières, des larmes qu'il s'est empressé d'essuyer.

684

— Ma mère me manque, a-t-il dit d'une voix étranglée.

— Je sais à quel point elle t'aimait, Johannes.

Pour la deuxième fois seulement depuis que nous nous connaissions, son regard a croisé le mien, et il n'a pas détourné les yeux. Maîtrisant son émotion, il a continué :

— Vous… Tu sais ce qu'elle m'a dit, le soir de sa mort ? Elle a dit : « J'ai toujours pensé que la vie était foncièrement injuste, depuis toute petite. Et puis je t'ai retrouvé et je n'ai plus jamais pensé ça, plus jamais. » Ça, venu d'une femme emportée bien trop tôt par un cancer qu'on lui a collé…

— Tu as été sa vie, Johannes.

— Toi aussi.

Je suis rentré en Amérique le lendemain soir. J'ai repris ma voiture à l'aéroport de Boston et j'ai regagné le Maine par l'autoroute. Il avait encore neigé, pendant mon absence, mais le jardinier qui se chargeait de dégager la voie d'accès à la maison à la pelleteuse avait même déblayé les marches du perron. En posant mon sac dans le living, je me suis rendu compte que je n'avais pas vraiment dormi depuis trois jours. J'ai également fait le constat suivant : revenir dans une maison vide était toujours aussi difficile…

Après avoir fourré mon linge sale dans la machine à laver, je suis resté sous la douche un bon quart d'heure, surmontant peu à peu les effets de dix heures de vol et de trois heures de conduite de nuit. Ensuite, je me suis servi une modeste rasade de whisky et j'ai vérifié ma boîte de messagerie électronique. Il y avait un email de

Candace : « Tu es dans le Maine, papa ? Avec toi, je ne sais jamais. Je pourrais venir du campus en voiture demain, si ça te dit d'aller dîner quelque part... » Aussitôt, j'ai répondu : « Pour que ce soit plus simple pour toi, c'est moi qui vais descendre à Brunswick. Rappelle-moi comment s'appelle cet italien que tu aimes tant ? À dix-neuf heures ? »

Johannes m'avait écrit, lui aussi : « J'ai parlé avec l'agent immobilier aujourd'hui, je dois signer le bail la semaine prochaine. L'avocat que j'ai pris va préparer un contrat entre toi et la société que je crée – je suis le seul actionnaire ! Tout ce qui concerne ta contribution financière sera très clair et j'aimerais que tu le fasses relire par un avocat quand tu l'auras, si possible un qui parle allemand. Comme je te l'ai dit, j'accepterai ton argent uniquement si c'est un investissement... et si tu promets de revenir à Berlin pour l'ouverture de la librairie. » En retour, je lui ai assuré que je serais présent pour le grand jour et je lui ai donné mon adresse Skype, s'il avait envie de me parler à un moment ou un autre. Il a répondu presque tout de suite : « Moi aussi, j'ai Skype ! Comme ça, on pourra bavarder sans dépenser un rond, et moi te barber pendant des heures avec tous les mangas que je veux que tu lises... » Ma réponse : « Avec plaisir. Appelle quand tu veux, à toute heure, parce que moi non plus je ne dors pas beaucoup ! »

Peu après, pourtant, j'ai cédé à la fatigue et à un sommeil réparateur de neuf heures d'affilée. À mon réveil, j'ai découvert l'une de ces rares journées de plein hiver dans le Maine où le ciel est d'un bleu vibrant, le froid vif mais pas polaire, la neige encore d'une blancheur immaculée. Dans la lumière parfaite du matin, le monde semblait brusquement bien ordonné, d'une surprenante rationalité.

Je me suis attelé à mon courrier en retard, puis j'ai ajouté quelques pages à un long reportage sur la Mauritanie que j'avais réalisé avant Noël. En fin d'après-midi, j'ai remis cap au sud pour rejoindre le restaurant italien de Brunswick dont ma fille raffolait. Elle était déjà là quand je suis arrivé, mais comme elle ne m'a pas remarqué immédiatement j'ai eu le temps de la contempler seule à la table, le maintien assuré et élégant, vêtue simplement mais avec goût d'un jean et d'un pull noirs, naturellement séduisante, les traits empreints d'intelligence sans avoir la sévérité anguleuse de sa mère. Elle était penchée sur un livre et mordillait le bout d'un crayon en papier.

— Il vaut la peine d'être lu, ce bouquin ? ai-je lancé en me postant devant elle.

Elle s'est redressée, m'a adressé un sourire radieux et pourtant non dénué d'une nuance d'inquiétude.

— Thomas Mann, *La Montagne magique*, dans la collection des « Grandes œuvres de la littérature étrangère en traduction ». J'ai un exam dessus, lundi.

— Et c'est très long. Un bon livre, dans le genre catégorique.

— « Catégorique » ? C'est bien, ça !

— Tu peux t'en servir, ai-je dit en m'asseyant. Tu me laisses te distraire en t'offrant un verre de vin ?

— Tu sais bien que je n'ai pas encore vingt et un ans, seulement dans quelques mois.

— Je prendrai tout sur moi si les flics débarquent.

— Ah, mon père le hors-la-loi ! a-t-elle plaisanté.

— Eh, n'oublie pas que quand j'étais étudiant ici, moi, l'âge légal pour consommer de l'alcool était dix-huit ans ! Mais bon, je te parle des années 70, cette époque de décadence où nous ne nous sentions pas obligés de dicter leurs moindres faits et gestes aux citoyens de ce grand pays…

— Tu parles comme un vrai anar !

— Non, je parle comme un type qui a dépassé la cinquantaine.

Le serveur s'est approché et j'ai commandé une demi-bouteille de chianti ; après avoir jeté un coup d'œil à Candace, il a haussé les épaules et il est allé chercher le vin.

— Tu vois, tu les as bernés, ai-je dit.

— Un verre, c'est tout.

— Pour moi aussi, parce que je reprends le volant, tout à l'heure. En plus, je viens juste de débarquer de quelque part.

— Et c'était où, cette fois, « quelque part » ?

— Oh, je n'avais pas bougé de mon trou depuis un mois et demi, quand même !

— C'est un nouveau record ?

— Eh bien, j'étais à Berlin, figure-toi.

— Retour aux sources ? Mais tu m'as l'air un peu tendu, ce soir. Il s'est passé quelque chose, là-bas, papa ?

— Plein de choses.

— Tu veux en parler ?

— Oui, mais pas maintenant.

À sa manière réfléchie, analytique mais bienveillante, elle m'a observé quelques secondes, puis elle a eu un sourire plein de compréhension.

— Pas de problème, papa. Je veux que tu me racontes tout, mais quand tu seras prêt. N'empêche que tu parais… « pensif », disons.

— C'est le terme approprié. Mais dis-moi, quand je suis entré et que je t'ai vue, tu m'as eu l'air « pensive », toi aussi. Ce n'était pas seulement à cause de Thomas Mann, si ?

La bouteille est arrivée. Nous avons trinqué. À son expression concentrée, presque tendue, j'ai senti que Candace se préparait à m'annoncer quelque chose qui n'était pas simple à exprimer. Une vague d'amour paternel m'a submergé devant cette jeune femme en proie à un conflit intérieur, ma fille se heurtant à toutes les complexités de l'âge adulte. Elle a baissé les yeux sur son assiette vide et, le souffle un peu précipité, a lâché :

— Paul m'a demandée en mariage.

Paul Forbusch. Un garçon qui suivait les mêmes cours qu'elle à l'université et que j'avais déjà rencontré quelquefois. Originaire d'une petite ville de l'État de New York, très gentil, très réservé, il préparait une maîtrise de philosophie des religions. Son respect et son adoration pour Candace sautaient aux yeux et il me l'avait lui-même avoué quand il était venu passer un week-end chez moi. Comme ils partageaient le lit de la chambre d'amis, je n'allais certainement pas jouer les pères outragés. Il avait attendu qu'elle monte se coucher avant lui pour se lancer :

— Euh, monsieur, vous savez que Candace, votre fille, est…

— Écoutez, Paul, nous ne sommes pas dans un roman de Jane Austen, là, alors appelez-moi Thomas. Et, oui, je sais que Candace est ma fille. D'accord ?

— Oui, monsieur… Thomas ! Je voulais dire que Candace est la meilleure chose qui me soit jamais arrivée.

— C'est très aimable à vous, Paul.

— Et c'est aussi la personne la plus intelligente que j'aie jamais rencontrée.

Immédiatement, je me suis demandé si ce que Candace voyait en lui était avant tout la sérénité et la stabilité, en réaction plus ou moins inconsciente à mes nombreuses absences durant son enfance et aux rapports plutôt distants entre sa mère et moi. Des qualités admirables, certes, mais pas exactement les plus stimulantes. Et voilà qu'elle m'apprenait que…

— C'était quand, cette proposition ? l'ai-je interrogée.

— Il y a trois semaines, à peu près.

— Je vois.

— Je sais que j'aurais dû te mettre au courant plus tôt.

— Pas du tout. Tu avais besoin d'y réfléchir avant de m'en parler.

— Je n'ai encore rien dit à maman.

— Et donc, tu te sens comment ? Surprise ? Ravie ? Horrifiée ?

— Tout ça à la fois ! Tu vois, Paul vient d'être accepté à l'institut de théologie de Yale. Il va avoir son diplôme, peut-être continuer avec un doctorat, et ensuite, il sera ordonné prêtre de l'Église épiscopalienne.

— Ah, excellent…

— Je perçois de l'ironie dans ce commentaire.

— Eh bien, les épiscopaliens ne sont tout de même pas des pentecôtistes, heureusement. Et c'est un garçon sympathique, mais…

— Je crois que je l'aime, papa.

— C'est assez essentiel, si tu dois l'épouser. J'attire cependant ton attention sur ce « je crois » dont tu as fait précéder ton affirmation. Alors, désolé si je ne bondis pas de joie en criant « Fantastique ! », mais…

— Il ne te convainc pas, c'est ça ?

— Je le trouve extrêmement gentil et bien élevé, et je sais également qu'il te place sur un piédestal…

— Je sens un « mais » prêt à suivre.

— Écoute, Candace, tu sais que j'ai mis quinze mille dollars de côté pour te faire un cadeau quand tu auras obtenu ton diplôme. Ce que j'espère, c'est que tu vas les prendre et parcourir le monde pendant un an. Fais l'Asie du Sud-Est, continue par l'Australie, procure-toi un de ces permis de travail qu'ils accordent aux jeunes diplômés, trouve-toi un job sur la barrière de corail ou dans un journal de Sydney – j'ai quelques bons contacts là-bas –, et ensuite, reviens, ou pas, et commence à réfléchir à ce que tu vas faire après.

— Autrement dit, « ne te marie pas ».

— Autrement dit, trouve d'abord ta voie dans le monde. Ne t'enferme pas dans une case délimitée. Surtout que tu pourrais vite t'apercevoir que ce n'est pas du tout celle qui te convient.

— Paul m'a dit la même chose ! Il est au courant de cet argent que tu veux me donner. Il sait que tu m'as encouragée à voyager, et il a dit qu'il aurait bien voulu que son chef comptable de père soit aussi cool que toi. Il veut que je parte, lui aussi, mais il voudrait que je revienne et qu'on se marie à ce moment.

— Il est très large d'esprit.

— Encore de l'ironie, papa.

— Je pense qu'il a raison. Vas-y, pars, voyage, sois aventureuse, et si après tu veux toujours l'épouser, alors…

— Je crois que je veux le faire maintenant, papa.

— Ah…

— Tu as l'air déçu.

— Tu ne m'as jamais déçu et tu ne me décevras jamais, Candace.

— Mais tu penses que je me jette dans un truc sans réfléchir. Sauf que j'ai beaucoup réfléchi, tu vois. Paul est quelqu'un qui a tellement de respect et d'amour pour moi, il n'essaierait jamais de me pousser dans une « case » où je ne voudrais pas être, dans un rôle dont je ne voudrais pas. Il me laissera toute la latitude dont j'aurai besoin.

— Oui, tout ça semble très positif, mais pourquoi ne pas accepter son offre et aller te promener un an, d'abord ?

— Oui, et peut-être rencontrer un beau surfeur à Bondi Beach qui m'apprendra ce qu'est le bon temps et me convaincra que la terre est nettement plus vaste que ce qu'un futur pasteur épiscopalien peut me proposer ?

J'ai souri de bon cœur, tandis qu'une voix intérieure me commandait : Arrête de jouer les donneurs de conseils, maintenant. Ferme-la !

692

— Je n'essaierai jamais de te dire comment tu dois mener ta vie, Candace. Sois bien sûre qu'il est l'homme que tu aimes vraiment, c'est tout.

— Je suis sûre, papa. D'accord, j'ai dit « je crois », tout à l'heure, mais c'était surtout défensif, parce que si j'avais dit « Oui, je sais que c'est lui », tu aurais certainement…

— Mon avis n'a pas d'importance, en fin de compte. C'est ce que tu ressens, toi, qui prime. Et si tu es réellement convaincue…

— Ça t'est arrivé, à toi, n'est-ce pas ?

— Oui, ça m'est arrivé.

— Mais pas avec maman.

— C'est elle qui te l'a dit ?

— En fait, oui. Et elle a aussi dit qu'elle ne l'avait non plus jamais ressenti complètement pour toi.

— Eh bien, pour être directe, elle l'est…

— Mais elle a ajouté que tu n'as jamais voulu lui en parler. D'« elle »…

— Peut-être parce que je lui aurais fait du mal inutilement ?

— Et qu'elle aurait compris que tu as été totalement amoureux de quelqu'un, une fois ?

— Quelqu'un que je regrette jusqu'à aujourd'hui, et dont je porte le deuil.

— C'est tellement triste…

— Non, c'est la vie. D'ailleurs, si ça avait marché avec cette autre femme, tu n'aurais pas existé.

— Donc, je suis quoi ? La consolation ?

— Tu es la lumière de ma vie, Candace.

Elle m'a pris la main, a chuchoté tendrement « Merci ». Et puis, fronçant légèrement les sourcils, elle a ajouté :

— Mais tu es encore si seul, papa…

— Ça pourrait changer.

— Seulement si tu le veux, toi.

— On doit tous garder l'espoir, Candace. Même quand on pense que tout est perdu, on doit se convaincre que la vie peut encore changer de cours, qu'elle offre encore plein de possibilités.

— Conclusion : si je me marie avec Paul et que dans dix ans tout tourne mal et que je me retrouve coincée avec deux enfants, sans argent…

— Je promets que je ne t'accablerai pas de « Je te l'avais bien dit ! ». Mais admettons que ça se passe ainsi. Admettons que ça tourne mal et que, oui, tu sois la mère de deux petits. Tout est une question d'interprétation : ou tu conclus que toutes les portes se sont fermées devant toi, ou tu décides que cette crise représente aussi une opportunité. Tu peux végéter dans une banlieue perdue et te morfondre, ou tu peux prendre tes gosses, les emmener dans un autre pays et recommencer autre chose. C'est ce qu'il y a de si tragique, chez plein de gens : ils oublient que la vie est quelque chose de très malléable, de très flexible ; qu'au fond, c'est nous-mêmes qui nous choisissons nos limites et nos horizons.

— Tout le monde n'est pas aussi libre que toi, papa.

— Moi, libre ? Pas tant que ça. Au contraire. Je vais même te dire, je suis tout sauf libre.

Quelques heures plus tard, alors que j'avais reconduit Candace à son studio près du campus, j'ai aperçu Paul par la fenêtre du rez-de-chaussée qu'elle occupait, installé dans un rocking-chair et studieusement penché sur un très, très gros livre.

— On peut passer te voir ce week-end ? m'a demandé ma fille.

— J'aimerais beaucoup.

— Je vais l'épouser, papa.

Avant que je puisse réagir, elle m'a serré dans ses bras, elle a ouvert la portière et elle est sortie de la voiture. J'ai attendu qu'elle soit à l'intérieur de la maison pour redémarrer et prendre la direction du nord.

En roulant, j'ai pensé que ma merveilleuse fille avait fort astucieusement choisi de faire sa déclaration finale avant de se hâter de quitter l'auto. Cette idée m'a assombri, d'abord, mais j'ai aussi compris sa logique.

Nous sommes très proches, Candace et moi, mais elle a presque vingt et un ans et elle doit prendre sa vie en main. Paul sera peut-être le meilleur qu'elle puisse attendre de l'existence, un homme qui l'aimera profondément, qui lui laissera la liberté dont elle a besoin tout en la faisant se sentir nécessaire, adorée, épanouie. Ou peut-être se muera-t-il en un petit pédant tatillon, exigeant, intraitable, qui transformera son quotidien en enfer, ou peut-être encore parviendront-ils à un moyen terme somme toute agréable après des débuts chaotiques… Ce qui importe, c'est ceci : nous prenons tous des risques, en vivant. Toujours. Sans cesse, nous nous persuadons de suivre un scénario, une trajectoire où nous espérons trouver ce qui nous satisfera, ou du moins ce qui nous permettra de penser que notre court passage sur terre a une certaine validité, une certaine cohérence, une certaine plénitude.

Plénitude.

Existe-t-il un seul aspect de l'aventure humaine qui soit « complet » ? Ou bien tout est-il successivement trouvé et perdu, perdu et retrouvé ?

Ma fille, mon unique enfant, veut se marier. Je lui donnerai ma bénédiction, évidemment. Tout aussi évidemment, je m'interroge sur les véritables raisons qui ont motivé sa décision et je ne peux que me demander si, comme nous tous, elle n'essaie pas de compenser ainsi ce dont elle a manqué dans les premières années de son existence. Cette idée provoque en moi un sentiment de culpabilité et, là encore très prévisiblement, je tente de l'atténuer en me disant que nous sommes comme des copains, elle et moi, que nous pouvons presque tout nous dire, que nous nous comprenons mutuellement.

« Tu es encore si seul, papa... »

C'est vrai. Mais j'ai aussi connu l'amour dans toute sa passion, dans toute sa profondeur. Perdu et retrouvé. Trouvé et perdu.

C'est Petra qui a employé le mot : quel « privilège », oui, cela a été de nous trouver l'un l'autre, même si cela n'a été qu'un bref, un fulgurant instant.

Et maintenant ?

Maintenant, je suis sur une autoroute, par une nuit aussi froide et sombre que le sont les nuits d'hiver ici. Maintenant, je suis un vaisseau solitaire qui fait cap au nord. Maintenant, je suis seul.

La route est large et vide. L'aube va poindre dans quelques heures. Un autre jour, encore un autre, chargé de possibilités exceptionnelles et de probables banalités. Le choix. Le choix est tout, et il n'est rien. L'histoire peut bien tourner, ou virer à la tragédie. Mais la route est toujours là, elle, et que cela nous plaise ou non nous devons la parcourir.

Comment nous la négocions, qui nous découvrons en chemin… L'amour est sans cesse la quête fondamentale, car que signifie une route sans destination concrète ? De quelle façon pourrions-nous maintenir cette avancée impétueuse mais toujours moins aisée, sans quelqu'un pour ralentir la course effrénée, pour lui donner un peu de sens, pour conférer un but crédible à ce périple ?

Petra. Meine Petra.

Serai-je à jamais hanté par elle ? Chaque route du monde que j'emprunterai continuera-t-elle à réverbérer ces six syllabes ? Parce que j'avais trouvé ce que tous nous cherchons éperdument, et puisque je l'ai perdu…

Il y a la route. Le jour suivant. Ce qui se profile à l'horizon. L'espoir d'une révélation et la crainte qu'elle ne se présente plus jamais à vous. Le besoin de se dire que la vie vaut pour ses actes II et la nécessité de continuer. La solitude au cœur de la condition humaine et le désir de la rompre, de rencontrer, d'échanger, et la peur inhérente à la rencontre, à l'échange.

Et au milieu de toutes ces forces discordantes, il y a aussi l'instant.

L'instant qui peut tout bouleverser ou ne rien changer. L'instant qui nous induit en erreur ou nous révèle enfin qui nous sommes, ce que nous cherchons, ce que nous voulons obstinément approcher et qui restera peut-être à jamais hors d'atteinte.

Peut-on vraiment échapper à l'instant ?

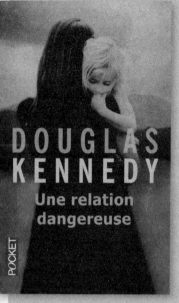

« [Un] roman
psychologique au
suspense décoiffant.
(...) Un régal. »

Martine de Tilly
Le Figaro

Douglas **KENNEDY**
UNE RELATION
DANGEREUSE

Quand Sally rencontre Tony... Un seul regard a suffi.
Tout s'enchaîne : mariage, maison, bébé. Mais peu à
peu, Sally s'enfonce dans la dépression. L'homme qui
partage son lit, cet inconnu trop vite épousé, semble
cacher de sombres secrets. Et l'idylle éclatante prend
soudain des allures de machination perverse...

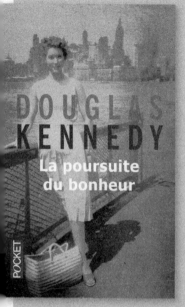

Douglas KENNEDY
LA POURSUITE
DU BONHEUR

Greenwich Village, au lendemain de la guerre. Un premier Thanksgiving sous le signe de la paix. Ce soir-là, Jack Malone liera à jamais son destin à celui de Sara. Malgré l'ombre grandissante du McCarthysme, la mort, l'Amérique, Jack et Sara se battront, jusqu'au bout, pour leur droit au bonheur...

Composition et mise en pages : FACOMPO, LISIEUX

Achevé d'imprimer
en mai 2014
sur les presses de
Black Print CPI Iberica
à Barcelone (Espagne)

POCKET - 12, avenue d'Italie - 75627 Paris cedex 13

Dépôt légal : janvier 2013
S22738/03